TOME DE REFERENCE DES CATALOGUES

DEUXIÈME ÉDITION

THE HANDBOOK
OF PHILATELIC RESEARCH

GUIDE DE RECHERCHE PHILATELIQUE

37 RUE DES JACOBINS - 80036 AMIENS CEDEX 1

AVANT-PROPOS

RODOLPHE FISCHMEISTER

Pourquoi cet ouvrage ?

Depuis 1840, date de l'apparition du premier timbre postal, plus de 650.000 timbres ont été émis par un total de près de 1000 pays, territoires ou bureaux différents. Ce nombre est considérable comparé aux quelques 250 pays ou territoires qui émettent des timbres aujourd'hui. La différence s'explique par les nombreux bouleversements politiques qu'a connus le monde depuis 1840. Suite aux guerres, colonisations, occupations, indépendances, réunifications, etc., qui se sont succédées, beaucoup de territoires ont acquis une légitimité politique ou tout au moins une autonomie postale à un moment de l'Histoire puis l'ont perdue quelques années plus tard, faisant place à un autre territoire où les timbres anciens n'avaient plus cours. Étudier au travers des timbres l'histoire de ces territoires et approcher ainsi les multiples aspects de l'évolution du monde constituent sans aucun doute un des attraits de la philatélie. Mais la première étape menant à cette recherche passe inévitablement par l'**identification de l'origine du timbre que l'on a devant soi.**

Répondre à la question **De quel pays vient ce timbre ?** ne présente guère de difficulté lorsque le timbre porte une légende telle que « **PRINCIPAUTÉ DE MONACO** » ou « **NIGERIA** ». Mais l'identification du timbre peut se révéler être beaucoup plus difficile dans certains cas :

• lorsque la légende ou la surcharge figurant sur le timbre mentionne le nom du pays dans la langue d'origine. Ce nom est parfois très éloigné du nom qu'on donne à ce pays en Français. Ainsi, les timbres d'Albanie portent aujourd'hui les légendes « **POSTA SHQIPTARE** », « **SHQIPERIA** » ou encore « **REPUBLIKA SHQIPTARE** ». L'identification de tels timbres peut poser un réel problème à un philatéliste débutant.

• lorsque la légende figurant sur le timbre mentionne le nom du pays sous forme d'un acronyme. Par exemple, il n'est pas évident d'identifier un timbre portant pour seule légende en caractères romains les inscriptions « **UAR** » ou « **YAR** ». Certes, des caractères en langue arabe figurant également sur ces timbres peuvent laisser deviner une origine maghrébine ou orientale, mais le philatéliste débutant mettra longtemps avant de découvrir qu'il s'agit d'un timbre d'Égypte des années 60 pour le premier, et d'un timbre de la République Arabe du Yémen des années 70 pour le second.

• lorsque la légende figurant sur le timbre ne mentionne aucun nom de pays. Par exemple, quelle est l'origine des timbres portant pour seule légende les inscriptions « **COMMISSION DE CONTRÔLE PROVISOIRE KORCA** », « **PORTE DE MAR** », « **FALTA DE PORTE** » ou encore « **ON PUBLIC TRUST OFFICE BUSINESS FREE** » ?

• lorsqu'une surcharge peu explicite figure sur un timbre et en modifie l'origine postale. Ainsi, comment identifier l'origine albanaise d'un timbre d'Épire portant la surcharge « **10 C** » ou « **25 C** » ? ou bien l'origine Moyen-Orientale d'un timbre de Grande-Bretagne portant la surcharge « **M.E.F.** » ? Quelle est l'origine d'un timbre de Bornéo du Nord surchargé « **BMA** » ?

• lorsque toutes les inscriptions (légende ou surcharge) figurant sur le timbre utilisent des caractères autres que romains. Ainsi, quelle est l'origine d'un timbre portant la légende « **АМУРСКАЯ ОБЛАСТНАЯ ПОЧТОВАЯ МАРКА** » ? Seul un expert des timbres de Russie saura que ce timbre provient de Blagoviechtchensk.

Le présent ouvrage a pour but d'aider le philatéliste à identifier un timbre dans chacune des situations que l'on vient d'évoquer, et dans beaucoup d'autres encore. L'auteur a passé en revue environ *300.000 timbres*, soit près de la moitié des timbres émis dans le monde entier depuis 1840 et au moins une valeur de chaque série existante. Chaque légende ou surcharge (au total près de 4500) utilisant des *caractères romains, celtiques, grecs ou cyrilliques* a été soigneusement retranscrite puis insérée (précédée du symbole ♦) dans une liste alphabétique. La liste alphabétique principale rassemble les inscriptions en *caractères romains* et *celtiques*, et les inscriptions en caractères *cyrilliques* et *grecs* ou commençant par des *chiffres* ou *symboles* sont répertoriées également par ordre alphabétique dans des listes séparées, en début d'ouvrage.

Lorsque la légende ou surcharge comporte plusieurs mots pouvant susciter une interrogation sur l'origine du timbre, ces mots et le texte qui les suit figurent également dans la liste alphabétique (précédée du symbole ❖) : par exemple, la légende COMMISSION DE CONTRÔLE PROVISOIRE KORCA mentionnée plus haut apparaît bien sûr en entier, mais aussi sous les formes tronquées CONTRÔLE PROVISOIRE KORCA et KORCA. En outre, toutes les abréviations de monnaie rencontrées sur les timbres (au total plus de 600) ont été recensées (précédée du symbole ☉) car elles fournissent également des clés conduisant à l'identification du timbre. Si l'on ajoute à cela plus de 600 noms Anglais (précédée du symbole ▯) des pays et administrations postales (lorsque ceux-ci diffèrent des noms Français) et plus de 600 entrées renvoi (précédée du symbole ♦, par exemple, des noms usuels qui diffèrent des noms officiels ou lorsque l'histoire du pays ou de l'administration postale est liée à celle d'autres pays, etc.), cet ouvrage comporte au total *plus de 8.600 entrées*.

Chaque entrée (qu'il s'agisse de légende, surcharge, partie de légende, monnaie, nom en Anglais, etc.) renvoie ensuite à l'un (ou plusieurs) des *993 pays ou administrations postales* émettant ou ayant émis des timbres. Ces « pays » apparaissent dans la liste alphabétique principale (caractères romains) sous la forme d'encadrés grisés précédée du symbole ■ ou □,

selon que le pays continue ou non d'émettre des timbres aujourd'hui. Chaque encadré rassemble l'ensemble des informations essentielles sur les émissions postales du pays. Par exemple, on trouvera :

- le **nom en Anglais (E)** du pays lorsque celui-ci diffère du nom Français ;
- la **période d'émission** postale ;
- le **continent** où est situé le pays ;
- le **tome du catalogue Yvert et Tellier** correspondant traitant des timbres de ce pays (à l'exception des timbres les plus récents, de postes locales ou privées, ou des émissions non admises par l'Union Postale Universelle - U.P.U.). Ceci permet d'orienter immédiatement le lecteur vers le catalogue Yvert & Tellier correspondant pour des informations plus détaillées ;
- l'ensemble des **légendes** (listées par ordre alphabétique dans l'encadré) portées par les timbres de ce pays, avec les périodes d'émission correspondantes (les légendes utilisées aujourd'hui apparaissent en gras) ;
- l'ensemble des **surcharges** (listées par ordre alphabétique dans l'encadré), à condition que celles-ci modifient l'origine du timbre ou puissent aider à son identification, avec le nom du pays d'origine du timbre surchargé ainsi que les périodes correspondantes ;
- l'ensemble des **abréviations de monnaies** portées par ces timbres ;
- la **liste d'autres pays ayant surchargé des timbres de ce pays** pour leur propre service postal.

A la fin de cet ouvrage, les noms de tous ces pays et administrations postales sont listés par continent, permettant une vision rapide de l'ensemble des émissions postales par zone géographique.

Véritable **outil de travail**, cet ouvrage représente un complément indispensable aux catalogues philatéliques qui assistera le philatéliste dans de nombreuses opérations liées non seulement à l'identification de ses timbres, mais aussi à l'organisation de sa collection.

PRÉFACE À L'ÉDITION 2003
Rodolphe Fischmeister

Pourquoi une nouvelle édition du Tome de Référence ? Tout d'abord parce que la philatélie, véritable reflet du monde où nous vivons, ne cesse de se renouveler. Or cet ouvrage se veut un ouvrage de référence, et se doit donc de recenser tous les changements qui interviennent dans les administrations postales (ex : apparition d'une administration postale au Kosovo), les monnaies (ex : remplacement du sucre par le dollar américain en Équateur), les inscriptions qui figurent sur les timbres (ex : MONGOL POST remplaçant MONGOLIA sur les timbres de Mongolie), etc. Il se doit également de surveiller l'émission de timbres aux légendes mystérieuses (ex : Недјела борбе против туберкулозе 14-21. септемора sur un timbre de Bosnie Herzégovine). Par ailleurs, de nombreux timbres issus d'émissions locales ou privées souvent anciennes (ex : Allemagne, Autriche, Russie, pays nordiques, etc.), de compagnies de chemins de fer, de navigation, voire d'émissions fantaisistes demeurent une énigme pour de nombreux philatélistes car ces timbres ne figurent pas dans les catalogues philatéliques courants. Jour après jour, et notamment grâce aux précieuses informations apportées par les lecteurs attentifs et passionnés, cet ouvrage s'enrichit. Ainsi, l'édition 2002 du Tome de Référence contient plus de *600 nouvelles légendes et surcharges et près d'une soixantaine de nouvelles postes locales, privées,* etc. Et cet ouvrage est encore loin d'être exhaustif…

Une autre nouveauté dans cette édition : la *traduction en Anglais* de tous les pays et administrations postales. Cela va bien sûr grandement faciliter l'utilisation de cet ouvrage pour nos amis philatélistes anglophones. Une version anglaise de l'avant-propos et des significations des symboles leur est destinée. Mais cette traduction en Anglais sera également utile à tous les philatélistes non anglophones, car qui n'a pas eu un jour à chercher un timbre dans un catalogue philatélique en langue anglaise ? Ou à chercher des timbres ou des informations philatéliques sur Internet ?

Pour finir, il convient de remercier les nombreux lecteurs qui ont contribué, par de précieuses informations glanées au fil de leurs découvertes philatéliques, ou tout simplement par des suggestions, corrections ou encouragements, à la réalisation de cette nouvelle édition, et tout particulièrement : S. Adinolfi (Italie), M. Baudoin, J. Baumstark, M. Coutout, Ph. Defago (Suisse), B. Denis, O. Fischmeister, R. Hervé, E. Klaseboer (Singapour), J. Langenberg (Pays-Bas), Père J.-P. Legris, M. Petit, M. Pupat, P. Renault, A. Richard, J. Richard, J.-P. Sautot, C. M. Tejo (Brésil), M. Thouret, V. Veksler, Z. Zebrauskas (Lituanie), la Société Franco-Ukrainienne de Philatélie et tous les membres du Club Philatélique d'Orsay.

Why such a book?

Since 1840, when the first stamp was issued, over 650,000 stamps have appeared in a total of more than 1,000 different countries, territories or postal authorities. This number is large compared to the 250 or so postal authorities in which stamps are issued today. The difference between 1,000 and 250 is due to the large number of political changes that occurred in the world since 1840. Following wars, colonisations, occupations, independences, re-unifications, etc., many territories have obtained a legitimate political identity or at least a postal autonomy at certain moments of the history and have lost it few years later, giving place to another territory where the old stamps had no more value. One of the most fascinating aspects of philately is to study the history of such territories through their stamps, approaching this way the many faces of the mutation of the world over the years. But the first step of such a research is always the **identification of the origin of the stamp that one has in hands.**

To answer the question "**Where does this stamp come from?**" is an easy task when the stamp bears a legend such as "**PRINCIPAUTÉ DE MONACO**" or "**NIGERIA**". But the identification of a stamp can be much more difficult in many other cases, for example:

• when the legend or the overprint mentions the name of the country in its own language. For instance, stamps from Albania use today the following legends: "**POSTA SHQIPTARE**", "**SHQIPERIA**" or "**REPUBLIKA SHQIPTARE**".

• when the legend on the stamp uses an acronym to indicate the country. For instance, stamps from Egypt in the sixties used the legend "**U A R**", and stamps from Yemen the legend "**Y A R**".

• when there is no mention at all of the country on the stamp. For instance, in 1914, some stamps issued in Albania had the legend "**COMMISSION DE CONTRÔLE PROVISOIRE KORCA**"; in Mexico, some stamps issued in 1875 had only "**PORTE DE MAR**" written, and other ones in 1892 had only "**FALTA DE PORTE**"; some stamps issued in New Zealand in 1891 had only the legend "**ON PUBLIC TRUST OFFICE BUSINESS FREE**".

• when there is an overprint on a stamp, which is not very explicit although it modifies the postal authority. For instance, there are stamps issued for Albania which are originally stamps from Epirus overprinted with "**10 C**" or "**25 C**"; stamps from Great-Britain overprinted "**M.E.F.**" were used by the British Offices in Africa (Middle East Forces); stamps from North Borneo overprinted "**BMA**" were used in 1945 by the military administration.

• when everything that is written on the stamp, whether it is a legend or an overprint, uses non-roman letters, such as Cyrillic or Greek letters. For instance, who would know that a stamp with the legend "**АМУРСКАЯ ОБЛАСТНАЯ ПОЧТОВАЯ МАРКА**" was issued in Blagoviechtchensk (Russia) in 1920?

The aim of this book is to help the collector to identify basically any stamp that he/she may encounter. The author has carefully examined *about 300,000 stamps*, which represents almost half of the stamps issued in the world since 1840, and at least one stamp from each existing series. Each legend or overprint (close to 4,500 in total), which uses either *Roman, Gaelic, Greek* or *Cyrillic letters* has been carefully transcribed and inserted in an alphabetical list (preceded by the symbol ♦). The main alphabetical list assembles all the inscriptions which use Roman and Gaelic letters, while the inscriptions using Cyrillic or Greek letters, or starting with numbers or symbols are listed in separate alphabetical lists at the beginning of the book.

When the legend or overprint contains several "important" words, the inscription may be split in several pieces which are also listed in the alphabetical list (but in this case preceded by the symbol ❖): for instance, the legend COMMISSION DE CONTRÔLE PROVISOIRE KORCA mentioned above appears as such (with ◆), but also as CONTRÔLE PROVISOIRE KORCA and KORCA (with ❖). In addition, all abbreviations of currency found on the stamps (over 600 in total) are also listed (preceded by the symbol ⊙) since they may also provide some useful hints for the identification of the stamps. The 2002 edition also includes the English names of the countries or postal authorities (preceded by the symbol 🕮), at least when they differ from the French names. Finally, over 600 additional entries (preceded by the symbol ◆) list common names of countries heading the reader to the official name or to other countries which had at some point a relation with that country. Altogether, this book contains over *8,500 entries*.

Each entry, whether it is a legend, an overprint, a currency, the English name of the country, etc., is pointing to the name (in French) of one (or several) of the *993 countries, territories or postal authorities* which have issued or continue to issue stamps today. These "countries" are inserted as shaded sections in the main alphabetical list (Roman letters) preceded by the symbol ■ or □, depending on whether the country is still issuing stamps (■), or not (□). Each section lists a number of useful informations on the country and its postal activity. For instance, one can find:

- the **English name (E)** of the country or territory, when it differs from the French name;

- the **stamp issuing period**;

- the **continent** in which the country or territory is located;

- the corresponding volume of the **Yvert et Tellier catalogue** in which stamps from this country or territory can be found (to the exception of the most recent stamps, some local posts, or issues which are not authorized by the Universal Postal Union - U.P.U.);

- a list of all the **legends** (listed in alphabetical order) that one can find on stamps from that country or territory, with the corresponding emission period (the legends still in use today appear in bold);

- a list of all the **overprints** (listed in alphabetical order) that one can find on stamps from that country or territory, only if those overprints modify the origin of the stamp or help at its identification. In this case, the name of the country or territory in which the original stamp was first issued is indicated, as well as the corresponding emission period;

- a list of all **abbreviations of currency** found on the stamps;

- a list of all **other countries or territories which used stamps from that country** (usually by overprinting them) for their own postal service.

At the end of this book, all countries or territories are listed by continent, giving a rapid perception of the distribution of the different postal authorities by geographical zones.

In summary, this book is an **indispensable tool** and a complement to the philatelic catalogues, that will assist the collector in many different tasks, from the identification of stamps to the organisation of the collection.

Symboles

◆ Inscription complète (en légende ou en surcharge), telle qu'elle figure sur le timbre.

❖ Partie d'inscription. Lorsque l'inscription figurant sur le timbre comporte plusieurs mots, certains d'entre eux peuvent revêtir un caractère particulier pouvant susciter une recherche sur ces mots pour l'identification du timbre.

⊙ Monnaie ou abréviation de monnaie telle qu'elle figure sur le timbre.

➔ Renvoi à l'encadré du pays qui a émis des timbres portant cette inscription ou cette monnaie.

◆ Entrée renvoi. Par exemple, des noms usuels qui diffèrent des noms officiels ou lorsque l'histoire du pays ou de l'administration postale est liée à celle d'autres pays, etc.

Ⓔ Nom du pays en Anglais (E) avec renvoi au nom Français.

ENCADRÉS.- Ceux-ci rassemblent, pour chaque pays ou administration postale ayant émis ou continuant d'émettre des timbres, diverses informations philatéliques utiles soit pour l'identification d'un timbre, soit pour l'organisation de sa collection. En dessous du nom officiel en Français figure le nom en *Anglais (E)*, lorsqu'il diffère du nom français. Les pictogrammes utilisés dans les encadrés sont définis comme suit :

☐ Indique que le pays est « philatéliquement disparu »

■ Indique que le pays est « philatéliquement vivant ».

* Indique que le pays a émis, parfois pendant des périodes courtes, des timbres portant des inscriptions composées de caractères qui ne sont ni romains, ni cyrilliques, ni grecs (donc dont les inscriptions ne sont pas répertoriées dans cet ouvrage).

l Indique si le pays a émis des timbres **légendés** et liste les inscriptions principales figurant en **légende** sur ces timbres. Les dates figurant entre parenthèses indiquent la période d'utilisation de cette légende. Lorsque la légende figure en caractères gras, cela indique qu'elle est encore utilisée de nos jours.

s Indique si le pays a **surchargé** des timbres d'autres pays et liste les inscriptions principales figurant en **surcharge** sur ces timbres. Les pays figurant entre parenthèses correspondent aux pays d'origine des timbres portant la surcharge. Les dates indiquent la période d'utilisation de cette surcharge.

m Liste des abréviations de monnaies telles que figurant sur les timbres.

⇨ Renvoi aux pays qui ont utilisé des timbres de ce pays pour les surcharger et modifier ainsi leur nationalité.

Symbols

◆ Inscription (legend or overprint) as it appears on the stamp.

❖ Part of inscription. When the legend or overprint contains several "important" words, the collector may be tempted to search these words rather than the first word of the inscription.

⊙ Currency or abbreviation of currency as found on the stamps.

➔ Points to the shaded sections, with the name (in French) of the country, territory or postal authority that issued the stamps that bear the corresponding inscription or currency.

◊ Additional entries: for instance when common names differ from the official name, when a country had at some point a relation with other countries, etc.

🏳 *English name (E)* of the country, territory or postal authority, with the corresponding name in French heading to the appropriate shaded section.

SHADED SECTIONS.- Each section lists a number of useful informations on the country or territory, and its postal activity. Below the official name in French is the ***English name (E)***, when it differs from the French name. The symbols used in these shaded sections are defined as follows:

☐ Indicates that the country or territory no more exists as a postal authority.

■ Indicates that stamps are still issued today in this country or territory.

* Indicates that the country, territory or postal authority has at some point issued stamps bearing inscriptions with letters which are neither Roman, Cyrillic or Greek. Those inscriptions are not (yet) listed in this book.

l Indicates that the country or territory has issued stamps with their own *legends* and all legends are listed. The dates in brackets indicate the period of use of the corresponding legend. When written in bold, the legend is still in use today.

s Indicates that the country or territory has overprinted stamps from other country(ies) and all *overprints* are listed. The country or territory in brackets is the original country where the stamp was first issued. The dates indicate the period of use of the corresponding overprint.

m Currency or abbreviation of currency as found on the stamps.

⇨ List of all other countries or territories which used stamps from that country (usually by overprinting them) for their own postal service.

Liste alphabétique des inscriptions utilisant des caractères cyrilliques
(alphabetical list of inscriptions using cyrillic letters)

alphabet cyrillique :

А(а) Б(б) В(в) Г(г) Ґ(ґ)* Д(д) Е(е) Є(є)* Ё(ё) Ж(ж) З(з) И(и) І(і)*
Ї(ї)* Й(й) К(к) Л(л) М(м) Н(н) О(о) П(п) Р(р) С(с) Т(т) У(у) Ф(ф)
Х(х) Ц(ц) Ч(ч) Ш(ш) Щ(щ) Ь(ь) Ы(ы) Ъ(ъ) Э(э) Ю(ю) Я(я)

caractères provenant de l'alphabet serbe-croate bosniaque :

Ћ Њ І Љ Ј(ј) Δ

*caractères provenant de l'alphabet ukrainien

- АБХАЗИЯ → Russie (postes locales de l'ex-U.R.S.S. : République d'Abkhazie)
- АВИОПОЧТА С.С.С.Р. → Russie
- ❖ АДЫГЕЯ ПОЧТОВ ОПЛАТА → Russie (postes locales de l'ex-U.R.S.S. : République d'Adyguéie)
- АЗЕРБАЙДЖАНСКАЯ → Azerbaïdjan
- АЗЕРБАЙДЖАЯ РЕСПУБЛИКА → Azerbaïdjan
- ❖ « Академік Вернадобкий » → Territoire Antarctique Ukrainien
- Алатырь → Zemstvos (*Alatyr*)
- Александрия → Zemstvos (*Alexandrie*)
- ❖ Алтай → Russie (postes locales de l'ex-U.R.S.S. : République d'Altaï)
- АМУРСКАЯ ОБЛАСТНАЯ ПОЧТОВАЯ МАРКА → Blagoviechtchensk
- Ананьевъ → Zemstvos (*Ananiev*)
- ❖ АЛДАН Местяя почта → Russie (postes locales de l'ex-U.R.S.S. : République de Saha [Iakoutie])
- АПЬСНЫ → Russie (postes locales de l'ex-U.R.S.S. : République d'Abkhazie)
- ❖ А П. В. П. → Nikolaievsk sur l'Amour
- Ардатовъ → Zemstvos (*Ardatov*)
- Арзамасъ → Zemstvos (*Arzamas*)
- ❖ АРМІИ → Levant (bureaux russes Armée Wrangel)
- ❖ Армія → Russie (Armée du Nord-Ouest)
- АСОБНЫ АТРАД БНР → Biélorussie
- ❖ АСОБНЫ АТРАД Б.Н.Р. → Russie (Armées de l'Ouest)
- Аткарскъ → Zemstvos (*Atkarsk*)
- Ахтырка → Zemstvos (*Akhtyrka*)

- AZeERBAYCAN → Azerbaïdjan
- Бљжецкъ → Zemstvos (*Biejetzk*)
- БАНДЕРОЛЬНОЕ ОТПРАВЛЕНІЕ НА ВОСТОКЪ → Levant (bureaux russes)
- Балашовъ → Zemstvos (*Balachov*)
- Барнаулу 264 года → Russie (postes locales de l'ex-U.R.S.S. : Ville de Barnaul)
- БАТУМЪ BRITISH OCCUPATION ОБЛ → Russie (occupation britannique)
- БАТУМ. ОБ. → Russie (occupation britannique)
- БАТУМ ОБЛ BRITISH OCCUPATION → Russie (occupation britannique)
- БАТУМСКАЯ ПОЧТА → Russie (occupation britannique)
- Бахмутъ → Zemstvos (*Bakhmout*)
- БАШКОРТОСТАН → Russie (postes locales de l'ex-U.R.S.S. : République de Bachkirie)
- БАШКОРТОСТАН ПОЧТА 1997 → Russie (postes locales de l'ex-U.R.S.S. : République de Bachkirie)
- БЕЛАРУСЬ → Biélorussie
- БЕЛАРУСЬ ПОЧТА → Biélorussie
- Белебей → Zemstvos (*Belebej*)
- БЕЛЕБЕЙ → Russie (postes locales de l'ex-U.R.S.S. : Ville de Belebej [République de Bachkirie])
- ❖ БЕЛЛИНСГАУЗЕН → Territoire Antarctique Russe : *base de Belinsghausen*
- Белозерскъ → Zemstvos (*Belozersk*)
- Бердянскъ → Zemstvos (*Berdiansk*)

- БИЪЕГА ПОШТЕ ЦР. ГОРЕ ➜ Monténégro
- Бобровъ ➜ Zemstvos (*Bobrov*)
- Богородскъ ➜ Zemstvos (*Bogodorosk*)
- Богучары ➜ Zemstvos (*Bogoutchary*)
- Босна и •ерцеговина ➜ Yougoslavie
- Борисоглебскъ ➜ Zemstvos (*Borisoglebsk*)
- Боровичи ➜ Zemstvos (*Borovitchi*)
- Бронницы ➜ Zemstvos (*Bronnitzy*)
- Бугульма ➜ Zemstvos (*Bougoulma*)
- Бугурусланъ ➜ Zemstvos (*Bougourouslan*)
- Бузулукъ ➜ Zemstvos (*Bouzoulouk*)
- БУРЯТИЯ ➜ Russie (postes locales de l'ex-U.R.S.S. : République de Bouriatie)
- БУРЯТИЯ BURIATIA ➜ Russie (postes locales de l'ex-U.R.S.S. : République de Bouriatie)
- БЪЛГАРИЯ ➜ Bulgarie
- БЪЛГАРИЯ BULGARIA ➜ Bulgarie
- БЪЛГАРСКА ПОЩА ➜ Bulgarie
- Валдай ➜ Zemstvos (*Valdai*)
- Валки ➜ Zemstvos (*Valki*)
- ⊙ ВАН ➜ Roumanie
- Василь ➜ Zemstvos (*Vasil*)
- Великий Устюгъ ➜ Zemstvos (*Veliki Oustioug*)
- Вельскъ ➜ Zemstvos (*Velsk*)
- ВЕНДЕНСКАЯ УЇЪЗДНАЯ ПОЧТА ➜ Wenden
- Верхнеднъпровскъ ➜ Zemstvos (*Verkhnednieprovsk*)
- Верхотурье ➜ Zemstvos (*Verkhotourié*)
- Весьегонскъ ➜ Zemstvos (*Vessiegonsk*)
- Ветлуга ➜ Zemstvos (*Vetlouga*)
- В. И, Ленин 123 Ульяновск ➜ Russie (postes locales de l'ex-U.R.S.S. : Région d'Uljanovsk)
- ВИНА СРБ ХРА СДОА ➜ Yougoslavie
- ВИРОБИДЖАН ➜ Russie (postes locales de l'ex-U.R.S.S. : République Juive)
- ВИРОБИДЖАН ПОЧТА ➜ Russie (postes locales de l'ex-U.R.S.S. : République Juive)
- ВИРОБИДЖАН TELAPHILA '93 ➜ Russie (postes locales de l'ex-U.R.S.S. : République Juive)
- ВЛАДИВОСТОК ➜ Vladivostok
- ВННА УЛСЫН ШУУДАН ➜ Mongolie
- Волчанскъ ➜ Zemstvos (*Voltchansk*)
- Вольскъ ➜ Zemstvos (*Volsk*)
- ВОСТОК ➜ Territoire Antarctique Russe : *base de Vostok*
- ВОСТОК РОССИЯ ➜ Russie (postes locales de l'ex-U.R.S.S. : Extrême Orient)
- ВОСТОЧНАЯ КОРРЕСПОНДЕНЦIЯ ➜ Levant (bureaux russes)
- ВРАНГЕЛЛЯ ➜ Russie (postes locales de l'ex-U.R.S.S. : Île Vrangel)
- Вятка ➜ Zemstvos (*Viatka*)
- Гадяч ➜ Zemstvos (*Gadiatch*)
- г. АЛДАН Местая почта ➜ Russie (postes locales de l'ex-U.R.S.S. : République de Saha [Iakoutie])
- г. БУГУЛЬМА ОДИН РУБЛЬ ➜ Russie (postes locales de l'ex-U.R.S.S. : Tatarstan [République Tatare])
- Гдовъ ➜ Zemstvos (*Gdov*)
- г. Екатеринбург ➜ Russie (postes locales de l'ex-U.R.S.S. : Ville d'Ekaterinbourg [Région Centre-Oural])
- г. Екатеринбург EKATERINBURG ➜ Russie (postes locales de l'ex-U.R.S.S. : Ville d'Ekaterinbourg [Région Centre-Oural])
- ГЕРБОВАЯ МАРКА ➜ Russie (timbre fiscal)
- г. КАРАЧАЕВСК ➜ Russie (postes locales de l'ex-U.R.S.S. : République de Karatchaevie-Tcherkessie)
- Глазовъ ➜ Zemstvos (*Glazov*)
- г. Нижний Тагил Почта Ср. Урал ➜ Russie (postes locales de l'ex-U.R.S.S. : Ville de Nijni-Taguil)
- ГОЛОДАЮЩИМ ➜ Russie
- ГОЛОДАЮЩИМ ПОЧТОВАЯ Р.С.Ф.С.Р. МАРКА ➜ Russie
- ГОРА ➜ Monténégro
- ГОРОД ПОЧТЫ ➜ Russie
- ⊙ ГРИВЕНЬ ➜ Ukraine
- ⊙ гривнí ➜ Ukraine
- ⊙ ГРИВНÍ ➜ Ukraine
- ⊙ ГРИВНЯ ➜ Ukraine
- Грязовецъ ➜ Zemstvos (*Griazovetz*)
- Г.С.С.Р. ➜ Russie (république Montagnarde)
- Дагистанская ССР ПОЧТОВАЯ МАРКА ➜ Russie (postes locales de l'ex-U.R.S.S. : République du Daghestan)
- ДАЛЬНЕ-ВОСТОЧНАЯ РЕСПУБЛИКА ➜ Vladivostok
- ДАЛЬНИЙ ВОСТОК РОССИЯ ➜ Russie (postes locales de l'ex-U.R.S.S. : Extrême Orient)
- Данковъ ➜ Zemstvos (*Dankov*)
- Д В РОССИЯ ➜ Russie (postes locales de l'ex-U.R.S.S. : Extrême Orient)
- Д. В. ЗОЛОТОМ ➜ Tchita
- Демократска федеративна Југославија ➜ Yougoslavie
- Демянскъ ➜ Zemstvos (*Demiansk*)
- ДЕРЖАВА ➜ Ukraine
- ⊙ ДНН ➜ Serbie, Serbie (occupation allemande), Serbie (République de), Yougoslavie
- ДИНАРА ➜ Serbie (occupation allemande)

⊙ ДNHAPA ➔ Yougoslavie

• Дмитриевъ ➔ Zemstvos (*Dmitriev*)

• Дмитровъ ➔ Zemstvos (*Dmitrov*)

• Днљпровскъ ➔ Zemstvos (*Dnieprovsk*)

• Донецъ ➔ Zemstvos (*Donetz*)

• ДРЖАВА С • С. DRZAVA S H S ➔ Yougoslavie

• ДРЖАВА С. •. С. Босна и •ерцеговина ➔ Yougoslavie

• Духовина ➔ Zemstvos (*Doukhovchtchina*)

• ЕДИНАЯ РОССІЯ ➔ Russie (Armées du Sud)

• ЕВРЕЙСКАЯ РЕСПУБЛИКА ➔ Russie (postes locales de l'ex-U.R.S.S. : République Juive)

❖ ЕВРЕЙСКАЯ реслубика 1995 ➔ Russie (postes locales de l'ex U.R.S.S. : République Juive)

• Егорьевскъ ➔ Zemstvos (*Iegorievsk*)

• Екатеринбугъ ➔ Zemstvos (*Ekaterinbourg*)

❖ Екатеринбург ➔ Russie (postes locales de l'ex-U.R.S.S • Ville d'Ekaterinbourg [Région Centre-Oural])

❖ Екатеринбург EKATERINBURG ➔ Russie (postes locales de l'ex-U.R.S.S. : Ville d'Ekaterinbourg [Région Centre-Oural])

• Екатеринославъ ➔ Zemstvos (*Ekaterinoslav*)

• Елецъ ➔ Zemstvos (*Ieletz*)

• Елизаветградъ ➔ Zemstvos (*Elisavetgrad*)

• ЕРМАКЪ ➔ Russie (Armées du Sud)

• З. А. (avec roix orthodoxe) ➔ Russie (Armées de l'Ouest)

• Задонскъ ➔ Zemstvos (*Zadonsk*)

❖ Закарпатська Україна ➔ Ukraine sub-carpathique

• ЗАКАРПАТСЬКА УКРАЇНА ПОШТА ➔ Ukraine sub-carpathique

❖ ЗАП. Армія ➔ Russie (Armée du Nord-Ouest)

• ЗАХІДНО УКР. НАРОДНА РЕПУБЛІКА ➔ Ukraine

• Землянскъ ➔ Zemstvos (*Zemliansk*)

• ЗЕМСКАЯ ПОЧТА ➔ Zemstvos

• ЗЕМСКАЯ ПОЧТОВАЯ МАРКА ➔ Zemstvos

❖ Земскій Край ➔ Nikolaievsk sur l'Amour

• ЗЕМСКОИ ПОЧТЫ ➔ Zemstvos

❖ ЗНАКЪ ➔ Russie (occupation allemande)

• Зљньковъ ➔ Zemstvos (*Zenkov*)

• Змеиногорскъ ➔ Zemstvos (*Zmeinogorsk*)

❖ ЗОЛОТОМ ➔ Tchita

• Золотоноша ➔ Zemstvos (*Zolotonocha*)

• ЗСФСР ➔ Caucase

• З. У. Н. Р. ➔ Ukraine

❖ ИНГУШЕТИЯ ➔ Russie (postes locales de l'ex-U.R.S.S. : République d'Ingouchie)

• Ирбитъ ➔ Zemstvos (*Irbit*)

• ЈУГОСЛАВИЈА ➔ Yougoslavie

• Кадниковъ ➔ Zemstvos (*Kadnikov*)

• КАЗАКСТАН ➔ Kazakhstan

• Казань ➔ Zemstvos (*Kazan*)

• КАЛМЫКИЯ ПОЧТА ➔ Russie (postes locales de l'ex-U.R.S.S. : République de Kalmoukie)

• КАМЧАТКА ➔ Russie (postes locales de l'ex-U.R.S.S. : Région de Kamtchatka)

• Камышловъ ➔ Zemstvos (*Kamychlov*)

• Карачаево-Черкесия ➔ Russie (postes locales de l'ex-U.R.S.S. : République de Karatchaevie-Tcherkessie)

• КАРАЧАЕВО-ЧЕРКЕССКАЯ РЕСПУБЛИКА ➔ Russie (postes locales de l'ex-U.R.S.S. : République de Karatchaevie Tcherkessie)

❖ КАРАЧАЕВСК ➔ Russie (postes locales de l'ex-U.R.S.S. : République de Karatchaevie-Tcherkessie)

❖ КАРГПИП ➔ Russie (postes locales de l'ex-U.R.S.S. : République de Carélie)

❖ КАРЕЛИЯ ПОЧТА ➔ Russie (postes locales de l'ex-U.R.S.S. : République de Carélie)

• КАРПАТСЬКА УКРАЇНА ➔ Ukraine

• КАРПАТСЬКА УКРАЇНА ПОШТА ➔ Ukraine sub-carpathique

• Касимовъ ➔ Zemstvos (*Kassimov*)

• Кашира ➔ Zemstvos (*Kachira*)

❖ КИПР. ГРЕЦИЮ. ТУРЦИЮ. ➔ Russie (postes locales de l'ex-U.R.S.S. : timbres pour Chypre, la Grèce et la Turquie)

• Кириловъ ➔ Zemstvos (*Kirillov*)

• КИТАЙ ➔ Chine (bureaux russes)

❖ К..К РОССИЯ ➔ Russie (postes locales de l'ex-U.R.S.S. : Ville de Belgorod)

• КНЬ. СРП ПОШТА ➔ Serbie

• Кобеляки ➔ Zemstvos (*Kobeliaki*)

• Козелецъ ➔ Zemstvos (*Kozeletz*)

❖ КОЛГУЕВ ➔ Russie (postes locales de l'ex-U.R.S.S. : Île Kolguev)

• Кологривъ ➔ Zemstvos (*Kologriv*)

• Коломна ➔ Zemstvos (*Kolomna*)

• КОМИ ➔ Russie (postes locales de l'ex-U.R.S.S. : République des Komis)

• Константиноградъ ➔ Zemstvos (*Konstantinograd*)

• КОНТРОЛЬНЫЙ ЗНАКЪ ➔ Russie (occupation allemande)

⊙ коп ➔ Biélorussie, Finlande, Russie, Russie (Armée du Nord), Russie (Armées du Sud), Tchita, Vladivostok, Zemstvos

❖ КОП. ➔ Russie (Armée Wrangel), Russie (Armées du Sud)

- ⊙ КОПБЕКЪ ➔ Russie, Russie (Armées du Sud)
- ⊙ КОПБИКА ➔ Russie (Armées du Sud)
- ❖ КОРРЕСПОНДЕНЦІЯ ➔ Levant (bureaux russes)
- ◆ Корчева ➔ Zemstvos (*Kortcheva*)
- ◆ Котельничъ ➔ Zemstvos (*Kotelnitch*)
- ◆ КРАДЕ ВИНА СРБ ХРА СДОА KRALIE VINA SRB HRV SLOV ➔ Yougoslavie
- ◆ КРАДЕ ВИНА СХС KRALIE VINA SHS ➔ Yougoslavie
- ◆ КРАГЪ ЦРНАГОРА ➔ Monténégro
- ❖ Край ➔ Nikolaievsk sur l'Amour
- ◆ КРАЉЕВСТВО С•ба Хрвата и Словенаца ➔ Yougoslavie
- ◆ КРАЉЕВСТВО С.Х.С. ➔ Yougoslavie
- ◆ Крапивна ➔ Zemstvos (*Krapivna*)
- ◆ Красноярск РОССИЯ ПОЧТА 1993 ➔ Russie (postes locales de l'ex-U.R.S.S. : Ville de Krasnojarsk)
- ◆ Красный ➔ Zemstvos (*Krassny*)
- ◆ Красноуфимскъ ➔ Zemstvos (*Krasnooufimsk*)
- ◆ КРАЉЕВИНА СРБИЈА ➔ Serbie
- ⊙ крб ➔ Ukraine
- ◆ Кременчугъ ➔ Zemstvos (*Krementchoug*)
- ◆ Кузнецкъ ➔ Zemstvos (*Kouznetzk*)
- ◆ КРИМ ➔ Ukraine (République de Crimée)
- ⊙ круна ➔ Yougoslavie
- ⊙ КРУНА ➔ Monténégro
- ◆ КРЫМ ➔ Ukraine (République de Crimée)
- ◆ КРЫМСКЛГО КРАЕВОГО ПРАВИТЕЛЬСТВА ➔ Russie (Armées du Sud)
- ◆ К. С. ПОШТА ➔ Serbie
- ◆ К. СРБСКА ПОШТА ➔ Serbie
- ◆ Кунгуръ ➔ Zemstvos (*Koungour*)
- ◆ КУРИЛЬСКИЕ ОСТРОВА ➔ Russie (postes locales de l'ex-U.R.S.S. : Îles Kouriles)
- ◆ КЫРГЫЗ РЕСПУБЛИКАЫ ➔ Kirghiztan
- ◆ КЫРГЫЗСТАН ➔ Kirghiztan
- ◆ Лаишевъ ➔ Zemstvos (*Laïchev*)
- ⊙ ЛВ ➔ Bulgarie
- ◆ Лебединъ ➔ Zemstvos (*Lebedin*)
- ◆ Лебедянъ ➔ Zemstvos (*Lebedian*)
- ⊙ ЛЕВА ➔ Bulgarie
- ❖ Ленин 123 Ульяновск ➔ Russie (postes locales de l'ex-U.R.S.S. : Région d'Uljanovsk)
- ❖ ЛЕНИГАДСКАЯ ➔ Territoire Antarctique Russe : *base de Leningradskaïa*
- ◆ Лен. обл. ➔ Russie (postes locales de l'ex-U.R.S.S. : Région de Saint-Petersbourg)
- ◆ Ливны ➔ Zemstvos (*Livny*)

- ⊙ ЛИРЕ ➔ Monténégro (occupation italienne)
- ◆ Лохвица ➔ Zemstvos (*Lokhvitza*)
- ◆ Лубны ➔ Zemstvos (*Loubny*)
- ◆ Луга ➔ Zemstvos (*Louga*)
- ◆ Льговъ ➔ Zemstvos (*Lgov*)
- ◆ Македонија Југославија ➔ Yougoslavie
- ◆ МАКЄΔОНИЈА ➔ Macédoine
- ◆ МАКЕДОНИЈА ➔ Macédoine
- ◆ Малмыжъ ➔ Zemstvos (*Malmij*)
- ◆ Малоархангельскъ ➔ Zemstvos (*Maloarkhangelsk*)
- ❖ МАРИЙЭЛ ➔ Russie (postes locales de l'ex-U.R.S.S. : République des Mariis)
- ◆ Мариуполь ➔ Zemstvos (*Marioupol*)
- ⊙ МАРК ➔ Finlande
- ❖ МАРКА ➔ Blagoviechtchensk
- ❖ МАРКА ➔ Finlande
- ❖ МАРКА ➔ Russie
- ❖ МАРКА ➔ Russie (Armées du Sud)
- ❖ МАРКА ➔ Serbie
- ❖ МАРКА 1857 – 1907 ➔ Levant (bureaux russes)
- ❖ МАРКА А В Р ➔ Tchita
- ◆ МАРКА ГОРОД ПОЧТЫ ➔ Russie
- ◆ Мелитополь ➔ Zemstvos (*Melitopol*)
- ◆ Међународш дан н Недјела Црвсног крега 8-15 Maj (*avec croix-rouge*) ➔ Bosnie Herzégovine
- ❖ МИРНЫЙ ➔ Territoire Antarctique Russe : *base de Mirnyj*
- ❖ МОЛОДЕЖНАЯ ➔ Territoire Antarctique Russe : *base de Molodeznaïa*
- ◆ МОНГОЛ УЛСЫН ШУУДАН ➔ Mongolie
- ◆ МОНГОЛ ШУДАН ➔ Mongolie
- ◆ МОНГОЛ ШУУДАН ➔ Mongolie
- ◆ МОНГОЛ ШУУДАН MONGOLIA ➔ Mongolie
- ◆ МОРДОВИЯ ➔ Russie (postes locales de l'ex-U.R.S.S. : République de Mordvinie)
- ◆ Моршанскъ ➔ Zemstvos (*Morchansk*)
- ❖ НА ВОСТОКЪ ➔ Levant (bureaux russes)
- ❖ НАРОДНА РЕПУБЛІКА ➔ Ukraine
- ❖ НАРОДНЯ РЕСПУБЛІКА ➔ Ukraine
- ❖ НАРОДНЯ РЕСПУБЛІКА ➔ Ukraine sub-carpathique
- ◆ НАХОДКА Свободная экономическая зона 1933-1993 Почтовый сбор оплачен ➔ Russie (postes locales de l'ex-U.R.S.S. : Port de Nahodka)
- ◆ Недјела борбе против туберкулозе 14-21. септемора (*avec croix-rouge*) ➔ Bosnie Herzégovine
- ❖ Нижний Тагил Почта Ср. Урал ➔ Russie (postes locales de l'ex-U.R.S.S. : Ville de Nijni-Taguil)

- Никольскъ ➔ Zemstvos (*Nikolsk*)
- Н на А П. В. П. ➔ Nikolaievsk sur l'Amour
- Новая Ладога ➔ Zemstvos (*Novaia Ladoga*)
- Новгородъ ➔ Zemstvos (*Novgorod*)
- ❖ НОВОЛАЗАРЕВСКАЯ ➔ Territoire Antarctique Russe : base de Novolazarevskaïa
- Новомосковскъ ➔ Zemstvos (*Novomoskovsk*)
- Новоржевъ ➔ Zemstvos (*Novorjev*)
- Новоузенскъ ➔ Zemstvos (*Novoouzensk*)
- ⊙ НОВЧ ➔ Monténégro
- Нолинскъ ➔ Zemstvos (*Nolinsk*)
- НР БЪЛГАРИЯ ➔ Bulgarie
- НР БЪЛГАРИЯ ПОЩА ➔ Bulgarie
- ❖ ОБЛАСТНАЯ ПОЧТОВАЯ МАРКА ➔ Blagoviechtchensk
- О. ВРАНГЕЛЯ ➔ Russie (postes locales de l'ex-U.R.S.S. : Île Vrangel)
- Одесса ➔ Zemstvos (*Odessa*)
- О. ДИКСОН ➔ Russie (postes locales de l'ex-U.R.S.S. : Île Dikson)
- О. КОЛГУЕВ ➔ Russie (postes locales de l'ex-U.R.S.S. : Île Kolguev)
- ОКСА ➔ Russie (Armée du Nord)
- Опочка ➔ Zemstvos (*Opotchka*)
- Оргљевъ ➔ Zemstvos (*Orgueiev*)
- Оса ➔ Zemstvos (*Osa*)
- О. САХАЛИН ➔ Russie (postes locales de l'ex-U.R.S.S. : Île Sakhaline)
- Осташковъ ➔ Zemstvos (*Ostachkov*)
- Остеръ ➔ Zemstvos (*Oster*)
- ОСТРОВ ПАРАМУШИР ПОЧТА РОССИИ ➔ Russie (postes locales de l'ex-U.R.S.S. : Îles Kouriles)
- Островъ ➔ Zemstvos (*Ostrov*)
- Острогожскъ ➔ Zemstvos (*Ostrogojsk*)
- ❖ ОТПРАВЛЕНИЕ НА ВОСТОКЪ ➔ Levant (bureaux russes)
- Оханскъ ➔ Zemstvos (*Okhansk*)
- ОШ ➔ Kirghiztan
- Павлоградъ ➔ Zemstvos (*Pavlograd*)
- ⊙ ПАР ➔ Roumanie
- ⊙ пара ➔ Yougoslavie
- ⊙ ПАРА ➔ Monténégro
- ⊙ ПАРА ➔ Carinthie, Monténégro
- ❖ ПАРА ➔ Serbie
- ❖ ПАРЛМУШИР ПОЧТА РОССИИ ➔ Russie (postes locales de l'ex-U.R.S.S. : Îles Kouriles)
- ⊙ ПАРЕ ➔ Monténégro
- П. В. П. 26 V 1921-1922 ➔ Nikolaievsk sur l'Amour
- ⊙ ПЕН ➔ Finlande

- Пенза ➔ Zemstvos (*Penza*)
- ❖ ПЕРЕВОЗКА ТОВАРОВ В КИПР. ГРЕЦИЮ. ТУРЦИЮ. ➔ Russie (postes locales de l'ex-U.R.S.S. : timbres pour Chypre, la Grèce et la Turquie)
- Переславъ ➔ Zemstvos (*Pereslav*)
- Переяславъ ➔ Zemstvos (*Pereiaslav*)
- Пермь ➔ Zemstvos (*Perm*)
- ⊙ ПЕРПЕР ➔ Monténégro
- ⊙ ПЕРПЕРА ➔ Monténégro
- ❖ Петербург ➔ Russie (postes locales de l'ex-U.R.S.S. : Ville de Saint-Petersbourg)
- Петрозаводскъ ➔ Zemstvos (*Petrozavodsk*)
- П З К ➔ Nikolaievsk sur l'Amour
- Пирятин ➔ Zemstvos (*Piriatin*)
- ❖ ПОВОЛЖЬЯ ➔ Russie
- Подольскъ ➔ Zemstvos (*Podolsk*)
- Полтава ➔ Zemstvos (*Poltava*)
- ❖ ПОМОГИ ГОЛОДАЮЩИМ ➔ Russie
- ПОРТО ➔ Yougoslavie
- ПОРТО МАРКА ➔ Serbie
- ПОРТО СКРИСОРИ ➔ Roumanie
- Порховъ ➔ Zemstvos (*Porkhov*)
- ПОЧТА ➔ Russie
- ПОЧТА ЕВРЕЙСКАЯ реслубика 1995 ➔ Russie (postes locales de l'ex-U.R.S.S. : République Juive)
- ПОЧТА ИНГУШЕТИЯ ➔ Russie (postes locales de l'ex-U.R.S.S. : République d'Ingouchie)
- ПОЧТА К..К РОССИЯ ➔ Russie (postes locales de l'ex-U.R.S.S. : Ville de Belgorod)
- ПОЧТА МАРИЙЭЛ ➔ Russie (postes locales de l'ex-U.R.S.S. : République des Mariis)
- ПОЧТА РУБЛЯ ➔ Russie
- ПОЧТА РУССКОЙ АРМИИ ➔ Levant (bureaux russes Armée Wrangel)
- ПОЧТА СССР ➔ Russie
- ❖ ПОЧТА ЮГОВОСТОК ПОМОГИ ГОЛОДАЮЩИМ ➔ Russie
- ❖ ПОЧТОВАЯ МАРКА ➔ Blagoviechtchensk
- ПОЧТОВАЯ МАРКА ➔ Finlande
- ПОЧТОВАЯ МАРКА ➔ Russie
- ПОЧТОВАЯ МАРКА 1857 – 1907 ➔ Levant (bureaux russes)
- ПОЧТОВАЯ МАРКА А В Р ➔ Tchita
- ПОЧТОВАЯ МАРКА ДАЛЬНЕ-ВОСТОЧНАЯ РЕСПУБЛИКА ➔ Vladivostok
- ПОЧТОВАЯ МАРКА ПОМОЩЬ ГОЛОДАЮЩИМ ПОВОЛЖЬЯ ➔ Russie
- ❖ ПОЧТОВАЯ Р.С.Ф.С.Р. МАРКА ➔ Russie
- ❖ Почтовый сбор оплачен ➔ Russie (postes locales de l'ex-U.R.S.S. : Port de Nahodka)

- ❖ ПОЧТЫ ➜ Russie
- ◆ ПОШТА Закарпатська Україна ➜ Ukraine subcarpathique
- ◆ ПОШТА ПАРА ➜ Serbie
- ◆ ПОШТА УКРАЇНИ ➜ Ukraine
- ◆ ПОШТА УКРАЇНСЬКА НАРОДНЯ РЕСПУБЛІКА ➜ Ukraine
- ◆ ПОШТА Укр. Н. Реп. гривні ➜ Ukraine
- ◆ ПОШТА Укр. Н. Реп. шагів ➜ Ukraine
- ◆ ПОШТА У. С. Р. Р. ➜ Ukraine
- ◆ ПОШТЕ ЦР. ГОРЕ ➜ Monténégro
- ◆ ПОШТА ЦРНЕГОРЕ ➜ Monténégro
- ❖ ПОМОЩЬ ГОЛОДАЮЩИМ ПОВОЛЖЬЯ ➜ Russie
- ◆ ПОРТОМАРКА ➜ Monténégro
- ◆ ПОШТЕЦРНЕГОРЕ ➜ Monténégro
- ◆ Пощавъ Ромжния 1916-1917 ➜ Roumanie (occupation bulgare)
- ◆ Приам Земскій Край ➜ Nikolaievsk sur l'Amour
- ◆ Прилуки ➜ Zemstvos (*Prilouki*)
- ◆ ПРИМОРСКИЙ КРАЙ ➜ Russie (postes locales de l'ex-U.R.S.S. : Région de Primorsk)
- ❖ ПРОГРЕСС ➜ Territoire Antarctique Russe : base de Progres
- ◆ ПСКОВ 1095 ЛЕТ ➜ Russie (postes locales de l'ex-U.R.S.S. : Ville de Pskov)
- ◆ Псковъ ➜ Zemstvos (*Pskov*)
- ◆ ПТТ МАКЕДОНИЈА ➜ Macédoine
- ◆ Пудожъ ➜ Zemstvos (*Poudoj*)
- ◆ П Укр Н Р ➜ Ukraine
- ⊙ ПФ ➜ Russie (occupation allemande)
- ◆ ПЯТЬ РУБЛЕЙ ➜ Russie (Armée Wrangel)
- ⊙ р ➜ Russie, Russie (postes locales de l'ex-U.R.S.S.)
- ❖ РЕПУБЛІКА ➜ Ukraine
- ◆ РЕПУБЛИКА МАКЕДОНИЈА ➜ Macédoine
- ◆ РЕПУБЛИКА СРПСКА ➜ Bosnie Herzégovine
- ◆ РЕСПУБЛИКА СРПСКА ➜ Serbie (République de)
- ◆ РЕСПУБЛИКА СРПСКА КРАЙНА ➜ Serbie-Krajina (République de)
- ❖ РЕСПУБЛІКА ➜ Ukraine
- ❖ РЕСПУБЛИКА ➜ Vladivostok
- ◆ РЕСПУБЛИКА АДЫГЕЯ ПОЧТОВ ОПЛАТА ➜ Russie (postes locales de l'ex-U.R.S.S. : République d'Adyguéie)
- ◆ Республика Алтай ➜ Russie (postes locales de l'ex-U.R.S.S. : République d'Altaï)
- ◆ РЕСПУБЛИКА БУРЯТИЯ ➜ Russie (postes locales de l'ex-U.R.S.S. : République de Bouriatie)
- ◆ Республика Дагестан ➜ Russie (postes locales de l'ex-U.R.S.S. : République du Daghestan)
- ❖ РЕСПУБЛИКА КАРЕЛИЯ ПОЧТА ➜ Russie (postes locales de l'ex-U.R.S.S. : République de Carélie)
- ◆ РЕСПУБЛИКА МОРДОВИЯ ➜ Russie (postes locales de l'ex-U.R.S.S. : République de Mordvinie)
- ◆ РЕСПУБЛИКА САХЭ г. АЛДАН Местая почта ➜ Russie (postes locales de l'ex-U.R.S.S. : République de Saha [Iakoutie])
- ◆ РЕСПУБЛИКА СРПСКА ➜ Serbie
- ◆ РЕСПУБЛИКА ТЫВА ➜ Touva
- ◆ Ржевъ ➜ Zemstvos (*Rjev*)
- ◆ Р.О.Л.иТ. ➜ Levant (bureaux russes)
- ❖ Ромжния 1916-1917 ➜ Roumanie (occupation bulgare)
- ❖ РОССИИ рублей ➜ Russie (Armée Wrangel)
- ◆ РОССІЯ ➜ Russie
- ❖ РОССІЯ ➜ Russie (Armées du Sud)
- ◆ РОССІЯ. 40-я А.Э. БЕЛЛИНСГАУЗЕН ➜ Territoire Antarctique Russe : *base de Belingshausen*
- ◆ РОССІЯ. 40-я А.Э. ВОСТОК ➜ Territoire Antarctique Russe : *base de Vostok*
- ◆ РОССІЯ. 40-я А.Э. ЛЕНИГАДСКАЯ ➜ Territoire Antarctique Russe : *base de Leningradskaïa*
- ◆ РОССІЯ. 40-я А.Э. МИРНЫЙ ➜ Territoire Antarctique Russe : *base de Mirnyj*
- ◆ РОССІЯ. 40я А.Э. МОЛОДЕЖНАЯ ➜ Territoire Antarctique Russe : *base de Molodeznaïa*
- ◆ РОССІЯ. 40-я А.Э. НОВОЛАЗАРЕВСКАЯ ➜ Territoire Antarctique Russe : *base de Novolazarevskaïa*
- ◆ РОССІЯ. 40-я А.Э. ПРОГРЕСС ➜ Territoire Antarctique Russe : *base de Progres*
- ❖ РОССІЯ. 40-я А.Э. РУССКАЯ ➜ Territoire Antarctique Russe : *base de Ruskaïa*
- ◆ РОССІЯ ROSSIJA ➜ Russie
- ◆ РОССІЯ СЪВ. АРМІЯ ➜ Russie (Armée du Nord)
- ◆ РОССИЯ ➜ Russie
- ◆ РОССИЯ ➜ Russie (postes locales de l'ex-U.R.S.S. : République d'Altaï)
- ◆ РОССИЯ ROSSIJA ➜ Russie
- ◆ Ростовъ ➜ Zemstvos (*Rostov*)
- ◆ РСФСР ➜ Russie
- ◆ Р.С.Ф.С.Р. ➜ Russie
- ◆ Р.С.Ф.С.Р. ПОЧТА ЮГОВОСТОК ПОМОГИ ГОЛОДАЮЩИМ ➜ Russie
- ⊙ руб ➜ Blagoviechtchensk, Russie, Russie (occupation britannique), Russie (postes locales de l'ex-U.R.S.S.), Ukraine

- ⊙ РУБ ➔ Azerbaïdjan, Russie, Russie (Armées du Sud), Russie (postes locales de l'ex-U.R.S.S.), Territoire Antarctique Russe (poste maritime), Touva
- ⊙ рублей ➔ Russie (Armées du Sud)
- ✦ рублей ➔ Russie (Armées du Sud)
- ✦ рубль ➔ Omsk
- ⊙ рубль ➔ Omsk, Russie
- ✦ рубля ➔ Russie (Armées du Sud)
- ⊙ рубля ➔ Russie, Russie (Armées du Sud)
- ⊙ РУБЛЕЙ ➔ Levant (bureaux russes Armée Wrangel), Russie
- ⊙ рублей ➔ Levant (bureaux russes Armée Wrangel), Russie
- ❖ РУБЛЯ ➔ Russie
- ❖ РУССКАЯ ➔ Territoire Antarctique Russe : *base de Ruskaïa*
- ✦ РУССКАЯ ПОЧТА ➔ Levant (bureaux russes Armée Wrangel)
- ✦ РУССКАЯ ПОЧТА ➔ Russie (Armées de l'Ouest)
- ❖ РУССКОЙ АРМІИ ➔ Levant (bureaux russes Armée Wrangel)
- ✦ Ряжскъ ➔ Zemstvos (*Riajsk*)
- ✦ Рязань ➔ Zemstvos (*Riazan*)
- ✦ Самара ➔ Zemstvos (*Samara*)
- ✦ Санкт-Петербург ➔ Russie (postes locales de l'ex-U.R.S.S. : Ville de Saint-Petersbourg)
- ✦ Сапожокъ ➔ Zemstvos (*Sapojok*)
- ✦ Саранскъ ➔ Zemstvos (*Saransk*)
- ✦ Сарапуль ➔ Zemstvos (*Sarapoul*)
- ✦ Саратовъ ➔ Zemstvos (*Saratov*)
- ❖ САХАЛИН ➔ Russie (postes locales de l'ex-U.R.S.S. : Île Sakhaline)
- ✦ САХА-ЯКУТИЯ SAKHA JAKUTIA ➔ Russie (postes locales de l'ex-U.R.S.S. : République de Saha [Iakoutie])
- ✦ СБЕРЕГАТЕЛЬНАЯ МАРКА ➔ Russie (Armées du Sud)
- ✦ СЕВ. ЗАП. Армія ➔ Russie (Armée du Nord-Ouest)
- ❖ Свободная экономическая зона 1933-1993 Почтовый сбор оплачен ➔ Russie (postes locales de l'ex-U.R.S.S. : Port de Nahodka)
- ✦ Симферополь ➔ Zemstvos (*Simferopol*)
- ✦ Скопинъ ➔ Zemstvos (*Skopin*)
- ❖ СКРИСОР И ➔ Roumanie
- ✦ СЛОБОДНА ЦРНА ГОРА ➔ Monténégro (timbres d'exil)
- ✦ Смоленскъ ➔ Zemstvos (*Smolensk*)
- ✦ Соликамскъ ➔ Zemstvos (*Solikamsk*)
- ✦ Сороки ➔ Zemstvos (*Soroki*)
- ⊙ сот ➔ Ukraine
- ⊙ СОТИКІВ ➔ Ukraine sub-carpathique
- ✦ Спасскъ ➔ Zemstvos (*Spassk*)
- ✦ СПБ ➔ Russie (postes locales de l'ex-U.R.S.S. : Ville de Saint-Petersbourg)
- ✦ СРБИЈА ➔ Serbie
- ✦ СРБИЈА ➔ Serbie (occupation allemande)
- ✦ СРБИЈА ДИНАРА ➔ Serbie (occupation allemande)
- ❖ СРПСКА ➔ Serbie (République de)
- ❖ СРПСКА КРАЈНА ➔ Serbie-Krajina (République de)
- ✦ СРПСКА КРАГЪ ПОШТА ➔ Serbie
- ✦ СССР ➔ Russie
- ✦ С.С.С.Р. ➔ Russie
- ✦ СССР ПОЧТА ➔ Russie
- ✦ Ставрополь ➔ Zemstvos (*Stavropol*)
- ✦ Старобѣльскъ ➔ Zemstvos (*Starobielsk*)
- ✦ Старая Русса ➔ Zemstvos (*Staraïa Roussa*)
- ✦ Суджа ➔ Zemstvos (*Soudja*)
- ✦ Сумы ➔ Zemstvos (*Soumy*)
- ❖ СХС KRALIE VINA SHS ➔ Yougoslavie
- ✦ Сызрань ➔ Zemstvos (*Syzran*)
- ❖ Тагил Почта Ср. Урал ➔ Russie (postes locales de l'ex-U.R.S.S. : Ville de Nijni-Taguil)
- ✦ Тамбовъ ➔ Zemstvos (*Tambov*)
- ✦ Татарстан ➔ Russie (postes locales de l'ex-U.R.S.S. : Tatarstan [République Tatare])
- ✦ ТАТАРСТАН ➔ Russie (postes locales de l'ex-U.R.S.S. : Tatarstan [République Tatare])
- ✦ ТАТАРСТАН г. БУГУЛЬМА ОДИН РУБЛЬ ➔ Russie (postes locales de l'ex-U.R.S.S. : Tatarstan [République Tatare])
- ✦ ТБЛ ➔ Russie (postes locales de l'ex-U.R.S.S. : Ville de Tobolsk)
- ✦ Тверь ➔ Zemstvos (*Tver*)
- ✦ Темяна Пама 1884-1976 ➔ Ukraine
- ✦ ТЕЛЕГРАФЪ ➔ Russie
- ✦ Тетюши ➔ Zemstvos (*Tetiouchi*)
- ✦ Тирасполь ➔ Zemstvos (*Tiraspol*)
- ✦ ТИФЛИС ГОРОДС ПОЧТА ➔ Tiflis
- ✦ Тихвинъ ➔ Zemstvos (*Tikhvin*)
- ✦ Тирасполь 30-VI-92 ➔ Moldavie
- ✦ ТОМСК ➔ Russie (postes locales de l'ex-U.R.S.S. : Ville de Tomsk)
- ✦ Торопецъ ➔ Zemstvos (*Toropets*)
- ✦ Тотьма ➔ Zemstvos (*Totma*)
- ✦ ТОЧИКИСТОН ➔ Tadjikistan
- ✦ ТОЧИКИСТОН TADJIKISTAN ➔ Tadjikistan
- ✦ ТОЧИКИСТОН TADZIKISTAN ➔ Tadjikistan

- ◆ ТОЧИКИСТОН TAJIKISTAN ➜ Tadjikistan
- ◆ Тула ➜ Zemstvos (Toula)
- ❖ ТУРА ➜ Russie (postes locales de l'ex-U.R.S.S. : Région autonome d'Evenkia [ville de Tura])
- ◆ ТУРКМЕНИСТАН TÜRKMENISTAN ➜ Turkménistan
- ◆ ТЫВА ➜ Russie (postes locales de l'ex-U.R.S.S. : Région de Touva)
- ☉ ТЫЙЫН ➜ Kirghiztan
- ◆ ТЬВА ➜ Touva
- ◆ ТЬВА POSTA ➜ Touva
- ◆ УЗБЕКИСТОН UZBEKISTAN ➜ Ouzbékistan
- ❖ УІЪЗДНАЯ ПОЧТА ➜ Wenden
- ◆ УКРАЇНА-96 Відкриття станції « Академік Вернадсбкий » ➜ Territoire Antarctique Ukrainien
- ◆ УКРАЇНА UKRAINA ➜ Ukraine
- ◆ УКРАІНСЬКА ДЕРЖАВА ➜ Ukraine
- ◆ УКРАІНСЬКА НАРОДНЯ РЕСПУБЛІКА ➜ Ukraine
- ◆ УКРАЇНСЬКА НАРОДНЯ РЕСПУБЛІКА ➜ Ukraine sub-carpathique
- ❖ УКРАЇНИ ➜ Ukraine
- ❖ УКР. НАРОДНА РЕПУБЛІКА ➜ Ukraine
- ◆ Укр Н Р ➜ Ukraine
- ❖ Укр. Н. Реп. шагів ➜ Ukraine
- ❖ УЛСЫН ШУУДАН ➜ Mongolie
- ◆ Ульяновск ➜ Russie (postes locales de l'ex-U.R.S.S. : Région d'Uljanovsk)
- ◆ УРАЛ ➜ Russie (postes locales de l'ex-U.R.S.S. : Région Oural)
- ◆ Уржумъ ➜ Zemstvos (Ourjoum)
- ❖ У. С. Р. Р. ➜ Ukraine
- ◆ У. С. Р. Р.ПОШТА ➜ Ukraine
- ◆ У С С Р 22.500 ➜ Ukraine
- ◆ У С С Р 7.500 ➜ Ukraine
- ◆ Устюжна ➜ Zemstvos (Oustioujna)
- ◆ Устьсысольскъ ➜ Zemstvos (Oustsyssolsk)
- ◆ УФА ➜ Russie (postes locales de l'ex-U.R.S.S. : Ville d'Ufa [République de Bachkirie])
- ◆ Фатежъ ➜ Zemstvos (Fatezh)
- ❖ федеративна Југославија ➜ Yougoslavie
- ◆ ф.Н. Р. ЈУГОСЛАВИЈА ➜ Yougoslavie
- ◆ ХАБАРОВСКИЙ КРАЙ Почта ➜ Russie (postes locales de l'ex-U.R.S.S. : Région de Habarovsk)
- ◆ ХАКАСИЯ ➜ Russie (postes locales de l'ex-U.R.S.S. : République de Khakassie)
- ◆ Харьковъ ➜ Zemstvos (Kharkov)
- ◆ Хвалынскъ ➜ Zemstvos (Khvalynsk)
- ☉ ХЕЛЕР ➜ Monténégro

- ☉ хелера ➜ Yougoslavie
- ☉ ХЕЛЕРА ➜ Monténégro
- ◆ Херсонъ ➜ Zemstvos (Kherson)
- ◆ Холмъ ➜ Zemstvos (Kholm)
- ◆ ЦАРСТВО БЪЛГАРИЯ ➜ Bulgarie
- ❖ ЦР. ГОРЕ ➜ Monténégro
- ❖ ЦРНАГОРА ➜ Monténégro
- ◆ ЦРНА ГОРА ➜ Monténégro
- ◆ ЦРНА ГОРА ➜ Monténégro (occupation italienne)
- ❖ ЦРНА ГОРА ➜ Monténégro (timbres d'exil)
- ❖ ЦРНЕГОРЕ ➜ Monténégro
- ◆ Чембаръ ➜ Zemstvos (Tchembary)
- ◆ Чердынь ➜ Zemstvos (Tcherdyn)
- ◆ Череповецъ ➜ Zemstvos (Tcherepovetz)
- ◆ Черкасск ➜ Zemstvos (Tcherkassy)
- ❖ Черкесия ➜ Russie (postes locales de l'ex-U.R.S.S. : République de Karatchaevie-Tcherkessie)
- ❖ Чернь ➜ Zemstvos (Tchern)
- ❖ Чеченская Респ. Почта ➜ Tchétchénie
- ◆ ЧЕЧЕНСКАЯ РЕСПУБЛИКА ПОЧТА ➜ Tchétchénie
- ◆ ЧЕШСКЯ ПОЧТА ➜ Tchécoslovaquie (Légion en Sibérie)
- ◆ Чистополь ➜ Zemstvos (Tchistopol)
- ◆ Ч. Р. СА. ➜ Ukraine sub-carpathique
- ☉ шагів ➜ Ukraine
- ◆ Шадринскъ ➜ Zemstvos (Chadrinsk)
- ◆ Шацкъ ➜ Zemstvos (Chatzk)
- ◆ Шлиссельбургъ ➜ Zemstvos (Schlusselbourg)
- ◆ Щигры ➜ Zemstvos (Chtchigry)
- ◆ ШУУДАН ➜ Mongolie
- ❖ ЪЕВИНА СРБИЈА ➜ Serbie
- ◆ Э. А. О. ТУРА ➜ Russie (postes locales de l'ex-U.R.S.S. : Région autonome d'Evenkia [ville de Tura])
- ◆ ЮГЪ РОССІИ рублей ➜ Russie (Armée Wrangel)
- ◆ ЮГО-ВОСТОК ГОЛОДАЮЩИМ ПОЧТОВАЯ Р.С.Ф.С.Р. МАРКА ➜ Russie
- ❖ ЮГОВОСТОК ПОМОГИ ГОЛОДАЮЩИМ ➜ Russie
- ◆ ЮЖНА БЪЛГАРИЯ ➜ Bulgarie du Sud
- ◆ ЯКУТИЯ ПОЧТА ➜ Russie (postes locales de l'ex-U.R.S.S. : République de Saha [Iakoutie])
- ❖ ЯКУТИЯ SAKHA-JAKUTIA ➜ Russie (postes locales de l'ex-U.R.S.S. : République de Saha [Iakoutie])
- ◆ Яренскъ ➜ Zemstvos (Iarensk)
- ◆ Яссы ➜ Zemstvos (Yassy)
- ☉ ЋЕНТ ➜ Monténégro (occupation italienne)

Liste alphabétique des inscriptions utilisant des caractères grecs
(alphabetical list of inscriptions using Greek letters)

alphabet grec :

Α(α) Β(β) Γ(γ) Δ(δ) Ε(ε) Ζ(ζ) Η(η) Θ(θ) Ι(ι) Κ(κ) Λ(λ) Μ(μ) Ν(ν) Ξ(ξ)
Ο(ο) Π(π) Ρ(ρ) Σ(σ) Τ(τ) Υ(υ) Φ(φ) Χ(χ) Ψ(ψ) Ω(ω)

- ❖ ΑΓΩΝΕΣ ➔ Grèce
- ◆ ΑΗΜΝΟΣ ➔ Lemnos
- ❖ ΑΡΜΟΣΤΕΙΛ ΘΡΛΧΗΕ ➔ Thrace
- ❖ ΑΥΤΟΝ. ΗΠΕΙΡΟΣ ➔ Épire
- ◆ ΑΥΤΟΝΟΜΟΣ ΗΠΕΙΡΟΣ ➔ Argyrocastro
- ◆ ΛΥΤΟΝΟΜΟΣ ΗΠΕΙΡΟΣ ➔ Épire
- ◆ ΑΥΤΟΝΟΜΟΣ ΗΠΕΙΡΟΣ ΚΟΡΙΤΣΛ ➔ Epire
- ❖ ΓΚΙΟΥΜΟΥ ΛΤΖΙΝΑΣ ➔ Thrace
- ❖ ΓΟΛΙΤΕΙΑ ➔ Icarie
- ❖ ΓΡΑΜΜ ➔ Grèce
- ❖ ΓΡΑΜΜΑΤΟΣΗΜΟΝ ➔ Grèce
- ☉ ΓΡΟΣΙΟΝ ➔ Crète (bureau russe de Rethymno)
- ❖ ΔΕΔΕΑΓΑΤΣ ➔ Dédéagh
- ◆ ΔΗΜΝΟΣ ➔ Lemnos
- ❖ ΔΗΜΟΚΡΑΤΙΑ ➔ Grèce
- ☉ ΛΙΔΡΑΧΜΟΝ ➔ Mytilène
- ❖ ΔΙΚΟΓΡΑΦΩΝ ➔ Crète (poste des insurgés)
- ❖ ΛΙΟΙ. ΓΚΙΟΥΜΟΥ ΛΤΖΙΝΑΣ ➔ Thrace
- ❖ ΔΙΟΙΚΗΣΕΩΣ ➔ Grèce
- ❖ ΔΙΟΙΚΗΣΙΣ ➔ Cavalle, Dédéagh, Icarie
- ❖ ΔΙΟΙΚΗΣΙΣ ΔΕΔΕΑΓΑΤΣ ➔ Dédéagh
- ◆ ΔΙΟΙΚΗΣΙΣ ΛΥΤΙΚΗΣ ΟΡΑΚΗΣ ➔ Thrace
- ❖ ΔΙΟΙΚΗCΙC ➔ Albanie (occupation grecque)
- ◆ ΔΙΟΙΧΗΣΙΖ ΔΥΤΙΧΗΖ ΘΡΑΧΗΖ ➔ Thrace
- ◆ ΔΙΟΙΧΗΣΙΖ ΘΡΑΧΗΖ ➔ Thrace
- ☉ ΔΡ. ➔ Grèce
- ☉ ΔΡΑΧ ➔ Grèce
- ☉ ΔΡΑΧΜ ➔ Argyrocastro, Épire
- ☉ ΔΡΑΧΜΑΙ ➔ Argyrocastro, Crète (administration grecque), Crète (poste des insurgés), Épire
- ☉ ΛΡΑΧΜΗ ➔ Cavalle, Crète (administration grecque), Crète (poste des insurgés), Dédéagh, Grèce, Icarie, Mytilène, Samos
- ☉ ΔΡΑΧΜΙ ➔ Grèce, Samos
- ☉ ΔΡΧ ➔ Grèce
- ❖ ΔΥΤΙΧΗΖ ΘΡΑΧΗΖ ➔ Thrace
- ❖ ΔΥΤΙΚΗΣ ΟΡΑΚΗΣ ➔ Thrace
- ◆ Ε*Δ ➔ Hios
- ◆ ΕΘΝΙΚΗ ΠΕΡΙΘΑΛΨΙΣ ➔ Grèce
- ❖ ΕΙΣΠΡΑΚΤΕΟΝ ➔ Crète (poste des insurgés)
- ◆ Ε*Λ ➔ Hios
- ◆ ΕΛΕΥΘΕΡΑ ΓΟΛΙΤΕΙΑ ➔ Icarie
- ❖ ΕΛΛΑΔΟΣ-ΤΟΥΡΚΙΛΣ ➔ Grèce
- ◆ ΕΛΛΑΣ ➔ Crète (administration grecque), Grèce
- ◆ ΕΛΛΑΣ 2 Χ 43 ➔ Ioniennes (Îles) (occupation allemande)
- ❖ ΕΛΛΑΣ-HELLAS ➔ Grèce
- ◆ ΕΛΛΑΣ LORD BYRON ➔ Grèce
- ◆ ΕΛΛΑΣ ΝΑΥΑΡΙΝΟΝ ➔ Grèce
- ◆ ΕΛΛΑΣ ΠΡΟΣΩΡΙΝΟΝ ➔ Crète (administration grecque)
- ◆ ΕΛΛ. ΑΥΤΟΝ. ΗΠΕΙΡΟΣ ➔ Épire
- ◆ ΕΛΛ ΓΡΑΜΜ ➔ Grèce
- ◆ ΕΛΛ. ΔΙΟΙ. ΓΚΙΟΥΜΟΥ ΛΤΖΙΝΑΣ ➔ Thrace
- ◆ ΕΛΛ. ΕΡ. ΣΤΑΥΟΣ ➔ Grèce
- ◆ ΕΛΛΗΝΙΚΗ ΔΗΜΟΚΡΑΤΙΑ ➔ Grèce
- ◆ ΕΛΛΗΝΙΚΗ ΔΙΟΙΚΗΣΙΣ ➔ Cavalle, Icarie
- ◆ ΕΛΛΗΝΙΚΗ ΔΙΟΙΚΙΙCΙC ➔ Albanie (occupation grecque)
- ◆ ΕΛΛΗΝΙΚΗ ΔΙΟΙΚΗΣΙΣ ΔΕΔΕΑΓΑΤΣ ➔ Dédéagh
- ◆ ΕΛΛΗΝΙΚΗ ΗΠΕΙΡΟΣ ➔ Épire
- ◆ ΕΛΛΗΝΙΚΗ ΚΑΤΟΧΗ ΛΕΡΤΑ . 50 ➔ Turquie (poste privée)
- ◆ ΕΛΛΗΝΙΧΗ ΚΑΤΟΧΗ ΜΥΤΙΛΗΝΗΖ ➔ Mytilène
- ◆ ΕΛΛΗΝΙΚΗΣ ΔΙΟΙΚΗΣΕΩΣ ➔ Grèce
- ◆ ΕΝΑΕΡ. ΤΑΧΥΔΡ. ΣΥΓΚΟΙΝ. ΙΤΑΛΙΑΣ-ΕΛΛΑΔΟΣ-ΤΟΥΡΚΙΑΣ ➔ Grèce
- ◆ ΕΝΑΡΙΟΜΟΝ ΓΡΑΜΜΑΤΟΣΗΜΟΝ ➔ Grèce
- ◆ ΕΠΑΝΑΣΤΑΣΙΣ 1922 ➔ Grèce
- ❖ ΗΠΕΙΡΟΣ ➔ Argyrocastro
- ◆ ΗΠΕΙΡΟΣ ➔ Épire

- ❖ ΗΡΑΚΛΕΙΟΥ ➜ Crète (bureau anglais d'Héraklion)
- ❖ ΘΡΑΧΗΕ ➜ Thrace
- ❖ ΘΡΑΧΗΖ ➜ Thrace
- ◆ ΙΟΝΙΚΟΝ ΚΡΑΤΟΣ ➜ Ioniennes (Îles) (possession britannique)
- ❖ ΙΤΑΛΙΑΣ-ΕΛΛΑΔΟΣ-ΤΟΥΡΚΙΑΣ ➜ Grèce
- ❖ ΚΑΤΟΧΗ ΜΥΤΙΛΗΝΗΖ ➜ Mytilène
- ❖ ΚΟΙΝΟΓΟΙΗΣΙΣ ➜ Crète (poste des insurgés)
- ◆ ΚΟΡΙΤΣΑ ➜ Épire
- ❖ ΚΡΑΤΟΣ ➜ Ioniennes (Îles) (possession britannique)
- ◆ ΚΡΗΤΗ ➜ Crète (administration crètoise)
- ◆ ΚΡΗΤΗ ΚΟΙΝΟΓΟΙΗΣΙΣ ΔΙΚΟΓΡΑΦΩΝ ΜΙΚΡΟΔΙΑΦΟΡΑΣ ➜ Crète (poste des insurgés)
- ◆ ΚΡΗΤΗ ΛΕΠΤΟΝ ΕΙΣΠΡΑΚΤΕΟΝ ➜ Crète (poste des insurgés)
- ❖ ΚΡΗΤΗΣ ➜ Crète (poste des insurgés)
- ❖ ΚΥΒΕΡΝΗΣΙΣ ΚΡΗΤΗΣ ➜ Crète (poste des insurgés)
- ◆ ΚΥΠΡΙΑΚΗ ΔΗΜΟΚΡΑΤΙΑ KIBRIS CUMHURIYETI ➜ Chypre
- ◆ ΚΥΠΡΟΣ KIBRIS CYPRUS ➜ Chypre
- ◆ ΚΥΠΡΟΣ CYPRUS KIBRIS ➜ Chypre
- ⊙ Λ ➜ Grèce
- ⊙ ΛΕΠΤ ➜ Épire, Grèce
- ⊙ Λεπτα ➜ Thrace
- ⊙ ΛΕΠΤΑ ➜ Argyrocastro, Cavalle, Crète (administration grecque), Crète (poste des insurgés), Dédéagh, Épire, Grèce, Icarie, Mytilène, Samos, Thrace
- ⊙ ΛΕΠΤΟΝ ➜ Argyrocastro, Crète (administration grecque), Dédéagh, Épire, Grèce, Icarie, Samos
- ❖ ΛΕΠΤΟΝ ΕΙΣΠΡΑΚΤΕΟΝ ➜ Crète (poste des insurgés)
- ◆ ΛΗΜΝΟΣ ➜ Lemnos
- ❖ ΛΤΖΙΝΑΣ ➜ Thrace
- ⊙ ΜΕΤΑΛΛΙΚ ➜ Crète (bureau russe de Rethymno)
- ⊙ ΜΘΗΓΘ ➜ Mongolie

- ❖ ΜΙΚΡΟΔΙΑΦΟΡΑΣ ➜ Crète (poste des insurgés)
- ❖ ΜΥΤΙΛΗΝΗΖ ➜ Mytilène
- ❖ ΝΟΜΟΣ 6022 ➜ Grèce
- ◆ ΟΛΥΜΠ ΑΓΩΝΕΣ ➜ Grèce
- ◆ ΟΛΥΜΠΙΑΚΟΙ ΑΓΩΝΕΣ ➜ Grèce
- ❖ ΟΡΑΚΗΣ ➜ Thrace
- ⊙ ΠΑΡΑΔΕΣ ➜ Crète (bureau anglais d'Héraklion)
- ❖ ΠΕΡΙΘΑΛΨΙΣ ➜ Grèce
- ◆ ΠΡΟΣΤΑΣΙΑ ΦΥΜΑΤΙΚΩΝ ΝΟΜΟΣ 6022 ➜ Grèce
- ◆ ΠΡΟΣΩΡΙΝΗ ΚΥΒΕΡΝΗΣΙΣ ΚΡΗΤΗΣ ➜ Crète (poste des insurgés)
- ◆ ΠΡΟΣΩΡΙΝΟΝ ΕΛΛΗΝΙΚΗ ΔΙΟΙΚΗΣΙΣ ΔΕΔΕΑΓΑΤΣ ➜ Dédéagh
- ◆ ΠΡΟΣΩΡΙΝΟΝ ΤΑΧΥΔΡΟΜΕΙΟΝ ΗΡΑΚΛΕΙΟΥ ➜ Crète (bureau anglais d'Héraklion)
- ◆ ΠΡΟΣΩΡΙΝΟΝ ΤΑΧΥΔΡΟΜΕΙΟΝ ΡΕΘΥΜΝΗΣ ➜ Crète (bureau russe de Rethymno)
- ◆ ΠΡΟΣΩΡΙΝΟΝ ΤΑΧΥΔΡΟΜΕΙΟΝ ΣΑΜΟΥ ➜ Samos
- ◆ ΡΕΘΥΜΝΗΣ ➜ Crète (bureau russe de Rethymno)
- ◆ ΣΑΜΟΥ ➜ Samos
- ◆ Σ. Δ. Δ. ➜ Égée (îles de la mer) (occupation grecque)
- ❖ ΣΜΥΡΝΗ ➜ Turquie (Smyrne)
- ❖ ΣΥΓΚΟΙΝ. ΙΤΑΛΙΑΣ-ΕΛΛΑΔΟΣ-ΤΟΥΡΚΙΑΣ ➜ Grèce
- ❖ ΤΑΧΥΔΡΟΜΕΙΟΝ ➜ Crète (bureau anglais d'Héraklion)
- ❖ ΤΑΧΥΔΡΟΜΕΙΟΝ ΡΕΘΥΜΝΗΣ ➜ Crète (bureau russe de Rethymno)
- ❖ ΤΑΧΥΔΡΟΜΕΙΟΝ ΣΑΜΟΥ ➜ Samos
- ❖ ΤΑΧΥΔΡ. ΣΥΓΚΟΙΝ. ΙΤΑΛΙΑΣ-ΕΛΛΑΔΟΣ-ΤΟΥΡΚΙΑΣ ➜ Grèce
- ❖ ΤΟΥΡΚΙΑΣ ➜ Grèce
- ◆ 'ΥπΑΤΗ 'ΑΡΜΟΣΤΕΙΑ ΘΡΑΧΗΕ ➜ Thrace
- ❖ ΦΥΜΑΤΙΚΩΝ ΝΟΜΟΣ 6022 ➜ Grèce
- ◆ ΧΑΡΤΟΧΗΜΟΝ ΕΛΛΗΝΙΚΗΣ ΔΙΟΙΚΗΣΕΩΣ ➜ Grèce

⊙ $ → Aitutaki, Angola, Anguilla, Antigua, Argentine, Australie, Bahamas, Barbuda, Belize, Béquia, Bermudes, Brésil, Brunei, Caïques, Cambodge, Canada, Cap-Vert, Cayes, Chili, Chine, Cocos, Colombie, Cook, Dominicaine, Dominique, Équateur, États-Unis d'Amérique, États-Unis d'Amérique (postes locales et privées), Fidji, Funafuti, Grenade, Grenadines, Guatemala, Guinée portugaise, Guinée-Bissau, Guyane, Hong Kong, Inde portugaise, Jamaïque, Kedah, Kelantan, Kelantan (occupation japonaise), Kiribati, Kouang-Tcheou, Leeward, Libéria, Lord Howe (Île), Madère, Malacca (établissements des détroits de Malacca et Singapour), Malacca (état fédéré de Malaysia), Malaisie, Malaysia, Marshall, Mexique, Micronésie, Montserrat, Mozambique, Nanumaga, Nanuméa, Nations Unies (New York), Nauru, Negri Sembilan, Nevis, Niuafo'ou, Niue, Niutao, Nouvelle-Zélande, Nui, Nukufetau, Nukulaelae, Occussi-Ambeno (Sultanat d'), Pahang, Palau, Paraguay, Penang, Penrhyn, Perak, Perlis, Pitcairn, Portugal, Redonda, Rhodésie du Sud, Ross (terre de), Saint-Christophe, Sainte-Lucie, Saint-Thomas et Prince, Saint-Vincent, Saint-Vincent (Îles Grenadines), Salomon, Samoa, Sarawak, Sedang (Royaume de, poste locale), Selangor, Selangor (occupation japonaise), Singapour, Terre-Neuve, Territoire Antarctique Australien, Territoire Antarctique Néo-Zélandais, Territoire Antarctique Russe (poste maritime), Timor, Tokelau, Trinité, Turks et Caïques, Tuvalu, Union Island, Uruguay, Vaitupu, Vierges, Vietnam (Empire), Vietnam du Nord, Zimbabwe

◆ $ (avec 2 caractères asiatiques dans un ovale) → Kelantan (occupation japonaise)

◆ $1 (avec drapeaux chinois et américain) → Chine

⊙ $b → Bolivie

⊙ £ → Ascension, Brechou, Chypre, Falkland, Falkland (dépendances), Grande-Bretagne, Irlande, Jersey, Man, Nigeria, Nigeria du Nord, Nouvelle Guinée (occupation britannique/administration australienne), Nyassaland, Océan Indien, Pabay, Papouasie et Nouvelle-Guinée, Rhodésie du Sud, Sainte-Hélène, Saint-Vincent, Tristan da Cunha, Victoria, Zoulouland

⊙ £M → Malte

◆ 0,05 → Madagascar (colonie française)

◆ 0.15 → Majunga

◆ 05 → Madagascar (colonie française)

◆ 1 (accompagné de caractères chinois) → Formose

◆ 1 (au centre d'un rond entouré d'étoiles) → Suisse

◆ 1.° ANIVERSARIO DEL ALZAMIENTO PATRIOTICA TAFALLA 18-7-1937 → Espagne (émissions nationalistes : Tafalla)

◆ 1 KC → Tchécoslovaquie (occupation allemande des territoires des Sudètes)

◆ 10 (sur fond bleu) → Brésil

◆ 10 (sur fond noir) → Brésil

◆ 10 (au centre d'un rond entouré d'étoiles) → Suisse

◆ 10 (avec portait de jeune fille bosniaque) → Bosnie Herzégovine

◆ 10 → Cochinchine, Pologne, Sénégal (colonie française)

◆ 10 (accompagné de caractères chinois) → Formose

◆ .10 → Inde anglaise (occupation japonaise des Îles Andaman)

◆ 100 (au centre d'un rond entouré d'étoiles) → Suisse

◆ 10 C. R → Réunion

◆ 10PARA10 → Levant (bureaux russes)

◆ 11° CONGRESO INTERNACIONAL DE FERROCARRILES → Espagne

◆ 11E SCHEEPVAARTDAG STADSPOST → Pays-Bas (postes locales : Delfzijl)

◆ 1.20 → Tchécoslovaquie (occupation allemande des territoires des Sudètes)

◆ 1.20 KC → Tchécoslovaquie (occupation allemande des territoires des Sudètes)

◆ 1-23-43 → Philippines (occupation japonaise)

◆ 12-8-1942 5 → Philippines (occupation japonaise)

◆ 15 → Cochinchine, Madagascar (colonie française), Majunga, Nossi-Bé, Sénégal (colonie française)

◆ 15 (penché) → Diégo-Suarez

◆ 150 → Temesvar (Timisiorra)

◆ 150TH ANNIVERSARY OF THE PENNY BLACK → Sierra Leone

◆ 15C → Madagascar (colonie française)

- 15TH CP GATT TOKYO 1959 → Japon
- 1605 1905 → Espagne
- 180 (*sur fond noir*) → Brésil
- 1824-1924 2 CENT → Pays-Bas
- 1851-1951 → Chine
- ❖ 1852-1952 CENTENARY 1ST POSTAGE STAMP → Pakistan
- 1863-1963 → Japon
- 1877-1952 → Japon
- 1879-1954 → Japon
- 1885-1960 → Japon
- 1886-1961 → Japon
- 1874-1994 Чеченская Респ. Почта → Tchétchénie
- 1890-1960 → Japon
- 1898-1923…CENT → Pays-Bas
- 1898-1923…CT → Pays-Bas
- 18° DISTRITO → Cuzco
- 1910-1960 → Japon
- 1913 (*et caractères arabes*) → Thrace
- ❖ 1916-1917 → Roumanie (occupation bulgare)
- 1917 1957 → Corée du Nord
- 1917 7-XI 1922 → Vladivostok
- 1920 (*et caractères arabes*) → Syrie (Royaume de)
- 1920 KGCA → Carinthie
- 1923-1948 → Grande-Bretagne
- 1925 → Iran
- 1934-MALAGA-1937 18 JULIO ¡ARRIBA ESPAÑA! FRANCO-FRANCO-FRANCO → Espagne (émissions nationalistes : Malaga)
- 1935-1965 → Chine
- 1936 ANIVERSARIO DEL FRENTE POPULAR 1937 → Espagne (émissions nationalistes : Barcelone)
- 1941 → Espagne
- 1942-1949 (*avec caractères chinois*) → Chine orientale
- 1945 1956 → Corée du Nord
- 1945 8.15 1953 → Corée du Nord
- 1946 1956 → Corée du Nord
- 1948 1954 → Corée du Nord
- 1949 (*avec caractères chinois*) → Chine centrale, Chine du sud, Chine orientale
- 1949.2.7 (*avec caractères chinois*) → Chine orientale
- 1949 5^00, 1949 8^00, 1952 5^00, 1952 10^00, 1954 10^00, etc... 1965 5^00 → Japon
- 1951 - 5 - 5 → Japon

- 1957 8.27 → Corée du Nord
- 1965 IAEA GENERAL CONFERENCE → Japon
- 1966 .4 .12 → Corée du Nord
- 1970 IN NEDERLAND DAG VAN DE POSTZEGEL → Pays-Bas (postes locales : *Arnhem*)
- 1973 1974 → Corée du Nord
- 1st → Grande-Bretagne
- 2 (*au centre d'un rond entouré d'étoiles*) → Suisse
- 2 (*avec portait de jeune fille bosniaque*) → Bosnie Herzégovine
- 2 → Réunion
- 2 KC → Tchécoslovaquie (occupation allemande des territoires des Sudètes)
- 2P. 50 K. → Tchita
- 20 (*sur fond noir*) → Brésil
- 20 (*au centre d'un rond entouré d'étoiles*) → Suisse
- 20 (*avec portait de jeune fille bosniaque*) → Bosnie Herzégovine
- 20 → Féroé (occupation anglaise)
- .20 → Inde anglaise (occupation japonaise des Îles Andaman)
- 20 C. R → Réunion
- 20PARAS20 → Levant (bureaux roumains)
- 2 ^C. → Réunion
- 24. APRIL 1921 → Autriche (postes locales ou privées) : Tirol
- 25 → Côte des Somalis, Madagascar (colonie française), Merida, Nossi-Bé, Russie (Armées du Sud)
- 25 (*avec drapeaux chinois et américain*) → Chine
- 25 C → Tahiti
- 25 C. R → Réunion
- 280 (*sur fond rouge*) → Brésil
- 2nd → Grande-Bretagne
- 3 (*accompagné de caractères chinois*) → Formose
- 3 (*au centre d'un rond entouré d'étoiles*) → Suisse
- .3 → Inde anglaise (occupation japonaise des Îles Andaman)
- .30 → Inde anglaise (occupation japonaise des Îles Andaman)
- 3AKAPMATCBKA YKPAIHA (cyrillique) → Ukraine sub-carpathique
- 3 ANNAS → Travancore-Cochin
- 3 ANNAS SERVICE → Travancore-Cochin
- 3COCP (cyrillique) → Caucase
- 3 CVOS 3 → Philippines (occupation japonaise)
- 3 FIERA CAMPIONARIA TRIPOLI POSTE ITALIANE → Tripolitaine

- ❖ 3HAKb (cyrillique) ➔ Russie (occupation allemande)
- ◆ 3ᴿᴰ ASIAN GAMES ➔ Japon
- ◆ 3ᴿᴰ AVE. POST S-R ➔ États-Unis d'Amérique (postes locales et privées) : *New York*
- ◆ 30 (*sur fond bleu*) ➔ Brésil
- ◆ 30 (*sur fond noir*) ➔ Brésil
- ◆ 30 ➔ Cochinchine, Temesvar (Timisiorra)
- ◆ 300 (*sur fond noir*) ➔ Brésil
- ◆ 30 (*accompagné de caractères chinois*) ➔ Formose
- ◆ 35 ➔ Omsk, Tcheliabinsk
- ◆ 35 КОП. ➔ Russie (Armée Wrangel)
- ◆ 40 (*accompagné de caractères chinois*) ➔ Formose
- ◆ 40 ➔ Pays-Bas (postes locales : *Grave-Ravenstein*)
- ◆ 40 JAAR NEDERLAND VRIJ 5-MEI-1985 ➔ Pays-Bas (postes locales : *Amsterdam*)
- ◆ 40 STADSPOST ➔ Pays-Bas (postes locales : Grave-Ravenstein)
- ◆ 4ᴱ ANNIVERSAIRE DE LA RÉPUBLIQUE ➔ Khmère
- ◆ 430 (*sur fond jaune*) ➔ Brésil
- ◆ 4.50 KC ➔ Tchécoslovaquie (occupation allemande des territoires des Sudètes)
- ◆ 5 ➔ Cochinchine, États Confédérés d'Amérique (émissions des Maîtres de postes : Laurens Court House, Caroline du Sud ; Limestone Springs, Caroline du Sud ; New-Smyrna, Floride ; Oakway, Caroline du Sud ; Weatherford, Texas), Indochine, Madagascar (colonie française), Nossi-Bé, Pologne, Sénégal (colonie française)
- ◆ 5 (*accompagné de caractères chinois*) ➔ Formose
- ◆ 5 (*au centre d'un rond entouré d'étoiles*) ➔ Suisse
- ◆ 5 (*avec drapeaux chinois et américain*) ➔ Chine
- ◆ .5 ➔ Inde anglaise (occupation japonaise des Îles Andaman)
- ◆ 50 ➔ Côte des Somalis
- ◆ 50 (accompagné de caractères chinois) ➔ Formose
- ◆ 50 (au centre d'un rond entouré d'étoiles) ➔ Suisse
- ◆ 50 (avec drapeaux chinois et américain) ➔ Chine
- ◆ 5 AHA ➔ États Confédérés d'Amérique (émissions des Maîtres de postes : Jetersville, Virginie)
- ◆ 5C ➔ Nossi-Bé
- ◆ 5° CENTENARIO DA DESCOBERTA DA GUINÉ ➔ Guinée portugaise
- ◆ 5 CENTIMES ➔ Éthiopie
- ◆ 5C/M ➔ Éthiopie
- ◆ 5 C. R ➔ Réunion
- ◆ 5 PF. ➔ Kiao-Tchéou
- ◆ 5 PFG. ➔ Kiao-Tchéou
- ◆ 5R ➔ Arménie
- ◆ 5. V. CESKO SLOVENSKO 1945 ➔ Tchécoslovaquie
- ◆ 50 ➔ Féroé (occupation anglaise), Russie (Armées du Sud), Tcheliabinsk
- ◆ 500 (*au centre d'un rond entouré d'étoiles*) ➔ Suisse
- ◆ 50 H ➔ Tchécoslovaquie (occupation allemande des territoires des Sudètes)
- ◆ 6 (*avec portail de jeune fille bosniaque*) ➔ Bosnie Herzégovine
- ◆ 6 ANNAS SERVICE ➔ Travancore-Cochin
- ◆ 6 ANNAS ➔ Travancore-Cochin
- ◆ 60 (*sur fond noir*) ➔ Brésil
- ◆ 60 ➔ Féroé (occupation anglaise), Russie (Armée Wrangel)
- ◆ 600 (*sur fond noir*) ➔ Brésil
- ◆ 6.25 ➔ Corée du Nord
- ◆ 70 ➔ Omsk, Russie (Armées du Sud), Tcheliabinsk
- ◆ 70 КОП. ➔ Russie (Armées du Sud)
- ◆ 700 JAAR GEMEENTEZIEKENHUIS STADSPOST ➔ Pays-Bas (postes locales : *Dordrecht*)
- ◆ 8 CTS ➔ Panama-République
- ◆ 815 ➔ Corée du Nord
- ◆ 8.15 ➔ Corée du Nord
- ◆ 888 ➔ Serbie-Krajina (République de)
- ◆ 8ᵀᴴ AVENUE POST OFFICE ➔ États-Unis d'Amérique (postes locales et privées) : *New York*
- ◆ 90 (*sur fond noir*) ➔ Brésil
- ◆ 948 7.10 ➔ Corée du Nord

Liste alphabétique principale
(main alphabetical list)

⊙ a → Aden, Afrique orientale britannique, Azad Hind, Inde, Islande, Kathiri (Seyun), Macao, Orcha, Pakistan, Qu'Aiti (Hadramaout), Somaliland

❖ AALESUND → Norvège (poste locale)

◆ ARTSAKH STEPANAKERT → Russie (postes locales de l'ex-U.R.S.S. : Région du Haut-Karabakh)

◆ ABARQUH GUNBAD → Iran

◆ ABERDEEN MI. → États Confédérés d'Amérique (émissions des Maîtres de postes : Aberdeen, Missouri)

◆ *Abkhazie (République d')* → Russie (postes locales de l'ex-U.R.S.S.)

❖ ABLÖSUNG → Bade (Grand Duché)

◻ **Abou Dhabi**
Abu Dhabi (E)
1964-1972
Asie
Yvert et Tellier, Tome 5, 1ʳᵉ partie
(à : *Arabie du Sud-Est*)
l   ABU DHABI (1964-1972)
s   UAE (1972)
m   np, rs, fils, dinar
⇨ Émirats arabes unis

❖ ABSTIMMUNG → Carinthie

◆ ABSTIMMUNG IN SALZBURG 29. MAI 1921 → Autriche (postes locales ou privées) : *Salzbourg*

◆ ABU DHABI → Abou Dhabi

🔒 *Abyssinia (E)* → Éthiopie

◆ A.C.C.P. → Azerbaïdjan

❖ ACHEMINEMENT → France

◆ AÇORES → Açores

◼ **Açores**
Azores + Portugal: Azores (E)
1868-1934 ; 1980-auj.
Europe
Yvert et Tellier, Tome 3, 2ᵉ partie
(à : *Portugal*)
l   AÇORES (1906-1910)
     PORTUGAL AÇORES (1980-auj.)
s   AÇORES (Portugal: 1868-1932)
m   reis, €

◆ ADAMS CITY EXPRESS POST → États-Unis d'Amérique (postes locales et privées) : *New York*

◆ ADAMS & CO'S EXPRESS → États-Unis d'Amérique (postes locales et privées) : *Californie*

◆ ADEN → Aden

◻ **Aden**
1937-1964
Asie
Yvert et Tellier, Tome 5, 1ʳᵉ partie
l   ADEN (1937-1964)
m   A, cents, c, cts, As, sh
⇨ Arabie du Sud

◆ *Aden* → voir aussi : Kathiri (Seyun), Qu'Aiti (Hadramaout), Upper Yafa

◆ ADEN KATHIRI STATE OF SEIYUN → Kathiri (Seyun)

◆ ADEN QU'AITI STATE IN HADHRAMAUT → Qu'Aiti (Hadramaout)

◆ ADEN QU'AITI STATE OF SHIHR AND MUKALLA → Qu'Aiti (Hadramaout)

❖ A.D.HALL → États Confédérés d'Amérique (émissions des Maîtres de postes : Gainesville, Alabama)

◆ ADIGEY → Russie (postes locales de l'ex-U.R.S.S. : République d'Adyguéie)

◆ ADIGEY POSTAGE → Russie (postes locales de l'ex-U.R.S.S. : République d'Adyguéie)

◆ *Adjman* → Ajman

◆ ADMINISTRACION DE CORREOS SANTIAGO CHILE → Chili

◆ ADMINISTRACION DE CORREOS VALPARAISO CHILE → Chili

◆ ADMINISTRACION LOCAL DE CORREOS CERRADO Y SELLADO POR LA OFICINA → Guatamala, Mexique

◆ ADMINISTRAT B FINANCAVET TE SHQIPNIS FINANZVERWALTUNG ALBANIENS → Albanie

◆ ADMINISTRATION POSTALE DES NATIONS UNIES → Nations Unies (Genève)

◆ ADMIRALTY OFFICIAL → Grande Bretagne

◆ ADMON. DE CORREOS DE CUAUTLA → Cuautla

◆ ADMON PRAL DE CORREOS DEL DEPᵀᴼ DE APURIMAC ABANCAY → Apurimac

⊙ adópengö → Hongrie

◆ A. D. P. O. Z. O. → Grand Liban, Syrie (administration française)

◆ *Adyguéie (République d')* → Russie (postes locales de l'ex-U.R.S.S.)

◆ A. E. F. CENTENAIRE DU GABON → Afrique Équatoriale

🔒 *Aegean Islands (E)* → Calino, Carchi, Caso, Coo, Égée (îles de la mer), Égée (îles de la mer) (occupation grecque), Lero, Lipso, Nisiro, Patmo, Piscopi, Rhodes, Scarpanto, Simi, Stampalia

◆ AEREO MEXICO → Mexique

❖ AERO CLUB OF CANADA COMMEMORATIVE STAMP → Canada

- AÉROPORT INTERNATIONAL DE KANDAHAR → Afghanistan
- AERO-TARG POZNAN 1921 → Pologne
- ⊙ af → Afghanistan
- ❖ AFARS → Afars et Issas (Territoire des)
- ꝓ *Afars and Issas (E)* → Afars et Issas (Territoire des)

☐ **Afars et Issas (Territoire des)**
Afars and Issas (E)
1967-1977
Afrique
Yvert et Tellier, Tome 2, 1ʳᵉ partie
 l TERRITOIRE FRANÇAIS DE AFARS ET DES
   ISSAS (1967-1977)
 m F

- AF. ÉQU.ᴸᴱ FRANÇAISE → Afrique Équatoriale
- AFF. EXCEP FAUTE TIMBRE → Éthiopie
- AFGHANISTAN → Afghanistan

■ **Afghanistan**
1870-auj.
Asie
Yvert et Tellier, Tome 5, 1ʳᵉ partie
 l AÉROPORT INTERNATIONAL DE
   KANDAHAR (1961)
   AFGHANISTAN (1955-1956)
   AFGHAN POST (1973 ; 1989-auj.)
   AFGHAN POSTAGE (1927)
   POSTAGE AFGHAN (1927)
   POSTES AFGHAN (1928-1951)
   POSTES AFGHANISTAN (1928-1951)
   POSTES AFGHANES (1951-auj.)
 m poul, pool, pul, p, ps, pouls, af, afs

- AFGHAN POST → Afghanistan
- AFGHAN POSTAGE → Afghanistan
- AF. OCCᴸᴱ FRANÇAISE → Afrique Occidentale
- AFR → Afrique du Sud (Union de l')
- AFRICA CORREIOS → Afrique portugaise
- ❖ AFRICAIN ALLEMAND OCCUPATION
  BELGE. DUITSCH OOST AFRIKA BELGISCHE
  BEZETTING. → Ruanda-Urundi
- ❖ AFRICA OCCIDENTAL → Elobey, Annobon &
  Corisco
- ❖ AFRICA OCCIDENTAL → Guinée espagnole
- AFRICA OCCIDENTAL ESPANOLA → Afrique
  occidentale espagnole
- AFRICA ORIENTALE ITALIANA → Afrique
  orientale italienne
- ❖ AFRIKAANSCHE REPUBLIEK → Transvaal

☐ **Afrique centrale britannique**
British Central Africa (E)
1895-1907
Afrique
Yvert et Tellier, Tome 5, 1ʳᵉ partie
 l BRITISH CENTRAL AFRICA (1895-1907)
   BRITISH CENTRAL AFRICA PROTECTORATE
   (1895-1907)
 s B.C.A (Afrique du Sud : 1891-1895)
 m d, penny, pence, shillings, shilˢ, s, d

☐ **Afrique du Sud (compagnie britannique de l')**
Rhodesia: British South Africa (E)
1890-1905
Afrique
Yvert et Tellier, Tome 5, 1ʳᵉ partie
 l BRITISH SOUTH AFRICA COMPANY (1890-
   1905)
 s BRITISH SOUTH AFRICA COMPANY (Cap de
   Bonne Espérance [colonie britannique] :1896)
 m pence, pounds, penny, d, shilling, shillings
 ⇨ Rhodésie

■ **Afrique du Sud (Union de l')**
South Africa (E)
1910-auj.
Afrique
Yvert et Tellier, Tome 5, 1ʳᵉ partie
 l AFR (1927-1936)
   REPUBLIC OF SOUTH AFRICA (1961-1966)
   REPUBLIEK VAN SUID-AFRIKA (1961-1966)
   RSA (1961-auj.)
   SOUTH AFRICA (1926-1961 ; 2000-auj.)
   SUIDAFRIKA, SUID-AFRIKA (1926-1961)
   UNIE VAN ZUID AFRIKA (1910-1922)
   UNION OF SOUTH AFRICA (1910-1922)
 m d, pence, c, r, ri
 ⇨ Bechuanaland (protectorat britannique)

- ♦ *Afrique du Sud* → voir aussi : Cap de Bonne-Espérance
  (colonie britannique), Cap de Bonne-Espérance (guerre
  anglo-boer), Bophuthatswana, Ciskei, Natal, Orange,
  Transkei, Transvaal, Venda

☐ **Afrique du Sud-Ouest (colonie allemande)**
German South-West Africa (E)
1897-1919
Afrique
Yvert et Tellier, Tome 5, 1ʳᵉ partie
 l DEUTSCH-SÜDWESTAFRIKA (1900-1919)
 s DEUTSCH-SÜDWESTAFRIKA (Allemagne :
   1897-1898)
   DEUTSCH-SÜDWEST-AFRIKA (Allemagne :
   1897)
 m pfennig, mark

- ♦ *Afrique du Sud-Ouest (occupation britannique)* → Sud-
  Ouest Africain

- AFRIQUE ÉQUᴬᴸᴱ FRᶜᴬᴵˢᴱ → Afrique Équatoriale

- AFRIQUE ÉQUAT. FRANÇ. → Afrique Équatoriale

- AFRIQUE ÉQUATORIALE → Afrique Équatoriale

☐ **Afrique Équatoriale**
French Equatorial Africa (E)
1936-1957
Afrique
Yvert et Tellier, Tome 2, 1ʳᵉ partie
l A. E. F. CENTENAIRE DU GABON (1938)
AF. ÉQU.ᴸᴱ FRANÇAISE (1946)
AFRIQUE ÉQUᴬᴸᴱ FRᶜᴬᴵˢᴱ (1937-1939)
AFRIQUE ÉQUAT. FRANÇ.(1941)
AFRIQUE ÉQUATORIALE(1941-1944)
AFRIQUE ÉQUATORIALE FRANÇAISE (1937-1957)
AFRIQUE FRANÇAISE LIBRE (1941)
s AFRIQUE ÉQUATORIALE FRANÇAISE
(Congo [colonie française], Gabon [colonie française] : 1936)
AFRIQUE FRANÇAISE LIBRE (1941)
m c, F
⇨ Gabon (colonie française)

♦ AFRIQUE ÉQUATORIALE FRANÇAISE ➜ Afrique Équatoriale
♦ AFRIQUE ÉQUATORIALE FRANÇAISE OUBANGUI-CHARI ➜ Oubangui
♦ AFRIQUE ÉQUATORIALE FRANÇAISE TCHAD ➜ Tchad (colonie française)
♦ AFRIQUE ÉQUATORIALE GABON ➜ Gabon (colonie française)
♦ AFRIQUE FRANÇAISE LIBRE ➜ Afrique Équatoriale

☐ **Afrique Occidentale**
French West Africa (E)
1944-1959
Afrique
Yvert et Tellier, Tome 2, 1ʳᵉ partie
l AF. OCCᴸᴱ FRANÇAISE (1946)
AFRIQUE OCCIDENTALE FRANÇAISE (1945)
OFFICE DES POSTES ET TÉLÉCOMMUNICATIONS CF (1959)
s A O F (France : 1944-1959)
m F
⇨ Guinée

☐ **Afrique occidentale espagnole**
Spanish West Africa (E)
1949-1951
Afrique
Yvert et Tellier, Tome 5, 1ʳᵉ partie
l AFRICA OCCIDENTAL ESPANOLA (1949)
TERRITORIOS DEL AFRICA OCCIDENTAL ESPANOLA (1950-1951)
m pta, pts, cents

◆ *Afrique occidentale espagnole* ➜ voir aussi : Ifni, La Agüera, Rio de Oro, Rio Muni, Sahara Espagnol
♦ AFRIQUE OCCIDENTALE FRANÇAISE ➜ Afrique Occidentale
♦ AFRIQUE OCCIDENTALE FRANÇAISE HAUT-SÉNÉGAL ET NIGER ➜ Haut-Sénégal et Niger

♦ AFRIQUE OCCIDENTALE FRANÇAISE Hᵀ SÉNÉGAL-NIGER ➜ Haut-Sénégal et Niger

☐ **Afrique orientale allemande (colonie allemande)**
German East Africa (E)
1893-1919
Afrique
Yvert et Tellier, Tome 5, 1ʳᵉ partie
l DEUTSCH-OSTAFRIKA (1900-1919)
s DEUTSCH-OSTAFRIKA (Allemagne : 1896)
PESA (Allemagne : 1893)
m pesa, rupie, heller
⇨ Afrique orientale allemande (occupation britannique)

☐ **Afrique orientale allemande (occupation britannique)**
German East Africa: British Occupation + Tanganyika (1921) (E)
1914-1921
Afrique
Yvert et Tellier, Tome 5, 1ʳᵉ partie
s G.E.A. (Afrique orientale britannique : 1917-1921)
G. R. MAFIA (Afrique orientale allemande [colonie allemande] : 1914-1915)
N. F. (Nyassaland : 1916)
m (cf. Afrique orientale britannique)

☐ **Afrique orientale britannique**
British East Africa + East Africa and Uganda Protectorates (E)
1890-1922
Afrique
Yvert et Tellier, Tome 5, 1ʳᵉ partie
l BRITISH EAST AFRICA PROTECTORATE (1986-1897)
EAST AFRICA AND UGANDA PROTECTORATES (1903-1922)
IMPERIAL BRITISH EAST AFRICA COMPANY (1890-1895)
s BRITISH EAST AFRICA (Inde anglaise, Zanzibar : 1895-1897)
BRITISH EAST AFRICA COMPANY (Grande-Bretagne : 1890)
m anna, annas, rupee, rupees, a, h, c, r, cents
⇨ Afrique orientale allemande (occupation britannique), Ouganda, Zanzibar

☐ **Afrique orientale italienne**
Italian East Africa (E)
1938-1943
Afrique
Yvert et Tellier, Tome 5, 1ʳᵉ partie
l AFRICA ORIENTALE ITALIANA (1938-1943)
A.O.I. (1943)
s A.O.I. (Italie : 1941)
m cent, lira, lire

☐ **Afrique portugaise**
Portuguese Africa (E)
1898-1945
Afrique
Yvert et Tellier, Tome 5, 1ʳᵉ partie
l   AFRICA CORREIOS (1898)
   IMPERIO COLONIAL PORTUGUES (1945)
   TAXA DE GUERRA (1919)
m reis
⇨ Angola, Cap-Vert, Congo portugais, Guinée
   portugaise, Inhambane, Lorenzo-Marquès, Moyen-
   Orient, Quelimane, Saint-Thomas et Prince, Tété

⊙ afs ➜ Afghanistan
✦ AFTONBLADET TACK-POST ➜ Suède
❖ AGADIR ➜ Maroc (postes locales)
◢ *Agman* ➜ Ajman
❖ AGRADECIDA A TRANQUILLO ➜ Espagne
   (émissions nationalistes : Malaga)
❖ AGRICULTURE ➜ États-Unis d'Amérique
⊙ Ags ➜ Angola
❖ AGÜERA ➜ La Agüera
❖ AHA ➜ États Confédérés d'Amérique (émissions des
   Maîtres de postes : Jetersville, Virginie)
✦ AHMNOS (grec) ➜ Lemnos
❖ AHURA MAZDA ➜ Iran

☐ **Ain-Tab**
Syria: French occupation (E)
1921
Asie
Yvert et Tellier, Tome 2, 1ʳᵉ partie
(à : *Syrie [administration française]*)
s   O. M. F. SYRIE (Turquie : 1920-1923)
m piastre, piastres

✦ AIRMAIL 103⁰⁰ ➜ Japon
✦ AIRMAIL 144⁰⁰ ➜ Japon
✦ AIRMAIL 16⁰⁰ ➜ Japon
✦ AIRMAIL 34⁰⁰ ➜ Japon
✦ AIRMAIL 59⁰⁰ ➜ Japon
✦ AIR MAIL MOOSE JAW TO WINNIPEG AUGUST
   17, 1928 MOOSE JAW FLYING CLUB LTD ➜
   Canada
❖ AIR TRANSPORT ASSOCIATION ➜ Japon
✦ AITUTAKI ➜ Aitutaki

■ **Aitutaki**
1902-1927 ; 1972-auj.
Océanie
Yvert et Tellier, Tome 5, 1ʳᵉ partie
l   AITUTAKI (1920-1974)
   AITUTAKI COOK ISLANDS (1972-auj.)
   COOK ISLANDS AITUTAKI (1974-auj.)
s   AITUTAKI (Cook : 1972-1973)
   AITUTAKI (Nouvelle-Zélande : 1902-1919)
m pene, tiringi, penny, pence, shilling, c, $

✦ AITUTAKI COOK ISLANDS ➜ Aitutaki
✦ AJMAN ➜ Ajman

☐ **Ajman**
1964-1972
Asie
Yvert et Tellier, Tome 5, 1ʳᵉ partie
(à : *Arabie du Sud-Est*)
l   AJMAN (1964-1972)
   AJMAN AND ITS DEPENDENCIES (1972)
m dirhams, dh, np, R, riyals
⇨ Manama

✦ AJMAN AND ITS DEPENDENCIES ➜ Ajman
✦ AKAN NATIONAL PARK ➜ Japon
◢ *Akhtyrka* ➜ Zemstvos

■ **Aland**
Finland: Aland Islands (E)
1984-auj.
Europe
Yvert et Tellier, Tome 3, 1ʳᵉ partie
(à : *Finlande*)
l   ÅLAND (1984-auj.)
m mk, €, euro

✦ ÅLAND ➜ Aland
🄿 *Aland Islands (E)* ➜ Aland
✦ ALAOUITES ➜ Alaouites

☐ **Alaouites**
1925-1930
Asie
Yvert et Tellier, Tome 2, 1ʳᵉ partie
s   ALAOUITES (France, Syrie [administration
   française] : 1925-1930)
m p, c, piastres

◢ *Alaska* ➜ États-Unis d'Amérique (postes locales et
   privées)
◢ *Alatyr* ➜ Zemstvos
🄿 *Albania (E)* ➜ Albanie
✦ ALBANIA ➜ Levant (bureaux italiens)

■ **Albanie**
Albania (E)
1913-auj.
Europe
Yvert et Tellier, Tome 4, 1ʳᵉ partie
l   ADMINISTRAT B FINANCAVET TE SHQIPNIS
   FINANZVERWALTUNG ALBANIENS (1919)
   COMMISSION DE CONTRÔLE PROVISOIRE
   KORCA (1914)
   KORCA (1914)
   KORÇÉ (1917-1918)
   KORCES (1917-1918)
   MBRETNIA SHQIPTARE (1930-1942)
   MBRETNIJA SHQIPTARE (1930-1942)
   POSTA SHQIPTARE (1919-1961, 1991-auj.)
   POSTAT E QEVERIES SE PERKOHESHME TE
   SHQIPENIES (1913)
   POSTAT E QEVERRIES SE PERKOHESHME
   TE SHQIPENIES (1913)
   POSTA VETËKEVERRIA E MIRDITIËS (1921)

POSTAT SHQIPTARE (1919-1961)
POSTE SHQIPTARE (1919-1961)
QEVERIJA DEMOKRATIKE E SHQIPNIS
(1944-1945)
QEVERIJA DEMOK E SHQIPERIS (1944-1945)
QEVERIJA DEMOKRAT. E SHQIPERISE
(1944-1945)
R P S E SHQIPERISE (1978-1990)
R. P. E SHQIPERISE (1951-1963)
R. P. E SHQIPERISE (1951-1976)
R P SH FEDERATA DEMOKRATIKE
MDERKOMBETARE E GRAVE (1946)
R. P. SHQIPERISE (1963-1976)
REP. SHQIPTARE (1926-auj.)
REPUBLICA SHQIPETARE (1917)
REPUBLIKA POPULLORE E SHQIPERISE
(1946-1961)
REPUBLIKA POPULLORE SOCIALISTE E
SHQIPERISE (1977-1982)
REPUBLIKA SHQIPTARE (1925-auj.)
SHQIPERIA (1950-1977, 1991-auj.)
SHQIPERIE KORÇË VETQVERITARE (1917)
SHQIPERIJA (1941-1951)
SHQIPNI (1937-1938)
SHQIPNIJA (1944)
SHQYPNIS (1919)
TAKSE QINDARKA (1922)
s   C (Épire : 1916)
POSTAT SHQIPTARE (1919)
REPUBLIKA POPULLORE E SHQIPERISE
(1946)
REPUBLIKA POPULLORE SOCIALISTE E
SHQIPERISE (1977-1982)
REPUBLIKA SHQIPTARE (1925)
SHQIPËNIA (Turquie : 1913-1914)
SHQIPËNIA E LIRE (Turquie : 1913-1914)
m   pa, pi, para, quint, gr, grosh, cts, f, fr. ar, fr. sh.,
q, qind, qd, qintar, qindar, qindarka, l, lek, leke,
heller

☐ **Albanie (occupation grecque)**
*Greece: occupation stamps for use in North
Epirus (Albania) (E)*
1940
Europe
Yvert et Tellier, Tome 3, 1ʳᵉ partie
(à : *Grèce*)
s   EΛΛHNIKH ΔIOIKHCIC (Grèce : 1940)

❖ ΛLBANIENS ➜ Albanie

◆ ALBANY GA. ➜ États Confédérés d'Amérique
(émissions des Maîtres de postes : Albany, Georgie)

◆ ALBERTA ➜ Ancachs

◆ ALCAZAR WAZAN ➜ Maroc (postes locales)

◆ ALDERNEY ➜ Aurigny

❖ ALEMANA DE TRANSPORTES AEREOS ➜
Colombie

☐ **Alexandrette (administration française)**
Hatay: French administration (E)
1938
Asie
Yvert et Tellier, Tome 2, 1ʳᵉ partie
s   SANDJAK D'ALEXANDRETTE (Syrie
[administration française] : 1938)
m   P

☐ **Alexandrette (administration turque)**
Hatay (E)
1939
Asie
Yvert et Tellier, Tome 3, 2ᵉ partie
(à *Turquie)*
l   HATAY DEVLETI POSTALARI (1939)
s   HATAY DEVLETI (Turquie : 1939)
m   sant, krs, k, p

◆ ALEXANDRIA POST OFFICE ➜ États-Unis
d'Amérique (émissions des Maîtres de postes :
Alexandria, Virginie)

◆ ALEXANDRIE ➜ Alexandrie

☐ **Alexandrie**
French Offices in Egypt: Alexandrie (E)
1899-1930
Afrique
Yvert et Tellier, Tome 2, 1ʳᵉ partie
l   ALEXANDRIE (1902-1930)
MILLIÈME(S) À PERCEVOIR (1922-1928)
s   ALEXANDRIE (France : 1899-1900)
MILL. (Port-Saïd : 1921)
m   c, mill, millièmes

◆ *Alexandrie* ➜ voir aussi : Zemstvos

❖ AL-FATEH ➜ Fatah

▣ *Algeria (E)* ➜ Algérie, Algérie (département français)

◆ ALGÉRIE ➜ Algérie, Algérie (département français)

■ **Algérie**
Algeria (E)
1962-auj.
Afrique
Yvert et Tellier, Tome 2, 2ᵉ partie
l   **ALGÉRIE** (1963-auj.)
RÉPUBLIQUE ALGÉRIENNE (1962)
s   ALGÉRIE (France : 1963)
E A (France : 1962)
m   c, f

☐ **Algérie (département français)**
Algeria (E)
1924-1958
Afrique
Yvert et Tellier, Tome 2, 1ʳᵉ partie
l ALGÉRIE (1926-1958)
   CENTENAIRE DE L'ALGÉRIE (1930)
   C. F. A. COLIS POSTAL REMBOURSEMENT
   (1939-1941)
   C. F. A. COLIS POSTAL REMBOURSEMENT
   DOMICILE (1939-1941)
   CHEMINS DE FER ALGÉRIENS (1941-1949)
   COLIS POSTAL APPORT À LA GARE (1899-1926)
   COLIS POSTAL ENCOMBRANT (1939-1942)
   COLIS POSTAL VALEUR DÉCLARÉE (1899-1939)
   COLIS POSTAL LIVRAISON PAR EXPRES
   (1899-1941)
s ALGÉRIE (France : 1924-1925)
   CONTRÔLE RÉPARTITEUR (1921-1938)
m c, centime, cme, f, fr, frs

❖ ALGÉRIENNE ➔ Algérie
❖ AL KHAIMA ➔ Ras al Khaima
◆ *Alkmaar* ➔ Pays-Bas (postes locales)
❖ ALLEATO ➔ Italie (occupation interalliée)

☐ **Allemagne**
Germany (E)
1872-1944
Europe
Yvert et Tellier, Tome 3, 1ʳᵉ partie
l DEUTSCHE FELDPOST (1942-1944)
   DEUTSCHE FLUGPOST (1919-1924)
   DEUTSCHE LUFTPOST (1926-1938)
   DEUTSCHE NATIONALVERSAMMLUNG
   (1919-1920)
   DEUTSCHE REICHS-POST (1872-1882, 1936)
   DEUTSCHE REICHSPOST (1872-1882, 1936)
   DEUTSCHES REICH (1902-1944)
   DIENSTMARKE (1920-1938)
   GROSSDEUTSCHES REICH (1943-1945)
   REGENSBURGER FLIEGERTAGE 11.-
   13.X.1912 (vignette :1912)
   REICHSPOST (1889-1902)
   TELEGRAPHIE DES DEUTSCHEN REICHES
   (1873-1975)
   SAAR DEUTSCHES REICH (1934)
s DEUTSCHE FELDPOST (1942-1944)
   DIENSTMARKE (1920-1938)
m groschen, kreuzer, pfennig, pfg, mark, m,
   tausend, milliarde, milliarden, reichsmark, rm, rpf
   ⇨   Afrique du Sud-Ouest (colonie
   allemande), Afrique orientale allemande (colonie
   allemande), Allenstein, Alsace-Lorraine, Autriche,
   Belgique (occupation allemande), Cameroun
   allemand, Carolines, Chine (bureaux allemands),
   Dantzig,allemande), Mariannes, Marienwerder,
   Maroc (bureaux allemands), Marshall, Memel
   (administration française), Nouvelle Guinée
   (colonie allemande), Pologne, Pologne (occupation

allemande), Roumanie (9e armée), Roumanie
(occupation allemande), Russie (occupation
allemande), Samoa, Sarre, Silésie (Haute),
Tchécoslovaquie, Togo (colonie allemande)

◆ *Allemagne* ➔ voir aussi : Allemagne du Nord (bureau),
Allemagne du Nord (confédération), Bade (Grand
Duché), Bavière, Bergedorf, Brême, Brunswick,
Hambourg, Hanovre, Lubeck, Mecklembourg-Schwerin,
Mecklembourg-Strelitz, Oldenbourg, Prusse, Saxe
(royaume), Schleswig-Holstein, Tour et Taxis, Wurtemberg

☐ **Allemagne (Berlin)**
Berlin (E)
1948-1990
Europe
Yvert et Tellier, Tome 3, 1ʳᵉ partie
l DEUTSCHE BUNDESPOST BERLIN (1954-1990)
   DEUTSCHE POST (1946-1954)
   DEUTSCHE POST BERLIN (1952-1954)
   LANDESPOST BERLIN (1955)
s BERLIN (Allemagne [zones A.A.S.] : 1948-1949)
m dm

☐ **Allemagne bizone (zone anglo-américaine
d'occupation)**
*Germany: for use in the United Sates and British
zones (A. M. G. issue) (E)*
1945-1949
Europe
Yvert et Tellier, Tome 3, 1ʳᵉ partie
l AM POST DEUTSCHLAND (1945-1948)
   DEUTSCHE POST (1948)
   DURCH ZU KÖLN DEUTSCHE POST (1948)
   HELFTBERLIN DEUTSCHE POST (1948)
   KÖLNER DOM 1248-1948 700 JAHRE
   DEUTSCHE POST (1948)
   NOTOPFER 2 BERLIN STEUERMARKE (1948-
   1949)
s * (Allemagne [zones A.A.S.] : 1948)
m dm, pfennig, mark

☐ **Allemagne (occupation belge)**
Germany: Belgian occupation (E)
1919-1921
Europe
Yvert et Tellier, Tome 3, 1ʳᵉ partie
s ALLEMAGNE DUITSCHLAND (Belgique :
   1919-1920)
m (cf. Belgique)

☐ **Allemagne (occupation française)**
Germany: French occupation (E)
1945
Europe
Yvert et Tellier, Tome 2, 1ʳᵉ partie
l BRIEFPOST (1945)
   ZONE FRANÇAISE BRIEFPOST (1945)
m f, m

◆ *Allemagne (occupation française)* ➔ voir aussi :
Bade, Rhéno-Palatin (État), Wurtemberg (occupation
française)

☐ **Allemagne (postes locales ou privées)**
Germany: local issues (E)
1861-1900
Europe
l BELCHEN POST (Hôtel du Grand Ballon de
   Guebwiller : 1894-1900)
   CHARLES VAN DIEMEN HAMBURG BRIEF
   PACKET & GÜTER EXPEDITION (Hambourg,
   service de messagerie : 1861-1863)
   BERGEDORF LOCAL VERKEHR (Bergedorf :
   1887-1888)
   CIRCULAR POST FRANKFURT A/M
   (Francfort : 1886-1887)
   HAMBURG W. KRANTZ INSTITUT
   HAMBURGER BOTEN (Hambourg, service de
   messagerie : 1861-1863)
   HAMONIA WK RANTZ (Hambourg, poste
   locale : 1863)
   JUBILAUMS MARKE HANSA LÜBECK
   (Lubeck : 1897)
   HANSA PRIVATSTADT
   BRIEFBEFÖRDERUNG (Lubeck : 1897)
   HANSA STRASSBURG (Strasbourg : 1886-1900)
   HÉRIONS STADT-BRIEF-PACKET
   BEFÖRDERUNG (Mulhouse : 1895-1900)
   HÉRIONS STADT-BRIEF & PACKET
   BEFÖRDERUNG (Mulhouse : 1895-1900)
   INSTITUT HAMB BOTEN (Hambourg, service
   de messagerie : 1861-1863)
   INSTITUT HAMBURGER BOTEN (Hambourg,
   service de messagerie : 1861-1863)
   INSTITUT HAMBURGER BOTEN H.
   SCHEERENBECK (Hambourg, service de
   messagerie : 1861-1863)
   INSTITUT HAMBURG^R BOTEN (Hambourg,
   service de messagerie : 1861-1863)
   LOCAL-VERKEHR LÜBECK (Lubeck : 1888-1890)
   LUEBECK HANSA (Lubeck : 1897-1900)
   LUEBECK LOCAL-VERKEHR (Lubeck : 1888-1890)
   METZ VOM EMPFÄNGER ZAHLBAR A
   PERCEVOIR DU DESTINATAIRE (Metz : 1896)
   MÜLHAUSER STADTBRIEFVERKEHR GELD &
   PACKET-BEFÖRDERUNG (Mulhouse : 1895-1900)
   NACHPORTO PRIVATPOST (Strasbourg : 1898)
   PRIVAT- BRIEFVERKEHR EXPÉD^ON DE
   LETTRES PRIVÉE METZ (Metz : 1886-1888)
   PRIVAT-BRIEF-VERKEHR STRASSBURG
   (Strasbourg : 1886-1900)
   PRIVAPOST STRASSBURG (Strasbourg : 1886-1900)
   PRIVAT-STADTPOST STRASSBURG 27
   JANUAR 1889 (Strasbourg : 1889)
   STADT-BRIEF BEFÖRDERUNG (Colmar :
   1896-1897)
   STADT-BRIEF BEFÖRDERUNG (Metz : 1896)
   STADT POST COLMAR ELSASS (Colmar :

1896-1897)
VEREIN HAMBURGER BOTEN TH. LEFRENZ
(Hambourg, service de messagerie : 1861-1863)
VEREINIGTE CORPORATIONEN INSTITUT
HAMBURGER BOTEN H. SCHEERENBECK
(Hambourg, service de messagerie : 1861-1863)
m pf

☐ **Allemagne (zones Américaine, Anglaise et
Soviétiques d'occupation - zones A.A.S.)**
Germany (E)
1946-1948
Europe
Yvert et Tellier, Tome 3, 1re partie
l DEUTSCHE POST (1946-1948)
m pfennig, mark
➯ Allemagne (Berlin), Allemagne bizone (zone
   anglo-américaine d'occupation), Allemagne
   Orientale (zone soviétique d'occupation :
   émissions générales)

◆ ALLEMAGNE DUITSCHLAND ➔ Allemagne
(occupation belge)

☐ **Allemagne du Nord (bureau)**
North German Confederation (E)
1868-1869
Europe
Yvert et Tellier, Tome 3, 1re partie
(à : *Allemagne*)
l NORDDEUTSCHER POSTBEZIRK
   STADTPOSTBRIEF HAMBURG (1868-1869)
m groschen, kreuzer

☐ **Allemagne du Nord (confédération)**
North German Confederation (E)
1868-1870
Europe
Yvert et Tellier, Tome 3, 1re partie
(à : *Allemagne*)
l NORDDEUTSCHER BUNDES TELEGRAPHIE
   (1869)
   NORD-DEUTSCHE-POST (1869-1870)
   NORDDEUTSCHER POSTBEZIRK (1868-1869)
   NORD-DEUTSCHER POSTBEZIRK (1869-
   1870)
   NORDDEUTSCHER WECHSELSTEMPEL
   (1870)
m groschen, kreuzer

■ **Allemagne Fédérale**
Federal Republic of Germany (E)
1949-auj.
Europe
Yvert et Tellier, Tome 3, 1re partie
l BUNDESREPUBLIK DEUTSCHLAND (1949)
   DEUTSCHE BUNDESPOST (1949-1995)
   DEUTSCHLAND (1995-auj.)
m dm, €

□ **Allemagne Orientale (République Démocratique)**
German Democratic Republic (E)
1950-1990
Europe
Yvert et Tellier, Tome 3, 1ʳᵉ partie
l D D R (1961-1990)
   DEUTSCHE DEMOKRATISCHE REPUBLIK
   (1950-1982)
   DEUTSCHE POST (1949, 1990)
   TAG DER BRIEFMARKE 1949 DEUTSCHE
   POST (1949)
m dm, m, mark

□ **Allemagne Orientale (zone soviétique d'occupation : émissions générales)**
Germany (soviet occupied zone): general issues (E)
1948-1949
Europe
Yvert et Tellier, Tome 3, 1ʳᵉ partie
l DEUTSCHE POST (1946-1954)
   DEUTSCHE POST LEIPZIGER MESSE 1948
   DEUTSCHE POST MM (1948)
   DEUTSCHE POST LEIPZIGER MESSE 1949
   DEUTSCHE POST MM (1949)
s SOWJETISCHE BESATZUNGS ZONE
   (Allemagne [zones A.A.S.], Berlin [secteur
   soviétique] : 1948)
m pf

□ **Allemagne Orientale (zone soviétique d'occupation : postes locales)**
Germany (soviet occupied zone): local issues (E)
1945
Europe
l DEUTSCHE POST STADT LÜBBENAU (1945)
   DEUTSCHE POST WIEDERAUFBAU STADT
   LÜBBENAU (1946)
   F.M (1945)
   GROBRÄSCHEN POST (1945)
   PLAUEN (1945)
   WIEDERAUFBAU MEISSEN DEUTSCHE
   POST (1945)
m pfg, mark, pfennig, pf

◆ ALLEN'S CITY DISPATCH ➔ États-Unis d'Amérique
   (postes locales et privées) : *Chicago*

□ **Allenstein**
1920
Europe
Yvert et Tellier, Tome 4, 1ʳᵉ partie
s COMMISSION D'ADMINISTRATION ET
   DE PLÉBISCITE OLSZTYN ALLENSTEIN
   (Allemagne : 1920)
   PLÉBISCITE OLSZTYN ALLENSTEIN
   (Allemagne : 1920)
m pfennig, mark

☐ *Allied Military Government (E)* ➔ Italie (occupation
   interalliée), Trieste (Zone A Anglo-Américaine),
   Vénétie Julienne (occupation interalliée)
◆ ALLIED MILITARY POSTAGE ➔ Italie (occupation
   interalliée)
◆ *Almelo* ➔ Pays-Bas (postes locales)
◆ ALMELO STADSPOST ➔ Pays-Bas (postes locales :
   Almelo)
◆ *Almeria* ➔ Espagne (émissions républicaines)

□ **Alsace-Lorraine**
France: German Occupation (E)
1870 ; 1940
Europe
Yvert et Tellier, Tome 1
(à : *France*)
l POSTES CENTIMES (1870)
s ELSASS (Allemagne : 1940)
   LOTHRINGEN (Allemagne : 1940)
m centimes

◆ ALSEDZIAI ➔ Lituanie (occupation allemande)
◆ ALS PORTO MARKE ➔ Autriche (postes locales ou
   privées) : *Nagelberg*
◆ *Altaï (République d')* ➔ Russie (postes locales de l'ex-
   U.R.S.S.)
◆ ALT FOR NORGE ➔ Norvège
◆ ALTO COMMISSARIO PER LA PROVINCIA DI
   LUBIANA ➔ Lubiana-Slovénie (occupation italienne)
❖ ALVAREZ SEREIX CARTERO PPAL. HONORARIO
   ➔ Espagne
❖ ALVAREZ SEREIX CARTERO HONORARIO
   MADRID ➔ Espagne

□ **Alwar**
* *Alwar: Native Feudatory State (E)*
1877-1901
Asie
Yvert et Tellier, Tome 5, 3ᵉ partie
(à : *États princiers de l'Inde*)

◆ AMERICA ESPAÑA CORREOS ➔ Espagne
◆ AMERICAN EXPRESS COMPANY ➔ États-Unis
   d'Amérique (postes locales et privées) : *New York*
◆ AMERICAN LETTER MAIL CO. ➔ États-Unis
   d'Amérique (postes locales et privées) : *Boston,
   Philadelphia*
❖ AMERICAN PACKET COMPANY WEST INDIA
   LINE PRIVATE POSTAGE STAMP ➔ Saint-Thomas-
   La-Guaira
◆ *American Rapid Telegraph Company* ➔ États-Unis
   d'Amérique (compagnies privées de télégraphe)
☐ *A. M. G. (E)* ➔ Italie (occupation interalliée), Trieste
   (Zone A Anglo-Américaine), Vénétie Julienne
   (occupation interalliée)
◆ AMG FTT ➔ Trieste (Zone A Anglo-Américaine)
◆ A.M.G. F.T.T. ➔ Trieste (Zone A Anglo-Américaine)
◆ A.M.G.-F.T.T. ➔ Trieste (Zone A Anglo-Américaine)
◆ AMG FTT FIERA DI TRIESTE ➔ Trieste (Zone A
   Anglo-Américaine)
◆ A.M.G. F.T.T. TRIESTE ➔ Trieste (Zone A Anglo-
   Américaine)

- A.M.G. VG → Vénétie Julienne (occupation interalliée)
- A.M.G. V.G. → Vénétie Julienne (occupation interalliée)
- A. M. HINKLEY'S EXPRESS C° → États-Unis d'Amérique (postes locales et privées) : *New York*
- ❖ AMIENS → France
- AMMINISTRAZIONE MILITARE A. J. TERRITORIO LIBERO DI TRIESTE → Trieste (Zone B Yougoslave)
- ❖ AMPEZZO → Autriche-Hongrie (occupation en Italie)
- AM POST DEUTSCHLAND → Allemagne bizone (zone anglo-américaine d'occupation)
- AM RAPID TEL. CO. COLLECT → États-Unis d'Amérique (compagnies privées de télégraphe) : *American Rapid Telegraph Company*
- AM RAPID TEL. CO. TELEGRAM → États-Unis d'Amérique (compagnies privées de télégraphe) : *American Rapid Telegraph Company*
- ◆ *Amsterdam* → Pays-Bas (postes locales)
- AMSTERDAMSCHE BESTELDIENST → Pays-Bas (postes locales : *Amsterdam*)
- ❖ AMTLICHER VERKEHR → Wurtemberg
- ❖ AMYPCKAR (cyrillique) → Blagoviechtchensk
- ☉ an → Inde anglaise, Irak
- ◆ *Ananiev* → Zemstvos
- ◆ *Anatolie* → Turquie (Anatolie)

☐ **Ancachs**
Peru: provisional issues of Ancachs (E)
1884
Amérique du Sud
Yvert et Tellier, Tome 7, 1ʳᵉ partie
(à : *Pérou*)
   s   ALBERTA (Pérou : 1884)
        « carré et petits ronds » (Pérou : 1884)
        « triangles en rond » (Pérou : 1884)
        FRANCA (Pérou : 1884)
   m   (cf. Pérou)

- ❖ ANCHAL → Cochin, Travancore
- ❖ ANCHEL → Travancore
- ❖ ANCONA → Pologne (corps polonais)
- ❖ ANDALUCES SERVICIO PUBLICO DE TELEGRAFOS → Espagne
- ◆ *Andaman (Îles)* → Inde anglaise (occupation japonaise des Îles Andaman)
- ANDERSON C.H. S.C. → États Confédérés d'Amérique (émissions des Maîtres de postes : Anderson, Caroline du Sud)
- ANDORRA → Andorre (bureaux espagnols)
- ❖ ANDORRA → Andorre (poste française)
- ⌑ *Andorra: French Administration (E)* → Andorre (poste française)
- ⌑ *Andorra: Spanish Administration (E)* → Andorre (bureaux espagnols)
- ANDORRE → Andorre (poste française)

■ **Andorre (bureaux espagnols)**
Andorra: Spanish Administration (E)
1928-auj.
Europe
Yvert et Tellier, Tome 1 bis et 3, 1ʳᵉ partie
   l   ANDORRA (1929-1979)
        CORREUS ESPANYOLS ANDORRA (1999-auj.)
        CORREUS PRINCIPAT D'ANDORRA (1979-1999)
        PRINCIPAT D'ANDORRA CORREUS (1979-1999)
        PRINCIPAT D'ANDORRA CORREUS ESPANYOLS (1999-auj.)
   s   CORREOS ANDORRA (Espagne : 1928)
   m   c, cts, centimos, pta, cents, ptas, €

■ **Andorre (poste française)**
Andorra: French Administration (E)
1931-auj.
Europe
Yvert et Tellier, Tome 1 bis et 3, 1ʳᵉ partie
   l   ANDORRE (1931-1977)
        ANDORRE ANDORRA (1975-1977)
        PRINCIPAT D'ANDORRA (1978-auj.)
        VALLÉES D'ANDORRE (1932-1943)
   s   ANDORRE (France : 1931)
   m   c, f, €

- ANDORRE ANDORRA → Andorre (poste française)
- ❖ ANGBATSBOLAG → Finlande
- ANGOLA → Angola

■ **Angola**
1870-auj.
Afrique
Yvert et Tellier, Tome 5, 1ʳᵉ partie
   l   **ANGOLA** (1870-auj.)
        GOVERNO GERAL DE ANGOLA (1929)
        IMPERIO COLONIAL PORTUGUES ANGOLA (1938)
        PORTEADO ANGOLA (1904-1921)
        PROVINCIA DE ANGOLA (1885)
        REPUBLICA POPULAR ANGOLA (1975-1977)
        REPUBLICA PORTUGUESA ANGOLA (1913-1974)
        TRICENTENARIO DA RESTAURACÀO DE ANGOLA (1948)
   s   REPUBLICA ANGOLA (Afrique portugaise : 1913)
   m   reis, c, cent, $, centavos, ags, kz, kzr, nkz
   ⇨ Congo portugais

- ❖ ANGRA → Angra

☐ **Angra**
1892-1905
Europe
Yvert et Tellier, Tome 3, 2ᵉ partie
(à : *Portugal*)
 l CORREIOS PORTUGAL ANGRA (1892-1905)
 m reis, rs

◆ ANGUILLA ➔ Anguilla

❖ ANGUILLA ➔ Saint-Christophe

■ **Anguilla**
1967-auj.
Amérique Centrale
Yvert et Tellier, Tome 5, 1ʳᵉ partie
 l **ANGUILLA** (1967-auj.)
 s INDEPENDENT ANGUILLA (Saint-Christophe : 1967)
 m cent, c, cents, $

❖ ANIVERSARIO DEL ALZAMIENTO PATRIOTICA TAFALLA 18-7-1937 ➔ Espagne (émissions nationalistes : Tafalla)

❖ ANIVERSARIO DEL FRENTE POPULAR 1937 ➔ Espagne (émissions nationalistes : Barcelone)

☐ **Anjouan**
1892-1912
Afrique
Yvert et Tellier, Tome 2, 1ʳᵉ partie
 l SULTANAT D'ANJOUAN (1892-1912)
 m -

◆ *Anjouan* ➔ voir aussi : Comores

■ **Anjouan (état d')**
Anjouan (State) (E)
1997-auj.
Afrique
Émission non admise par l'U.P.U.
 l **ÉTAT D'ANJOUAN** (1997-auj.)
 m Fc

⊙ anna, annas ➔ Afrique orientale britannique, Azad Hind, Bahawalpur, Bahrain, Bamra, Barwani, Bhopal, Bhore, Birmanie (Dominion britannique), Bussahir, Cachemire, Chamba, Charkhari, Cochin, Dhar, États Princiers de l'Inde, Haiderabad, Holkar, Idar, Inde anglaise, Irak, Jaipur, Jasdan, Kishengarh, Kuwait, Las Bela, Mascate/Oman/Dubaï et Qatar, Morvi, Nandgame, Orcha, Ouganda, Pakistan, Sirmoor, Somalie italienne, Somaliland, Soruth, Tibet, Travancore-Cochin, Zanzibar, Zanzibar (bureau français)

Ƿ *Annam and Tonkin (E)* ➔ Annam et Tonkin

☐ **Annam et Tonkin**
Annam and Tonkin (E)
1888
Asie
Yvert et Tellier, Tome 2, 1ʳᵉ partie
 s A & T (Colonies françaises : 1888)
   A – T (Colonies françaises : 1888)
 m (cf. Colonies françaises)

⊙ anna of a boree ➔ Soruth

❖ ANNIVERSAIRE DE LA RÉPUBLIQUE ➔ Khmère

❖ ANNIVERSARY OF THE PENNY BLACK ➔ Sierra Leone

◆ ANOS 20 DE LA POLITICA DE POBLACION EN MEXICO ➔ Mexique

◆ An port poblacc na h.éireann 1922 ➔ Irlande

⊙ Aᴺˢ ➔ Inde anglaise

❖ ANTANANARIVO ➔ Madagascar (poste britannique)

❖ ANTARCTICA ➔ Territoire Antarctique Néo-Zélandais, Territoire Antarctique Russe, Territoire Antarctique Ukrainien

❖ ANTARCTIC TERRITORY ➔ Antarctique britannique, Territoire Antarctique Australien

■ **Antarctique britannique**
British Antarctic Territory (E)
1963-auj.
Amérique du Sud
Yvert et Tellier, Tome 5, 1ʳᵉ partie
 l **BRITISH ANTARCTIC TERRITORY** (1963-auj.)
 m d, p

◆ *Antarctique britannique* ➔ voir aussi : Falkland, Falkland (dépendances)

❖ ANTARCTIQUES FRANÇAISES ➔ Terres Australes et Antarctiques françaises

◆ ANTARTICA CHILENA ➔ Chili

◆ ANTEMURALE CHRISTIANITATIS POPE LEO X 1519 ➔ Croatie (timbres d'exil)

◆ *Antequera* ➔ Espagne (émissions nationalistes)

◆ ANTEQUERA « VIVA ESPANA » JULIO-1936 ➔ Espagne (émissions nationalistes : Antequera)

◆ ANTIGUA ➔ Antigua

■ **Antigua**
1862-auj.
Amérique Centrale
Yvert et Tellier, Tome 5, 1ʳᵉ partie
 l ANTIGUA (1862-1981)
   ANTIGUA & BARBUDA (1982-auj.)
 m pence, penny, shilling, s, c, cents, $
 ⇨ Barbuda, Montserrat, Redonda

◆ ANTIGUA & BARBUDA ➔ Antigua

❖ ANTILLAS PACIFICO ➔ Panama-Colombie

◆ ANTILLEN ➔ Antilles néerlandaises

☐ **Antilles danoises**
Danish West Indies (E)
1855-1917
Amérique Centrale
Yvert et Tellier, Tome 5, 1ʳᵉ partie
l   DANSK VESTINDIEN (1900-1917)
    DANSK VEST: INDIEN (1900-1917)
    DANSK VESTINDISKE OER (1873-1905)
    K.G.L. POST F.R.M. (1855-1873)
m cent, cents, bit, franc, f

☐ **Antilles espagnoles**
Cuba: Spanish occupation (E)
1855-1873
Amérique Centrale
Yvert et Tellier, Tome 5, 1ʳᵉ partie
l   CORREOS Cˢ 1870 (1870)
    CORREOS 1 Rᴸ PLATA F (1855-1867)
    CORREOS 2 Rᴸ PLATA F (1855-1867)
    Rᴸ PLATA F (1855-1867)
    ULTRAMAR 1868 (1868)
    ULTRAMAR 1869 (1869)
    ULTRAMAR 1871 (1871-1873)
    ULTRAMAR AND 1873 (1873)
s   Y ¼ (1855-1857)
m Rᴸ plata F, Rᴸ Pᵀᴬ F, cent, cs, c. d peseta, peseta
⇨ Philippines

■ **Antilles néerlandaises**
Netherlands Antilles (E)
1949-auj.
Amérique du Sud
Yvert et Tellier, Tome 5, 1ʳᵉ partie
l   ANTILLEN (2000-auj.)
    NED. ANTILLEN (1949-1955)
    NEDERLANDSE ANTILLEN (1952-auj.)
m c, ct

◆ *Antilles néerlandaises* ➔ voir aussi : Aruba
❖ ANTIOQUIA ➔ Antioquia

☐ **Antioquia**
Colombia: Antioquia (E)
1868-1903
Amérique du Sud
Yvert et Tellier, Tome 5, 2ᵉ partie
(à : *Colombie*)
l   COLOMBIA ANTIOQUIA (1901)
    CORREOS ANTIOQUIA COLOMBIA (1875-1892)
    CORREOS DE ANTIOQUIA (1875-1892)
    CORREOS DE DEPARTAMENTO DE
    ANTIOQUIA (1875-1892)
    DEPARTAMENTO DE ANTIOQUIA (1891-1903)
    E. S. DE ANTIOQUIA (1868-1879)
    Eᴼ Sᴼ DE ANTIOQUIA (1868-1879)
    ESTADO SOBERANO DE ANTIOQUIA (1868-1879)
    R. DE COLOMBIA D. DE A. PROVISIONAL (1890)
m centavos, cent, cs, peso

❖ ANTWERPEN ➔ Belgique
❖ ANVERS-ANTWERPEN ➔ Belgique
◆ A. O. ➔ Ruanda-Urundi
◆ A O F ➔ Afrique Occidentale
◆ A.O.I. ➔ Afrique orientale italienne
❖ AOTEAROA NEW ZEALAND ➔ Nouvelle-Zélande
⊙ ap ➔ Hongrie
◆ A PAYER ➔ Belgique
◆ *Apeldoorn* ➔ Pays-Bas (postes locales)
◆ A PERCEVOIR ➔ Belgique, Guadeloupe
◆ À PERCEVOIR TIMBRE TAXE ➔ Colonies françaises
❖ APMIN (cyrillique) ➔ Levant (bureaux russes Armée Wrangel)
◆ *Appingedam* ➔ Pays-Bas (postes locales)
❖ APPORT À LA GARE ➔ France
❖ APSKRICLO PASTO ZENKLAS ➔ Lituanie

☐ **Apurimac**
Peru: provisional issues of Apurimac (E)
1885
Amérique du Sud
Yvert et Tellier, Tome 7, 1ʳᵉ partie
(à : *Pérou*)
s   ADMON PRAL DE CORREOS DEL DEPᵀᴼ DE
    APURIMAC ABANCAY (Arequipa : 1885)
m (cf. Arequipa)

❖ APURIMAC ABANCAY ➔ Apurimac
◆ AR ➔ Panama-Colombie
◆ A. R. ➔ Panama-République
⊙ Ara ➔ Islande
❖ ARAB EMIRATES ➔ Émirats arabes unis
❖ ARABE UNIE ➔ Syrie (état indépendant)
❖ ARABE UNIE SYRIE ➔ Syrie (état indépendant)
❖ ARABIA KINGDOM ➔ Arabie Saoudite

☐ **Arabie du Sud**
South Arabia (E)
1963-1968
Asie
Yvert et Tellier, Tome 5, 1ʳᵉ partie
l   FEDERATION OF SOUTH ARABIA (1963-1966)
    SOUTH ARABIA (1966-1968)
s   SOUTH ARABIA (Aden : 1966-1968)
m fils, dinar
⇨ Yémen du Sud

◆ *Arabie du Sud* ➔ voir aussi : Aden, Mahra, Upper Yafa, Yemen du Sud

■ **Arabie du Sud-Est**
Trucial States (E)
1961-auj.
Asie
Yvert et Tellier, Tome 5, 1ʳᵉ partie
l   TRUCIAL STATES (1961)
m np

◆ *Arabie du Sud-Est* ➔ voir aussi : Abou Dhabi, Ajman, Manama, Dubai, Émirats arabes unis, Fujeira, Ras al Khaima, Sharjah, Khor Fakkan, Um al Qwain

◆ ARABIE SAOUDITE ➜ Arabie Saoudite

■ **Arabie Saoudite**
* *Saudi Arabia (E)*
1916-auj.
Asie
Yvert et Tellier, Tome 5, 1ʳᵉ partie
  l ARABIE SAOUDITE (1963-1964)
     HEDJAZ & NEDJDE (1929)
     HEJAZ & NEJD (1929)
     KINGDOM OF SAUDI ARABIA (1965-1971)
     K. S. A. (1974-1982)
     ROYAUME DE L'ARABIE SAOUDITE (1960-1966)
     ROYAUME DE L'ARABIE SOUDITE (1934-1957)
     S. A. K. (1960-1961)
     SA (1966)
     SAUDI ARABIA (1965-1975)
     SAUDI ARABIA KINGDOM (1965-1975)
  m garch, guerche, p, h, riyal, sr, s.r.

◆ *Arabie Saoudite* ➜ voir aussi : Hedjaz, Nedjed

❖ ARAB JAMAHIRIYA ➜ Libye

❖ ARAB REPUBLIC ➜ Égypte, Syrie (état indépendant), Yémen (république arabe)

◆ *Arad* ➜ Hongrie (occupation française)

❖ ARAGON ➜ Espagne (émissions nationalistes : Saragosse)

□ **Arbe et Veglia**
Fiume (E)
1920
Europe
Yvert et Tellier, Tome 3, 2ᵉ partie
(à : *Italie*)
  s ARBE REGGENZA ITALIANA DEL CARNARO (Fiume : 1920)
     VEGLIA REGGENZA ITALIANA DEL CARNARO (Fiume : 1920)
  m (cf. Fiume)

◆ ARBE REGGENZA ITALIANA DEL CARNARO ➜ Arbe et Veglia

◆ ARCHIPEL DES COMORES ➜ Comores (colonie française et TFO)

◆ A. R. COLON ➜ Panama-République

◆ A. R. COLON COLOMBIA ➜ Panama-Colombie

◆ A. R. COLON PANAMA ➜ Panama-République

◆ ARDASHIR I ET AHURA MAZDA ➜ Iran

❖ ARDASHIR II ➜ Iran

◆ *Ardatov* ➜ Zemstvos

◆ ARDISTAN MASJID ➜ Iran

❖ A RECEBER ➜ Portugal

◆ AR EGYPT ➜ Égypte

◆ A.R. EGYPT ➜ Égypte

◆ AREQUIPA ➜ Arequipa

□ **Arequipa**
Peru: provisional issues of Arequipa (E)
1882-1885
Amérique du Sud
Yvert et Tellier, Tome 7, 1ʳᵉ partie
(à : *Pérou*)
  l CORREOS DEL PERU *(Amiral Grau)* (1885)
     CORREOS DEL PERU *(Colonel Bolognesi)* (1885)
     DEPARMENTOS DEL SUR (1882)
     DEPARTATOS DEL SUR (1882)
     FRANQUEO (1883-1885)
     PERU 1883 1884 (1883-1884)
  s AREQUIPA (Pérou : 1882)
     FRANCA (Pérou : 1885)
  m centavos, sol, s
  ⇨ Apurimac, Ayacucho, Cuzco, Moquegua, Puno

◆ ARGENTINA ➜ Argentine

■ **Argentine**
Argentina (E)
1858-auj.
Amérique du Sud
Yvert et Tellier, Tome 5, 1ʳᵉ partie
  l ARGENTINA (1952-1964)
     COMPANIA TELEGRAFICA DEL RIO DE LA PLATA (1887)
     CONFEᴼᴺ ARGENTINA (1858-1861)
     CORREOS ARGENTINOS (1888-1890)
     FERRO-CARRIL ANDINO (1887)
     FERRO-CARRIL BUENOS AIRES Y PTO. DE LA ENSENADA (1887)
     FERRO-CARRIL CENTRAL AL NORTE (1887)
     FERRO-CARRIL ARGENTINO DEL ESTE (1887)
     FERRO-CARRIL BUENOS AIRES AL PACIFICO (1887)
     FERRO-CARRIL SANTA FE A LAS COLONIAS (1887)
     FERRO-CARRIL OESTE ARGENTINO (1887)
     PRIMER CONGRESO POSTAL PANAMERICANO BUENOS AIRES AGOSTO DE 1921 (1921-1922)
     REPUBLICA ARGENTINA (1862-1952, 1956-auj.)
     R. ARGENTINA (1862-1952, 1956-auj.)
     TELEGRAFO NACIONAL (1887)
     TELEGRAFO TRASANDINO (1887)
  s LAS MALVINAS SON ARGENTINAS (1982)
  m centav., centavos, c, cents, peso, pesos, $

◆ *Argentine* ➜ voir aussi : Buenos Aires, Cordoba, Corrientes, Entre-Rios

□ **Argentine (poste locale)**
Argentina: local issues (E)
Amérique du Sud
  l TIERRA DEL FUEGO LOCAL (Terre de Feu)
  m centavos oro

❖ ARGENTINOS ➜ Argentine

☐ **Argyrocastro**
1914
Europe
Yvert et Tellier, Tome 3, 1ʳᵉ partie
(à : *Épire*)
  s ΑΥΤΟΝΟΜΟΣ ΗΠΕΙΡΟΣ (Turquie : 1914)
  m ΛΕΠΤΟΝ, ΛΕΠΤΑ, ΔΡΑΧΜ, ΔΡΑΧΜΑΙ

⊙ ariary ➔ Madagascar
❖ ARICA ➔ Pérou
❖ ARMADY SIBIRSKE ➔ Tchécoslovaquie (Légion en Sibérie)
❖ ARMEE ➔ Roumanie (9ᵉ armée)
◆ ARMENIA ➔ Arménie

■ **Arménie**
* *Armenia (E)*
1919-1923 ; 1992-auj.
Asie
Yvert et Tellier, Tome 4, 1ʳᵉ partie
  l ARMENIA (1920, 1992-auj.)
  s K 60 K (Russie ; 1919)
     5R (Russie : 1920 1921)
  m k, r
  ⇨ Caucase

◆ *Arménie* ➔ voir aussi ; Haut-Karabakh (république)
◆ ARMY OFFICIAL ➔ Grande-Bretagne
◆ ARMY TELEGRAPHS ➔ Grande-Bretagne
◆ *Arnhem* ➔ Pays-Bas (postes locales)
◆ ¡ARRIBA ESPAÑA! ➔ Espagne
◆ ARRIBA ESPAÑA 18 JULIO 1936 CANARIAS AVION ➔ Canaries (Îles)
◆ ¡ARRIBA ESPAÑA! 18 JULIO 1936 BURGOS ➔ Espagne (émissions nationalistes : Burgos)
◆ ¡¡ARRIBA ESPAÑA!! 1936 ➔ Espagne (émissions nationalistes : Saint-Sébastien)
◆ ARRIBA ESPAÑA AÉREO 1.º ABRIL 1939 VALENCIA ➔ Espagne (émissions nationalistes : Valencia [Valence])
◆ ARRIBA ESPAÑA AÉREO PROVISIONAL 1.º ABRIL 1939 VALENCIA ➔ Espagne (émissions nationalistes : Valencia [Valence])
◆ ¡ARRIBA ESPAÑA! BADAJOZ 19-Julio-36 ➔ Espagne (émissions nationalistes : Badajoz)
◆ ARRIBA ESPAÑA 3-IV-1938 LÉRIDA ➔ Espagne (émissions nationalistes : Lerida)
◆ ARRIBA ESPAÑA CADIZ ➔ Espagne (émissions nationalistes : Cadix)
◆ ¡ARRIBA ESPAÑA! HABILITADO PARA CORRESPONDENCIA URGENTE ¡VIVA ESPAÑA! Espagne (émissions nationalistes : Saragosse)
◆ ¡ARRIBA ESPAÑA! HUESCA 18-VII-37 ➔ Espagne (émissions nationalistes : Huesca)
◆ ¡ARRIBA ESPAÑA! MALAGA LIBERADAD 8-2-1937 ➔ Espagne (émissions nationalistes : Malaga)
◆ ¡ARRIBA ESPAÑA! NAVARRA 1936 ➔ Espagne (émissions nationalistes : Pamplona [Pampelune])
◆ ¡ARRIBA ESPAÑA! PONTEVEDRA 18 JULIO 1937 11 ANO TRIUNFAL ➔ Espagne (émissions nationalistes : Pontevedra)

◆ ¡ARRIBA ESPAÑA! SAN JUAN DESPI 26 ENERO 1939 ➔ Espagne (émissions nationalistes : San Juan Despi)
◆ ARRIBA ESPAÑA VIVA CAUDILLO FRANCO 1936-1937 ➔ Espagne (émissions nationalistes : Santander)
◆ A. R. T. CO. DUPLICATE ➔ États-Unis d'Amérique (compagnies privées de télégraphe) : *American Rapid Telegraph Company*
◆ ARTE Y CIENCIA DE MEXICO ➔ Mexique
◆ ARUBA ➔ Aruba

■ **Aruba**
1986-auj.
Amérique du Sud
Yvert et Tellier, Tome 5, 1ʳᵉ partie
(à : *Antilles néerlandaises*)
  l ARUBA (1986-auj.)
  m c

◆ A.R.U. STRIKE FRESNO AND SAN FRANCISCO BICYCLE MAIL ROUTE ➔ États-Unis d'Amérique (postes locales et privées) : *Californie*
◆ *Arwad* ➔ Rouad
◆ *Arzamas* ➔ Zemstvos
◆ ARZI HUKUMATE AZAD HIND PROVISIONAL GOVT OF FREE INDIA CHALO DELHI ➔ Azad Hind
⊙ as ➔ Aden, Bijawar, Birmanie, Birmanie (Dominion britannique), Bussahir, États Princiers de l'Inde, Inde, Jaipur, Kathiri (Seyun), Pakistan, Qu'Aiti (Hadramaout)
⊙ aˢ ➔ Pakistan
◆ ASCENSION ➔ Ascension

■ **Ascension**
1922-auj.
Afrique
Yvert et Tellier, Tome 5, 1ʳᵉ partie
  l ASCENSION (1924-1992)
     ASCENSION ISLAND (1976-auj.)
  s ASCENSION (Sainte-Hélène : 1922)
  m d, p, £

◆ ASCENSION ISLAND ➔ Ascension
◆ ASIA MINOR S.S.Cº. ➔ Turquie
❖ ASIAN GAMES ➔ Japon
◆ ASSISTÊNCIA D. L. Nº72 ➔ Timor
◆ ASSISTENCIA MACAV ➔ Macao
◆ ASSISTENCIA NACIONAL AOS TUBERCULOSOS PORTE FRANCO ➔ Portugal
◆ ASTURIAS LIBERADA Y AGRADECIDA A FRANCO ¡ARRIBA ESPAÑA! ➔ Espagne (émissions nationalistes : La Coruna)
❖ ASTURIAS Y LEON ➔ Asturies et Léon

☐ **Asturies et Léon**
Asturias & Leon (E)
1936-1937
Europe
Yvert et Tellier, Tome 3, 1ʳᵉ partie
(à : *Espagne*)
   I CONSEJO DE ASTURIAS Y LEON (1936-1937)
      CONSEJO INTERPROVINCIAL DE ASTURIAS
      Y LEON (1936-1937)
      GOBIERNO GENERAL DE ASTURIAS Y
      LEON (1936-1937)
   m cts, pta

◆ A – T ➔ Annam et Tonkin
◆ A & T ➔ Annam et Tonkin
◆ A T CO. COMMUTATION ➔ États-Unis d'Amérique
(compagnies privées de télégraphe) : *Atlantic Telegraph Company*
◆ ATHENS GA ➔ États Confédérés d'Amérique
(émissions des Maîtres de postes : Athens, Georgie)
◆ *Atkarsk* ➔ Zemstvos
◆ ATLANTA GA. ➔ États Confédérés d'Amérique
(émissions des Maîtres de postes : Atlanta, Georgie)
◆ ATLANTA GEO. ➔ États Confédérés d'Amérique
(émissions des Maîtres de postes : Atlanta, Georgie)
❖ ATLANTICA B. ➔ Bluefield
◆ *Atlantic City (New Jersey)* ➔ États-Unis d'Amérique
(postes locales et privées)
◆ ATLANTIC COAST AIR SERVICES ➔ Lundy
◆ *Atlantic Telegraph Company* ➔ États-Unis d'Amérique
(compagnies privées de télégraphe)
◉ att, atts ➔ Siam
◆ *Augusta (Georgie)* ➔ États Confédérés d'Amérique
(émissions des Maîtres de postes : Augusta, Georgie)
❖ AUGSBURG ➔ Bavière
◉ auk, auks ➔ Lituanie
◉ auksinai, auksinas ➔ Lituanie
◉ auksinu ➔ Lituanie
❖ AUNERS DESPATCH POST ➔ États-Unis
d'Amérique (postes locales et privées) : *Philadelphia*
◆ AUNUS ➔ Russie (occupation finlandaise)
◉ aur ➔ Islande
◉ aurar ➔ Islande

■ **Aurigny**
Alderney (E)
1983-auj.
Europe
Yvert et Tellier, Tome 3, 1ʳᵉ partie
(à : *Grande-Bretagne*)
   I ALDERNEY (1983-auj.)
      BAILIWICK OF GUERNSEY ALDERNEY
      (1983-auj.)
   m d, p

❖ AURONZO ➔ Autriche-Hongrie (occupation en Italie)
❖ AUSSEE LAND ➔ Autriche
◆ AUSTIN MISS ➔ États Confédérés d'Amérique
(émissions des Maîtres de postes : Austin, Missouri)
◆ AUSTIN TEX ➔ États Confédérés d'Amérique
(émissions des Maîtres de postes : Austin, Texas)

❖ AUSTRALES ET ANTARCTIQUES FRANÇAISES
➔ Terres Australes et Antarctiques françaises
◆ AUSTRALIA ➔ Australie
◆ AUSTRALIAN ANTARCTIC TERRITORY ➔
Territoire Antarctique Australien

■ **Australie**
Australia (E)
1912-auj.
Océanie
Yvert et Tellier, Tome 5, 1ʳᵉ partie
   I **AUSTRALIA** (1912-auj.)
      ENGLAND-AUSTRALIA (1920)
      POSTAGE DUE (1902-1909)
   m penny, pence, d, shilling, c, cents, $
   ⇨ Australie occidentale, Christmas, Japon
      (occupation australienne), Nord-Ouest Pacifique,
      Nouvelle-Galles du Sud

◆ *Australie* ➔ voir aussi : Lord Howe (Île), Territoire
Antarctique Australien

☐ **Australie du Sud**
South Australia (E)
1855-1912
Océanie
Yvert et Tellier, Tome 5, 1ʳᵉ partie
   I SOUTH AUSTRALIA (1855-1912)
   m penny, pence, shilling

☐ **Australie occidentale**
Western Australia (E)
1854-1938
Océanie
Yvert et Tellier, Tome 5, 1ʳᵉ partie
   I WESTERN AUSTRALIA (1854-1912)
   s W A (Australie : 1903-1938)
   m penny, pence, d, shilling, pound

🕭 *Austria (E)* ➔ Autriche
◆ AUSTRIA A. M. G. ➔ Autriche
🕭 *Austria: local issues (E)* ➔ Autriche (postes locales ou
privées)
🕭 *Austria: Lombardy-Venetia (E)* ➔ Lombardo-Vénétie
🕭 *Austria: military stamps (E)* ➔ Autriche-Hongrie
🕭 *Austrian Offices in Crete (E)* ➔ Crète (bureaux
autrichiens)
🕭 *Austrian Offices in Turkish Empire (E)* ➔ Levant
(bureaux autrichiens)
🕭 *Austria: Italian Occupation – general issues (E)* ➔
Trentin et Trieste
🕭 *Austria: Italian Occupation – issued in Trentino (E)* ➔
Trentin
🕭 *Austria: Italian Occupation – issued in Trieste (E)* ➔
Vénétie Julienne
◆ AUST SICILLUM NOV CAMB ➔ Nouvelle-Galles du
Sud
❖ AUTAUGAVILLE ➔ États Confédérés d'Amérique
(émissions des Maîtres de postes : Autaugaville,
Alabama)

- AUTOPAKETTI BILPAKET ➜ Finlande
- AUTOPAKETTI BUSSPAKET ➜ Finlande
- ❖ AUTORAHTI BUSSFRAKT ➜ Finlande

■ **Autriche**
Austria (E)
1850-auj.
Europe
Yvert et Tellier, Tome 3, 1re partie
l DEUTSCHÖSTERREICH (1918-1921)
K.K. OEST. TELEGRAPHEN-MARKE (1873-1876)
KAIS. KÖN. ZEITUNGS STÄMPEL. (1853-1890)
KAIS. KÖN. ZEITUNGS-STEMPEL (1853-1890)
KAISERLICHE KÖNIGLICHE ÖSTERREICHISCHE POST (1908-1917)
KKPOST-STEMPEL (1850)
KR (1858-1867)
KREUZER (1861-1864)
OESTERR. POST (1883-1906)
OESTERREICH (1923)
ÖSTERREICH (1922-1945)
PORTO (1908-1916)
REPUBLIK ÖSTERREICH (1945-auj.)
STEMPEL ZEITUNGS (1861-1863)
WB. PR. TEL. GES. (1970)
ZEITUNGS-POST STAMPEL (1851-1858)
ZEITUNGS-POST STEMPEL (1851-1858)
s AUSTRIA A. M. G. (Allemagne : 1945)
DEUTSCHÖSTERREICH (1918-1921)
« faucille et marteau » (Allemagne : 1945)
FREIES AUSSEE LAND (Allemagne : 1945)
HALLEIN (Allemagne : 1945)
LIENZ (Allemagne : 1945)
« lion couronné sur tête d'Hitler » (Allemagne : 1945)
MOBILE ORDNUNGSTRUPPE ÖSTERREICHISCHE FREIHEITSFRONT (Allemagne : 1945)
NUSSDORF FREI ÖFB (Allemagne : 1945)
Ö (Allemagne : 1945)
ÖSTERR (Allemagne : 1945)
ÖSTERREICH (Allemagne : 1945)
ÖSTERREICH WIEDER FREI (Allemagne : 1945)
ÖSTERREICH WIEDER FREI 5. 5. 1945 (Allemagne : 1945)
PORTO (1908-1916)
REPUBLIK ÖSTERREICH (Allemagne : 1945)
STEYR 'RECHTS' DER ENNS 9. 5. 1945 (Allemagne : 1945)
TIROL (1945)
m kreuzer, centes, gulden, k, kr, krone, kronen, heller, groschen, g, s, schilling, €
⇨ Autriche (postes locales ou privées), Carinthie, Crète (bureaux autrichiens), Hongrie occidentale, Levant (bureaux autrichiens), Pologne, Roumanie (occupation roumaine de la Galicie), Tchécoslovaquie, Trentin, Ukraine, Vénétie Julienne

◆ *Autriche* ➜ voir aussi : Compagnie Danubienne de Navigation à Vapeur

□ **Autriche (postes locales ou privées)**
Austria: local issues (E)
1918-1927
Europe
l FREIMARKE LAND TIROL (1919-1921) : *Tirol*
INTERNERET BREV POSTFORSENDELSE ØSTRIGERLEJR 1946 TARP/ESBJERG
PORTOFRIT I DANMARK (1946) : *Camp de prisonniers de Tarp (Danemark)*
KESSELFALL ALPENHAUS ZELL A SEE (1926-1927) : *Zell Am See*
LAND TIROL POSTPAKET FREIMARKE (1919-1921) : *Tirol*
MOSERBODEN ZELL A SEE (1926-1927) : *Zell Am See*
PRIVAT POST BEFORDERUNG AUF DEN KATSCHBERG OSTERREICH (1933-1948) : *Katschberg*
TIROLER NOTPOST 1923 T. G. B. (1923) : *Tirol*
VOLKSABSTIMMUNG KÄRNTEN (1920) : *Carinthie*
WIENER PRIVAT-TELEGRAFEN-GESELLSCHAFT (1870) : *Compagnie privée de télégraphe (Vienne)*
s 24. APRIL 1921 (Autriche : 1921) : *Tirol*
ABSTIMMUNG IN SALZBURG 29. MAI 1921 (Autriche : 1921) : *Salzbourg*
ALS PORTO MARKE (Autriche : 1900) : *Nagelberg*
BEFREIUNG SPIELFELDS 29. JULI 1920 (Autriche : 1920) : *Spielfeld*
BURGENLAND (Autriche : 1921) : *Burgenland*
BURGENLANDS BEFREIUNG (Autriche : 1921) : *Burgenland*
DEUTSCHER GAU OSTTIROL (Autriche : 1920) : *Tirol Oriental*
EIL (Autriche : 1921) : *Graz*
EIL (Autriche : 1921-1922) : *Linz*
EIL (Autriche : 1921) : *Vienne*
EILMARKE (Autriche : 1920) : *Liezen*
FRANKO (Autriche : 1921) : *St. Gilgen*
M. Z. K 5.- (Autriche : 1918) : *Vienne*
NOTPOST LINZ-WIEN (Autriche : 1924) : *Linz*
P (Autriche : 1921) : *Graz*
PORTO (Autriche : 1916) : *Graz, Steg, Tachau*
RADKERSBURGS BEFREINUGSTAG 26. JULI 1920 (Autriche : 1920) : *Radkersburg*
REPUBLIK DEUTSCH-ÖSTERREICH (Autriche : 1918) : *Knittelfeld*
SALZBURGER VOLKS-ABSTIMMUNG (Autriche : 1921) : *Salzbourg*
T (Autriche : 1920) : *Loosdorf*
T (Autriche : 1921) : *Strobl*
T (Autriche : 1920) : *Villach*
m h, heller, k, kr

☐ **Autriche-Hongrie**
Austria: military stamps (E)
1915-1918
Europe
Yvert et Tellier, Tome 3, 1ʳᵉ partie
 l K.U.K. FELDPOST (1915-1918)
   K UND K FELDPOST (1915-1918)
 s K.U.K. FELDPOST (Bosnie Herzégovine : 1915)
 m k, heller
 ⇨ Autriche-Hongrie (occupation à Monténégro),
   Autriche-Hongrie (occupation en Italie), Autriche-
   Hongrie (occupation en Roumanie), Autriche-
   Hongrie (occupation en Serbie), Pologne, Ukraine

☐ **Autriche-Hongrie (occupation à Monténégro)**
Montenegro: Austrian occupation (E)
1917
Europe
Yvert et Tellier, Tome 3, 1ʳᵉ partie
(à : *Autriche-Hongrie*)
 s K.U.K. MILIT. VERWALTUNG MONTENEGRO
   (Autriche-Hongrie : 1917)
   MONTENEGRO (Autriche-Hongrie : 1917)
 m (cf. Autriche-Hongrie)

☐ **Autriche-Hongrie (occupation en Italie)**
Italy: Austrian Occupation (E)
1918
Europe
Yvert et Tellier, Tome 3, 1ʳᵉ partie
(à : *Autriche-Hongrie*)
 s CENTESIMI (Autriche-Hongrie, Bosnie
   Herzégovine : 1918)
   LIRE…CTS (Autriche-Hongrie : 1918)
   ORTSPOSTMARKE AMPEZZO (Italie [fiscal] :
   1918)
   ORTSPOSTMARKE AURONZO (Italie [fiscal] :
   1918)
   ORTSPOSTMARKE CIVIDALE (Italie [fiscal] :
   1918)
   ORTSPOSTMARKE CODROIPO (Italie [fiscal] :
   1918)
   ORTSPOSTMARKE GEMONA (Italie [fiscal] :
   1918)
   ORTSPOSTMARKE LATISANA (Italie [fiscal] :
   1918)
   ORTSPOSTMARKE LONGARONE (Italie
   [fiscal] : 1918)
   ORTSPOSTMARKE MANIAGO (Italie [fiscal] :
   1918)
   ORTSPOSTMARKE MOGGIO (Italie [fiscal] :
   1918)
   ORTSPOSTMARKE PALMANOVA (Italie
   [fiscal] : 1918)
   ORTSPOSTMARKE PIEVE DI CADORE (Italie
   [fiscal] : 1918)
   ORTSPOSTMARKE ST. DANIELA D. FR. (Italie
   [fiscal] : 1918)

ORTSPOSTMARKE ST. GIORGIO DI NO. (Italie
[fiscal] : 1918)
ORTSPOSTMARKE ST. PIETRO AL NAT. (Italie
[fiscal] : 1918)
ORTSPOSTMARKE SPILIMBERGO (Italie
[fiscal] : 1918)
ORTSPOSTMARKE TARCENTO (Italie [fiscal] :
1918)
ORTSPOSTMARKE TOLMEZZO (Italie [fiscal] :
1918)
ORTSPOSTMARKE UDINE (Italie [fiscal] :
1918)
 m cent, centesimi, ct, cts, lire

☐ **Autriche-Hongrie (occupation en Roumanie)**
Romania: Austrian occupation (E)
1917-1918
Europe
Yvert et Tellier, Tome 3, 1ʳᵉ partie
(à : *Autriche-Hongrie*)
 s BANI (Autriche-Hongrie : 1917-1918)
   LEI (Autriche-Hongrie : 1917-1918)
 m bani, lei

☐ **Autriche-Hongrie (occupation en Serbie)**
Serbia: Austrian occupation (E)
1916
Europe
Yvert et Tellier, Tome 3, 1ʳᵉ partie
(à : *Autriche-Hongrie*)
 s SERBIEN (Bosnie Herzégovine : 1916)
 m (cf. Bosnie Herzégovine)

❖ AVDERE SEMPER ➔ Zone de Fiume et de la Kupa
❖ AVIAZONE NAZIONALE ➔ Suisse
❖ AVICENNE ➔ Iran
◗ *Avila* ➔ Espagne (émissions nationalistes)
◆ AVILA POR ESPAÑA 18 JULIO 1936 ➔ Espagne
   (émissions nationalistes : Avila)
◆ AVISPORTO MAERKE ➔ Danemark
⊙ avo, avos ➔ Macao, Timor
◆ A. W. AUNERS DESPATCH POST ➔ États-Unis
   d'Amérique (postes locales et privées) : *Philadelphia*
◆ AW MCNEEL PM ➔ États Confédérés d'Amérique
   (émissions des Maîtres de postes : Autaugaville,
   Alabama)
◆ AW MᶜNEEL PM AUTAUGAVILLE ➔ États
   Confédérés d'Amérique (émissions des Maîtres de
   postes : Autaugaville, Alabama)

☐ **Ayacucho**
Peru: provisional issues of Ayacucho (E)
1882-1885
Amérique du Sud
Yvert et Tellier, Tome 7, 1ʳᵉ partie
(à : *Pérou*)
 s CORREO DE AYACUCHO (Arequipa : 1882)
   AYACUCHO PRAL (Pérou, Arequipa : 1884-
   1885)
 m (cf. Pérou)

- AYACUCHO PRAL → Ayacucho
- AYTON HPEIPOS (grec) → Épire
- AYTONOMOS (grec) → Argyrocastro, Épire
- AYUNTAMIENTO DE BARCELONA → Barcelone
- AYUNTAMIENTO DE CADIZ → Espagne (émissions nationalistes : Cadix)
- AZAD HIND → Azad Hind

☐ **Azad Hind**
1943
Asie
Émission non admise par l'U.P.U.
  - I   ARZI HUKUMATE AZAD HIND
        PROVISIONAL GOVT OF FREE INDIA
        CHALO DELHI (1943)
        AZAD HIND (1943)
  - m   a, anna, pice

- AZÄRBAYCAN → Azerbaïdjan
- AZEMOUR → Maroc (postes locales)

■ **Azerbaïdjan**
+ *Azerbaijan (E)*
1919-1923 ; 1992-auj.
Asie
Yvert et Tellier, Tome 4, 1re partie
  - I   АЗЕРБАЙДЖАЯ (1921-1923)
        АЗЕРБАЙДЖАНСКАЯ РЕСПУБЛИКА (1921-1923)
        AZeERBAYCAN (1992-auj.)
        AZÄRBAYCAN (1992-auj.)
        A.C.C.P. (1921)
        RÉPUBLIQUE D'AZERBAIDJAN (1919)
  - m   РУБ, p, cop, rbl, q, m, man, manat

Ⱬ *Azerbaijan (E)* → Azerbaïdjan
- AZERBAYCAN → Azerbaïdjan
Ⱬ *Azores (E)* → Açores
♦ *Azuaga* → Espagne (émissions nationalistes)
☉ b → Dhofar, Gambie, Moldavie, Oman, Panama-République, Roumanie, Venezuela, Yémen, Yémen (république arabe)
- B → Bluefield, Bangkok
- B *(dans un ovale)* → Belgique
- BABA AFZAL → Iran
♦ *Bachkirie (République de)* → Russie (postes locales de l'ex-U.R.S.S.)
- BÁCSKA → Banat-Bacska
♦ *Badajoz* → Espagne (émissions nationalistes)
- BADAJOZ ¡¡VIVA ESPAÑA!! AGOSTO-36 → Espagne (émissions nationalistes : Badajoz)

☐ **Bade**
Germany: French occupation (E)
1947-1949
Europe
Yvert et Tellier, Tome 2, 1re partie
(à : *Allemagne [occupation française]*)
  - I   BADEN (1947-1949)
  - m   pf., d.pf.

☐ **Bade (Grand Duché)**
Baden (E)
1851-1905
Europe
Yvert et Tellier, Tome 3, 1re partie
(à : *Allemagne*)
  - I   BADEN FREIMARKE (1851-1868)
        FREI DURCH ABLÖSUNG (1905)
        FREIMARKE BADEN POSTVEREIN (1861-1864)
        LAND-POST PORTO-MARKE (1862)
  - m   kr, kreuzer

- BADEN → Bade
Ⱬ *Baden (E)* → Bade (Grand Duché)
- BADEN FREIMARKE → Bade (Grand Duché)
- BADEN POSTVEREIN → Bade (Grand Duché)
♦ *Baena* → Espagne (émissions nationalistes)
- BAENA 5-8-936 ¡¡ARRIBA ESPAÑA!! 3-8-937 → Espagne (émissions nationalistes : Baena)
- BAENA POR ESPAÑA 18-7 1936 5-8 → Espagne (émissions nationalistes : Baena)
- BAENA ¡VIVA FRANCO! 18-7 1936 5-8 → Espagne (émissions nationalistes : Baena)
- BAENA ¡VIVA QUEIPO! 18-7 1936 5-8 → Espagne (émissions nationalistes : Baena)
- B. A. ERITREA → Érythrée (occupation britannique)
- BAGHDAD IN BRITISH OCCUPATION → Irak
- BAHA → Philippines (occupation japonaise)
- BAHAMAS → Bahamas

■ **Bahamas**
1859-auj.
Amérique Centrale
Yvert et Tellier, Tome 5, 1re partie
  - I   BAHAMAS (1859-auj.)
  - m   penny, pence, shilling, d, c, $

- BAHAWALPUR → Bahawalpur

☐ **Bahawalpur**
* *Pakistan: Bahawalpur (E)*
1947-1949
Asie
Yvert et Tellier, Tome 5, 3e partie
(à : *États princiers de l'Inde*)
  - I   BAHAWALPUR (1947-1949)
  - s   « croissant et caractères arabes » (Inde Anglaise : 1947)
        « étoile et caractères arabes » (Inde Anglaise : 1947)
  - m   anna, rupee, pies

- BAHRAIN → Bahrain

■ **Bahrain**
1933-auj.
Asie
Yvert et Tellier, Tome 5, 1ʳᵉ partie
  l   BAHRAIN (1953-1970)
     STATE OF BAHRAIN (1971-auj.)
  s   BAHRAIN (Inde anglaise : 1933-1945)
     BAHRAIN (Grande-Bretagne : 1948-1960)
  m anna, annas, rupee, rupees, fils, np

⊙ baht ➔ Siam, Thaïlande
✦ BAHT ➔ Thaïlande
⊙ bai ➔ Romagne
✦ BAILIWICK OF GUERNSEY ➔ Guernesey
✦ BAILIWICK OF GUERNSEY ALDERNEY ➔
  Aurigny
⊙ baisa ➔ Oman
⊙ baiza ➔ Oman
⊙ baiza, baizas ➔ Mascate/Oman/Dubaï et Qatar
⊙ baj ➔ Église (États Pontificaux)
✦ BAJAR ➔ Indonésie
✦ BAJAR PORTO ➔ Indonésie
✦ BAKERS CITY - EXPRESS - POST ➔ États-Unis
  d'Amérique (postes locales et privées) : *Cincinnati*
🔶 *Bakhmout* ➔ Zemstvos
🔶 *Balachov* ➔ Zemstvos
⊙ balboa, balboas ➔ Panama-République
🔶 *Baléares* ➔ Espagne (émissions nationalistes)
🔶 *Baltimore* ➔ États-Unis d'Amérique (postes locales et
  privées)
🔶 *Baltimore & Ohio Telegraph Companies* ➔ États-
  Unis d'Amérique (compagnies privées de télégraphe)
🔶 *Baltimore & Ohio-Connecticut River Telegraph
  Companies* ➔ États-Unis d'Amérique (compagnies
  privées de télégraphe)
❖ BAMBERG ➔ Bavière

□ **Bamra**
Bamra: Native Feudatory State (E)
1889-1891
Asie
Yvert et Tellier, Tome 5, 3ᵉ partie
(à : *États Princiers de l'Inde*)
  l   BAMRA FEUDATORY STATE (1890-1891)
     BAMRA POSTAGE (1889)
     FEUDATORY POSTAGE (1890-1891)
  m anna, rupie

✦ BAMRA FEUDATORY STATE ➔ Bamra
✦ BAMRA POSTAGE ➔ Bamra

□ **Banat-Bacska**
*Hungary: Serbian occupation – Banat, Bacska
issue (E)*
1919
Europe
Yvert et Tellier, Tome 4, 1ʳᵉ partie
(à : *Hongrie*)
  s   BÁNAT BÁCSKA (Hongrie : 1919)
     BÁNÁT BÁCSKA (Hongrie : 1919)
  m filler

✦ BÁNAT BÁCSKA ➔ Banat-Bacska
✦ BANDAI-ASAHI NATIONAL PARK ➔ Japon

□ **Bangkok**
1882-1883
Asie
Yvert et Tellier, Tome 5, 1ʳᵉ partie
  s   B (Malacca [établissements des détroits de
     Malacca et Singapour] : 1882-1883)
  m (cf. Malacca [établissements des détroits de
     Malacca et Singapour]

✦ BANGLADESH ➔ Bangladesh
✦ BANGLA DESH ➔ Bangladesh

■ **Bangladesh**
✱ **1971-auj.**
Asie
Yvert et Tellier, Tome 5, 1ʳᵉ partie
  l   BANGLA DESH (1971)
     BANGLADESH (1972-auj.)
  s   REPUBLIC OF BANGLADESH (Pakistan : 1971)
  m p, Re, Rs, t, ta, tk

⊙ bani ➔ Autriche-Hongrie (occupation en Roumanie),
  Moldavie, Roumanie, Roumanie (occupation
  allemande), Transylvanie
✦ BANI ➔ Autriche-Hongrie (occupation en Roumanie)
⊙ banika ➔ Croatie (timbres d'exil)
✦ BANK & INSURANCE CITY POST ➔ États-Unis
  d'Amérique (postes locales et privées) : *New York*
✦ BANK & INSURANCE DELIVERY OFFICE ➔ États-
  Unis d'Amérique (postes locales et privées) : *New York*
⊙ banu ➔ Roumanie
✦ BARANYA ➔ Baranya

□ **Baranya**
*Hungary: Romanian occupation – Baranya
issue (E)*
1919
Europe
Yvert et Tellier, Tome 4, 1ʳᵉ partie
(à : *Hongrie*)
  s   BARANYA (Hongrie : 1919)
  m (cf. Hongrie)

❖ BARAT ➔ Indonésie (territoire de l'ex-Nouvelle-
  Guinée néerlandaise)

■ **Barbade**
Barbados (E)
1852-auj.
Amérique Centrale
Yvert et Tellier, Tome 5, 1ʳᵉ partie
  l   **BARBADOS** (1852-auj.)
  m penny, pence, shilling, d, farthing, s, c, cents,
     dollars

✦ BARBADOS ➔ Barbade
❖ BARBERIA ➔ Tripoli
✦ BAR BEZAHLT ➔ Tchécoslovaquie
❖ BARBUDA ➔ Antigua
✦ BARBUDA ➔ Barbuda

■ **Barbuda**
1922-auj.
Amérique Centrale
Yvert et Tellier, Tome 5, 1ʳᵉ partie
  l BARBUDA (1968-auj.)
  s BARBUDA (Antigua : 1973-1981)
    BARBUDA (Leeward : 1922)
    BARBUDA MAIL (Antigua : 1982-auj.)
  m c, $, cents

• BARBUDA MAIL ➔ Barbuda
❖ BARCELONA ➔ Barcelone

□ **Barcelone**
1929-1945
Europe
Yvert et Tellier, Tome 3, 1ʳᵉ partie
(à : *Espagne*)
  l CORREOS AYUNTAMIENTO DE
    BARCELONA (1932-1945)
    EXPOSICION DE BARCELONA 1930 (1930)
    EXPOSICION INTERNACIONAL
    BARCELONA 1929 (1929)
    FERIA DE BARCELONA (1936)
  m cs, cts, ptas

◆ *Barcelone* ➔ voir aussi : Espagne (émissions
  républicaines), Espagne (émissions nationalistes)
• BARDSEY ➔ Bardsey

□ **Bardsey**
1979
Europe
Émission non admise par l'U.P.U.
  l BARDSEY (1979)
  m p

• BARFRANKO ➔ Tchécoslovaquie
• BARNARD'S CITY LETTER EXPRESS
  CAMBRIDGE ST. ➔ États-Unis d'Amérique (postes
  locales et privées) : *Boston*
◆ *Barnaul (Ville de)* ➔ Russie (postes locales de l'ex-
  U.R.S.S.)
• BARNENS DAG 1912 SVERIGES FÖRSTA
  FLYGPOST ➔ Suède
◆ *Barnesville (Ohio)* ➔ États-Unis d'Amérique (postes
  locales et privées)
• BARR'S PENNY DISPATCH ➔ États-Unis
  d'Amérique (postes locales et privées) : *Lancaster
  (Pennsylvanie)*

□ **Barwani**
Barwani: Native Feudatory State (E)
1921-1948
Asie
Yvert et Tellier, Tome 5, 3ᵉ partie
(à : *États princiers de l'Inde*)
  l BARWANI POSTAGE (1921-1948)
    BARWANI STATE (1921-1948)
  m anna, annas

• BARWANI POSTAGE ➔ Barwani

• BARWANI STATE ➔ Barwani

❖ BASE ATLANTICA ➔ France

• BASEL ➔ Suisse

• B. A. SOMALIA ➔ Somalie italienne (occupation
  britannique)

□ **Basoutoland**
Basutoland (E)
1933-1966
Afrique
Yvert et Tellier, Tome 5, 1ʳᵉ partie
  l BASUTOLAND (1933-1966)
    LESOTHO BASUTOLAND (1965)
  m d, c, r
  ⇨ Lesotho

• BASTAM TOUR DE GAZAN ➔ Iran

• BASUTOLAND ❱ Basoutoland

❖ BATAAN AND CORREGIDOR 1942 ➔ Philippines
  (occupation japonaise)

• BATAVIA ➔ Inde néerlandaise

❖ BATIMENT DE LIGNE RICHELIEU ➔ France

• BATON ROUGE LA ➔ États Confédérés d'Amérique
  (émissions des Maîtres de postes : Baton-Rouge,
  Louisiane)

◆ *Batoum* ➔ Russie (occupation britannique), Russie
  (postes locales de l'ex-U.R.S.S.)

• B. A. TRIPOLITANIA M.A.L. ➔ Tripolitaine
  (occupation britannique)

▷ *Batum (E)* ➔ Russie (occupation britannique)

• BATUM ➔ Russie (postes locales de l'ex-U.R.S.S. :
  ville de Batoum)

• BATYMB BRITISH OCCUPATION (cyrillique) ➔
  Russie (occupation britannique)

• BATYMCKAR (cyrillique) ➔ Russie (occupation
  britannique)

• BATYM. OB (cyrillique) ➔ Russie (occupation
  britannique)

• BATYM OBM BRITISH OCCUPATION (cyrillique)
  ➔ Russie (occupation britannique)

▷ *Bavaria (E)* ➔ Bavière

▷ *Bavarian Railway Company (E)* ➔ Chemins de Fer de
  Bavière (Compagnie des)

☐ **Bavière**
Bavaria (E)
1849-1920
Europe
Yvert et Tellier, Tome 3, 1ʳᵉ partie
(à : *Allemagne***)**
  l BAYERN (1849-1920)
    BAYER POSTTAXE (1862-1870)
    COMMISSION FÜR RETOURBRIEFE
    AUGSBURG (1865)
    COMMISSION FÜR RETOURBRIEFE
    BAMBERG (1865)
    COMMISSION FÜR RETOURBRIEFE
    MUNCHEN (1865)
    COMMISSION FÜR RETOURBRIEFE
    NURNBERG (1865)
    COMMISSION FÜR RETOURBRIEFE SPEYER
    (1865)
    COMMISSION FÜR RETOURBRIEFE
    WURZBURG (1865)
    DIENSTMARKE BAYERN (1916-1920)
    RETOURBRIEF. KGL. OBERAMT AUGSBURG
    (1865-1884)
    RETOURBRIEF. KGL. OBERAMT BAMBERG
    (1865-1884)
    RETOURBRIEF. KGL. OBERAMT MUNCHEN
    (1865-1884)
    RETOURBRIEF. KGL. OBERAMT NURNBERG
    (1865-1884)
    RETOURBRIEF. KGL. OBERAMT
    REGENSBURG (1865-1884)
    RETOURBRIEF. KGL. OBERAMT SPEYER
    (1865-1884)
    RETOURBRIEF. KGL. OBERAMT
    WURZBURG (1865-1884)
    TELEGRAPH (1870-1876)
  s FREISTAAT BAYERN (Allemagne : 1919-1920)
  m kreuzer, pfennig, mark, m, pf, sgr, fl
  ⇨ Sarre

* BAYAR ➜ Indonésie
* BAYAR PORTO ➜ Indonésie
* BAYERN ➜ Bavière
* BAYER POSTTAXE ➜ Bavière
* BAYER STAATSEISENB. ➜ Chemins de Fer de
  Bavière (Compagnie des)
* BAYONNE CITY DISPATCH POST ➜ États-Unis
  d'Amérique (postes locales et privées) : *Bayonne City
  (New Jersey)*
* B.C.A. ➜ Afrique centrale britannique
* B. C. M. BRITISH VICE-CONSULATE
  ANTANANARIVO ➜ Madagascar (poste britannique)
* B.C.O.F. JAPAN 1946 ➜ Japon (occupation
  australienne)
* B CORREOS ➜ Bluefield
* B DPTO. ZELAYA ➜ Bluefield
* B DTO. ZELAYA ➜ Bluefield
* ❖ BÉ ➜ Nossi-Bé
* BEAUMONT ➜ États Confédérés d'Amérique
  (émissions des Maîtres de postes : Beaumont, Texas)

* BEAUMONT TEXAS ➜ États Confédérés d'Amérique
  (émissions des Maîtres de postes : Beaumont, Texas)
* ⌘ *Bechuanaland (E)* ➜ Bechuanaland (colonie
  britannique)
* BECHUANALAND ➜ Bechuanaland (protectorat
  britannique)

☐ **Bechuanaland (colonie britannique)**
Bechuanaland (E)
1886-1897
Afrique
Yvert et Tellier, Tome 5, 1ʳᵉ partie
  l BRITISH BECHUANALAND POSTAGE &
    REVENUE (1887-1888)
    BRITISH BECHUANALAND POSTAGE AND
    REVENUE (1887-1888)
  s BRITISH BECHUANALAND (Cap de Bonne
    Espérance [colonie britannique] : 1886-1897 ;
    Grande-Bretagne : 1886-1897)
  m penny, pence, pound
  ⇨ Bechuanaland (protectorat britannique)

☐ **Bechuanaland (protectorat britannique)**
Bechuanaland Protectorate (E)
1888-1966
Afrique
Yvert et Tellier, Tome 5, 1ʳᵉ partie
  l BECHUANALAND (1965)
    BECHUANALAND PROTECTORATE (1932-
    1966)
  s BECHUANALAND (Afrique du Sud [Union de
    l'] : 1946)
    BECHUANALAND PROTECTORATE (Cap
    de Bonne Espérance [colonie britannique],
    Grande-Bretagne, Afrique du Sud [Union de l'],
    Transvaal : 1889-1926)
    PROTECTORATE (Bechuanaland [colonie
    britannique] : 1888)
  m penny, pence, pound, cent, cents, c, R

* ◢ *Bechuanaland* ➜ voir aussi : Stellaland
* BECHUANALAND PROTECTORATE ➜
  Bechuanaland (protectorat britannique)
* BECKMAN'S CITY POST ➜ États-Unis d'Amérique
* ❖ BEFÖRDERUNG ➜ Allemagne (postes locales
  ou privées : Colmar), Allemagne (postes locales ou
  privées : Metz), Allemagne (postes locales ou privées :
  Mulhouse)
* BEFREIUNG SPIELFELDS 29. JULI 1920 ➜
  Autriche (postes locales ou privées) : *Spielfeld*
* ❖ BEGAM ➜ Bhopal
* ❖ BELA ➜ Las Bela
* BELARUS ➜ Biélorussie
* BELCHEN POST ➜ Allemagne (postes locales ou
  privées : Hôtel du Grand Ballon de Guebwiller)
* ◢ *Belebej* ➜ Zemstvos
* ◢ *Belebej (Ville de)* ➜ Russie (postes locales de l'ex-
  U.R.S.S.)
* ⌘ *Belgian Congo (E)* ➜ Congo (belge, état indépendant,
  république)
* ◢ *Belgian East Africa (E)* ➜ Ruanda-Urundi

- BELGIE → Belgique
- BELGIË → Belgique
- BELGIEN → Belgique (occupation allemande)
- BELGIE POSTERIJEN → Belgique
- BELGIQUE → Belgique

■ **Belgique**
Belgium (E)
1849-auj.
Europe
Yvert et Tellier, Tome 3, 1ʳᵉ partie
l A PAYER (1895-1953)
  A PERCEVOIR (1870)
  B *(dans un ovale)* (1949-1987, 2000-auj.)
  BELGIE (1884-auj.)
  BELGIË (1884-auj.)
  BELGIE POSTERIJEN (1884-auj.)
  BELGIQUE (1849-auj.)
  BRUXELLES BRUSSEL (1896)
  CHEMINS DE FER COLIS POSTAUX (1938)
  COLIS POSTAL (1929-1952)
  COLIS POSTAUX (1929-1952)
  GENT GAND (1946)
  LÉGION WALLONIE POSTE DE CAMPAGNE
  (1942)
  POST COLLO (1929-1963)
  POSTCOLLI (1929-1963)
  POSTCOLLI SPOORWEGEN (1938)
  POSTES CENT. (1849-1867)
  POSTES CENTIME (1849-1867)
  POSTES CENTˢ (1849-1867)
  POSTES UN CENTIME (1863)
  POSTES UN FRANC (1865)
  T (1946-1988)
  TE BETALEN (1895-1953)
  TELEGRAPHES (1866-1899)
  TELEPHONE TELEPHOON (1890)
  VII OLYMPIADE 1920 ANVERS-ANTWERPEN
  (1920-1921)
s T (1919)
m centime, centimes, centiemen, cents, c, f, fr, franc,
  francs, franken, €
⇨ Allemagne (occupation belge), Eupen et Malmédy

◆ *Belgique* → voir aussi : Eupen et Malmédy

□ **Belgique (occupation allemande)**
Belgium: German Occupation (E)
1914-1918
Europe
Yvert et Tellier, Tome 3, 1ʳᵉ partie
(à : *Belgique*)
s BELGIEN (Allemagne : 1914-1918)
  CENT. (Allemagne : 1916-1917)
  * F. CENT *. (Allemagne : 1916-1917)
m centimes, fr, c, cent

- BELGISCH CONGO → Congo (belge, état
  indépendant, république, république démocratique)
❖ BELGISCHE BEZETTING → Ruanda-Urundi
🅱 *Belgium (E)* → Belgique

🅱 *Belgium: German Occupation (E)* → Belgique
  (occupation allemande)
◆ *Belgorod (Ville de)* → Russie (postes locales de l'ex-
  U.R.S.S.)
◆ *Belinsghausen (base de)* → Territoire Antarctique
  Russe
- BELIZE → Belize
❖ BELIZE → Cayes

■ **Belize**
1973-auj.
Amérique Centrale
Yvert et Tellier, Tome 5, 1ʳᵉ partie
l **BELIZE** (1973-auj.)
s BELIZE (Honduras britannique : 1973)
m c, $

◆ *Belize* → voir aussi : Cayes
◆ *Belozersk* → Zemstvos
❖ BÉLYEG → Hongrie
- BENADIR → Somalie italienne
- BENGASI → Bengasi (Cyrénaïque)

□ **Bengasi (Cyrénaïque)**
Italian offices in Africa: Bengasi (E)
1901-1911
Afrique
Yvert et Tellier, Tome 5, 1ʳᵉ partie
s BENGASI (Italie : 1901-1911)
m (cf. Italie), piastra

🅱 *Benin: French Colony (E)* → Bénin (colonie française)
- BÉNIN → Bénin (colonie française)

■ **Bénin**
People's Republic of Benin (E)
1976-auj.
Afrique
Yvert et Tellier, Tome 2, 2ᵉ partie
l RÉPUBLIQUE DU BÉNIN (1990-auj.)
  RÉPUBLIQUE POPULAIRE DU BÉNIN (1976-
  1990)
m f

□ **Bénin (colonie française)**
Benin: French Colony (E)
1892-1894
Afrique
Yvert et Tellier, Tome 2, 1ʳᵉ partie
l BENIN (1892-1894)
  BÉNIN (1892-1894)
  GOLFE DE BÉNIN (1893)
s BENIN (Colonies françaises : 1892-1894)
  BÉNIN (Colonies françaises : 1892-1894)

- BENTLEY'S DISPATCH NEW-TORK → États-Unis
  d'Amérique (postes locales et privées) : *New York*
- BEPPU → Japon
- BEQUIA → Béquia

■ **Béquia**
St. Vincent Grenadines: Bequia (E)
1984-auj.
Amérique Centrale
Yvert et Tellier, Tome 7, 1ʳᵉ partie
(à : *Saint-Vincent [Îles Grenadines]*)
  l BEQUIA (1984)
    BEQUIA GRENADINES OF ST.VINCENT
    (1984-auj.)
  s BEQUIA (Saint-Vincent [Îles Grenadines] : 1984)
  m c, $

♦ BEQUIA GRENADINES OF ST.VINCENT ➔ Béquia

◆ *Berdiansk* ➔ Zemstvos

♦ BERFORD & COˢ EXPRESS TO CALIFORNIA ➔
États-Unis d'Amérique (postes locales et privées) : *New York*

□ **Bergedorf**
1861
Europe
Yvert et Tellier, Tome 3, 1ʳᵉ partie
(à : *Allemagne*)
  l BERGEDORF POSTMARKE (1861)
    L.H.P.A. (1861)
  m schilling, schillinge

♦ BERGEDORF LOCAL VERKEHR ➔ Allemagne
(postes locales ou privées : Bergedorf)

◆ *Bergedorf (poste locale)* ➔ Allemagne (postes locales
ou privées : Bergedorf)

♦ BERGEDORF POSTMARKE ➔ Allemagne (postes
locales ou privées : Bergedorf)

◆ *Bergen Op Zoom* ➔ Pays-Bas (postes locales)

℗ *Berlin (E)* ➔ Allemagne (Berlin)

♦ BERLIN ➔ Allemagne (Berlin)

❖ BERLIN ➔ Berlin (secteur soviétique)

℗ *Berlin-Brandenburg (E)* ➔ Berlin (secteur soviétique)

℗ *Berlin: Russian occupation (E)* ➔ Allemagne Orientale
(zone soviétique d'occupation : émissions générales)

□ **Berlin (secteur soviétique)**
Berlin-Brandenburg (E)
1945
Europe
Yvert et Tellier, Tome 3, 1ʳᵉ partie
(à : Allemagne Orientale [zone soviétique
d'occupation : émissions régionales])
  l STADT BERLIN (1945)
  ⇨ Allemagne Orientale (zone soviétique
    d'occupation : émissions générales)

❖ BERLIN STEUERMARKE ➔ Allemagne bizone (zone
anglo-américaine d'occupation)

♦ BERMUDA ➔ Bermudes

■ **Bermudes**
Bermuda (E)
1848-auj.
Amérique du Nord
Yvert et Tellier, Tome 5, 1ʳᵉ partie
  l **BERMUDA** (1865-auj.)
    HAMILTON BERMUDA (1849-1861)
  m penny, pence, shilling, d, c, cents, $, farthing
  ⇨ Gibraltar

❖ BERN ➔ Suisse

⊙ besa ➔ Somalie italienne

❖ BESATZUNGS ZONE ➔ Allemagne Orientale (zone
soviétique d'occupation : émissions générales)

♦ BESETZTES GEBIET NORDFRANKREICH ➔
France

❖ BESIEGED ➔ Cap de Bonne-Espérance (guerre anglo-
boer)

♦ BESTELLGELD FREI ➔ Hanovre

♦ BESTEURBES MERAN. HILFS-POST 1918 ➔
Merano

❖ BETAALD ➔ Pays-Bas

♦ BETAALZEGEL PESIE'S STADSPOST ALKMAAR
➔ Pays-Bas (postes locales : *Den Helder*)

♦ BETAALZEGEL PESIE'S STADSPOST BEVERWIJK
➔ Pays-Bas (postes locales : *Den Helder*)

♦ BETAALZEGEL PESIE'S STADSPOST DEN
HELDER ➔ Pays-Bas (postes locales : *Den Helder*)

♦ BETAALZEGEL PESIE'S STADSPOST
LANDSMEER ➔ Pays-Bas (postes locales : *Den
Helder, Landsmeer*)

♦ BETAALZEGEL PESIE'S STADSPOST
PURMEREND ➔ Pays-Bas (postes locales : *Den
Helder*)

♦ BETAALZEGEL PESIE'S STADSPOST SCHAGEN
➔ Pays-Bas (postes locales : *Den Helder, Schagen*)

♦ BETAALZEGEL PESIE'S STADSPOST VOLENDAM
➔ Pays-Bas (postes locales : *Den Helder*)

♦ BETAALZEGEL PESIE'S STADSPOST ZAANDAM
➔ Pays-Bas (postes locales : *Den Helder*)

❖ BETALEN ➔ Belgique

❖ BETALEN PORT ➔ Curaçao, Inde néerlandaise, Pays-
Bas, Surinam

◆ *Beverwijk* ➔ Pays-Bas (postes locales)

♦ BEWDLEY WORCS. ➔ Grande-Bretagne (postes de
Noël)

❖ BEZIRKSMARKE ➔ Wurtemberg

♦ BEYROUTH ➔ Levant (bureaux français)

♦ BEYROUTH ➔ Levant (bureaux russes)

❖ BEZIT. ➔ Inde néerlandaise

♦ B GUIANA ➔ Guyane

♦ В НПЕІРОΣ ➔ Épire

♦ BHETAN ➔ Bhoutan

♦ BHHA YMCBIH (cyrillique) ➔ Mongolie

□ **Bhopal**
★ *Bhopal: Native Feudatory State (E)*
1876-1936
Asie
Yvert et Tellier, Tome 5, 3ᵉ partie
(à : *États princiers de l'Inde*)
  I BHOPAL GOVᵀ POSTAGE (1908)
    BHOPAL STATE (1908)
    B L C I H. H. NAWAB SHAH JAHAN BEGAM
    (1884-1903)
    H. H. NAWAB SHAH JAHAN BEGAM (1877-
    1903)
    H. H. NAWAB SULTAN JAHAN BEGAM (1902)
  m anna

◆ BHOPAL GOVᵀ POSTAGE ➔ Bhopal

◆ BHOPAL STATE ➔ Bhopal

⬚ *Bhor (E)* ➔ Bhore

□ **Bhore**
★ *Bhor: Native Feudatory State (F)*
1879-1901
Asie
Yvert et Tellier, Tome 5, 3ᵉ partie
(à : *États princiers de l'Inde*)
  I BHOR STATE POSTAGE (1901)
  m anna

◆ BHOR STATE POSTAGE ➔ Bhore

■ **Bhoutan**
Bhutan (E)
1954-auj.
Asie
Yvert et Tellier, Tome 5, 1ʳᵉ partie
  I BHUTAN (1967)
    BHUTAN (1954-auj.)
  m ch, nu

◆ BHUTAN ➔ Bhoutan

□ **Biafra**
1968-1969
Afrique
Yvert et Tellier, Tome 6, 2ᵉ partie
(à : *Nigeria*)
  I REPUBLIC OF BIAFRA (1968-1969)
  s SOVEREIGN BIAFRA (Nigeria : 1968)
  m d, s

❖ BICENTENNIAL ➔ États-Unis d'Amérique

❖ BICYCLE MAIL ROUTE ➔ États-Unis d'Amérique
(postes locales et privées) : *Californie*

◆ *Biejetzk* ➔ Zemstvos

■ **Biélorussie**
Belarus (E)
1920 ; 1992-auj.
Europe
Yvert et Tellier, Tome 4, 1ʳᵉ partie
  I АСОБНЫ АТРАД БНР (1920)
    БЕЛАРУСЬ (1992-auj.)
    БЕЛАРУСЬ ПОЧТА(1992)
    BELARUS (1992-auj.)
  m коп, р

◆ BIGELOW'S EXPRESS ➔ États-Unis d'Amérique
(postes locales et privées) : *Boston*

◆ BIGLIETTI DI RICOGNIZIONE POSTALE ➔ Italie

□ **Bijawar**
Bijawar: Native Feudatory State (E)
1935-1937
Asie
Yvert et Tellier, Tome 5, 3ᵉ partie
(à : *États princiers de l'Inde*)
  I BIJAWAR STATE (1935-1937)
  m ps, as

◆ BIJAWAR STATE ➔ Bijawar

◆ *Bilbao* ➔ Espagne (émissions nationalistes)

❖ BILBAO 19-6-1937 ➔ Espagne (émissions
nationalistes : Bilbao)

❖ BILBAO 19 JUNIO 1937 ➔ Espagne (émissions
nationalistes : Bilbao)

☉ billio p ➔ Hongrie

❖ BILPAKET ➔ Finlande

◆ *Bilthoven* ➔ Pays-Bas (postes locales)

◆ B.I.O.T. ➔ Océan Indien

■ **Birmanie**
★ *Burma: issues of the Republic (E)*
1947-auj.
Asie
Yvert et Tellier, Tome 5, 1ʳᵉ partie
  I BURMA POSTAGE (1948-1953)
    SOCIALIST REPUBLIC OF THE UNION OF
    BURMA (1974-1985)
    UNION OF BURMA (1948-1974, 1989)
    UNION OF MYANMAR (1989-auj.)
  s * (Birmanie [Dominion britannique] : 1947)
  m as, ps, r, p, k

□ **Birmanie (administration militaire)**
Burma: military administration (E)
1945
Asie
Yvert et Tellier, Tome 5, 1ʳᵉ partie
(à : *Birmanie*)
  s MILY ADMN (Birmanie [Dominion britannique] :
    1945)

□ **Birmanie (armée de l'indépendance)**
★ *Burma: occupation stamps (E)*
1942
Asie
Yvert et Tellier, Tome 5, 1ʳᵉ partie
(à : *Birmanie*)
s *un paon* (Birmanie [Dominion britannique] : 1942)

□ **Birmanie (Dominion britannique)**
Burma (E)
1937-1946
Asie
Yvert et Tellier, Tome 5, 1ʳᵉ partie
(à : *Birmanie*)
l BURMA POSTAGE (1938-1946)
s BURMA (Inde anglaise : 1937)
m as, ps, anna, annas, pies, rs, r
⇨ Birmanie, Birmanie (administration militaire),
Birmanie (armée de l'indépendance)

□ **Birmanie (occupation japonaise)**
★ *Burma: Japanese occupation (E)*
1942-1944
Asie
Yvert et Tellier, Tome 5, 1ʳᵉ partie
(à : *Birmanie*)
l CENT *(et caractères asiatiques)* (1943)
m cent

◆ BIRNBECK ➔ Birnbeck

□ **Birnbeck**
Europe
Émission non admise par l'U.P.U.
l BIRNBECK

◆ *Birobidjan* ➔ Russie (postes locales de l'ex-U.R.S.S. :
République Juive)
⊙ birr ➔ Érythrée (République), Éthiopie
◆ BISHOP'S CITY POST CLEVᴰ O. ➔ États-Unis
d'Amérique (postes locales et privées) : *Cleveland
(Ohio)*
❖ BISSAU ➔ Guinée-Bissau
⊙ bit ➔ Antilles danoises
⊙ bk ➔ Guinée équatoriale
Ꝕ *Blagoveshchensk (E)* ➔ Blagoviechtchensk

□ **Blagoviechtchensk**
★ *Far Eastern Republic: Blagoveshchensk Issue (E)*
1920
Asie
Yvert et Tellier, Tome 4, 2ᵉ partie
(à : *Sibérie et Extrême-Orient*)
l АМУРСКАЯ ОБЛАСТНАЯ ПОЧТОВАЯ
МАРКА (1920)
m руб, РУЬАЯ

◆ B L C I H. H. NAWAB SHAH JAHAN BEGAM ➔
Bhopal
◆ BLOOD'S DESPATCH ➔ États-Unis d'Amérique
(postes locales et privées) : *Philadelphie*

◆ BLOOD'S DESPATCH FOR THE POST OFFICE ➔
États-Unis d'Amérique (postes locales et privées) :
Philadelphie
◆ BLOOD'S DISPATCH ENVELOPE ➔ États-Unis
d'Amérique (postes locales et privées) : *Philadelphie*
◆ BLOOD'S PENNY KOCHERSPERGER & Cᴼ
PHILADᴬ ➔ États-Unis d'Amérique (postes locales et
privées) : *Philadelphie*
◆ BLUEBELL RAILWAY ➔ Grande-Bretagne
(compagnies privées de chemins de fer : Bluebell)
◆ MID-HANTS RAILWAY ➔ Grande-Bretagne
(compagnies privées de chemins de fer : Mid-Hants)
◆ MID-HANTS RAILWAY LETTER ➔ Grande-
Bretagne (compagnies privées de chemins de fer :
Mid-Hants)
◆ BLUEFIELD ➔ Bluefield

□ **Bluefield**
Nicaragua: Province of Zelaya (E)
1904-1912
Amérique Centrale
Yvert et Tellier, Tome 6, 2ᵉ partie
(à : *Nicaragua*)
s B (Nicaragua : 1908-1912)
B CORREOS (Nicaragua : 1908-1912)
B DPTO. ZELAYA (Nicaragua : 1904-1908)
B DTO. ZELAYA (Nicaragua : 1904-1908)
BLUEFIELD (Nicaragua : 1906)
B VALE (Nicaragua : 1908-1912)
B ZELAYA (Nicaragua : 1904-1908)
COSTA ATLANTICA B. (Nicaragua : 1907)
DPTO. ZELAYA B TELEGRAFOS (Nicaragua :
1911)
OFICIAL B (Nicaragua : 1909)
VALE 05 CTS POSTAL B (Nicaragua : 1911)
VALE 10 CTS POSTAL B (Nicaragua : 1911)
m cent, cts

◆ BMA ➔ Bornéo du Nord (administration militaire)
◆ B M A ➔ Sarawak (administration britannique)
◆ B. M. A. ERITREA ➔ Érythrée (occupation
britannique)
◆ B M A MALAYA ➔ Malacca (administration militaire
britannique)
◆ B. M. A. SOMALIA ➔ Somalie italienne (occupation
britannique)
◆ B. M. A. TRIPOLITANIA M.A.L. ➔ Tripolitaine
(occupation britannique)
◆ B. N. F. CASTELLORIZO ➔ Castellorizo (colonie
française)
❖ BNHA CPB XPA (cyrillique) ➔ Yougoslavie
◆ BOARD OF EDUCATION ➔ Grande-Bretagne
◆ *Bobrov* ➔ Zemstvos
❖ BOCHA N XEPUEROBNHA (cyrillique) ➔
Yougoslavie
◆ B & O COMMUTATION ➔ États-Unis d'Amérique
(compagnies privées de télégraphe) : *Baltimore & Ohio
Telegraph Companies*
❖ BOCTOKB (cyrillique) ➔ Levant (bureaux russes)
◆ BODENREFORM PROVINZ SACHSEN ➔ Saxe
(province)

- BOFTGEBIET OB-OFT ➜ Lituanie (occupation allemande)

☉ bogaches ➜ Yémen

☉ bogchah ➜ Yémen

◆ *Bogodorosk* ➜ Zemstvos

☐ **Bogota**
Colombia: Bogota (E)
1889-1903
Amérique du Sud
Yvert et Tellier, Tome 5, 2ᵉ partie
(à : *Colombie*)
l CORREO URBANO DE BOGOTA (1889-1903)
m centavo

◆ *Bogoutchary* ➜ Zemstvos

☉ bogshas ➜ Yémen, Yémen (république arabe)

☐ **Bohème et Moravie**
Czechoslovakia: Bohemia and Moravia (E)
1939-1944
Europe
Yvert et Tellier, Tome 4, 1ʳᵉ partie
l BÖHMEN UND MAHREN CECHY A MORAVA (1939-1941)
DEUTSCHES REICH BÖHMEN UND MAHREN CECHY A MORAVA (1942-1943)
GROSSDEUTSCHES REICH BÖHMEN UND MAHREN CECHY A MORAVA (1943-1944)
THERESIENSTADT (1943)
s BÖHMEN U. MÄHREN CECHY A MORAVA (Tchécoslovaquie : 1939)
m h, K
⇨ Tchécoslovaquie

℔ *Bohemia and Moravia (E)* ➜ Bohème et Moravie

- BÖHMEN U. MÄHREN CECHY A MORAVA ➜ Bohème et Moravie

❖ BÖHMEN UND MAHREN ➜ Bohème et Moravie

- BÖHMEN UND MAHREN CECHY A MORAVA ➜ Bohème et Moravie

- BOKA KOTORSKA ➜ Italie (occupation allemande)

☉ bol ➜ Venezuela

☉ bolivar ➜ Venezuela

❖ BOLIVAR ➜ Bolivar

☐ **Bolivar**
Colombia: Bolivar (E)
1863-1904
Amérique du Sud
Yvert et Tellier, Tome 5, 2ᵉ partie
(à : *Colombie*)
l CORREOS DE BOLIVAR (1873-1904)
CORREOS DEL Eᴼ Sᴼ DE BOLIVAR (1873-1904)
CORREOS DEL ESTADO SOBERANO DE BOLIVAR (1873-1904)
DEPARTAMENTO DE BOLIVAR (1903)
ESTADO S DE BOLIVAR (1873-1877)
ESTADO SOBERANO DE BOLIVAR (1873-1877)
m cents, centavos, peso
⇨ Carthagène

☉ bolivares ➜ Venezuela
❖ BOLIVARES ➜ Venezuela
❖ BOLIVARIANO ➜ Colombie
- BOLIVIA ➜ Bolivie
❖ BOLIVIANA ➜ Bolivie
☉ bolivianos ➜ Bolivie

■ **Bolivie**
Bolivia (E)
1867-auj.
Amérique du Sud
Yvert et Tellier, Tome 5, 1ʳᵉ partie
l BOLIVIA (1957-1971)
CORREOS BOLIVIA CONTRATOS (1867-1868)
CORREOS DE BOLIVIA (1867-1957, 1971-auj.)
REPUBLICA BOLIVIANA (1912-1930)
TRANSACCIONES SOCIALES BOLIVIA (1870)
m centavo, centavos, bolivianos, cts, bs, $b

❖ BOLLETTINO ➜ Italie
- BOLLO DELLA POSTA DI SICILIA ➜ Royaume des deux Siciles
- BOLLO DELLA POSTA NAPOLETANA ➜ Royaume des deux Siciles
- BOLLO POSTALE ➜ Saint-Marin
- BOLLO STRAORDINARIO PER LE POSTE ➜ Toscane
❖ BOLOGNA ➜ Pologne (corps polonais)
- BONBAD QABUS ➜ Iran
☉ böng ➜ Vietnam du Nord
- BOPHUTHATSWANA ➜ Bophuthatswana

☐ **Bophuthatswana**
South Africa: Bophuthatswana (E)
1977-1994
Afrique
Yvert et Tellier, Tome 5, 1ʳᵉ partie
(à : *Afrique du Sud*)
l BOPHUTHATSWANA (1977-1994)
m c

❖ BORDEAUX ➜ Monténégro (timbres d'exil)
◆ *Borisoglebsk* ➜ Zemstvos

❖ BORNEO ➔ Bornéo du Nord

☐ **Bornéo du Nord**
North Borneo (E)
1883-1963
Océanie
Yvert et Tellier, Tome 5, 1ʳᵉ partie
l BRITISH NORTH BORNEO (1886-1893)
   NORTH BORNEO (1883-1886, 1948-1963)
   STATE OF NORTH BORNEO (1894-1941)
   STATE OF NORTH BORNEO BRITISH
   PROTECTORATE (1894-1941)
m cent, cents, dollar, dollars
⇨ Bornéo du Nord (administration militaire), Bornéo
   du Nord (occupation japonaise), Labuan, Sabah

☐ **Bornéo du Nord (administration militaire)**
North Borneo (E)
1945
Océanie
Yvert et Tellier, Tome 5, 1ʳᵉ partie
S BMA (Bornéo du Nord : 1945)

☐ **Bornéo du Nord (occupation japonaise)**
∗ *North Borneo: Japanese occupation (E)*
1943-1945
Océanie
Yvert et Tellier, Tome 5, 1ʳᵉ partie
s *caractères asiatiques* (Bornéo du Nord : 1944)
   caractères asiatiques (Japon : 1945)

◆ *Borovitchi* ➔ Zemstvos
◆ *Boscaven (New Hampshire)* ➔ États-Unis d'Amérique
   (émissions des Maîtres de postes)
◆ BOSNA I HERCEGOVINA ➔ Bosnie Herzégovine
❖ BOSNA I HERCEGOVINA ➔ Yougoslavie
◆ BOSNA I HERCEGOVINA HR HERCEG BOSNA ➔
   Herceg Bosna
◆ BOSNA I HERCEGOVINA HRVATSKA REPUBLIKA
   HERCEG BOSNA ➔ Herceg Bosna
🔒 *Bosnia and Herzegovina (E)* ➔ Bosnie Herzégovine,
   Yougoslavie

■ **Bosnie Herzégovine**
Bosnia and Herzegovina (E)
1879-1919 ; 1993-auj.
Europe
Yvert et Tellier, Tome 3, 1ʳᵉ partie
l 2 *(avec portait de jeune fille bosniaque)* (1913-
   1919)
   6 *(avec portait de jeune fille bosniaque)* (1913-
   1919)
   10 *(avec portait de jeune fille bosniaque)* (1913-
   1919)
   20 *(avec portait de jeune fille bosniaque)* (1913-
   1919)
   Недјела борбе против туберкулозе 14-21.
   септемора *(avec croix-rouge)* (2001)
   Међународш дан н Недјела Црвсног крега
   8-15 Maj *(avec croix-rouge)* (2001)

РЕПУБЛИКА СРПСКА (1997-auj.)
BOSNA I HERCEGOVINA (1996-auj.)
BOSNIEN HERZEGOWINA (1906-1917)
BOSNIEN HERZEGOVINA (1906-1917)
K U K MILITÄRPOST (1916-1918)
K UND K MILITÄRPOST (1916-1918)
MILITÄRPOST EILMARKE (1916)
MILITÄRPOST PORTOMARKE (1904-1908)
MILIT. POST-PORTOMARKE (1904-1908)
REPUBLIKA BOSNA I HERCEGOVINA (1993-
1995)
m heller, k, km
⇨ Autriche-Hongrie, Autriche-Hongrie (occupation
   en Italie), Autriche-Hongrie (occupation en
   Serbie), Ukraine, Yougoslavie

◆ *Bosnie Herzégovine* ➔ voir aussi : Herceg Bosna,
   Serbie (République de), Serbie-Krajina (République de)
◆ BOSNIEN HERCEGOVINA ➔ Bosnie Herzégovine
◆ BOSNIEN HERZEGOWINA ➔ Bosnie Herzégovine
◆ *Boston* ➔ États-Unis d'Amérique (postes locales et
   privées)
◆ BOTSWANA ➔ Botswana

■ **Botswana**
1966-auj.
Afrique
Yvert et Tellier, Tome 5, 1ʳᵉ partie
l BOTSWANA (1966-auj.)
s BOTSWANA (Bechuanaland : 1966)
   REPUBLIC OF BOTSWANA (Bechuanaland :
   1966)
m c, r, cents, t, p

☐ **Bouchir**
Bushire (E)
1915
Asie
Yvert et Tellier, Tome 5, 1ʳᵉ partie
s BUSHIRE UNDER BRITISH OCCUPATION
   (Iran : 1915)

◆ *Bougoulma* ➔ Zemstvos
◆ *Bougourouslan* ➔ Zemstvos
◆ *Bouriatie (République de)* ➔ Russie (postes locales de
   l'ex-U.R.S.S.)
◆ BOUTON'S CITY DISPATCH POST ➔ États-Unis
   d'Amérique (postes locales et privées) : *New York*
◆ BOUTON'S MANHATTAN EXPRESS ➔ États-Unis
   d'Amérique (postes locales et privées) : *New York*
◆ BOUVET OYA ➔ Norvège (postes locales : *Île de
   Bouvet*)
◆ *Bouzoulouk* ➔ Zemstvos
◆ *Boxtel* ➔ Pays-Bas (postes locales)

□ **Boyaca**
Colombia: Boyaca (E)
1900-1904
Amérique du Sud
Yvert et Tellier, Tome 5, 2ᵉ partie
(à : *Colombie*)
l   COLOMBIA BOYACA (1900)
    DEPARTAMENTO DE BOYACA (1903-1904)
    DEPᵀᴼ DE BOYACA (1903-1904)
m centavos, pesos

◆ BOYCE'S CITY EXPRESS POST ➜ États-Unis
   d'Amérique (postes locales et privées) : *New York*
◆ BOYD'S CITY DISPATCH ➜ États-Unis d'Amérique
   (postes locales et privées) : *New York*
◆ BOYD'S CITY EXPRESS POST ➜ États-Unis
   d'Amérique (postes locales et privées) : *New York*
◆ BOYD'S CITY POST ➜ États-Unis d'Amérique
   (postes locales et privées) : *New York*
◆ BOYD'S DISPATCH ➜ États-Unis d'Amérique (postes
   locales et privées) : *New York*
◆ B. PALISSY ➜ France
◆ BRADWAY'S DESPATCH MILLVILLE ➜ États-Unis
   d'Amérique (postes locales et privées) : *Millville (New
   Jersey)*
◆ BRADY, & CO. ➜ États-Unis d'Amérique (postes
   locales et privées) : *New York*
◆ BRADY & COˢ CHICAGO PENNY POST ➜ États-
   Unis d'Amérique (postes locales et privées) : *Chicago*
❖ BRAEKSTADT & CO ➜ Norvège (poste locale)
◆ BRAINARD & CO. ➜ États-Unis d'Amérique (postes
   locales et privées) : *Albany-Troy-New York*
◆ BRASIL ➜ Brésil
◆ BRASIL CORREIO ➜ Brésil
◆ BRATTLEBORO VT ➜ États-Unis d'Amérique
   (émissions des Maîtres de postes : Brattleboro,
   Vermont)
◆ BRAUNSCHWEIG ➜ Brunswick
◆ BRAZIL ➜ Brésil
🕭 *Brazil: Airline Companies (E)* ➜ Compagnie Condor,
   Compagnie E.T.A., Compagnie Varig
◆ BRAZIL CORREIO ➜ Brésil
◆ BRECHOU ➜ Brechou
◆ BRECQHOU ➜ Brechou

■ **Brechou**
Brecqhou (E)
1969 ; 1999-auj.
Europe
Émission non admise par l'U.P.U.
l   BRECHOU (1969)
    BRECQHOU (1999-auj.)
m d, p, £

◆ *Breda* ➜ Pays-Bas (postes locales)

□ **Brême**
Bremen (E)
1855-1867
Europe
Yvert et Tellier, Tome 3, 1ʳᵉ partie
(à : *Allemagne*)
l   BREMEN (1855-1867)
    FRANCO MARKE (1855-1861)
m grote, Sgr

◆ BREMEN ➜ Brême

■ **Brésil**
Brazil (E)
1843-auj.
Amérique du Sud
Yvert et Tellier, Tome 5, 1ʳᵉ partie
l   10 (*sur fond bleu*) (1854-1861)
    10 (*sur fond noir*) (1844-1866)
    30 (*sur fond bleu*) (1854-1861)
    30 (*sur fond noir*) (1843-1866)
    60 (*sur fond noir*) (1843-1866)
    90 (*sur fond noir*) (1843-1866)
    180 (*sur fond noir*) (1844-1866)
    280 (*sur fond rouge*) (1854-1861)
    300 (*sur fond noir*) (1844-1866)
    430 (*sur fond jaune*) (1854-1861)
    600 (*sur fond noir*) (1844-1866)
    BRASIL (1918-auj.)
    BRASIL CORREIO (1918-auj.)
    BRAZIL (1866-1918)
    BRAZIL CORREIO (1866-1918)
    CORREIO DO BRASIL (1960-1967)
    CORREIOS DO BRASIL (1960-1967)
    CORREIO E. U. DO BRAZIL (1890-1894)
    CORRESPONDENCIA DILACERADA (1912)
    E. U. DO BRAZIL (1900-1909)
    ESTADOS UNIDOS DO BRAZIL (1894-1905)
    EXERCITO EM OPERACOES CONTRA O
    PARAGUAY (1865-1870)
    IMPERIO DO BRAZIL (1884)
    REPUBLICA DO E.U. BRAZIL (1893)
    TELEGRAPHO DO INTERIOR (1869-1873)
m reis, rs, $, centavos, cts, crs, cr$, cruzeiros, czS,
   cz$, NCzS

◆ *Brésil* ➜ voir aussi : Compagnie Condor, Compagnie
   E.T.A., Compagnie Varig, Counani (République du)
◆ BR. HONDURAS ➜ Honduras britannique
◆ *Bridgeville (Alabama)* ➜ États Confédérés d'Amérique
   (émissions des Maîtres de postes)
◆ BRIEFMARKE WENDEN ➜ Wenden
❖ BRIEF-PACKET BEFÖRDERUNG ➜ Allemagne
   (postes locales ou privées : Mulhouse)
❖ BRIEF PACKET & GÜTER EXPEDITION ➜
   Allemagne (postes locales ou privées : Hambourg,
   service de messagerie)
◆ BRIEFPOST ➜ Allemagne (occupation française)
◆ BRIGG'S DESPATCH ➜ États-Unis d'Amérique
   (postes locales et privées) : *Philadelphie*
❖ BRITAIN 1851-1951 ➜ Grande-Bretagne

- BRITISH ANTARCTIC TERRITORY ➔ Antarctique britannique
- BRITISH BECHUANALAND ➔ Bechuanaland (colonie britannique)
- BRITISH BECHUANALAND POSTAGE & REVENUE ➔ Bechuanaland (colonie britannique)
- BRITISH BECHUANALAND POSTAGE AND REVENUE ➔ Bechuanaland (colonie britannique)
- BRITISH CENTRAL AFRICA ➔ Afrique centrale britannique
- BRITISH CENTRAL AFRICA PROTECTORATE ➔ Afrique centrale britannique
- BRITISH COLUMBIA ➔ Colombie britannique
- BRITISH COLUMBIA AIRWAYS LIMITED ➔ Canada
- ❖ BRITISH CONSULAR MAIL ANTANANARIVO ➔ Madagascar (poste britannique)
- BRITISH EAST AFRICA ➔ Afrique orientale britannique
- BRITISH EAST AFRICA COMPANY ➔ Afrique orientale britannique
- BRITISH EAST AFRICA PROTECTORATE ➔ Afrique orientale britannique
- BRITISH EMPIRE EXHIBITION 1924 ➔ Grande-Bretagne
- BRITISH GUIANA ➔ Guyane
- BRITISH HONDURAS ➔ Honduras britannique
- BRITISH INDIAN OCEAN TERRITORY ➔ Océan Indien
- BRITISH INLAND MAIL MADAGASCAR ROAVOAMENA ➔ Madagascar (poste britannique)
- BRITISH NEW GUINEA ➔ Papouasie
- BRITISH NORTH BORNEO ➔ Bornéo du Nord
- BRITISH OCCUPATION ➔ Russie (occupation britannique)
- ⌁ *British Offices in Africa: East Africa Forces for use in Somalia (E)* ➔ Somalie italienne (occupation britannique)
- ⌁ *British Offices in Africa: East Africa Forces for use in Tripolitania (E)* ➔ Tripolitaine (occupation britannique)
- ⌁ *British Offices in Africa: for use in Eritrea (E)* ➔ Érythrée (occupation britannique)
- ⌁ *British Offices in Africa: Middle East Forces (E)* ➔ Moyen-Orient
- ⌁ *British Offices in China (E)* ➔ Chine (bureaux anglais)
- ⌁ *British Offices in Morocco: British currency (E)* ➔ Maroc anglais (tous les bureaux)
- ⌁ *British Offices in Morocco: for use in the International Zone of Tangier (E)* ➔ Maroc anglais (Tanger)
- ⌁ *British Offices in Morocco: French currency (E)* ➔ Maroc anglais (zone française)
- ⌁ *British Offices in Morocco: Spanish currency (E)* ➔ Maroc anglais (tous les bureaux <1918, zone espagnole)
- ⌁ *British Offices in Turkish Empire (E)* ➔ Levant (bureaux anglais)
- BRITISH PROTECTORATE OIL RIVERS ➔ Côte du Niger

- ⌁ *British Railway Mail (E)* ➔ Grande-Bretagne (compagnies privées de chemins de fer)
- BRITISH SOLOMON IS ➔ Salomon
- BRITISH SOLOMON ISLANDS ➔ Salomon
- BRITISH SOLOMON ISLANDS PROTECTORATE ➔ Salomon
- BRITISH SOMALILAND ➔ Somaliland
- BRITISH SOUTH AFRICA COMPANY ➔ Afrique du Sud (compagnie britannique de l')
- BRITISH SOUTH AFRICA COMPANY RHODESIA ➔ Rhodésie
- ❖ BRITISH VICE-CONSULATE ANTANANARIVO ➔ Madagascar (poste britannique)
- BRITISH VIRGIN Iˢ ➔ Vierges
- BRITISH VIRGIN ISLANDS ➔ Vierges
- BROAD WAY POST-OFFICE ➔ États-Unis d'Amérique (postes locales et privées) : *New York*
- ◆ *Bronnitzy* ➔ Zemstvos
- BRONSON & FORBES' CITY EXPRESS POST ➔ États-Unis d'Amérique (postes locales et privées) : *Chicago*
- BROOKLYN CITY EXPRESS POST ➔ États-Unis d'Amérique (postes locales et privées) : *Brooklyn*
- BROWN & Cᴼˢ CITY POST ➔ États-Unis d'Amérique (postes locales et privées) : *Cincinnati*
- BROWNE'S EASTON DESPATCH ➔ États-Unis d'Amérique (postes locales et privées) : *Easton (Pennsylvanie)*
- BROWNE'S EASTON DESPATCH POST ➔ États-Unis d'Amérique (postes locales et privées) : *Easton (Pennsylvanie)*
- BROWN & MC GILL'S U.S. P.O. DESPATCH ➔ États-Unis d'Amérique
- ❖ BROWN'S STAMP OFFICE ➔ États-Unis d'Amérique (postes locales et privées) : *New York*
- BR. SOLOMON ISLANDS ➔ Salomon
- BRUNEI ➔ Brunei

■ Brunei
1906-auj.
Océanie
Yvert et Tellier, Tome 5, 2ᵉ partie
  l **BRUNEI DARUSSALAM** (1984-auj.)
    BRUNEI (1906-1984)
  s BRUNEI (Lahuan : 1906)
  m cent, cents, c, cts, dollar, $, sen
  ⇨ Brunei (occupation japonaise)

- BRUNEI DARUSSALAM ➔ Brunei

☐ Brunei (occupation japonaise)
* *Brunei: Japanese occupation (E)*
1942-1945
Océanie
Yvert et Tellier, Tome 5, 2ᵉ partie
  s *caractères asiatiques* (Brunei : 1942-1945)

◻ **Brunswick**
1852-1857
Europe
Yvert et Tellier, Tome 3, 1ʳᵉ partie
(à : *Allemagne*)
l BRAUNSCHWEIG (1852-1857)
POSTMARKE ¼ GUTEGR. (1857)
m silb. gr., silbr. Pf., groschen, pfennige, gutegr.

❖ BRUSSEL ➔ Belgique
◆ BRUXELLES BRUSSEL ➔ Belgique
◆ BR. VIRGIN ISLANDS ➔ Vierges
⊙ bs ➔ Bolivie, Venezuela
◆ B.S.P. ➔ Grande-Bretagne (postes de Noël)
◆ B.T ➔ Grande-Bretagne
◆ BUCHANAN REGISTERED ➔ Libéria
◆ BUCHANAN REGISTERED LIBERIA ➔ Libéria
❖ BUCHANON ➔ États-Unis d'Amérique (émissions des Maîtres de postes : Alexandria, Virginie)

◻ **Buenos Aires**
1858-1890
Amérique du Sud
Yvert et Tellier, Tome 5, 1ʳᵉ partie
(à : *Argentine*)
l CORREOS BUENOS AIRES (1858-1862)
TELEGRAFOS PROVINCIA BUENOS AIRES (1888-1890)
m peso, pesos, centavos

❖ BUENOS AIRES AGOSTO DE 1921 ➔ Argentine
◆ *Buffalo (New York)* ➔ États-Unis d'Amérique (postes locales et privées)
◆ BUILD A VIGOROUS SINGAPORE ➔ Singapour
◆ BUITEN BEZIT. ➔ Inde néerlandaise
❖ BULGARE ➔ Bulgarie
◆ BULGARIA ➔ Bulgarie

■ **Bulgarie**
Bulgaria (E)
1879-auj.
Europe
Yvert et Tellier, Tome 4, 1ʳᵉ partie
l НР БЪЛГАРИЯ (1949-1988)
НР БЪЛГАРИЯ ПОЩА (1949-1988)
ЦАРСТВО БЪЛГАРИЯ (1937-1944)
БЪЛГАРИЯ (1920-1948)
БЪЛГАРИЯ BULGARIA (1989-auj.)
БЪЛГАРСКА ПОЩА (1879-1926)
BULGARIA (1946-1947)
BULGARIE БЪЛГАРИЯ (1938)
СТОТ (1882-1919)
СТОТИНКА (1882-1919)
СТОТИНКИ (1882-1919)
NR BULGARIA (1949-1967)
POSTE BULGARE
REPUBLIKA BULGARIA (1947)
m ctot, ct, ctotИНКА, СТОТИНКИ, SТОТИНКИ, ЛЕВА, ЛВ, leva, cm, st, lv
⇨ Cavalle, Dédéagh, Roumanie (occupation bulgare), Thrace

◆ *Bulgarie* ➔ voir aussi : Roumélie Orientale
◆ BULGARIE БЪЛГАРИЯ ➔ Bulgarie

◻ **Bulgarie du Sud**
✳ *Eastern Rumelia: South Bulgaria (E)*
1885
Europe
Yvert et Tellier, Tome 4, 1ʳᵉ partie
s ЮЖНА БЪЛГАРИЯ (Roumélie Orientale : 1885)
m paras, piastres

❖ BUNDELKHAND ➔ Charkhari
❖ BUNDESPOST BERLIN ➔ Allemagne (Berlin)
❖ BUNDESLAND SACHSEN ➔ Saxe Orientale
❖ BUNDESPOST ➔ Allemagne fédérale
◆ BUNDESREPUBLIK DEUTSCHLAND ➔ Allemagne fédérale
❖ BUNDES TELEGRAPHIE ➔ Allemagne du Nord (confédération)

◻ **Bundi**
✳ *Bundi: Native Feudatory State (E)*
1894-1947
Asie
Yvert et Tellier, Tome 5, 3ᵉ partie
(à : *États princiers de l'Inde*)
l BUNDI STATE POSTAGE (1941-1947)
s BUNDI SERVICE (1919)
m pies, ps, anna, annas, rupee

◆ BUNDI SERVICE ➔ Bundi
◆ BUREAU OF POSTS PHILIPPINE ISLANDS ➔ Philippines
◆ BURGDORF BERN ➔ Suisse
◆ *Burgenland* ➔ Autriche (postes locales ou privées)
◆ BURGENLANDS BEFREIUNG ➔ Autriche (postes locales ou privées) : *Burgenland*
◆ *Burgos* ➔ Espagne (émissions nationalistes)
❖ BURIATIA ➔ Russie (postes locales de l'ex-U.R.S.S. : République de Bouriatie)
◆ BURIATIJA POSTAGE ➔ Russie (postes locales de l'ex-U.R.S.S. : République de Bouriatie)

■ **Burkina**
Burkina Faso: Republic (E)
1984-auj.
Afrique
Yvert et Tellier, Tome 2, 2ᵉ partie
l **BURKINA FASO** (1984-auj.)
m f

◆ BURKINA FASO ➔ Burkina
🏳 *Burkina Faso: Republic (E)* ➔ Burkina
🏳 *Burkina Faso: Upper Volta (E)* ➔ Haute-Volta (colonie française) et Haute-Volta
◆ BURMA ➔ Birmanie (Dominion britannique)
🏳 *Burma (E)* ➔ Birmanie (Dominion britannique)
🏳 *Burma: Japanese occupation (E)* ➔ Birmanie (occupation japonaise)
🏳 *Burma: military administration (E)* ➔ Birmanie (administration militaire)

BURMA

Ƀ *Burma: issues of the Republic (E)* ➔ Birmanie

Ƀ *Burma: occupation stamps (E)* ➔ Birmanie (armée de l'indépendance)

◆ BURMA POSTAGE ➔ Birmanie

◆ BURMA POSTAGE ➔ Birmanie (Dominion britannique)

■ **Burundi**
1962-auj.
Afrique
Yvert et Tellier, Tome 5, 2ᵉ partie
 l **RÉPUBLIQUE DU BURUNDI** (1967-auj.)
 ROYAUME DU BURUNDI (1962-1966)
 s RÉPUBLIQUE DU BURUNDI (1967)
 ROYAUME DU BURUNDI (Ruanda-Urundi : 1962)
 m f

◆ BURY'S CITY POST ➔ États-Unis d'Amérique (postes locales et privées) : *New York*

Ƀ *Bushire (E)* ➔ Bouchir

◆ BUSHIRE UNDER BRITISH OCCUPATION ➔ Bouchir

☐ **Bussahir**
Bussahir: Native Feudatory State (E)
1895-1906
Asie
Yvert et Tellier, Tome 5, 3ᵉ partie
(à : *États princiers de l'Inde*)
 l BUSSAHIR STATE (1895-1906)
 m anna, as

◆ BUSSAHIR STATE ➔ Bussahir

❖ BUSSFRAKT ➔ Finlande

❖ BUSSPAKET ➔ Finlande

◆ *Bussum* ➔ Pays-Bas (postes locales)

◆ BUU-BIEN ➔ Vietnam du Nord

◆ BUU-CHINH VIÊT NAM ➔ Vietnam (République Socialiste)

◆ BUU CHINH VIET NAM DAN CHU CONG HOA ➔ Vietnam du Nord

◆ B VALE ➔ Bluefield

❖ BYPOST ➔ Danemark

❖ BYPOST-FRIMAERKE AALESUND ➔ Norvège (poste locale)

◆ B ZELAYA ➔ Bluefield

⊙ c ➔ Aden, Afrique du Sud (Union de l'), Afrique Équatoriale, Afrique orientale britannique, Aitutaki, Alaouites, Alexandrie, Algérie, Algérie (département français), Andorre (bureaux espagnols), Andorre (poste française), Angola, Anguilla, Antigua, Antilles néerlandaises, Argentine, Aruba, Australie, Bahamas, Barbade, Barbuda, Basoutoland, Bechuanaland (protectorat britannique), Belgique, Belgique (occupation allemande), Belize, Béquia, Bermudes, Bophuthatswana, Botswana, Brunei, Caïmanes (Îles), Caïques, Cambodge, Cameroun (colonie française), Canada, Canal de Suez, Canaries (Îles), Canton, Cap-Vert, Castellorizo (colonie française), Cayes, Ceylan, Chine (bureaux des états-Unis), Christmas, Chypre, Ciskei, Cocos, Colombie, Colonies françaises, Comores (colonie française et TFO), Congo (belge/état indépendant/république/république démocratique), Congo (colonie française), Congo (république démocratique), Cook, Costa Rica, Corée (royaume, empire), Côte d'Ivoire (colonie française), Côte des Somalis, Counani (république du), Crète (bureaux français), Cuba, Curaçao, Dahomey (colonie française), Dédéagh (bureau français), Diégo-Suarez, Dominicaine, Dominique, Est-Africain, États Princiers de l'Inde, États-Unis d'Amérique, États-Unis d'Amérique (postes locales et privées), Érythrée (République), Espagne, Éthiopie, Fezzan, Fidji, France, Funafuti, Gabon (colonie française), Ghana, Gilbert, Gilbert & Ellice, Grande Comore, Grenade, Grenadines, Guadeloupe, Guatemala, Guinée (colonie française), Guinée portugaise, Guyane, Guyane (colonie française), Haïti, Haute-Volta (colonie française), Haut-Sénégal et Niger, Hoï-Hao, Honduras britannique, Hong Kong, Inde (établissements français), Inde néerlandaise, Indochine, Inhambane, Inini, Irlande, Italie, Jamaïque, Katanga, Kathiri (Seyun), Kedah, Kelantan, Kenya, Kenya et Ouganda, Kionga, Kirghiztan, Kiribati, Kouang-Tchéou, La Agüera, Laos, Leeward, Lesotho, Libéria, Lituanie, Lorenzo-Marquès, Luxembourg, Madagascar (colonie française), Madère, Malacca (établissements des détroits de Malacca et Singapour), Malacca (état fédéré de Malaysia), Malaisie, Malaysia, Malte, Maroc (bureaux et protectorat français), Maroc (postes locales), Maroc (zone nord ex-espagnole), Marshall, Martinique, Maurice, Mauritanie (colonie française), Mayotte, Mexique, Micronésie, Modène, Mohéli, Moldavie, Monaco, Mong-Tzeu, Monténégro (timbres d'exil), Montserrat, Mozambique, Mozambique (compagnie de), Nagaland, Namibie, Nanumaga, Nanuméa, Nations Unies (New York), Nauru, Negri Sembilan, Nevis, Nicaragua, Niger (colonie française), Niue, Niutao, Norfolk, Nossi-Bé, Nouvelle Guinée Néerlandaise, Nouvelle-Calédonie, Nouvelles-Hébrides, Nouvelle-Zélande, Nui, Nukufetau, Nukulaelae, Obock, Occussi-Ambeno (Sultanat d'), Océan Indien, Océanie, Oubangui, Ouganda, Pahang, Pakhoi, Palau, Panama-Canal, Panama-République, Papouasie et Nouvelle-Guinée, Pays-Bas, Pays-Bas (postes locales), Penang, Penrhyn, Perak, Perlis, Pérou, Philippines, Philippines (occupation japonaise), Pitcairn, Port-Lagos, Portugal, Quelimane, Redonda, Réunion, Rhodésie du Sud, Ross (terre de), Rouad, Ruanda-Urundi, Rwanda, Ryu-Kyu, Sabah, Saint-Christophe, Sainte-Lucie, Sainte-Marie de Madagascar, Saint-Marin, Saint-Pierre et Miquelon, Saint-Thomas et Prince, Saint-Vincent, Saint-Vincent (Îles Grenadines), Salomon, Salvador, Sarawak, Sardaigne, Sarre, Sealand, Selangor, Sénégal (colonie française), Sénégambie et Niger, Seychelles, Sierra Leone, Singapour, Somalie italienne, Soudan (colonie française), Sud-Kasaï, Sud-Ouest Africain, Suisse, Sungei Ujong, Surinam, Swaziland, Tahiti, Grande-Bretagne (compagnies privées de chemins de fer), Tanganyika, Tanzanie, Tch'ong-K'ing, Tchad (colonie française), Terre-Neuve, Terres Australes et Antactiques françaises, Territoire Antarctique Australien, Tété, Togo (occupation militaire/mandat français), Tokelau, Transkei, Travancore, Trengganu, Trinité, Tunisie, Tunisie (protectorat français), Turks et Caïques, Tuvalu, Union Island, Vaitupu, Vathy, Vatican (Cité du), Venda, Venezuela, Vierges, Vietnam (Empire), Wallis et Futuna, Yunnanfou, Zanzibar, Zanzibar (bureau français), Zil Eloigne Sesel, Zimbabwe

* C ➔ Albanie, Paraguay
* C2H5OH ➔ Japon
* CABLE-GRAMAS ➔ Salvador
* CABO ➔ Cabo

☐ **Cabo**
Nicaragua: Cabo Gracias A Dios (E)
1904-1912
Amérique Centrale
Yvert et Tellier, Tome 6, 2ᵉ partie
(à : *Nicaragua*)
s CABO (Nicaragua : 1904-1912)
CABO GRACIAS (Nicaragua : 1905)
C DPTO ZELAYA (Nicaragua : 1909)
COSTA ATLANTICA C. (Nicaragua : 1907)

* CABO GRACIAS ➔ Cabo
* CABO JUBI ➔ Cap Juby
* CABO JUBY ➔ Cap Juby
* CABO-JUBY ➔ Cap Juby
* CABO VERDE ➔ Cap-Vert
* *Caceres* ➔ Espagne (émissions nationalistes)

☐ **Cachemire**
* *Jammu and Kashmir: Native Feudatory State (E)*
1866-1911
Asie
Yvert et Tellier, Tome 5, 3ᵉ partie
(à : *États princiers de l'Inde*)
l JAMMU AND KASHMIR (1903-1911)
m anna, annas, rupees

⊙ caches ➔ Inde (établissements français)
* *Cadix* ➔ Espagne (émissions nationalistes)
* CADIZ ➔ Espagne (émissions nationalistes : Cadix)
* CAICOS ➔ Turks et Caïques
* CAICOS ISLANDS ➔ Caïques
* CAICOS ISLANDS TURKS & CAICOS ➔ Caïques
* CAICOS ISLANDS TURKS & CAICOS ISLANDS ➔ Caïques

* CAIDOS POR ESPAÑA ¡PRESENTES! ARRIBA ESPAÑA ➔ Espagne (émissions nationalistes : Saragosse)

■ **Caïmanes (Îles)**
Cayman Islands (E)
1901-auj.
Amérique Centrale
Yvert et Tellier, Tome 5, 2ᵉ partie
l CAYMAN ISLANDS (1901-auj.)
m d, s, halfpenny, c, cent

☐ **Caïques**
Turks and Caicos Islands: Caicos Islands (E)
1981-1985
Amérique Centrale
Yvert et Tellier, Tome 7, 2ᵉ partie
(à : *Turks et Caïques*)
l CAICOS ISLANDS (1983-1985)
CAICOS ISLANDS TURKS & CAICOS (1983-1985)
CAICOS ISLANDS TURKS & CAICOS ISLANDS (1983-1985)
TURKS & CAICOS ISLANDS CAICOS ISLANDS (1985)
s CAICOS ISLANDS (Turks et Caïques : 1981)
m c, $

* *Caïques* ➔ voir aussi : Turks et Caïques
* CALCHI ➔ Carchi
* CALDEY ➔ Caldey

☐ **Caldey**
1973
Europe
Émission non admise par l'U.P.U.
l CALDEY ISLAND (1973)

* CALDEY ISLAND ➔ Caldey
* CALÉDONIE ➔ Nouvelle-Calédonie

☐ **Calf of Man**
1962-1973
Europe
Émission non admise par l'U.P.U.
l CALF OF MAN ISLE OF MAN (1962-1973)
m m

* CALF OF MAN ISLE OF MAN ➔ Calf of Man
* CALIFORNIA CITY EXPRESS CO. ➔ États-Unis d'Amérique (postes locales et privées) : *San Francisco*
* CALIFORNIA PENNY POSTAGE ➔ États-Unis d'Amérique (postes locales et privées) : *Californie*
* CALIFORNIA PENNY POST CO. ➔ États-Unis d'Amérique (postes locales et privées) : *Californie*
* CALIFORNIA PENNY POST COMPANY ➔ États-Unis d'Amérique (postes locales et privées) : *Californie*
* *California State Telegraph Company* ➔ États-Unis d'Amérique (compagnies privées de télégraphe)
* CALIMNO ➔ Calino
* CALINO ➔ Calino

☐ **Calino**
Italian offices in the Dodecanese Islands: issued in Calino (E)
1912-1932
Europe
Yvert et Tellier, Tome 3, 1ʳᵉ partie
(à : *Égée (îles de la mer*))
 s CALIMNO (Italie : 1912-1922)
   CALINO (Italie : 1912-1932)

❖ CALLAO ➜ Pérou

◆ CAL. STATE TEL. CO. ➜ États-Unis d'Amérique
(compagnies privées de télégraphe) : *California State Telegraph Company*

◆ CAL. STATE TELEGRAPH ➜ États-Unis d'Amérique
(compagnies privées de télégraphe) : *California State Telegraph Company*

◆ CALVE ➜ Calve

☐ **Calve**
Europe
Émission non admise par l'U.P.U.
 l CALVE

◆ CAMARA NACIONAL DE COMERCIO DE LA CIUDAD DE MEXICO ➜ Mexique

◆ CAMBODGE ➜ Cambodge

■ **Cambodge**
Cambodia (E)
1951-auj.
Asie
Yvert et Tellier, Tome 2, 2ᵉ partie
 l CAMBODGE (1961-1971)
   CAMBODIA (1961-1993)
   ÉTAT DU CAMBODGE (1989-1993)
   ROYAUME DU CAMBODGE (1951-1964 ; 1993-auj.)
 m c, $, r
 ⇨ Khmère

◆ *Cambodge* ➜ voir aussi : Kampuchéa, Khmère

◆ CAMBODIA ➜ Cambodge

🕭 *Cambodia (E)* ➜ Cambodge

🕭 *Cambodia: Kampuchea Republic (E)* ➜ Kampuchéa

🕭 *Cambodia: Khmer Republic (E)* ➜ Khmère

◆ *Camden (New Jersey)* ➜ États-Unis d'Amérique
(postes locales et privées)

❖ CAMEROON ➜ Cameroun

◆ CAMEROONS U.K.T.T. ➜ Cameroun britannique

◆ CAMEROUN ➜ Cameroun, Cameroun (colonie française)

■ **Cameroun**
Cameroun: Independent State (E)
1960-auj.
Afrique
Yvert et Tellier, Tome 2, 2ᵉ partie
 l CAMEROUN (1960)
   ÉTAT DU CAMEROUN (1960)
   FEDERAL REPUBLIC OF CAMEROON (1969-1972)
   REPUBLIC OF CAMEROON (1984-auj.)
   RÉPUBLIQUE DU CAMEROUN (1984-auj.)
   RÉPUBLIQUE FÉDÉRALE DU CAMEROUN (1960-1972)
   RÉPUBLIQUE UNIE DU CAMEROUN (1972-1983)
   UNITED REPUBLIC OF CAMEROON (1972-1983)
 m f

☐ **Cameroun (colonie française)**
Cameroun: French Occupation + Provisional French Mandate (E)
1915-1955
Afrique
Yvert et Tellier, Tome 2, 1ʳᵉ partie
 l CAMEROUN (1925-1955)
 s CAMEROUN (Gabon [colonie française] : 1915)
   CAMEROUN FRANÇAIS (1940)
   CAMEROUN OCCUPATION FRANÇAISE (Congo [colonie française] : 1916)
   CORPS EXPÉDITIONNAIRE FRANCO-ANGLAIS CAMEROUN (Congo [colonie française] : 1915)
   OCCUPATION FRANÇAISE DU CAMEROUN (Congo [colonie française] : 1916)
 m c, f,

☐ **Cameroun allemand**
Cameroun: German Dominion + British Occupation (E)
1896-1915
Afrique
Yvert et Tellier, Tome 5, 2ᵉ partie
 l KAMERUN (1900-1915)
 s C.E.F. (1915)
   KAMERUN (Allemagne : 1896)
 m pfennig, mark, d, s

☐ **Cameroun britannique**
Cameroons (E)
1960
Afrique
Yvert et Tellier, Tome 5, 2ᵉ partie
 s CAMEROONS U.K.T.T. (Nigeria : 1960)

◆ CAMEROUN FRANÇAIS ➜ Cameroun (colonie française)

◆ CAMEROUN OCCUPATION FRANÇAISE ➜ Cameroun (colonie française)

◆ *Camp de prisonniers de Tarp (Danemark)* ➔ Autriche (postes locales ou privées)

☐ **Campeche**
Mexico: provisional issues of Campeche (E)
1876-1877
Amérique du Nord
Yvert et Tellier, Tome 6, 2ᵉ partie
(à : *Mexique*)
  I ESTADO DE CAMPECHE (1876-1877)

❖ CAMPEON ➔ Salvador

☐ **Campione**
1944
Europe
Yvert et Tellier, Tome 3, 2ᵉ partie
(à : *Italie*)
  I RR POSTE ITALIANE COMUNE DI CAMPIONE (1944)
  m fr

◆ CANADA ➔ Canada

■ **Canada**
1851-auj.
Amérique du Nord
Yvert et Tellier, Tome 5, 2ᵉ partie
  I AIR MAIL MOOSE JAW TO WINNIPEG AUGUST 17, 1928 MOOSE JAW FLYING CLUB LTD (Aéro club : 1928)
     BRITISH COLUMBIA AIRWAYS LIMITED (Ligne aérienne privée : 1928)
     CANADA (1927-auj.)
     CANADA POSTAGE, CANADA POST OFFICE (1851-1926)
     CANADIAN AIRWAYS LIMITED (Ligne aérienne privée : 1932)
     CHERRY RED AIRLINE LIMITED (Ligne aérienne privée : 1929)
     COMMERCIAL AIRWAYS LIMITED (Ligne aérienne privée : 1929-1930)
     CONFEDERATION CANADA (1927)
     ELLIOT-FAIRCHILD'S AIR SERVICE SPECIAL AIR DELIVERY (Ligne aérienne privée : 1926)
     ELLIOT-FAIRCHILD AIR SERVICE RED LAKE AERIAL MAIL 1926 (Ligne aérienne privée : 1926)
     ELLIOT FAIRCHILD AIR TRANSPORT LIMITED AIR MAIL SERVICE 1926 (Ligne aérienne privée : 1926)
     FAIRCHILD AIR TRANSPORT LIMITED AIR MAIL SERVICE (Ligne aérienne privée : 1926)
     FIRST SASKATCHEVAN AERIAL MAIL ESTEVAN WINNIPEG 1ˢᵀ OCTOBER 1924 (Vol spécial : 1924)
     JACK V. ELLIOT AIR SERVICE FIRST RED LAKE AERIAL MAIL 1926 (Ligne aérienne privée : 1926)
     KLONDIKE AIRWAYS LIMITED WHITEHORSE-MAYO-KENO-DAWSON (Ligne aérienne privée : 1928)

     LONDON TO LONDON CANADA – ENGLAND (vol spécial : 1927)
     NORTHERN AIR SERVICE LIMITED HAILEYBURY, ONT. SPECIAL AIR DELIVERY (Ligne aérienne privée : 1925)
     PATRICIA AIRWAYS EXPLORATION CANADA (Ligne aérienne privée : 1926-1927)
     POST OFFICE CANADA (1879-1913)
     RED LAKE PATRICIA AIRWAYS EXPLORATION CANADA (Ligne aérienne privée : 1926-1927)
     SPECIAL AIR DELIVERY LAURENTIDE AIR SERVICE LIMITED (Ligne aérienne privée : 1924)
     THE AERO CLUB OF CANADA'S FIRST AERIAL SERVICE – PER ROYAL AIR FORCE AUGUST 1918 (Aéro club : 1918)
     THE FIRST INTERNATIONAL AERIAL MAIL SERVICE AUGUST 1919 TORONTO NEW YORK AERO CLUB OF CANADA COMMEMORATIVE STAMP (Aéro club : 1919)
     THE FIRST TORONTO TO HAMILTON AERIAL MAIL G.A.C. CARNIVAL MAY 1920 TORONTO HAMILTON GRAND ARMY OF CANADA MEMORIAL FUND STAMP (Aéro club : 1919)
     WESTERN CANADA AIRWAYS LIMITED AIR MAIL SERVICE (Ligne aérienne privée : 1927)
     YUKON AIRWAYS & EXPLORATION CO LTD (Ligne aérienne privée : 1927)

  s CA (*surimpression consulaire*, Colombie : 1929)

  m cy, d stg, penny, pence, pence sterling, cent, cents, dollar, c, $

◆ CANADA NUNAVUT ➔ Nunavut
◆ CANADA POSTAGE ➔ Canada
◆ CANADA POST OFFICE ➔ Canada
◆ CANADIAN AIRWAYS LIMITED ➔ Canada
▯ *Canadian Provinces: British Columbia & Vancouver Island (E)* ➔ Colombie britannique
▯ *Canadian Provinces: New Brunswick (E)* ➔ Nouveau Brunswick
▯ *Canadian Provinces: Newfoundland (E)* ➔ Terre-Neuve
▯ *Canadian Provinces: Nova Scotia (E)* ➔ Nouvelle Écosse
▯ *Canadian Provinces: Prince Edward Island (E)* ➔ Prince Édouard

☐ **Canal de Suez**
Suez Canal Zone (E)
1868
Afrique
Yvert et Tellier, Tome 5, 3ᵉ partie
(à : *Égypte*)
  I CANAL MARITIME DE SUEZ (1868)
  m c

◆ CANAL MARITIME DE SUEZ ➔ Canal de Suez
◆ CANALO CALCIO ➔ Vénétie Julienne

CANAL ZONE

- ◆ CANAL ZONE ➔ Panama-Canal
- ◆ CANAL ZONE GOVERNMENT ➔ Panama-Canal
- ◆ CANAL ZONE PANAMA ➔ Panama-Canal
- ◆ CANAL ZONE POSTAGE ➔ Panama-Canal
- ❖ CANARIAS ➔ Canaries (Îles), Espagne (émissions nationalistes : Santa Cruz de Teneriffe)
- ◆ CANARIAS 18 JULIO 1937 HOMENAJE AL CAUDILLO FRANCO ➔ Espagne (émissions nationalistes : Santa Cruz de Teneriffe)
- ◆ CANARIAS 18 JULIO 1937 HOMENAJE AL HÉROE MOSCARDO ➔ Espagne (émissions nationalistes : Santa Cruz de Teneriffe)
- ◆ CANARIAS 18 JULIO 1937 HOMENAJE A LOS HÉROES DE STA MARTA DE LA CABEZA ➔ Espagne (émissions nationalistes : Santa Cruz de Teneriffe)
- ◆ CANARIAS 18 JULIO 1937 HOMENAJE AL INVICTO MOLA ➔ Espagne (émissions nationalistes : Santa Cruz de Teneriffe)
- ◆ CANARIAS A FRANCO 18 JULIO 1936 AVION ➔ Canaries (Îles)
- ◆ CANARIAS CORREO AÉREO ➔ Canaries (Îles)
- ◆ CANARIAS VIA AÉREA ➔ Canaries (Îles)

□ **Canaries (Îles)**
Canary Islands (E)
1936-1939
Europe
Yvert et Tellier, Tome 3, 1ʳᵉ partie
(à : *Espagne*)
  l MONTE DE LA ESPERANZA TENERIFE CORREOS ESPANA (1938-1939)
  s ARRIBA ESPAÑA 18 JULIO 1936 CANARIAS AVION (Espagne : 1937)
     CANARIAS A FRANCO 18 JULIO 1936 AVION (Espagne : 1937)
     CANARIAS CORREO AÉREO (Espagne : 1937-1938)
     CANARIAS VIA AÉREA (Espagne : 1938)
     CORREO AÉREO CANARIAS (Espagne : 1937)
     VIA AÉREA (Espagne : 1939)
     VIA AÉREA CANARIAS (Espagne : 1938)
     VIVA ESPAÑA 18 JULIO 1936 HABILITADO AVION (Espagne : 1936)
     VIVA ESPAÑA 18 JULIO 1936 AVION CANARIAS (Espagne : 1937)
     VIVA ESPAÑA 18 JULIO 1936 HABILITADO AVION CANARIAS (Espagne : 1936-1937)
  m c, cts, p, pts

- ꝏ *Canary Islands (E)* ➔ Canaries (Îles)
- ☉ cand ➔ Shanghai
- ☉ candareen, candareens ➔ Shanghai
- ☉ candarin, candarins ➔ Chine
- ☉ cands ➔ Shanghai
- ❖ CANEA ➔ Crète (bureau italien de la Canée)
- ◆ CANNA ➔ Canna

□ **Canna**
Europe
Émission non admise par l'U.P.U.
  l CANNA

- ◆ CANTON ➔ Canton
- ◆ CANTON DE FRIBOURG LETTRE DE VOITURE ➔ Suisse (poste locale)
- ♦ *Canton (Missouri)* ➔ États Confédérés d'Amérique (émissions des Maîtres de postes : Canton, Missouri)

□ **Canton**
French Offices in China: Canton (E)
1901-1919
Asie
Yvert et Tellier, Tome 2, 1ʳᵉ partie
  s CANTON (Indochine : 1901-1919)
  m c, fr, cents

- ❖ CANTONAL ➔ Suisse
- ❖ CANTONAL TAXE ➔ Suisse

□ **Cap de Bonne-Espérance (colonie britannique)**
Cape of Good Hope (E)
1853-1904
Afrique
Yvert et Tellier, Tome 5, 2ᵉ partie
  l CAPE OF GOOD HOPE (1853-1904)
  m penny, pence, shilling
  ⇨ Afrique du Sud (compagnie britannique de l'), Bechuanaland (colonie britannique), Bechuanaland (protectorat britannique), Cap de Bonne-Espérance (guerre anglo-boer)

□ **Cap de Bonne-Espérance (guerre anglo-boer)**
Cape of Good Hope: issued in Mafeking (E)
1899-1900
Afrique
Yvert et Tellier, Tome 5, 2ᵉ partie
  l MAFEKING SIEGE (1900)
     SIEGE OF MAFEKING (1900)
  s MAFEKING BESIEGED (Cap de Bonne-Espérance [colonie britannique] : 1900)
     Z.A.R. (Cap de Bonne-Espérance [colonie britannique] : 1899)
  m pence, d

- ꝏ *Cape Juby (E)* ➔ Cap Juby
- ♦ *Capelle a/d Ijssel* ➔ Pays-Bas (postes locales)
- ◆ CAPE OF GOOD HOPE ➔ Cap de Bonne-Espérance (colonie britannique)
- ꝏ *Cape of Good Hope: issued in Mafeking (E)* ➔ Cap de Bonne-Espérance (guerre anglo-boer)
- ꝏ *Cape Verde (E)* ➔ Cap-Vert

☐ **Cap Juby**
Cape Juby (E)
1916-1948
Afrique
Yvert et Tellier, Tome 5, 2ᵉ partie
s   CABO JUBI (Rio de Oro : 1916)
CABO JUBY (Espagne, Maroc [bureaux espagnols] : 1919-1948)
CABO-JUBY (Espagne, Maroc [bureaux espagnols] : 1919-1948)
m   centimos

◆ *Cap Juby* ➜ voir aussi : Sahara Espagnol

■ **Cap-Vert**
Cape Verde (E)
1877-auj.
Afrique
Yvert et Tellier, Tome 5, 2ᵉ partie
l   CABO VERDE (1877-auj.)
PORTEADO CABO VERDE RECEBER (1904)
REPUBLICA DE CABO VERDE (1976-1984)
REPUBLICA PORTUGUESA CABO VERDE (1913-1974)
s   REPUBLICA PORTUGUESA CABO VERDE (Afrique portugaise, Macao, Timor : 1913)
m   reis, c, centavos, $
⇨ Guinée portugaise

◆ CARCHI ➜ Carchi

☐ **Carchi**
Italian offices in the Dodecanese Islands: issued in Calchi (E)
1912-1932
Europe
Yvert et Tellier, Tome 3, 1ʳᵉ partie
(à : *Égée (îles de la mer)*)
s   KARKI (Italie : 1912-1922)
CALCHI (Italie : 1930)
CARCHI (Italie : 1932)

☐ **Carélie**
Karelia (E)
1922
Europe
Yvert et Tellier, Tome 3, 1ʳᵉ partie
l   KARJALA (1922)

◆ *Carélie (République de)* ➜ Russie (postes locales de l'ex-U.R.S.S.)

☐ **Carélie orientale (occupation finlandaise)**
Karelia: Finnish Occupation (E)
1941-1943
Europe
Yvert et Tellier, Tome 3, 1ʳᵉ partie
(à : *Carélie*)
l   ITÄ-KARJALA SOT.HALLINTO SUOMI FINLAND (1943)
s   ITÄ-KARJALA SOT.HALLINTO (Finlande : 1941-1942)

♦ CARE OF MASON'S NEW ORLEANS CITY EXPRESS ➜ États-Unis d'Amérique (postes locales et privées) : *Nouvelle Orléans (Louisiane)*
Ꝑ *Carinthia Plebiscite (E)* ➜ Carinthie

☐ **Carinthie**
Yugoslavia. Issued for Carinthia Plebiscite (E)
1920
Europe
Yvert et Tellier, Tome 3, 1ʳᵉ partie
s   1920 KGCA (Yougoslavie : 1920)
KÄRNTEN ABSTIMMUNG (Autriche : 1920)
K.G.C A 1920 (Yougoslavie : 1920)
m   ΠΑΡΑ, para

◆ *Carinthie* ➜ voir aussi : Autriche (postes locales ou privées)
♦ CARN IAR ➜ Carn Iar

☐ **Carn Iar**
Europe
Émission non admise par l'U.P.U.
l   CARN IAR

♦ CARNES' CITY LETTER EXPRESS ➜ États-Unis d'Amérique (postes locales et privées) : *San Francisco*
♦ CARNES SAN FRANCISCO LETTER EXPRESS ➜ États-Unis d'Amérique (postes locales et privées) : *San Francisco*
❖ CAROLINA ➜ États-Unis d'Amérique
◆ *Carolina City (Caroline du Nord)* ➜ États Confédérés d'Amérique (émissions des Maîtres de postes : Carolina City, Caroline du Nord)
Ꝑ *Caroline Islands (E)* ➜ Carolines

☐ **Carolines**
Caroline Islands (E)
1899-1916
Océanie
Yvert et Tellier, Tome 5, 2ᵉ partie
l   KAROLINEN (1900-1916)
s   KAROLINEN (Allemagne : 1899-1900)
m   pfennig, pf, mark

Ꝑ *Carpatho-Ukraine (E)* ➜ Ukraine sub-carpathique
♦ « carré et petits ronds » ➜ Ancachs
♦ CARRIERS DISPATCH ➜ États-Unis d'Amérique
♦ CARRIERS STAMP ➜ États-Unis d'Amérique
♦ CARTAGENA ➜ Carthagène
❖ CARTEL EN MEXICO ➜ Mexique

- CARTERS DISPATCH ➔ États-Unis d'Amérique (postes locales et privées) : *Philadelphie*

☐ **Carthagène**
Colombia: Cartagena (E)
1899-1908
Amérique du Sud
Yvert et Tellier, Tome 5, 2ᵉ partie
(à : *Colombie*)
  l CARTAGENA (1902-1904)
  s CARTAGENA (Colombie, Bolivar : 1902-1904)
   CORREOS DE BOLIVAR CARTAGENA COL.
   (Bolivar : 1908)
  m centavos, cts

- CARTILLA POSTAL DE ESPAÑA ➔ Espagne
- ❖ CARUPANO 1902 ➔ Venezuela
- ☉ cash ➔ États Princiers de l'Inde, Shanghai, Travancore
- CASO ➔ Caso

☐ **Caso**
Italian offices in the Dodecanese Islands: issued in Caso (E)
1912-1932
Europe
Yvert et Tellier, Tome 3, 1ʳᵉ partie
(à : *Égée (îles de la mer)*)
  s CASO (Italie : 1912-1932)

- ❖ CASSINO ➔ Pologne (exil)
- ◆ *Castellon de la Plana* ➔ Espagne (émissions nationalistes)
- ◆ CASTELLON POR ESPAÑA 1938 ➔ Espagne (émissions nationalistes : Castellon de la Plana)

☐ **Castellorizo (colonie française)**
Castellorizo: French Occupation (E)
1920
Europe
Yvert et Tellier, Tome 2, 1ʳᵉ partie
  s B. N. F. CASTELLORIZO (Levant [bureaux français] : 1920)
   O. F. CASTELLORIZO (France : 1920)
   O. F. CASTELLORIZO (Levant [bureaux français] : 1920)
   O. N. F. CASTELLORIZO (France : 1920)
   O. N. F. CASTELLORIZO (Levant [bureaux français] : 1920)
  m c, piastres

☐ **Castellorizo (occupation et colonie italienne)**
Castellorizo: Italian Dominion (E)
1922-1932
Europe
Yvert et Tellier, Tome 3, 1ʳᵉ partie
(à : *Égée (îles de la mer)*)
  l OCCUPAZIONE ITALIANA CASTELROSSO (1923)
  s CASTELROSSO (Italie : 1922-1932)
  m cent, lira

- CASTELROSSO ➔ Castellorizo (occupation et colonie italienne)
- CATALUNA ➔ Espagne (insurrection Carliste)
- CAUCA ➔ Cauca

☐ **Cauca**
Colombia: Cauca (E)
1878-1902
Amérique du Sud
Yvert et Tellier, Tome 5, 2ᵉ partie
(à : *Colombie*)
  l CAUCA (1890)
   POPAYAN. FRANCA 10 CENTAVOS NO HAI ESTAMPILLAS. EL ADMOR. (1878)
   REPUBLICA DE LA N. GRANADA GOBERMACION DEL CHOCO (1879)
   SP (1882)
  m centavos, ctvs

☐ **Caucase**
Transcaucasian Federated Republics (E)
1923
Europe
Yvert et Tellier, Tome 4, 2ᵉ partie
(à : *Russie*)
  l ЗСФСР (1923)
  s ЗСФСР (Russie, Arménie : 1923)
   Z *(stylisé)* (Arménie : 1923)
  m РУБ

- ❖ CAUDILLO DEL NORTE ➔ Espagne (émissions nationalistes : Bilbao)
- ❖ CAUDILLO FRANCO ➔ Espagne (émissions nationalistes : Malaga)
- ⌕ *Cavalla (E)* ➔ Cavalle
- CAVALLE ➔ Cavalle (bureau français)

☐ **Cavalle**
Cavalla (E)
1913
Europe
Yvert et Tellier, Tome 3, 1ʳᵉ partie
(à : *Grèce*)
  s ΕΛΛΗΝΙΚΗ ΔΙΟΙΚΗΣΙΣ (Bulgarie : 1913)
  m ΛΕΡΤΑ, ΔΡΑΧΜΗ

☐ **Cavalle (bureau français)**
French Offices in Turkish Empire: Cavalle (E)
1893-1911
Europe
Yvert et Tellier, Tome 2, 1ʳᵉ partie
  l CAVALLE (1902-1911)
  s CAVALLE (France : 1893-1900)
  m fr, piastres

- CAXA ➔ Russie (postes locales de l'ex-U.R.S.S. : République de Saha [Iakoutie])

☐ **Cayes**
Cayes of Belize (E)
1984-1985
Amérique Centrale
Yvert et Tellier, Tome 5, 1ʳᵉ partie
(à : *Belize*)
   I   CAYES OF BELIZE (1984-1985)
   m c, $

* CAYES OF BELIZE ➔ Cayes
* CAYMAN ISLANDS ➔ Caïmanes (Îles)
* CCCP (cyrillique) ➔ Russie
* C.C.C.P. (cyrillique) ➔ Russie
* CCCP ПОЧТА (cyrillique) ➔ Russie
* C. CH ➔ Cochinchine
⊙ c de peseta ➔ Fernando Poo
⊙ c de peseta ➔ Espagne
⊙ c de peso ➔ Cuba, Fernando Poo, Philippines
⊙ c d peseta ➔ Cuba
⊙ c. d peseta ➔ Antilles espagnoles
⊙ C DPTO ZELAYA ➔ Cabo
❖ CECHY A MORAVA ➔ Bohème et Moravie
* C. E. F. ➔ Cameroun allemand
* C. E. F. ➔ Chine (bureaux anglais)
❖ CEFALONIA E ITACA ➔ Ioniennes (Îles) (occupation italienne)
❖ CEMIYETI ➔ Turquie
⊙ cen ➔ Cordoba, Fernando Poo, Fiume, Modène
⊙ cen de esc. ➔ Fernando Poo
⊙ cen de peseta ➔ Elobey/Annobon & Corisco
⊙ cens ➔ Philippines, Rio de Oro
* CENSO ➔ Guatemala
* CENT *(et caractères asiatiques)* ➔ Birmanie (occupation japonaise), Malaisie (occupation japonaise)
❖ CENT. ➔ Belgique
* CENT. ➔ Belgique (occupation allemande), Chine (bureaux russes : émission de Kharbine), France
⊙ cent. ➔ France, Saint-Marin
⊙ centai ➔ Lituanie
⊙ centaños ➔ Guatemala
⊙ centav. ➔ Argentine
⊙ centavo, centavos ➔ Bolivie, Colombie, Corrientes, Costa Rica, Cuba, Cucuta, Cundinamarca, Dominicaine, Entre-Rios, Équateur, Fernando Poo, Guatemala, Honduras, Lorenzo-Marquès, Medellin, Mexique, Mozambique, Mozambique (compagnie de), Nicaragua, Nyassa, Panama-Colombie, Paraguay, Pérou, Philippines, Portugal, Rio-Hacha, Saint-Thomas et Prince, Saint-Thomas-La-Guaira, Salvador, Santander, Tolima, Uruguay, Venezuela
⊙ centavo de cordoba, centavos de cordoba ➔ Nicaragua
⊙ centavos de lempira ➔ Honduras
⊙ centavo de quetzal, centavos de quetzal ➔ Guatemala
⊙ centavos de peso ➔ Puerto Rico
❖ CENTAVOS FUERTES ➔ Venezuela
⊙ centavos oro ➔ Argentine (poste locale : Terre de Feu)
⊙ cent, centes ➔ Toscane

⊙ cent, cents ➔ Afrique occidentale espagnole, Afrique orientale britannique, Afrique orientale italienne, Andorre (bureaux espagnols), Angola, Anguilla, Antigua, Antilles danoises, Antilles espagnoles, Antioquia, Argentine, Australie, Autriche-Hongrie (occupation en Italie), Barbade, Barbuda, Bechuanaland (protectorat britannique), Belgique, Belgique (occupation allemande), Bermudes, Birmanie (occupation japonaise), Bluefield, Bolivar, Bornéo du Nord, Botswana, Brunei, Caïmanes (Îles), Canada, Canton, Castellorizo (occupation et colonie italienne), Ceylan, Chine, Chine (bureaux allemands), Chine (bureaux français), Chine (bureaux italiens), Chine (bureaux russes), Chine (bureaux russes : émission de Kharbine), Chine (poste locale), Christmas, Colombie, Colombie britannique, Colonies italiennes, Cundinamarca, Curaçao, Cyrénaïque (colonie italienne), Dominicaine, Dominique, Égée (îles de la mer), Église (États Pontificaux), Elobey/Annobon & Corisco, Équateur, Érythrée (colonie italienne), Érythrée (occupation britannique), Espagne, Est-Africain, États Confédérés d'Amérique (émissions des Maîtres de postes), États Confédérés d'Amérique (émissions générales), États-Unis d'Amérique, États-Unis d'Amérique (émissions des Maîtres de postes), États-Unis d'Amérique (postes locales et privées), États-Unis d'Amérique (compagnies privées de télégraphe), Éthiopie (occupation italienne), Fernando Poo, Fiume, France, Gilbert & Ellice, Grenade, Guam (poste locale), Guinée espagnole, Guyane, Haïti, Hawaï, Hoï-Hao, Honduras britannique, Hong Kong, Inde néerlandaise, Inde portugaise, Indochine, Italie, Italie (République Sociale), Johore, Kedah, Kelantan (occupation japonaise), Kenya, Kiao-Tchéou, Kiribati, Kouang-Tchéou, Labuan, Lesotho, Levant (bureaux italiens), Libéria, Libye, Lituanie, Lubiana-Slovénie (occupation allemande), Madagascar (colonie française), Malacca (établissements des détroits de Malacca et Singapour), Malacca (état fédéré de Malaysia), Malacca (occupation japonaise), Malaisie, Malaisie (occupation japonaise), Malaisie (occupation thaïlandaise), Maldives, Maroc (bureaux espagnols), Maroc (postes locales), Maurice, Medellin, Memel (occupation lituanienne), Mexique, Modène, Mongolie, Mong-Tzeu, Montserrat, Mozambique (compagnie de), Negri Sembilan, Nevis, Nicaragua, Nouveau Brunswick, Nouvelle Écosse, Nouvelle Guinée Néerlandaise, Occussi-Ambeno (Sultanat d'), Outre-Djouba, Pahang, Panama-Canal, Panama-Colombie, Parme, Pays-Bas, Pays-Bas (postes locales), Penang, Perak, Perak (occupation japonaise), Philippines, Prince Édouard, Rhodes, Rio de Oro, Sahara espagnol, Saint-Christophe, Sainte-Lucie, Saint-Pierre et Miquelon, Saint-Thomas-La-Guaira, Saint-Vincent, Salomon, Sarawak, Sarre, Selangor, Seychelles, Shanghai, Singapour, Somalie italienne, Somalie italienne (occupation britannique), Somaliland, Sri Lanka, Sungei Ujong, Surinam, Tanganyika, Terre-Neuve, Timor, Tolima, Trengganu, Trinité, Tripolitaine, Tuvalu, Udine, Uruguay, Vatican (Cité du), Vierges
* CENT, CENTS ➔ Chine (bureaux russes)
⊙ cent de escᵒ ➔ Espagne

⊙ cent de pesa ➔ Philippines
⊙ cent de peso ➔ Philippines
◆ CENTENAIRE DE L'ALGÉRIE ➔ Algérie (département français)
❖ CENTENAIRE DU GABON ➔ Afrique Équatoriale
◆ CENTENARIO DE S. ANTONIO INHAMBANE MDCCCXCV ➔ Inhambane
❖ CENTENARY 1ST POSTAGE STAMP ➔ Pakistan
⊙ centes ➔ Autriche, Lombardo-Vénétie, Parme, Toscane
⊙ centesimi ➔ Autriche-Hongrie (occupation en Italie), Église (États Pontificaux), Érythrée (colonie italienne), Fiume, Italie, Italie (occupation interalliée), Maroc (postes locales), Parme, Saint-Marin, Somalie italienne, Suisse
◆ CENTESIMI ➔ Autriche-Hongrie (occupation en Italie), Lombardo-Vénétie
⊙ centesimi di corona ➔ Trente et Trieste
◆ CENTESIMI DI CORONA ➔ Dalmatie, Trente et Trieste
⊙ centesimo ➔ Italie, Somalie italienne
⊙ centesimo, centesimos ➔ Chili, Panama-République, Uruguay, Venezuela
⊙ centesimo de Balboa, centesimos de Balboa ➔ Panama-République
⊙ centi ➔ Sardaigne
⊙ centiemen ➔ Belgique
⊙ centièmes ➔ Grand Liban, Syrie (administration française)
❖ CENTIME ➔ Belgique
⊙ centime, centimes ➔ Algérie (département français), Alsace-Lorraine, Belgique, Belgique (occupation allemande), Chine (bureaux français), Colonies françaises, Congo (belge/état indépendant / république/ république démocratique), Côte des Somalis, Crète (bureaux autrichiens), Diégo-Suarez, Éthiopie, France, Haïti, Levant (bureaux allemands), Luxembourg, Maroc anglais (zone française), Réunion, Suisse, Syrie (administration française), Tahiti
◆ CENTIME À PERCEVOIR ➔ Colonies françaises, France
❖ CENTIMES ➔ Alsace-Lorraine
◆ CENTIMES ➔ Crète (bureaux autrichiens), Levant (bureaux allemands)
◆ CENTIMES À PERCEVOIR ➔ Colonies françaises, France
⊙ centimes de gourde ➔ Haïti
⊙ centimes de piastre ➔ Haïti
⊙ centimes or ➔ Nouvelles-Hébrides
⊙ centimo, centimos ➔ Andorre (bureaux espagnols), Cap Juby, Dominicaine, Elobey/Annobon & Corisco, Espagne, Fernando Poo, Guinée espagnole, Maroc (bureaux allemands), Maroc (bureaux espagnols), Maroc (bureaux et protectorat français), Maroc (postes locales), Maroc anglais (tous les bureaux <1918/zone espagnole), Paraguay, Rio de Oro, Venezuela
◆ CENTIMO, CENTIMOS ➔ Maroc (bureaux et protectorat français)
⊙ centimos dbs ➔ Saint-Thomas et Prince
⊙ cent^{me} ➔ Italie
⊙ cento ➔ Philippines
⊙ centovos ➔ Guatemala

⊙ centow ➔ Pologne (corps polonais)
⊙ cent peseta ➔ Puerto Rico
⊙ cent p° f^a ➔ Philippines
❖ CENTRAFRICAIN ➔ Centrafricaine

■ **Centrafricaine**
Central Africa (E)
1959-auj.
Afrique
Yvert et Tellier, Tome 2, 2e partie
  l   EMPIRE CENTRAFRICAIN (1977-1979)
      RÉPUBLIQUE CENTRAFRICAINE (1959-auj., 1979-auj.)
  m f

🏳 *Central Africa (E)* ➔ Centrafricaine
❖ CENTRAL AFRICA ➔ Afrique centrale britannique
❖ CENTRAL AFRICA PROTECTORATE ➔ Afrique centrale britannique
🏳 *Central China (E)* ➔ Chine centrale
🏳 *Central Lithuania (E)* ➔ Lituanie Centrale
◆ CENTRAL PACIFIC COCOANUT PLANTATIONS LTD. MAIL BOAT SERVICE CHRITMAS ISLAND ➔ Christmas (poste privée)
◆ CENTRO AMERICA ESTADO DE EL SALVADOR ➔ Salvador
◆ CENTRUMPOST DEN HELDER ➔ Pays-Bas (postes locales : *Den Helder*)
❖ CENTS ➔ Belgique
◆ CENTS ➔ Chine (bureaux français), Malacca (établissements des détroits de Malacca et Singapour)
◆ CENTS *(avec 2 caractères asiatiques dans un ovale)* ➔ Kelantan (occupation japonaise)
⊙ cents de peseta ➔ Philippines
⊙ cents peseta ➔ Cuba, Espagne
⊙ centu ➔ Lituanie, Memel (occupation lituanienne)
⊙ centv ➔ Équateur
◆ *Céphalonie et Ithaque* ➔ Ioniennes (Îles) (occupation italienne)
◆ CERRADO Y SELLADO ➔ Guatemala, Mexique
❖ CERT. TEL. ➔ Espagne
❖ CERVANTES ➔ Espagne
◆ CESKA REPUBLIKA ➔ Tchèque (République)
❖ CESKE SLOVO ➔ Tchécoslovaquie
◆ CESKE SLOVENSKA POSTA ➔ Tchécoslovaquie
◆ CESKOSLOVENSKA REPUBLIKA ➔ Tchécoslovaquie
◆ CESKOSLOVENSKE VOJSKO NA RUSI ➔ Tchécoslovaquie (Légion en Sibérie)
◆ CESKOSLOVENSKO ➔ Tchécoslovaquie
❖ CESKO SLOVENSKO 1945 ➔ Tchécoslovaquie
◆ CESKO-SLOVENSKO SLOVENSKA POSTA ➔ Slovaquie
◆ CESKOSLOVENSKO STATNI POSTA ➔ Tchécoslovaquie
◆ CESKOSLOVENSKO STATNI POSTA PRAHA ➔ Tchécoslovaquie
❖ CESKOSLOVENSKO VLADA PRAHA ➔ Tchécoslovaquie
◆ CESKO SLOVENSKY STAT. ➔ Tchécoslovaquie

❖ CESKYCH SKAUTU VE SLUZBACH NARODNI
   VLADY ➜ Tchécoslovaquie

☐ **Ceylan**
Ceylon (E)
1855-1972
Asie
Yvert et Tellier, Tome 5, 2ᵉ partie
l   CEYLON (1855-1972)
    CEYLON POSTAGE (1855-1972)
    DEPARTMENT GOVERNMENT TELEGRAPH
    (1882-1886)
    GOVERNMENT OF CEYLON (1882-1910)
    TELEGRAPH DEPARTMENT GOVERNMENT
    (1896-1898)
s   CEYLON (Inde anglaise : 1881)
m   penny, pence, shilling, cent, c, rupees, rs, cts
↪ Maldives

◆ *Ceylan* ➜ voir aussi : Sri Lanka

◆ CEYLON ➜ Ceylan

◆ CEYLON POSTAGE ➜ Ceylan

⊙ cfa ➜ Réunion

◆ CFA ➜ Réunion

◆ C. F. A. COLIS POSTAL REMBOURSEMENT ➜
   Algérie (département français)

◆ C. F. A. COLIS POSTAL REMBOURSEMENT
   DOMICILE ➜ Algérie (département français)

◆ C.G.H.S. ➜ Silésie (Haute)

⊙ ch ➜ Bhoutan, Iran, Iran (poste locale)

◆ CH (*suivi de caractères orientaux*) ➜ Corée du Sud

☐ **Chachapoyas**
Peru: provisional issues of Chachapoyas (F)
1884
Amérique du Sud
s   « losanges en étoile » (Pérou : 1884)

🏳 *Chad: French colony (E)* ➜ Tchad (colonie française)

🏳 *Chad: Republic (E)* ➜ Tchad

◆ *Chadrinsk* ➜ Zemstvos

⊙ chahi, chahis ➜ Iran

⊙ chaï ➜ Iran

◆ CHALA ➜ Chala

☐ **Chala**
Peru: provisional issues of Chala (E)
1884
Amérique du Sud
Yvert et Tellier, Tome 7, 1ʳᵉ partie
(à : *Pérou*)
s   CHALA (Pérou : 1884)

❖ CHALO DELHI ➜ Azad Hind

◆ CHAMBA ➜ Chamba

☐ **Chamba**
*Chamba: Convention State of the British Empire
in India (E)*
1886-1950
Asie
Yvert et Tellier, Tome 5, 2ᵉ partie
s   CHAMBA (Inde anglaise : 1921-1950)
    CHAMBA STATE (Inde anglaise : 1886-1939)
    CHMABA STATE (Inde anglaise : 1886-1900)
m   anna

◆ CHAMBA STATE ➜ Chamba

◆ CHAMBRE DE COMMERCE AMIENS ➜ France

◆ CHAMBRE DE COMMERCE DE ROANNE
   COURRIER COMMERCIAL ➜ France

◆ CHAMBRE DE COMMERCE D'ORLÉANS ET DU
   LOIRET TAXE D'ACHEMINEMENT ➜ France

◆ CHAMBRE DE COMMERCE DE SAINT-NAZAIRE
   FRONT ATLANTIQUE ➜ France

◆ CHAMBRE DE COMMERCE DE SAUMUR
   SERVICE POSTAL ROUTIER AVION POSTAL
   MILITAIRE ➜ France

◆ CHAMBRE DE COMMERCE DE TARBES 1968
   TAXE D'ACHEMINEMENT ➜ France

◆ CHAMBRE DE COMMERCE DE VALENCIENNES
   SERVICE POSTAL INTÉRIMAIRE 1914 ➜ France

◆ CHAMBRE DE COMMERCE ET D'INDUSTRIE DE
   LIBOURNE TAXE D'ACHEMINEMENT ➜ France

◆ CHAMBRE DE COMMERCE ET D'INDUSTRIE
   D'ÉPINAL TAXE D'ACHEMINEMENT ➜ France

◆ CHAMBRE DE COMMERCE ET D'INDUSTRIE DE
   ST-DIÉ TAXE D'ACHEMINEMENT ➜ France

◆ CHAMBRE DE COMMERCE ET D'INDUSTRIE
   TAXE D'ACHEMINEMENT COURRIER
   COMMERCIAL DE ROYAN ➜ France

◆ CHAMBRE DE COMMERCE ET D'INDUSTRIE
   TAXE D'ACHEMINEMENT COURRIER
   COMMERCIAL DE Sᵀᴱ FOY LA GRANDE ➜ France

◆ CHAMBRE DE COMMERCE ET D'INDUSTRIE
   TAXE D'ACHEMINEMENT DE SAINT-DIZIER ET
   DE LA HAUTE MARNE ➜ France

◆ CHAPEL HILL N.C. ➜ États Confédérés d'Amérique
   (émissions des Maîtres de postes : Chapel Hill, Caroline
   du Nord)

◆ *Chardja* ➜ Sharjah

❖ CHARI ➜ Oubangui

❖ CHARITY PRINCE OF WALES HOSPITAL FUND ➜
   Grande-Bretagne

☐ **Charkhari**
Charhkari: Native Feudatory State (E)
1896-1946
Asie
Yvert et Tellier, Tome 5, 3ᵉ partie
(à : *États princiers de l'Inde*)
l   CHARKHARI STATE (1896-1946)
    INDIAN BUNDELKHAND (1909-1920)
m   anna, pice

◆ CHARKHARI STATE ➜ Charkhari

* ❖ CHARLESTON ➜ États Confédérés d'Amérique (émissions des Maîtres de postes : Charleston, Caroline du Sud)

* ◆ CHARLES VAN DIEMEN HAMBURG BRIEF PACKET & GÜTER EXPEDITION ➜ Allemagne (postes locales ou privées : Hambourg, service de messagerie)

* ❖ CHARLTON P.M KNOXVILLE TENN ➜ États Confédérés d'Amérique (émissions des Maîtres de postes : Knoxville, Tennessee)

* ◆ CHATTANOOGA TEN. ➜ États Confédérés d'Amérique (émissions des Maîtres de postes : Chattanooga, Tennessee)

* ◆ *Chatzk* ➜ Zemstvos

* ◆ C.H. CHARLTON P.M KNOXVILLE TENN ➜ États Confédérés d'Amérique (émissions des Maîtres de postes : Knoxville, Tennessee)

* ◆ CHECHENIA ➜ Tchétchénie

* ❖ CHECHOUAN ➜ Maroc (postes locales)

* ◆ CHEEVER & TOWLE CITY LETTER DELIVERY ➜ États-Unis d'Amérique (postes locales et privées) : *Boston*

* ◆ CHEFOO ➜ Chine (poste locale)

* ◆ *Chemins de Fer (postes)* ➜ Chemins de Fer de Bavière (Compagnie des), Grande-Bretagne (compagnies privées de chemins de fer)

* ◆ CHEMINS DE FER ALGÉRIENS ➜ Algérie (département français)

* ◆ CHEMINS DE FER COLIS POSTAUX ➜ Belgique

☐ **Chemins de Fer de Bavière (Compagnie des)**
Bavarian Railway Company (E)
Europe
Émission non admise par l'U.P.U.
l   BAYER STAATSEISENB.
    KGL. BAYER STAATSEISENB.
m pfennig, mark

* ❖ CHEMINS DE FER FRANÇAIS ➜ France

* ◆ CHERRY RED AIRLINE LIMITED ➜ Canada

* ❖ CHEST ➜ Japon

* ☉ cheun ➜ Corée (royaume, empire)

☐ **Chiapas**
Mexico: provisional issues of Chiapas (E)
1866-1867
Amérique du Nord
Yvert et Tellier, Tome 6, 2ᵉ partie
(à : *Mexique*)
l   CORREOS MEXICO (1866-1867)
m real, reales

* ◆ CHICAGO PENNY POST ➜ États-Unis d'Amérique (postes locales et privées) : *Chicago*

* ◆ CHICHIBU-TAMA NATIONAL PARK ➜ Japon

☐ **Chiclayo**
Peru: provisional issues of Chiclayo (E)
1884
Amérique du Sud
Yvert et Tellier, Tome 7, 1ʳᵉ partie
(à : *Pérou*)
s   FRANCA *(dans un ovale)* (Pérou : 1884)

* ◆ CHIFFRE TAXE ➜ Colonies françaises, France, Turquie

* ❖ CHIFFRE TAXE ➜ Haïti

☐ **Chihuahua**
Mexico: provisional issues of Chihuahua (E)
1872
Amérique du Nord
l   FRANCO CHIHUAHUA (1872)

* ◆ CHILE ➜ Chili
* ◆ CHILE COLON ➜ Chili
* ◆ CHILE CORREOS ➜ Chili
* ◆ CHILE EXPORTA ➜ Chili
* ❖ CHILENA ➜ Chili
* ◆ CHILE Y SU MAR ➜ Chili

■ **Chili**
Chile (E)
1853-auj.
Amérique du Sud
Yvert et Tellier, Tome 5, 2ᵉ partie
l   ADMINISTRACION DE CORREOS VALPARAISO CHILE (1886-1893)
    ADMINISTRACION DE CORREOS SANTIAGO CHILE (1886-1893)
    ANTARTICA CHILENA (1992)
    CHILE (1961-auj.)
    CHILE COLON (1853-1974)
    CHILE CORREOS (1853-1974)
    CHILE EXPORTA (1853-1974)
    CHILE Y SU MAR (1853-1974)
    CIERRO OFICIAL (1886-1893)
    COLON CHILE (1853-1899)
    CORREO AEREO CHILE (1901)
    CORREOS CHILE (1901)
    CORREOS DE CHILE (1901)
    CORRESPONDENCIA OFICIAL CHILE MINISTERIO DE MARINA (1907)
    DEMOCRACIA EN CHILE (1990)
    FERROCARRILES DE CHILE (2001)
    ISLA DE PASCUA (1992)
    ISLA DE PASCUA / CHILE (1992, 2000-auj.)
    LAN CHILE (1931-1967)
    LINEA AEREA NACIONAL CHILE (1931-1967)
    REPUBLICA DE CHILE (1880-1900)
    SALITRE (1930)
    SERVICIO DE LA ADMINISTRACION PRINCIPAL DE CORREOS DE VALPARAISO (1895)
    TELEGRAFOS DE CHILE (1927)
    TERRITORIO INSULAR CHILENO ISLA DE PASCUA (1992)

VALPARAISO MULTADA (1895)
s ISLAS DE JUAN FERNANDEZ (1910)
m centavos, peso, $, cts, centesimos, milesimos, E°

* CHINA ➜ Chine, Chine (bureaux allemands), Chine (bureaux anglais)

❖ CHINA ➜ Chine (bureaux des états-Unis), Formose

🏵 *China Expeditionary Force (E)* ➜ Chine (bureaux anglais)

🏵 *China: local issues (E)* ➜ Chine (poste locale), Wuhu (poste locale chinoise)

🏵 *China: military stamps (E)* ➜ Chine (bureaux anglais)

🏵 *China: offices in Tibet (E)* ➜ Tibet

🏵 *China (People's Republic of) (E)* ➜ Chine

* CHINE ➜ Chine (bureaux français)

■ **Chine**
⚹ *China + People's Republic of China (E)*
1878-auj.
Asie
Yvert et Tellier, Tome 5, 2ᵉ partie
l 1935-1965 (1965)
25 *(avec drapeaux chinois et américain)* (1939)
5 *(avec drapeaux chinois et américain)* (1939)
50 *(avec drapeaux chinois et américain)* (1939)
$1 *(avec drapeaux chinois et américain)* (1939)
CHINA (1878-1913, 1992-auj.)
CHINESE EMPIRE (1909-1916)
CHINESE IMPERIAL POST (1909-1916)
CHINESE POST OFFICE (1909-1916)
FOOCHOW (1895)
ICHANG (1894-1895)
IMPERIAL CHINESE POST (1897-1910)
REPUBLIC OF CHINA (1913-1929)
REPUBLIC OF CHINA POSTAGE (1913-1929)
THE REPUBLIC OF CHINA (1912)
m candarin, candarins, Cn, cent, cents, dollar, ct, cts, $
⇨ Chine centrale, Chine du nord, Chine du nord-est, Chine du nord (occupation japonaise), Chine orientale, Formose, Mandchourie, Mandchourie (Chine), Setchouen, Shanghai et Nankin (occupation japonaise), Singkiang, Tibet, Yunnan

◆ *Chine* ➜ voir aussi : Chine (bureaux russes), Mandchourie (Chine), Setchouen, Shanghai et Nankin (occupation japonaise), Singkiang, Yunnan

☐ **Chine (bureaux allemands)**
German Offices in China (E)
1897-1913
Asie
Yvert et Tellier, Tome 5, 2ᵉ partie
s CHINA (Allemagne : 1897-1913)
m pfennig, pfg, pf, cents, dollar
⇨ Kiao-Tchéou

☐ **Chine (bureaux anglais)**
British Offices in China (E)
1900-1927
Asie
Yvert et Tellier, Tome 5, 2ᵉ partie
s C. E. F. (Inde anglaise : 1900-1921)
CHINA (Hong Kong : 1917-1927)

☐ **Chine (bureaux des États-Unis)**
United States Offices in China (E)
1919-1922
Asie
Yvert et Tellier, Tome 5, 2ᵉ partie
s SHANGHAI CHINA (États-Unis : 1919-1922)
m c, cts

☐ **Chine (bureaux français)**
French Offices in China (E)
1894-1922
Asie
Yvert et Tellier, Tome 2, 1ʳᵉ partie
l CHINE (1902-1921)
s CENTS (France : 1911-1922)
CHINE (France, Indochine : 1894-1907)
m fr, cents, centimes
⇨ Tch'ong-K'ing

☐ **Chine (bureaux italiens)**
Italian offices in China (E)
1917-1921
Asie
Yvert et Tellier, Tome 5, 2ᵉ partie
s PECHINO (Italie : 1917-1921)
TIENTSIN (Italie : 1917-1919)
m cents, dollari

☐ **Chine (bureaux japonais)**
⚹ *Japanese offices in China (E)*
1900-1920
Asie
Yvert et Tellier, Tome 5, 2ᵉ partie
s *caractères asiatiques* (Japon : 1900-1920)

☐ **Chine (bureaux russes)**
Russian offices in China (E)
1899-1917
Asie
Yvert et Tellier, Tome 4, 2ᵉ partie et Tome 5, 2ᵉ partie
(à : *Chine (T5), Russie (T4)*)
s КИТАЙ (Russie : 1899-1911)
CENT, CENTS (Russie : 1917)
DOLL. (Russie : 1917)
DOLLAR (Russie : 1917)
DOLLAR, DOLLARS (Russie : 1917)
m cent, cents, doll., dollar, dollars

□ **Chine (bureaux russes : émission de Kharbine)**
Russian offices in China (E)
1920
Asie
Yvert et Tellier, Tome 4, 2ᵉ partie et Tome 5, 2ᵉ partie
(à : Chine (T5), Russie (T4))
  s CENT. (Russie : 1920)
  m cent

□ **Chine (poste locale)**
China: local issues (E)
1893-1894
Asie
Émission non admise par l'U.P.U.
  l CHEFOO (1893-1894)
  m cents

□ **Chine centrale**
⋆ *People's Republic of China: Central China (E)*
1948-1949
Asie
Yvert et Tellier, Tome 5, 2ᵉ partie
  l 1949 (*avec caractères chinois*) (1949)
  s *caractères asiatiques* (Chine : 1948-1949)

□ **Chine du nord**
⋆ *People's Republic of China: North China (E)*
1949-1950
Asie
Yvert et Tellier, Tome 5, 2ᵉ partie
  s *caractères asiatiques* (Chine : 1949)
    caractères asiatiques (Chine du nord-est : 1945)

□ **Chine du nord (occupation japonaise)**
⋆ *Republic of China: occupation stamps – North China (E)*
1941-1945
Asie
Yvert et Tellier, Tome 5, 2ᵉ partie
  s *caractères asiatiques* (Chine : 1941-1946)
    caractères asiatiques (Shanghai et Nankin [occupation japonaise] : 1945)

□ **Chine du nord-est**
⋆ *Republic of China: Northeastern Provinces + People's Republic of China: Northeast China (E)*
1946-1951
Asie
Yvert et Tellier, Tome 5, 2ᵉ partie
  s *caractères asiatiques* (Chine : 1946-1948)
  ⇨ Chine du nord, Formose

□ **Chine du nord-ouest**
⋆ *People's Republic of China: Northwest China (E)*
1945-1949
Asie

□ **Chine du sud**
⋆ *People's Republic of China: South China (E)*
1949-1950
Asie
Yvert et Tellier, Tome 5, 2ᵉ partie
  l 1949 (*et caractères chinois*) (1949-1950)

□ **Chine du sud-ouest**
⋆ *People's Republic of China: Southwest China (E)*
1949-1950
Asie
Yvert et Tellier, Tome 5, 2ᵉ partie

□ **Chine orientale**
⋆ *People's Republic of China: East China (E)*
1949
Asie
Yvert et Tellier, Tome 5, 2ᵉ partie
  l 1942-1949 (*avec caractères chinois*) (1949)
    1949 (*avec caractères chinois*) (1949)
    1949.2.7 (*avec caractères chinois*) (1949)
  s *caractères asiatiques* (Chine : 1949)

◆ CHINESE EMPIRE ➜ Chine
◆ CHINESE IMPERIAL POST ➜ Chine
❖ CHINESE POST ➜ Chine
◆ CHINESE POST OFFICE ➜ Chine
⌂ *Chios (E)* ➜ Hios
⌂ *Chita (E)* ➜ Tchita
◆ CHMABA STATE ➜ Chamba
❖ CHOCO ➜ Cauca
◆ CHORRILLOS LIMA CALLAO ➜ Pérou
◆ *Christianburg (Virginie)* ➜ États Confédérés d'Amérique (émissions des Maîtres de postes : Christianburg, Virginie)

■ **Christmas**
Christmas Island (E)
1958-auj.
Océanie
Yvert et Tellier, Tome 5, 2ᵉ partie
  l CENTRAL PACIFIC COCOANUT PLANTATIONS LTD. MAIL BOAT SERVICE CHRISTMAS ISLAND (poste privée : 1915-1934)
    CHRITMAS ISLAND (1958-auj.)
    CHRITMAS ISLAND AUSTRALIA (1958-auj.)
    CHRITMAS ISLAND INDIAN OCEAN (1958-auj.)
  s CHRISTMAS ISLAND (Australie : 1958)
  m c, cent

- CHRISTMAS GREETINGS AND GOOD HEALTH ➔ États-Unis d'Amérique

- CHRITMAS ISLAND ➔ Christmas

- CHRITMAS ISLAND AUSTRALIA ➔ Christmas

- CHRITMAS ISLAND INDIAN OCEAN ➔ Christmas

- CHRISTMAS POST ➔ Grande-Bretagne (postes de Noël)

- *Chtchigry* ➔ Zemstvos

- CHUBU SANGAKU NATIONAL PARK ➔ Japon

- chuckram, chuckrams ➔ États Princiers de l'Inde, Travancore

- CHUVASHIA REPUBLIC ➔ Russie (postes locales de l'ex-U.R.S.S. · République de Tchouvachie)

■ **Chypre**
Cyprus (E)
1880-auj.
Europe
Yvert et Tellier, Tome 3, 1re partie
l CYPRUS (1881-1955)
CYPRUS KIBRIS (1962-1984)
CYPRUS ΚΥΠΡΟΣ KIBRIS (1962-1984)
KIBRIS (1960)
KIBRIS CUMHURIYETI (1960)
ΚΥΠΡΙΑΚΗ ΔΗΜΟΚΡΑΤΙΑ KIBRIS CUMHURIYETI (1960)
ΚΥΠΡΟΣ **CYPRUS KIBRIS** (1966-auj.)
ΚΥΠΡΟΣ KIBRIS CYPRUS (1962-1983)
s CYPRUS (Grande-Bretagne : 1880)
m piastre, paras, silver coin, penny, pound, £, mils, m, c

■ **Chypre (administration turque)**
Turkish Republic of Northern Cyprus (E)
1974-auj.
Europe
Yvert et Tellier, Tome 3, 2e partie
(à : *Turquie*)
l KIBRIS TÜRK FEDERE DEVLETI POSTALARI (1975-1983)
KUZEY KIBRIS TÜRK CUMHURIYETI (1983-auj.)
m m, tl, lira

- *Chypre du Nord* ➔ Chypre (administration turque)

- CIERRO OFICIAL ➔ Chili

- CI.H.S. ➔ Silésie (Haute)

- *Cilicia (E)* ➔ Cilicie

- CILICIE ➔ Cilicie

□ **Cilicie**
Cilicia (E)
1919-1920
Asie
Yvert et Tellier, Tome 2, 1re partie
l
s CILICIE (Turquie, Levant [bureaux français], France : 1919-1920)
OCCUPATION MILITAIRE FRANÇAISE CILICIE (Turquie : 1920)
O. M. F. CILICIE (Turquie : 1920)
T. E. O. CILICIE (Turquie : 1919)
T. E. O. PARAS (Levant [bureaux français] : 1920)
m paras, piastres

- CINCINNATI CITY DELIVERY ➔ États-Unis d'Amérique (postes locales et privées) : *Cincinnati*
- CIN POSTOVNE ZAPLACENO ➔ Tchécoslovaquie
- CINQUANTENAIRE 24 SEPTEMBRE 1853 1903 ➔ Nouvelle-Calédonie
- CIRCULAR POST FRANKFURT A/M ➔ Allemagne (postes locales ou privées · Francfort)
- CIRENAICA ➔ Cyrénaïque (colonie italienne)
- CISKEI ➔ Ciskei

□ **Ciskei**
South Africa: Ciskei (E)
1981-1994
Afrique
Yvert et Tellier, Tome 5, 1re partie
(à : *Afrique du Sud*)
l CISKEI (1981-1994)
m c

- CITTA DEL VATICANO ➔ Vatican (Cité du)
- CITY DELIVERY G. & H. SAN FRANCISCO ➔ États-Unis d'Amérique (postes locales et privées) : *San Francisco*
- CITY DESPATCH POST ➔ États-Unis d'Amérique (postes locales et privées) : *New York*
- CITY DESPATCH POST JOHNSON & CO. ➔ États-Unis d'Amérique (postes locales et privées) : *Baltimore*
- CITY DESPATCH M. W. MEARIS. ➔ États-Unis d'Amérique (postes locales et privées) : *Baltimore*
- CITY DISPATCH DELIVERY ➔ États-Unis d'Amérique (postes locales et privées) : *Philadelphie*
- CITY DISPATCH ➔ États-Unis d'Amérique (postes locales et privées) : *Saint Louis*
- CITY DISPATCH POST ➔ États-Unis d'Amérique
- CITY DISPATCH POST OFFICE ➔ États-Unis d'Amérique (postes locales et privées) : *Nouvelle Orléans (Louisiane)*
- CITY DISPATCH POST PAID ➔ États-Unis d'Amérique (postes locales et privées) : *Philadelphie*
- ❖ CITY EXPRESS ➔ États-Unis d'Amérique
- CITY EXPRESS G. & H. PAID ➔ États-Unis d'Amérique (postes locales et privées) : *San Francisco*
- CITY EXPRESS POST ➔ États-Unis d'Amérique (postes locales et privées) : *Philadelphie*
- CITY LETTER EXPRESS ➔ États-Unis d'Amérique (postes locales et privées) : *San Francisco*

◆ CITY MAIL FREE STAMP ➔ États-Unis d'Amérique (postes locales et privées) : *New York*
◆ CITY ONE CENT DISPATCH ➔ États-Unis d'Amérique (postes locales et privées) : *Baltimore*
◆ CITY POST ➔ États-Unis d'Amérique
◆ CITY POST FROM BROWN'S STAMP OFFICE ➔ États-Unis d'Amérique (postes locales et privées) : *New York*
❖ CIVIDALE ➔ Autriche-Hongrie (occupation en Italie)
❖ CKPNCOP N (cyrillique) ➔ Roumanie
◆ CLARK & CO. ➔ États-Unis d'Amérique (postes locales et privées) : *New York*
◆ CLARKE'S CIRCULAR EXPRESS ➔ États-Unis d'Amérique (postes locales et privées) : *New York*
◆ CLARK & HALL'S PENNY POST ➔ États-Unis d'Amérique (postes locales et privées) : *Saint Louis*
❖ CLEV^D O. ➔ États-Unis d'Amérique
◆ *Cleveland (Ohio)* ➔ États-Unis d'Amérique (postes locales et privées)
◆ C. L. & M. TELEGRAPH CO ➔ États-Unis d'Amérique (compagnies privées de télégraphe) : *Colusa Lake & Mendocino Telegraph Company*
◆ CLN ITALIA POSTA PARTIGIANA ➔ Italie (comité de libération nationale)
◆ *Cluj (Kolozsvar)* ➔ Transylvanie
⊙ cm ➔ Bulgarie
⊙ cme ➔ Algérie (département français)
⊙ cmes ➔ Éthiopie
⊙ c^mi ➔ Saint-Marin
⊙ cmos ➔ Philippines
⊙ cms ➔ Philippines, Venezuela
◆ C.M.T. ➔ Roumanie (occupation roumaine de la Galicie)
⊙ C^n ➔ Chine
⊙ C^N ➔ Corée (royaume, empire)
⊙ cnt ➔ Lituanie
⊙ co ➔ Guinée espagnole, Rio de Oro

□ **Coamo**
Puerto Rico: Coamo issue (E)
1898
Amérique Centrale
Yvert et Tellier, Tome 7, 1ʳᵉ partie
(à : *Puerto Rico*)
l   CORREOS COAMO (1898)
m cts

❖ COBNO REVOLUCIONARIO FILIPINAS ➔ Philippines
◆ COCHIN ➔ Cochin

□ **Cochin**
Cochin: Native Feudatory State (E)
1892-1950
Asie
Yvert et Tellier, Tome 5, 3ᵉ partie
(à : *États princiers de l'Inde*)
l   COCHIN (1892-1897)
     COCHIN ANCHAL (1898-1950)
m puttan, puttans, pies, annas
⇨ Travancore-Cochin

◆ COCHIN ANCHAL ➔ Cochin
🏳 *Cochin China (E)* ➔ Cochinchine

□ **Cochinchine**
Cochin China (E)
1886-1888
Asie
Yvert et Tellier, Tome 2, 1ʳᵉ partie
s   5 (Colonies françaises : 1886-1887)
    15 (Colonies françaises : 1888)
    C. CH (Colonies françaises : 1886-1887)
    GREFFE (Colonies françaises : 1888)
m (cf. Colonies françaises)

◆ CO. CI. ➔ Lubiana-Slovénie (occupation italienne)
❖ COCOANUT PLANTATIONS LTD. MAIL BOAT SERVICE CHRITMAS ISLAND ➔ Christmas (poste privée)

■ **Cocos**
Cocos Islands (E)
1963-auj.
Océanie
Yvert et Tellier, Tome 5, 2ᵉ partie
l   AUSTRALIA COCOS (KEELING) ISLANDS (2000-auj.)
    COCOS (KEELING) ISLANDS (1963-1999)
m d, c, $

◆ COCOS (KEELING) ISLANDS ➔ Cocos
🏳 *Cocos Islands (E)* ➔ Cocos
❖ COCUK ESIRGEME KURUMU ➔ Turquie
❖ CODROIPO ➔ Autriche-Hongrie (occupation en Italie)
◆ *Coevorden* ➔ Pays-Bas (postes locales)
◆ COLAPARCHEE GA ➔ États Confédérés d'Amérique (émissions des Maîtres de postes : Colaparchee, Georgie)
◆ COLEGIO DE HUERFANOS DE TELEGRAFOS ➔ Espagne
❖ COLEMAN P.M ➔ États Confédérés d'Amérique (émissions des Maîtres de postes : Danville, Virginie)
❖ COLIS ENCOMBRANT ➔ France
◆ COLIS POSTAL ➔ Belgique
◆ COLIS POSTAL 15 À 20 KG DOMICILE ➔ France
◆ COLIS POSTAL APPORT À LA GARE ➔ Algérie (département français)
◆ COLIS POSTAL APPORT À LA GARE ➔ France
◆ COLIS POSTAL APPORT À LA GARE D'UN COLIS 3,5 OU 10 KILOG. ➔ France
◆ COLIS POSTAL APPORT À LA GARE D'UN COLIS DÉPOSÉ DANS UN BUREAU DE VILLE DE PARIS ➔ France
◆ COLIS POSTAL COLIS ENCOMBRANT ➔ France
◆ COLIS POSTAL ENCOMBRANT ➔ Algérie (département français), France
◆ COLIS POSTAL INTÉRÊT À LA LIVRAISON JUSQU'À 500 FRANCS ➔ France
◆ COLIS POSTAL INTÉRÊT À LA LIVRAISON JUSQU'À 1000 FRANCS ➔ France
◆ COLIS POSTAL JUSQU'À 10 KGS DOMICILE ➔ France

- COLIS POSTAL LIVRAISON PAR EXPRÈS ➔ Algérie (département français), France
- COLIS POSTAL LIVRAISON PAR EXPRÈS D'UN COLIS 3,5 OU 10 KILOG. ➔ France
- COLIS POSTAL MAJORATION ➔ France
- ❖ COLIS POSTAL REMBOURSEMENT ➔ Algérie (département français)
- COLIS POSTAL REMBOURSEMENT ➔ France
- ❖ COLIS POSTAL REMBOURSEMENT DOMICILE ➔ Algérie (département français)
- COLIS POSTAL VALEUR DÉCLARÉE ➔ Algérie (département français)
- COLIS POSTAL VALEUR DÉCLARÉE JUSQU'À 500 F ➔ France
- COLIS POSTAUX ➔ Belgique
- COLIS POSTAUX DE PARIS ➔ France
- COLIS POSTAUX DE PARIS POUR PARIS ➔ France
- ◆ *Colmar (poste locale)* ➔ Allemagne (postes locales ou privées)
- ❖ COLMAR ELSASS ➔ Allemagne (postes locales ou privées : Colmar)
- COLOMBIA ➔ Colombie
- COLUMBIA ANTILLAS PACIFICO ➔ Panama-Colombie
- COLOMBIA ANTIOQUIA ➔ Antioquia
- COLOMBIA BOYACA ➔ Boyaca
- COLOMBIA CORREOS ➔ Colombie
- ❖ COLOMBIA D. DE A. PROVISIONAL ➔ Antioquia
- COLOMBIA INDEPENDENCIA NACIONAL ➔ Colombie

■ **Colombie**
Colombia (E)
1859-auj.
Amérique du Sud
Yvert et Tellier, Tome 5, 2ᵉ partie
I COLOMBIA (1946-auj.)
COLOMBIA CORREOS (1946-auj.)
COLOMBIA INDEPENDENCIA NACIONAL (1910)
COMPANIA COLOMBIANA DE NAVEGACION AEREA (1920)
CONFEDERATION GRANADINA (1859-1860)
CONFED GRANADINA CORREOS NACIONALES (1859-1860)
CORREOS DE COLOMBIA (1926-1968)
CORREOS NACIONALES (1861-1925)
CORREOS NALES (1861-1925)
ESTADOS UNIDOS DE NUEVA GRANADA (1861)
E. U. DE COLOMBIA (1862-1886)
EE. UU. DE COLOMBIA(1862-1886)
E. U. DE COLOMBIA CORREOS NACIONALES(1862-1886)
Eˢ Uˢ DE COLOMBIA CORREOS NALES (1862-1886)
NO HAY ESTAMPILLAS (1879)
REPUBLICA DE COLOMBIA (1886-1948)
S.C.A.D.T.A. (1921-1929)
SERVICIO BOLIVARIANO DE TRANSPORTES AEREOS (1929-1932)

SERVICIO DE TRANSPORTES AEREOS EN COLOMBIA (1923-1928)
SERVICIO POSTAL AEREO DE COLOMBIA (1921-1923)
SOBREPORTE (1865)
SOBRETASA AEREA (1929-1932)
SOCIEDAD COLOMBO ALEMANA DE TRANSPORTES AEREOS (1920-1922)
TELEGRAFOS COLOMBIANOS, TELEGRAFOS NACIONALES (1881-1902)
s S.C.A.D.T.A. (1921-1929)
m cent, centavos, pesos, cvs, $, c
⇨ Canada, Carthagène, Équateur, Honda, Medellin, Panama-République

◆ *Colombie* ➔ voir aussi : Antioquia, Bogota, Bolivar, Boyaca, Carthagène, Cauca, Cucuta, Cundinamarca, Garzon, Honda, Manizales, Medellin, Rio-Hacha, Santander, Tolima, Tumaco

□ **Colombie britannique**
Canadian Provinces. British Columbia & Vancouver Island (E)
1861-1871
Amérique du Nord
Yvert et Tellier, Tome 5, 2ᵉ partie
I BRITISH COLUMBIA (1861-1871)
VANCOUVER ISLAND (1865)
m penny, pence, cents

⊙ colon ➔ Costa Rica, Salvador

❖ COLON ➔ Chili

- COLON CHILE ➔ Chili

❖ COLON COLOMBIA ➔ Panama-Colombie

⊙ colones ➔ Costa Rica

- COLONIA DE MOÇAMBIQUE ➔ Mozambique
- COLONIA DE RIO DE ORO ➔ Rio de Oro
- COLONIA ERITREA ➔ Érythrée (colonie italienne)

❖ COLONIALI ITALIANE ➔ Colonies Italiennes, Somalie italienne

❖ COLONIAL PORTUGUES ➔ Afrique portugaise

❖ COLONIAL PORTUGUES PORTEADO ESTADO DA INDIA ➔ Inde portugaise

- COLONIE ITALIANE ➔ Colonies Italiennes
- COLONIE ITALIANE ERITREA ➔ Érythrée (colonie italienne)
- COLONIE ITALIANE ESPRESSO POSTE-LIBIA ➔ Libye
- COLONIES DE L'EMPIRE FRANÇAIS ➔ Colonies françaises

☐ **Colonies françaises**
French Colonies (E)
1859-1946
Afrique, Asie, Am
Yvert et Tellier, Tome 1 et Tome 2, 1ʳᵉ partie
  l À PERCEVOIR TIMBRE TAXE (1945-1946)
     CENTIME À PERCEVOIR (1884-1908)
     CENTIMES À PERCEVOIR (1884-1908)
     CHIFFRE TAXE (1884-1908)
     COLONIES DE L'EMPIRE FRANÇAIS (1859-
     1865)
     COLONIES POSTES (1881)
     COMITÉ FRANÇAIS DE LA LIBÉRATION
     NATIONALE (1943)
     EMPIRE FRANÇAIS (1871-1872)
     ENTR'AIDE DE L'AVIATION (1944)
     FRANC À PERCEVOIR (1884-1908)
     FRANCS À PERCEVOIR (1884-1908)
     FRANCE D'OUTREMER (1943)
  m c, centime, centimes, franc, francs, f
  ⇨ Annam et Tonkin, Bénin (colonie française),
     Cochinchine, Congo (colonie française), Côte
     d'Ivoire (colonie française), Diégo-Suarez, Gabon
     (colonie française), Guadeloupe, Guyane (colonie
     française), Indochine, Madagascar (colonie
     française), Martinique, Nossi-Bé, Nouvelle-
     Calédonie, Obock, Réunion, Saint-Pierre et
     Miquelon, Sénégal (colonie française), Soudan
     (colonie française), Tahiti, Tch'ong-K'ing

☐ **Colonies italiennes**
Italian Colonies (E)
1932-1934
Afrique
Yvert et Tellier, Tome 5, 2ᵉ partie
  l POSTE COLONIALI ITALIANE (1932)
     R.R. POSTE COLONIALI ITALIANE (1933-
     1934)
  s COLONIE ITALIANE (Italie : 1932)
  m cent, lire

☐ **Colonies portugaises**
Portuguese Colonies (E)
1951
Afrique, Asie
Yvert et Tellier, Tome 5, 2ᵉ partie
  l ENCERRAMEN TO DO SANTO-FATIMA 1951
     (1951)

• COLONIES POSTES ➔ Colonies françaises
❖ COLUMBIA ➔ Colombie britannique
❖ COLUMBIA S.C. ➔ États Confédérés d'Amérique
   (émissions des Maîtres de postes : Columbia, Caroline
   du Sud)
• COLUMBIA TEN. ➔ États Confédérés d'Amérique
   (émissions des Maîtres de postes : Columbia,
   Tennessee)
• COLUMBUS GA. ➔ États Confédérés d'Amérique
   (émissions des Maîtres de postes : Columbus, Georgie)

◆ *Colusa Lake & Mendocino Telegraph Company*
   ➔ États-Unis d'Amérique (compagnies privées de
   télégraphe)
⊙ com ➔ Kirghiztan
• COMEMORATIVO DA EXPOSICAO DE S.
   FRANCISCO XAVIER INDIA ➔ Inde portugaise
• COMITÉ FRANÇAIS DE LA LIBÉRATION
   NATIONALE ➔ Colonies françaises
• COMMANDO BRIEF. O.V.S. FRANKO ➔ Orange
• COMMEMORATIVE STAMP DIAMOND JUBILEE
   1897 ➔ Grande-Bretagne
• COMMERCIAL AIRWAYS LIMITED ➔ Canada
• COMMERCIAL UNION TELEGRAPH CO.
   COMMUTATION ➔ États-Unis d'Amérique
   (compagnies privées de télégraphe) : *Commercial Union
   Telegraph Company*
• COMMERCIAL UNION TELEGRAPH CO.
   COMPLIMENTARY ➔ États-Unis d'Amérique
   (compagnies privées de télégraphe) : *Commercial Union
   Telegraph Company*
• COMMISSARIATO GENᴸᴱ DELL OLTRE GIUBA ➔
   Outre-Djouba
• COMMISSION D'ADMINISTRATION ET DE
   PLÉBISCITE OLSZTYN ALLENSTEIN ➔ Allenstein
• COMMISSION DE CONTRÔLE PROVISOIRE
   KORCA ➔ Albanie
• COMMISSION DE GOUVERNEMENT HAUTE
   SILÉSIE ➔ Silésie (Haute)
• COMMISSION FÜR RETOURBRIEFE AUGSBURG
   ➔ Bavière
• COMMISSION FÜR RETOURBRIEFE BAMBERG
   ➔ Bavière
• COMMISSION FÜR RETOURBRIEFE MUNCHEN
   ➔ Bavière
• COMMISSION FÜR RETOURBRIEFE NURNBERG
   ➔ Bavière
• COMMISSION FÜR RETOURBRIEFE SPEYER ➔
   Bavière
• COMMISSION FÜR RETOURBRIEFE WURZBURG
   ➔ Bavière
• COMMISSION INTERALLIÉE MARIENWERDER
   ➔ Marienwerder
• COMMODORE CRUISES LTD. ➔ Sark
• COMMODORE SHIPPING CO. LTD. ➔ Sark
• COMMODORE SHIPPING GUERNSEY-SARK ➔
   Sark
• COMMONWEALTH OF DOMINICA ➔ Dominique
❖ COMMONWEALTH OF THE PHILIPPINES ➔
   Philippines
• COMMONWEALTH QUEENSLAND ➔ Queensland
❖ COMMUNICATIONS OF JAPAN ➔ Japon
• COMMUNITY CHEST ➔ Japon
❖ COMMUTATION ➔ États-Unis d'Amérique
   (compagnies privées de télégraphe) : *Atlantic Telegraph
   Company, Baltimore & Ohio Telegraph Companies,
   Commercial Union Telegraph Company*
❖ COMORE ➔ Grande Comore

■ **Comores**
Comoro Islands: State of Comoro (E)
1975-auj.
Afrique
Yvert et Tellier, Tome 2, 2ᵉ partie
  l ÉTAT COMORIEN (1975-1977)
     RÉP. DES COMORES (1977-1978)
     RÉP. FÉD. ISLAMIQUE DES COMORES (1978-1979)
     RÉPUBLIQUE DES COMORES (1977-1978)
     RÉPUBLIQUE FÉDÉRALE ISLAMIQUE DES COMORES (1978-auj.)
  s ÉTAT COMORIEN (Comores [colonie française et TFO] : 1975)
     RÉP. FÉD. ISLAMIQUE DES COMORES (1978-1979)
  m f, fc

◆ *Comores* ➔ voir aussi : Anjouan

□ **Comores (colonie française et TFO)**
Comoro Islands (E)
1950-1975
Afrique
Yvert et Tellier, Tome 2, 1ʳᵉ partie
  l ARCHIPEL DES COMORES (1950-1975)
  m c, f

❖ COMORIEN ➔ Comores

▣ *Comoro Islands (E)* ➔ Comores (colonie française et TFO)

▣ *Comoro Islands: State of Comoro (E)* ➔ Comores

◆ COMPᴬ DE MOÇAMBIQUE ➔ Mozambique (compagnie de)

□ **Compagnie Condor**
Brazil: Condor Airline Company (E)
1927-1930
Amérique du Sud
Yvert et Tellier, Tome 5, 1ʳᵉ partie
(à : *Brésil*)
  l PRIMEIRO VOO COMMERCIAL (1930)
     SERVICIO AEREO CONDOR (1930)
     SYNDICATO CONDOR (1927-1930)
  s GRAF ZEPPELIN (1930)
  m rs, reis
  ⇨ Compagnie Varig

□ **Compagnie Danubienne de Navigation à Vapeur**
Danube Steamship Company (E)
1866-1879
Europe
Yvert et Tellier, Tome 3, 1ʳᵉ partie
(à : *Autriche*)
  l ERSTE K. K. PR. DONAU DAMPFSCHILFAHRT. GESELLSCHAFT. (1866-1879)
     I. K. K. PR. DONAU DAMPFSCHILFAHRT. GESELLSCHAFT. (1866-1879)
     KALANALÜK D.D.S.G. (1866-1879)
     NACHZALUNGS-MARKE D.D.S.G. (1866-1879)
  m centimes, kr

□ **Compagnie E.T.A.**
Brazil: E.T.A. Airline Company (E)
1929
Amérique du Sud
Yvert et Tellier, Tome 5, 1ʳᵉ partie
(à : *Brésil*)
  l ETA BRASIL (1929)

□ **Compagnie Varig**
Brazil: Varig Airline Company (E)
1927-1934
Amérique du Sud
Yvert et Tellier, Tome 5, 1ʳᵉ partie
(à : *Brésil*)
  l VARIG (1931-1934)
  s VARIG (Compagnie Condor : 1927-1931)
  m reis, rs

◆ COMPANHIA DE MOÇAMBIQUE ➔ Mozambique (compagnie de)
◆ COMPANHIA DO NYASSA ➔ Nyassa
◆ COMPANIA COLOMBIANA DE NAVEGACION AEREA ➔ Colombie
◆ COMPANIA TELEGRAFICA DEL RIO DE LA PLATA ➔ Argentine
❖ COMUNE DI CAMPIONE ➔ Campione
◆ COMUNICACIONES ➔ Espagne
◆ COMUNICACIONES ESP. ➔ Espagne
◆ CONDOMINIUM DES NOUVELLES HÉBRIDES ➔ Nouvelles-Hébrides
❖ CONDOR ➔ Compagnie Condor
❖ CONDUCCION ➔ Pérou
◆ CONFED GRANADINA CORREOS NACIONALES ➔ Colombie
◆ CONFEDERATE STATES ➔ États Confédérés d'Amérique (émissions générales)
▣ *Confederated States of America: General Issues (E)* ➔ États Confédérés d'Amérique (émissions générales)
▣ *Confederated States of America: issues by Postmasters (E)* ➔ États Confédérés d'Amérique (émissions des Maîtres de postes)

- CONFEDERATE STATES OF AMERICA → États Confédérés d'Amérique (émissions générales)
- CONFEDERATION CANADA → Canada
- CONFEDERATION GRANADINA → Colombie
- *Confédération grenadine* → Colombie
- CONFE^{ON} ARGENTINA → Argentine
- CONFOEDERATIO HELVETICA → Suisse
- CONG-HOA → Vietnam du Sud
- CONG-HOA MIEN NAM VIET NAM → Sud-Vietnam (République du)
- CONGO → Congo, Congo (belge, état indépendant, république, république démocratique)

■ **Congo**
People's Republic of Congo (E)
1959-auj.
Afrique
Yvert et Tellier, Tome 2, 2e partie
  l **CONGO** (1991-auj.)
    RÉPUBLIQUE DU CONGO (1959-1970, 1993-auj.)
    RÉPUBLIQUE POPULAIRE DU CONGO (1970-1991)
  m f

- *Congo* → voir aussi : Katanga, Sud-Kasaï

□ **Congo (belge, état indépendant, république, république démocratique)**
Belgian Congo + Congo Democratic Republic (E)
1886-1971
Afrique
Yvert et Tellier, Tome 5, 2e partie
  l BELGISCH CONGO (1908-1960)
    CONGO (1960-1964)
    CONGO BELGE (1909-1960)
    ÉTAT IND. DU CONGO (1886-1900)
    ÉTAT INDÉPENDANT DU CONGO (1886-1900)
    RÉPUBLIQUE DÉMOCRATIQUE DU CONGO (1964-1971)
    RÉPUBLIQUE DU CONGO (1961-1965)
  s CONGO BELGE (1908)
  m centimes, francs, c, f, fr, fc, k, s, z
  ⇨ Katanga, Ruanda-Urundi, Sud-Kasaï, Zaïre

□ **Congo (colonie française)**
French Congo + Middle Congo (E)
1891-1933
Afrique
Yvert et Tellier, Tome 2, 1re partie
  l CONGO FRANÇAIS (1892-1900)
    MOYEN CONGO (1900-1933)
  s CONGO FRANÇAIS (Colonies françaises : 1891-1892)
  m c, f
  ⇨ Afrique Équatoriale, Cameroun (colonie française), Oubangui, Tchad (colonie française)

■ **Congo (république démocratique)**
Congo: Democratic Republic (E)
1998-auj.
Afrique
  l **RÉPUBLIQUE DÉMOCRATIQUE DU CONGO** (1998-auj.)
  m c, nz, fc

- CONGO BELGE → Congo (belge, état indépendant, république, république démocratique)
- *Congo Democratic Republic (E)* → Congo (belge, état indépendant, république), Congo (république démocratique)
- CONGO FRANÇAIS → Congo (colonie française)
- CONGO FRANÇAIS GABON → Gabon (colonie française)

□ **Congo portugais**
Portuguese Congo (E)
1893-1915
Afrique
Yvert et Tellier, Tome 5, 2e partie
  l CONGO PORTUGAL (1893-1902)
    PORTUGAL CONGO (1893-1902)
    REPUBLICA PORTUGUESA CONGO (1914)
  s CONGO REPUBLICA (Angola : 1910-1911)
    REPUBLICA CONGO (Afrique portugaise, Macao, Timor : 1913)
  m reis

- CONGO PORTUGAL → Congo portugais
- CONGO REPUBLICA → Congo portugais
- CONGRATULATIONS FALL OF BATAAN AND CORREGIDOR 1942 → Philippines (occupation japonaise)
- CONGRESO DE LOS DIPUTADOS → Espagne
- CONGRESO INTERNACIONAL DE FERROCARRILES → Espagne
- CONGRESSO DO TUR SMO AFRICANO LOURENÇO MARQUES → Mozambique
- CONGRESS OF ICC. TOKYO → Japon
- CONGRESSO U.P.U. → Espagne
- CONN. B & O COMMUTATION → États-Unis d'Amérique (compagnies privées de télégraphe) : *Baltimore & Ohio-Connecticut River Telegraph Companies*
- CONSEIL DE L'EUROPE → France
- CONSEJO DE ASTURIAS Y LEON → Asturies et Léon
- CONSEJO INTERPROVINCIAL DE ASTURIAS Y LEON → Asturies et Léon
- CONSNATINOPLE → Levant (bureaux russes)
- CONSTANTINOPIE → Levant (bureaux russes)
- CONSTANTINOPLE → Levant (bureaux russes)
- CONSTANTINOPOL → Levant (bureaux roumains)
- CONSTAUTINOPLE → Levant (bureaux russes)
- CONSTITUTION YCTAB → Monténégro
- CONTRA SELLO → Salvador
- CONTRATOS → Bolivie
- CONTRIBUIÇAO INDUSTRIAL COLONIAS → Timor

- CONTRIBUIÇAO INDUSTRIAL ULTRAMAR ➜ Macao
- ❖ CONTRÔLE PROVISOIRE KORCA ➜ Albanie
- CONTRÔLE RÉPARTITEUR ➜ Algérie (département français)
- ℗ Convention States of the British Empire in India (E) ➜ Chamba, Faridkot (protectorat britannique), Gwalior, Jhind (protectorat britannique), Nabha, Patiala
- CONVERSATION DE 5 MINUTES ➜ France
- COO ➜ Coo

☐ **Coo**
Italian offices in the Dodecanese Islands: issued in Coo (E)
1912-1932
Europe
Yvert et Tellier, Tome 3, 1ʳᵉ partie
(à : *Égée (îles de la mer)*)
s   COS (Italie : 1912-1922)
COO (Italie : 1930-1932)

■ **Cook**
Cook Islands (E)
1892-auj.
Océanie
Yvert et Tellier, Tome 5, 2ᵉ partie
l   **COOK ISLANDS** (1892-auj.)
s   COOK ISDS (Nouvelle-Zélande : 1937)
COOK ISLANDS (Nouvelle-Zélande : 1935-1937)
m   penny, pence, d, shilling, c, $, dollars
➪ Aitutaki, Penrhyn

- COOK ISDS ➜ Cook
- ❖ COOK ISLANDS ➜ Aitutaki
- COOK ISLANDS ➜ Cook
- COOK ISLANDS AITUTAKI ➜ Aitutaki
- COOK ISLANDS NIUE ➜ Niue
- COOK- NIUE ISLANDS ➜ Niue
- COOK'S DISPATCH ➜ États-Unis d'Amérique (postes locales et privées) : *Baltimore*
- ⊙ cop ➜ Azerbaïdjan
- ⊙ c or ➜ Nouvelles-Hébrides
- ◆ *Coralit* ➜ Italic (République Sociale : *poste privée Coralit*)
- ⊙ cordoba ➜ Nicaragua
- CORDOBA ➜ Cordoba

☐ **Cordoba**
Argentina: Cordoba (E)
1858-1891
Amérique du Sud
Yvert et Tellier, Tome 5, 1ʳᵉ partie
(à : *Argentine*)
l   CORDOBA (1858)
TELEGRAFO PROVINCIAL (1891)
m   cen

- ⊙ cordobas ➜ Nicaragua
- COREAN POST ➜ Corée (royaume, empire)
- ❖ CORÉE ➜ Corée (royaume, empire)

☐ **Corée (bureaux japonais)**
⋆ *Japanese offices in Korea (E)*
1900
Asie
Yvert et Tellier, Tome 5, 2ᵉ partie
s   *caractères asiatiques* (Japon : 1900)

☐ **Corée (royaume, empire)**
⋆ *Korea (E)*
1884-1905
Asie
Yvert et Tellier, Tome 5, 2ᵉ partie
l   COREAN POST (1884)
IMPERIAL KOREAN POST (1900-1902)
KOREA (1895-1901)
POSTES DE CORÉE (1902)
POSTES IMPÉRIALES DE CORÉE (1903)
m   c, cheun, Cᴺ, m, Mᴺ, poon, Rᴱ, Ri

■ **Corée du Nord**
⋆ *North Korea (E)*
1946-auj.
Asie
Yvert et Tellier, Tome 5, 2ᵉ partie
l   1917 1957 (1957)
1945 8.15 1953 (1953)
1945-1956 (1956)
1946-1956 (1956)
1948 1954 (1954)
1957 8.27(1957)
1966 .4 .12 (1966)
1973 1974 (1974)
6.25 (1959)
8.15 (1948-1952)
815 (1948-1952)
948 7.10 (1948)
DPRK (1976-auj.)
DPR KOREA (1976-auj.)
DPR OF KOREA (1976-auj.)
WORLD TABLE TENNIS QUEEN (1975)
m   L

■ **Corée du Sud**
⋆ *South Korea (E)*
1946-auj.
Asie
Yvert et Tellier, Tome 5, 2ᵉ partie
l   **CH** (*suivi de caractères orientaux*) (1948-auj.)
KOREA (1948-1952, 1981-auj.)
REPUBLIC OF KOREA (1958-1980)
s   *caractères asiatiques* (Japon : 1946)
m   Wᴺ, won
➪ Corée du Sud (occupation par les forces nord-coréennes)

☐ **Corée du Sud (occupation par les forces**
* **nord-coréennes)**
South Korea: North Korean occupation (E)
1950-1951
Asie
Yvert et Tellier, Tome 5, 2ᵉ partie
  s *caractères asiatiques* (Corée du Sud : 1950-1951)

☐ **Corfou**
Corfu (E)
1923-1941
Europe
Yvert et Tellier, Tome 3, 1ʳᵉ partie
  s CORFU (Italie, Grèce : 1923-1941)
  m lepta

• CORFU ➔ Corfou
❖ CORISCO ➔ Elobey, Annobon & Corisco
• CORLEOS PARAGUAY ➔ Paraguay
• CORNWELL POST OFFICE MADISON SQUARE ➔
  États-Unis d'Amérique (postes locales et privées) : *New York*
⊙ coroin ➔ Irlande
⊙ corona ➔ Trente et Trieste
• CORONA ➔ Dalmatie, Trente et Trieste
❖ CORPORATIONEN INSTITUT HAMBURGER
  BOTEN H. SCHEERENBECK ➔ Allemagne (postes
  locales ou privées : Hambourg, service de messagerie)
• CORPS EXPÉDITIONNAIRE DE LA LÉGION
  DES VOLONTAIRES FRANÇAIS CONTRE LE
  BOLCHEVISME COURRIER OFFICIEL PAR AVION
  ➔ France
• CORPS EXPÉDITIONNAIRE DE LA LÉGION
  DES VOLONTAIRES FRANÇAIS CONTRE LE
  BOLCHEVISME COURRIER SPÉCIAL PAR AVION
  ➔ France
• CORPS EXPÉDITIONNAIRE FRANCO-ANGLAIS
  CAMEROUN ➔ Cameroun (colonie française)
• CORRECT EXPRESS ➔ Pays-Bas (postes locales :
  Delfzijl)
❖ CORREGIDOR 1942 ➔ Philippines (occupation
  japonaise)
• CORREIO ➔ Portugal
• CORREIO DE TIMOR ➔ Timor
• CORREIO DO BRASIL ➔ Brésil
• CORREIO E. U. DO BRAZIL ➔ Brésil
• CORREIO INDIA ➔ Inde portugaise
• CORREIO MACAU ➔ Macao
• CORREIO MOÇAMBIQUE ➔ Mozambique
• CORREIOS DA COLONIA DE MOÇAMBIQUE ➔
  Mozambique
• CORREIOS DO BRASIL ➔ Brésil
• CORREIOS E TELEGRAPHOS ➔ Portugal
• CORREIOS MACAU ➔ Macao
• CORREIOS MOÇAMBIQUE ➔ Mozambique
• CORREIOS PORTUGAL ANGRA ➔ Angra
• CORREIOS TIMOR PORTUGAL ➔ Timor
• CORREIO TIMOR ➔ Timor
• CORREO AEREO ➔ Espagne
• CORREO AÉREO CANARIAS ➔ Canaries (Îles)

• CORREO AEREO CHILE ➔ Chili
• CORREO AEREO DEL PARAGUAY ➔ Paraguay
• CORREO AEREO ESPAÑA ➔ Espagne
• CORREO AEREO MEXICO ➔ Mexique
• CORREO AÉREO TANGER ➔ Maroc (bureaux
  espagnols)
• CORREO AEREO VIVA ESPAÑA ➔ Espagne
  (émissions nationalistes : Saint-Sébastien)
• CORREO DE AYACUCHO ➔ Ayacucho
• CORREO DE LOS E.E.U.U. DE VENEZᴬ ➔
  Venezuela
• CORREO DEL PARAGUAY ➔ Paraguay
• CORREO DEL URUGUAY ➔ Uruguay
• CORREO DE VENEZUELA ➔ Venezuela
• CORREO ESPAÑOL MARRUECOS ➔ Maroc
  (bureaux espagnols)
• CORREO ESPAÑOL TANGER ➔ Maroc (bureaux
  espagnols)
• CORREO GUATEMALA ➔ Guatemala
• CORREO INTERIOR ➔ Espagne
• CORREO OFICIAL ➔ Espagne
• CORREO PARAGUAY ➔ Paraguay
• CORREO PARAGUAYO ➔ Paraguay
• CORREOS ➔ Espagne, Maroc (postes locales)
• CORREOS 1 RL PLATA F ➔ Antilles espagnoles,
  Philippines
• CORREOS 1850 ➔ Espagne
• CORREOS 1851 ➔ Espagne
• CORREOS 1852 ➔ Espagne
• CORREOS 1853 ➔ Espagne
• CORREOS 1854 ➔ Espagne
• CORREOS 1854 Y 55 FRANCO ➔ Philippines
• CORREOS 1864 ➔ Espagne
• CORREOS 1936 VIVA ESPAÑA 1937 ZARAGOZA
  ➔ Espagne (émissions nationalistes : Saragosse)
• CORREOS 2 RL PLATA F ➔ Antilles espagnoles,
  Philippines
• CORREOS ANDORRA ➔ Andorre (bureaux
  espagnols)
• CORREOS ANTIOQUIA COLOMBIA ➔ Antioquia
• CORREOS ARGENTINOS ➔ Argentine
• CORREOS AYUNTAMIENTO DE BARCELONA ➔
  Barcelone
• CORREOS BOLIVAR ➔ Venezuela
• CORREOS BOLIVIA CONTRATOS ➔ Bolivie
• CORREOS BUENOS AIRES ➔ Buenos Aires
• CORREOS CENTIMOS ➔ Venezuela
• CORREOS CENT Pᴼ Fᴱ ➔ Philippines
• CORREOS CERTIFICADO ➔ Espagne
• CORREOS CHILE ➔ Chili
• CORREOS COAMO ➔ Coamo
• CORREOS COSTA RICA ➔ Costa Rica
• CORREOS Cˢ 1870 ➔ Antilles espagnoles
• CORREOS CS DE Eᴼ ➔ Philippines
• CORREOS CUBA ➔ Cuba
• CORREOS DE ANTIOQUIA ➔ Antioquia
• CORREOS DE BOLIVAR ➔ Bolivar
• CORREOS DE BOLIVAR CARTAGENA COL. ➔
  Carthagène
• CORREOS DE BOLIVIA ➔ Bolivie
• CORREOS DE CHILE ➔ Chili

- CORREOS DE COLOMBIA ➜ Colombie
- CORREOS DE COSTA RICA ➜ Costa Rica
- CORREOS DE CUBA ➜ Cuba
- CORREOS DE DEPARTAMENTO DE ANTIOQUIA ➜ Antioquia
- CORREOS DE EL SALVADOR ➜ Salvador
- CORREOS DE EL SALVADOR AMERICA CENTRAL ➜ Salvador
- CORREOS DE EL SALVADOR CA ➜ Salvador
- CORREOS DE EL SALVADOR CENTROAMERICA ➜ Salvador
- CORREOS DE ESPANA ➜ Espagne
- CORREOS DE GUATEMALA ➜ Guatemala
- CORREOS DE HONDURAS ➜ Honduras
- CORREOS DE LA PROVINCIA DE CUCUTA ➜ Cucuta
- CORREOS DEL ECUADOR ➜ Équateur
- CORREOS DEL E⁰ S⁰ DE BOLIVAR ➜ Bolivar
- CORREOS DEL E⁰ S⁰ DE CUNDINAMARCA ➜ Cundinamarca
- CORREOS DEL E⁰ S⁰ DEL TOLIMA ➜ Tolima
- CORREOS DEL E. S. DE CUNDINAMARCA ➜ Cundinamarca
- CORREOS DEL ESTADO DEL TOLIMA ➜ Tolima
- CORREOS DEL ESTADO SOBERANO DE BOLIVAR ➜ Bolivar
- CORREOS DEL ESTADO SOBERANO DEL TOLIMA ➜ Tolima
- CORREOS DEL LIMA PERU ➜ Pérou
- CORREOS DEL PARAGUAY ➜ Paraguay
- CORREOS DEL PERU ➜ Pérou
- CORREOS DEL PERU (*Amiral Grau*) ➜ Arequipa
- CORREOS DEL PERU (*Colonel Bolognesi*) ➜ Arequipa
- CORREOS DEL SALVADOR ➜ Salvador
- CORREOS DEL URUGUAY ➜ Uruguay
- CORREOS DE NICARAGUA ➜ Nicaragua
- CORREOS DE PANAMA ➜ Panama-Colombie
- CORREOS DE VENEZUELA ➜ Venezuela
- CORREOS DE VENEZUELA CARUPANO 1902 ➜ Venezuela
- CORREOS DE VENEZUELA ESTADO GUAYANA ➜ Venezuela
- CORREOS DR. THEBUSSEM KRTRO HONORARIO DE MADRID ➜ Espagne
- CORREOS ECUADOR ➜ Équateur
- CORREOS E.E.U.U. DE VENEZUELA ➜ Venezuela
- CORREOS EL SALVADOR ➜ Salvador
- CORREOS ESTADO DE EL SALVADOR ➜ Salvador
- CORREOS ESTADO LIBRE Y SOBERANO DE OAXACA ➜ Mexique
- CORREOS ESTADO LIBRE Y SOBERANO DE SONORA ➜ Mexique
- CORREOS FRANCO ➜ Espagne
- CORREOS INTERIOR FRANCO ➜ Philippines
- CORREOS INTERNOS DEL ECUADOR ➜ Équateur
- CORREOS MARRUECOS PROTECTORADO ESPAÑOL ➜ Maroc (bureaux espagnols)
- CORREOS MEDIO REAL ➜ Dominicaine
- CORREOS MEJICO ➜ Mexique
- CORREOS MEXICO ➜ Chiapas, Mexique

- CORREOS NACIONALES ➜ Colombie
- CORREOS NACIONALES DE LA R. DE GUATEMALA ➜ Guatemala
- CORREOS NACIONALES GUATEMALA ➜ Guatemala
- CORREOS NALES ➜ Colombie
- CORREOS PANAMA ➜ Panama-république
- CORREOS PARAGUAY ➜ Paraguay
- CORREOS PERU ➜ Pérou
- CORREOS PORTE DE MAR ➜ Mexique
- CORREOS PORTE FRANCO CORREOS ➜ Pérou
- CORREOS PROVISIONALES ➜ Équateur
- CORREOS R^L PLATA F ➜ Antilles espagnoles, Philippines
- CORREOS SONORA MEXICO ➜ Mexique
- ❖ CORREO SUBMARINO ➜ Espagne
- CORREOS UN REAL ➜ Dominicaine
- CORREOS URBANOS DE MEDELLIN ➜ Medellin
- CORREOS URUGUAY ➜ Uruguay
- CORREOS VALE B ➜ Venezuela
- CORREOS ¡VIVA ESPAÑA! TERUEL HEROICA Y LEAL ➜ Espagne (émissions nationalistes : Teruel)
- CORREOS Y TELEG^OS ➜ Espagne
- CORREOS Y TELEGRAFOS DEL URUGUAY ➜ Uruguay
- CORREOS Y TELEG^S ➜ Espagne
- CORREO TANGER ➜ Maroc (bureaux espagnols)
- CORREO URBANO DE BOGOTA ➜ Bogota
- CORREO URGENTE ➜ Espagne
- ❖ CORRESO ASSOBLA ➜ Guinée espagnole
- CORRESPONDANCE DU SERVICE POSTAL SUEDE ETRANGER ➜ Suède
- CORRESPONDENCIA DILACERADA ➜ Brésil
- CORRESPONDENCIA OFICIAL CHILE MINISTERIO DE MARINA ➜ Chili
- ❖ CORRESPONDENCIA SOBRANTE ➜ Espagne
- CORRESPONDENCIA URGENTE ➜ Espagne, Espagne (émissions nationalistes : Burgos)
- CORRESPONDENCIA URGENTE ORDEN 9 NVBRE. 1936 ➜ Espagne (émissions nationalistes : Burgos)
- CORREUS ESPANYOLS ANDORRA ➜ Andorre (bureaux espagnols)
- CORREUS PRINCIPAT D'ANDORRA ➜ Andorre (bureaux espagnols)
- CORRIENTES ➜ Corrientes

☐ **Corrientes**
1856-1898
Amérique du Sud
Yvert et Tellier, Tome 5, 1re partie
(à : *Argentine*)
I   CORRIENTES (1856-1898)
m   centavos

- CORRIERI ALTA ITALIA SERVIZIO POSTALE AUTORIZZATO DALLO STATO ➜ Italie (République Sociale : *poste privée Coralit*)
- CORRIERI ALTA ITALIA S. P. AUTORIZZATO D. STATO ➜ Italie (République Sociale : *poste privée Coralit*)

- ◆ CORRISPONDENZE FIRENZE VENEZIA-GIULIA
  ➔ Italie (*poste privée S.A.B.E.*)
- ❖ CORSE-CONTINENT ➔ France
- ☉ c°ˢ ➔ Portugal
- ◆ COS ➔ Coo
- ◆ COSTA ATLANTICA B. ➔ Bluefield
- ◆ COSTA ATLANTICA C. ➔ Cabo
- ◆ COSTANTINOPOLI ➔ Levant (bureaux italiens)
- ◆ COSTA RICA ➔ Costa Rica

■ **Costa Rica**
  1862-auj.
  Amérique Centrale
  Yvert et Tellier, Tome 5, 2ᵉ partie
  - l   CORREOS COSTA RICA (1862-1969)
    CORREOS DE COSTA RICA (1862-1969)
    COSTA RICA (1892-auj.)
    REPUBLICA DE COSTA RICA (1889-1955)
  - m reales, centavo, cto, cts, colon, colones, c
  - s   U. P. U. (1881-1883)
  - ⇨ Guanacaste

- ◆ *Costa Rica* ➔ voir aussi : Guanacaste
- ☉ COT ➔ Ukraine
- ◆ CÔTE D'IVOIRE ➔ Côte d'Ivoire (colonie française)

■ **Côte d'Ivoire**
  Ivory Coast (Republic) (E)
  1959-auj.
  Afrique
  Yvert et Tellier, Tome 2, 2ᵉ partie
  - l   **RÉPUBLIQUE DE CÔTE D'IVOIRE** (1959-auj.)
  - m f

□ **Côte d'Ivoire (colonie française)**
  Ivory Coast (French colony) (E)
  1892-1944
  Afrique
  Yvert et Tellier, Tome 2, 1ʳᵉ partie
  - l   CÔTE D'IVOIRE (1892-1944)
  - s   CÔTE D'IVOIRE (Colonies Françaises : 1903-1905)
    CÔTE D'IVOIRE (Haute-Volta [colonie française] : 1933)
  - m c, f

□ **Côte de l'Or**
  Gold Coast (E)
  1875-1953
  Afrique
  Yvert et Tellier, Tome 5, 2ᵉ partie
  - l   GOLD COAST (1875-1953)
  - m penny, pence, d, shilling, s
  - ⇨ Togo (occupation militaire)

□ **Côte des Somalis**
  Somali Coast (E)
  1894-1966
  Afrique
  Yvert et Tellier, Tome 2, 1ʳᵉ partie
  - l   CÔTE FRANÇAISE DES SOMALIS (1902-1966)
    DJIBOUTI RF (1943-1944)
    PROTECTORAT DE LA CÔTE DES SOMALIS
    DJIBOUTI (1894-1902)
  - s   25 (Obock : 1894)
    50 (Obock : 1894)
    DJ (Obock : 1894)
    DJIBOUTI (Obock : 1894-1902)
  - m c, centimes, f

- ◆ *Côte des Somalis* ➔ voir aussi : Afars et Issas
  (Territoire des), Obock

□ **Côte du Niger**
  Niger Coast Protectorate (E)
  1892-1898
  Afrique
  Yvert et Tellier, Tome 5, 2ᵉ partie
  - l   NIGER COAST (1893-1898)
    NIGER COAST PROTECTORATE (1893-1898)
    OIL RIVERS PROTECTORATE (1893-1894)
  - s   BRITISH PROTECTORATE OIL RIVERS
    (Grande-Bretagne : 1892-1894)
  - m penny, pence, shilling, d

- ◆ CÔTE FRANÇAISE DES SOMALIS ➔ Côte des
  Somalis

□ **Counani (république du)**
  Cunani (E)
  1887-1893
  Amérique du Sud
  Émission non admise par l'U.P.U.
  - l   REPU DU COUNANI POSTES LIBERTE 1893
    (1893)
  - m c

- ❖ COURRIER OFFICIEL ➔ France
- ◆ COURTLAND AL. ➔ États Confédérés d'Amérique
  (émissions des Maîtres de postes : Courtland, Alabama)
- ◆ CPBNJA (cyrillique) ➔ Serbie, Serbie (occupation
  allemande)
- ❖ СРП ПОШТА (cyrillique) ➔ Serbie
- ❖ c. R ➔ Réunion
- ☉ cr$ ➔ Brésil
- ❖ CRAWFORD PM ATHENS GA ➔ États Confédérés
  d'Amérique (émissions des Maîtres de postes : Athens,
  Georgie)
- ☉ crazia ➔ Toscane
- ☉ crazie ➔ Toscane
- ◆ CRESSMAN & CO'S PENNY POST PHILAD'A.
  ➔ États-Unis d'Amérique (postes locales et privées) :
  Philadelphie
- ◆ CRÈTE ➔ Crète (bureaux français)

☐ **Crète (administration crètoise)**
Crete: Issued by the Cretan Government (E)
1900-1907
Europe
Yvert et Tellier, Tome 3, 1ʳᵉ partie
  l KPHTH (1900-1907)
  m ΛΕΠΤΟΝ, ΛΕΠΤΑ, ΔΡΑΧΜΑΙ, ΔΡΑΧΜΗ
  ⇨ Crète (administration grecque)

☐ **Crète (administration grecque)**
Crete: Issued by the Cretan Government (E)
1908-1911
Europe
Yvert et Tellier, Tome 3, 1ʳᵉ partie
  s ΕΛΛΑΣ (Crète [administration crètoise] : 1908-1911)
    ΕΛΛΑΣ ΠΡΟΣΩΡΙΝΟΝ (Crète [administration crètoise] : 1908-1911)
  m ΛΕΠΤΟΝ, ΛΕΠΤΑ, ΔΡΑΧΜΑΙ, ΔΡΑΧΜΗ
  ⇨ Grèce

☐ **Crète (bureau anglais d'Heraklion)**
Crete: British Sphere of Administration District of Heraklion (E)
1898-1899
Europe
Yvert et Tellier, Tome 3, 1ʳᵉ partie
  l ΠΡΟΣΩΡΙΝΟΝ ΤΑΧΥΔΡΟΜΕΙΟΝ ΗΡΑΚΛΕΙΟΥ (1898-1899)
  m ΠΑΡΑΔΕΣ

☐ **Crète (bureau italien de la Canée)**
Italian offices in Crete (E)
1900-1906
Europe
Yvert et Tellier, Tome 3, 1ʳᵉ partie
  s LA CANEA (Italie : 1901-1906)
    PIASTRA (Italie : 1900-1901)
  m piastra

☐ **Crète (bureau russe de Rethymno)**
Crete: Russian Sphere of Administration District of Rethymnon (E)
1899
Europe
Yvert et Tellier, Tome 3, 1ʳᵉ partie
  l ΠΡΟΣΩΡΙΝΟΝ ΤΑΧΥΔΡΟΜΕΙΟΝ ΡΕΘΥΜΝΗΣ (1899)
    ΡΕΘΥΜΝΗΣ (1899)
    RETYMNO (1899)
  m metalik, ΓΡΟΣΙΟΝ, ΜΕΤΑΛΛΙΚ

☐ **Crète (bureaux autrichiens)**
Austrian Offices in Crete (E)
1903-1914
Europe
Yvert et Tellier, Tome 3, 1ʳᵉ partie
  l KAISERLICHE KÖNIGLICHE ÖSTERREICHISCHE POST (1908-1914)
  s CENTIMES (Autriche ; 1903-1914)
    FRANC (Autriche : 1903-1914)
    FRANCS (Autriche : 1903-1914)
  m centimes, franc

☐ **Crète (bureaux français)**
French Offices in Crete (E)
1902-1903
Europe
Yvert et Tellier, Tome 2, 1ʳᵉ partie
  l CRÈTE (1902-1903)
  m c, fr, piastres

☐ **Crète (poste des insurgés)**
Crete: issued by the insurrection (E)
1905-1910
Europe
Yvert et Tellier, Tome 3, 1ʳᵉ partie
Émission non admise par l'U.P.U.
  l KPHTH ΛΕΠΤΟΝ ΕΙΣΠΡΑΚΤΕΟΝ (1901-1910)
    KPHTH ΚΟΙΝΟΓΟΙΗΣΙΣ ΔΙΚΟΓΡΑΦΩΝ ΜΙΚΡΟΔΙΑΦΟΡΑΣ (1905-1908)
    ΠΡΟΣΩΡΙΝΗ ΚΥΒΕΡΝΗΣΙΣ ΚΡΗΤΗΣ (1905-1910)
  s ΠΡΟΣΩΡΙΝΗ ΚΥΒΕΡΝΗΣΙΣ ΚΡΗΤΗΣ (1905)
  m ΛΕΠΤΑ, ΔΡΑΧΜΑΙ, ΔΡΑΧΜΗ

↬ *Crete: British Sphere of Administration District of Heraklion (E)* ➔ Crète (bureau anglais d'Héraklion)
↬ *Crete: Issued by the Cretan Government (E)* ➔ Crète (administration crètoise + administration grecque)
↬ *Crete: Russian Sphere of Administration District of Rethymnon (E)* ➔ Crète (bureau russe de Rethymno)
♦ CREVICHON ➔ Jethou
♦ *Crimée* ➔ Russie (Armée Wrangel)
❖ CROATIA ➔ Croatie libre
↬ *Croatia (E)* ➔ Croatie
↬ *Croatia-Slavonia (E)* ➔ Yougoslavie

■ **Croatie**
Croatia (E)
1941-1945 ; 1991-auj.
Europe
Yvert et Tellier, Tome 3, 1ʳᵉ partie
  l N. D. HRVATSKA (1943-1945)
    NEZAVISNA DRZAVA HRVATSKA (1941-1945, 1960)
    NEZ. DRZ. HRVATSKA (1943-1945)
    REPUBLIKA HRVATSKA (1991-auj.)
  s NEZAVISNA DRZAVA HRVATSKA (Yougoslavie : 1941)
  m kuna, kune, k, kn, hrd

☐ **Croatie (timbres d'exil)**
Croatia: issued in exile (E)
1934 ; 1945-1991
Europe
Émission non admise par l'U.P.U.
  I   FREE CROATIA
      ANTEMURALE CHRISTIANITATIS POPE LEO
      X 1519 (1953)
      HELP CROATIAN BISHOPS AND CLERGY
      (1956)
      N. D. HRVATSKA (1949-1965)
      NEZAVISNA DRZAVA HRVATSKA (195-1980)
      NEZ. DRZ. HRVATSKA (1943-1965)
      REPUBLIKA HRVATSKA PRO CROATIA (1991)
      SLOBODNA DRZAVA HRVATSKA (1974)
      ZA NEZAVISNU DRZAVU HRVATSKU (1934)
  m   banika, kuna, kune, kn

◆ CROCIERA ZEPPELIN CIRENAICA ➔ Cyrénaïque
  (colonie italienne)
❖ CROCIERA ZEPPELIN ISOLE ITALIANE 1933 DEL
  EGEO AXI ➔ Italie
◆ « croissant et caractères arabes » ➔ Bahawalpur
◆ « croissant et étoile » ➔ Turquie, Turquie (Anatolie)
◆ CROISSANT ROUGE TURC ➔ Turquie
◆ « croix blanche » ➔ Suisse
◆ « croix orthodoxe » ➔ Russie (Armées de l'Ouest)
◆ CROSBY'S CITY POST ➔ États-Unis d'Amérique
  (postes locales et privées) : *New York*
◆ CROSBY'S SPECIAL MESSAGE POST ➔ États-Unis
  d'Amérique (postes locales et privées) : *New York*
◉ crown ➔ Grande-Bretagne
◉ crs ➔ Brésil
◆ CRUZADA CONTRA EL FRIO ➔ Espagne
◉ cruzeiros ➔ Brésil
◆ CRUZ ROJA DOMINICANA ➔ Dominicaine
❖ CRUZ ROJA ESPANOLA ➔ Espagne
◆ CRUZ ROJA HONDURENA ➔ Honduras
❖ CRUZ VERMELHA PORTE FRANCO ➔ Portugal
◆ CRUZ VERMELHA PORTUGUESA ➔ Portugal
◆ CRVENI KRST MONTENEGRO ➔ Monténégro
  (occupation allemande)
◉ cs ➔ Antilles espagnoles, Antioquia, Barcelone,
  Espagne, Guinée espagnole, La Agüera, Maroc (bureaux
  espagnols), Maurice, Nicaragua, Paraguay, Philippines,
  Rio de Oro, Venezuela
◆ C S A POSTAGE ➔ États Confédérés d'Amérique
  (émissions des Maîtres de postes : Uniontown,
  Alabama, ou émissions générales)
◆ C.S.A.R. ➔ Transvaal
◉ cs de eo ➔ Philippines
◉ cs de peseta ➔ Philippines, Puerto Rico
◉ cs de peso ➔ Philippines
◆ CSL. POSTA ➔ Tchécoslovaquie
◆ C S P ➔ Ukraine sub-carpathique
◆ C. S. P. ➔ Ukraine sub-carpathique
◆ C S P 1944 ➔ Ukraine sub-carpathique
◉ cs peseta ➔ Espagne
◆ CS POSTA ➔ Tchécoslovaquie
◉ cs pta ➔ Philippines
◆ CSR ➔ Tchécoslovaquie

◆ CSR 1945 ➔ Tchécoslovaquie
◆ C. S. R. 9. 5. 1945 USTI N. L. ➔ Tchécoslovaquie
◆ CSR NARODNI VYBOR RUMBURK ➔
  Tchécoslovaquie
◉ ct, cts ➔ Aden, Albanie, Andorre (bureaux espagnols),
  Antilles néerlandaises, Asturies et Léon, Autriche-
  Hongrie (occupation en Italie), Barcelone, Bluefield,
  Bolivie, Brésil, Brunei, Bulgarie, Carthagène, Ceylan,
  Chili, Chine, Chine (bureaux des états-Unis), Coamo,
  Costa Rica, Curaçao, Équateur, Érythrée (occupation
  britannique), Espagne (émissions nationalistes), États
  Confédérés d'Amérique (émissions des Maîtres de
  postes), États Confédérés d'Amérique (émissions
  générales), États-Unis d'Amérique (postes locales
  et privées), Fernando Poo, Formose, Guatemala,
  Hawaï, Honduras, Ifni, Inde néerlandaise, Inhambane,
  Kathiri (Seyun), Kenya, Kouang-Tchéou, Libéria,
  Lituanie, Maroc (bureaux allemands), Maroc (bureaux
  espagnols), Maroc (zone nord ex-espagnole), Maroc
  anglais (tous les bureaux <1918/zone espagnole),
  Mexique, Mozambique, Negri Sembilan (occupation
  japonaise), Nicaragua, Nouvelle Guinée Néerlandaise,
  Pahang (occupation japonaise), Panama-Canal, Panama-
  République, Pays-Bas, Pays-Bas (postes locales),
  Pérou, Qu'Aiti (Hadramaout), Rio Muni, Sahara
  espagnol, Sainte-Lucie, Salvador, Selangor (occupation
  japonaise), Shanghai, Somalie italienne (occupation
  britannique), Surinam, Terre-Neuve, Tolima, Trinité,
  Zanzibar
◉ ctavos ➔ Guatemala
◉ ct^{avos} ➔ Dominicaine
◆ CTEDIPHON ➔ Iran
◉ ctms ➔ Elobey/Annobon & Corisco
◉ cto ➔ Costa Rica, Maroc (bureaux espagnols)
◉ c^{to}, c^{tos} ➔ Espagne
◉ ctos ➔ Maroc (bureaux espagnols)
◉ ctot ➔ Bulgarie
◆ CTOT (cyrillique) ➔ Bulgarie
◆ СТОТИНКА (cyrillique) ➔ Bulgarie
◆ СТОТИНКИ (cyrillique) ➔ Bulgarie
◉ ctotИНКА (cyrillique) ➔ Bulgarie
◉ СТОТИНКИ (cyrillique) ➔ Bulgarie
◆ CTS. *(avec caractères asiatiques)* ➔ Negri Sembilan
  (occupation japonaise), Pahang (occupation japonaise),
  Selangor (occupation japonaise)
◉ cts gourde ➔ Haïti
◉ cts piastre ➔ Haïti
◆ CTT CORREIOS ➔ Portugal
◉ ctvs ➔ Cauca, Équateur, Guatemala, Paraguay,
  Philippines, Portugal
◉ cuarto, cuartos ➔ Espagne
◉ cuart^s ➔ Espagne

☐ **Cuautla**
Mexico: provisional issues of Cuautla (E)
1867
Amérique du Nord
  I   ADMON. DE CORREOS DE CUAUTLA (1867)

◆ CUBA ➔ Cuba

■ **Cuba**
1874-auj.
Amérique Centrale
Yvert et Tellier, Tome 5, 2e partie
 I CORREOS CUBA (1961-auj.)
  CORREOS DE CUBA (1961-auj.)
  CUBA (1880-auj.)
  CUBA TELEGRAFOS (1868-1896)
  CUBA TELEG^S (1868-1896)
  CUBA TELE^S (1868-1896)
  CVBA (1944)
  ISLA DE CUBA (1890-1897)
  REPUBLICA DE CUBA (1910-1959)
  ULTRAMAR 1874, ULTRAMAR 1875 (1874-1876)
  ULTRAMAR 1876 (1874-1876)
  ULTRAMAR AND 1873 (1873)
 s CUBA (États-Unis d'Amérique : 1899)
 m c d peseta, cents peseta, peseta, c de peso,
  milesima, milesimas, centavo, centavos, c
 ⇨ Puerto Rico

꜔ *Cuba: Spanish occupation (E)* ➜ Antilles espagnoles
◆ CUBA TELEGRAFOS ➜ Cuba
◆ CUBA TELEG^S ➜ Cuba
◆ CUBA TELE^S ➜ Cuba

□ **Cucuta**
Colombia: Cucuta (E)
1900-1907
Amérique du Sud
Yvert et Tellier, Tome 5, 2e partie
(à : Colombie)
 I CORREOS DE LA PROVINCIA DE CUCUTA
  (1904-1907)
  DEPARTAMENTO DE SANTANDER (1904-1907)
  DEP SANTANDER, DEP. DE SANTANDER
  (1904-1907)
  GOBIERNO PROVISIONAL CORREOS
  ESTADOS UNIDOS DE COLOMBIA (1900)
  GOBIERNO PROVISIORIO CORREOS
  ESTADOS UNIDOS DE COLOMBIA (1900)
  PROVINCIA DE CUCUTA (1904-1907)
 m cvos, centavos, peso, cvo, cvs

❖ CUERDO DE TELEGRAFOS ➜ Espagne
◆ CUERNAVACA CORREOS ➜ Cuernavaca

□ **Cuernavaca**
Mexico: provisional issues of Cuernavaca (E)
1867
Amérique du Nord
Yvert et Tellier, Tome 6, 2e partie
(à : Mexique)
 I CUERNAVACA CORREOS (1867)

❖ CUMHURIYETI ➜ Chypre
❖ CÜMHURIYETI ➜ Turquie
◆ CUMMING'S CITY EXPRESS POST N.Y. ➜ États-Unis d'Amérique (postes locales et privées) : *New York*

◆ CUMMING'S CITY POST ➜ États-Unis d'Amérique
 (postes locales et privées) : *New York*
꜔ *Cunani (E)* ➜ Counani

□ **Cundinamarca**
Colombia: Cundinamarca (E)
1870-1906
Amérique du Sud
Yvert et Tellier, Tome 5, 2e partie
(à : Colombie)
 I CORREOS DEL E^O S^O DE CUNDINAMARCA
  (1878)
  CORREOS DEL E. S. DE CUNDINAMARCA
  (1878)
  DEPARTAMENTO DE CUNDINAMARCA
  (1904-1906)
  DEP^{TO} DE CUNDINAMARCA (1904-1906)
  E. S. DE CUNDINAMARCA (1882-1886)
  ESTADO SOBERANO DE CUNDINAMARCA
  (1882-1886)
 m centavos, cents, peso

❖ CUNHA ➜ Tristan da Cunha
◆ CURAÇAO ➜ Curaçao

□ **Curaçao**
Netherlands Antilles (E)
1873-1948
Amérique du Sud
Yvert et Tellier, Tome 5, 2e partie
 I CURAÇAO (1873-1948)
  CURAÇAO HELPT NEDERLAND (1946)
  CURAÇAO HELPT ONZE OOST (1946)
  KOLONIE CURAÇAO (1903-1904)
  LUCHTPOST CURAÇAO (1931-1947)
  POSTZEGEL KOLONIE CURAÇAO (1903-1904)
  TE BETALEN PORT (1889-1949)
 m cent, ct, c, gulden

◆ CURAÇAO HELPT NEDERLAND ➜ Curaçao
◆ CURAÇAO HELPT ONZE OOST ➜ Curaçao
◆ CUTTING'S DESPATCH POST ➜ États-Unis d'Amérique (postes locales et privées) : *Buffalo (New York)*
◆ CUZCO ➜ Cuzco

□ **Cuzco**
Peru: provisional issues of Cuzco (E)
1881-1885
Amérique du Sud
Yvert et Tellier, Tome 7, 1re partie
(à : Pérou)
 s 18° DISTRITO (Arequipa : 1881-1885)
  DISTRITO (Arequipa : 1881-1885)
  CUZCO (Arequipa, Pérou : 1881-1885)
  FRANCO CUZCO (Pérou : 1885)
  T (Pérou : 1885)

⊙ cv ➜ Manizales
◆ CVBA ➜ Cuba
⊙ cvo ➜ Cucuta

⊙ cvos ➜ Cucuta, Nicaragua, Philippines, Philippines (occupation japonaise)

⊙ cvs ➜ Colombie, Cucuta, Mexique

❖ CXC KRALIE VINA SHS (cyrillique) ➜ Yougoslavie

⊙ cy ➜ Canada

⊙ stg ➜ Canada

⊙ cym ➜ Ouzbékistan

◆ CYPRUS ➜ Chypre

◆ CYPRUS ΚΥΠΡΟΣ KIBRIS (grec) ➜ Chypre

◆ CYPRUS KIBRIS ➜ Chypre

◆ CYRENAICA ➜ Cyrénaïque (occupation britannique)

Ꝓ *Cyrenaica (E)* ➜ Cyrénaïque (colonie italienne)

Ꝓ *Cyrenaica: Autonomous State (E)* ➜ Cyrénaïque (occupation britannique)

□ **Cyrénaïque (colonie italienne)**
Cyrenaica (E)
1923-1934
Afrique
Yvert et Tellier, Tome 5, 2ᵉ partie
  l CROCIERA ZEPPELIN CIRENAICA (1933)
    POSTA AEREA CIRENAICA (1926-1932)
    POSTE CIRENAICA (1926-1932)
    CIRENAICA (1926-1934)
  s CIRENAICA (Italie : 1923-1931)
    CIRENAICA (Tripolitaine : 1932)
  m cent, lira, lire
  ⇨ Libye

□ **Cyrénaïque (occupation britannique)**
Cyrenaica: Autonomous State (E)
1949-1950
Afrique
Yvert et Tellier, Tome 5, 2ᵉ partie
  l CYRENAICA (1949-1950)
    POSTS OF CYRENAICA (1949)
  m mill, mills
  ⇨ Libye

❖ CYRUS ➜ Iran

⊙ cz$ ➜ Brésil

Ꝓ *Czechoslovakia (E)* ➜ Tchécoslovaquie

Ꝓ *Czechoslovakia: Bohemia and Moravia (E)* ➜ Bohème et Moravie

Ꝓ *Czechoslovakia: German occupation of the Sudetenland (E)* ➜ Tchécoslovaquie (occupation allemande des territoires des Sudètes)

Ꝓ *Czechoslovak Legion Post (E)* ➜ Tchécoslovaquie (Légion en Sibérie)

Ꝓ *Czech Republic (E)* ➜ Tchèque (République)

❖ CZERNAWODA ➜ Turquie (Entreprise Lianos et Cⁱᵉ)

⊙ czS ➜ Brésil

⊙ d ➜ Afrique centrale britannique, Afrique du Sud (compagnie britannique de l'), Afrique du Sud (Union de l'), Antarctique britannique, Antilles espagnoles, Ascension, Aurigny, Australie, Australie occidentale, Bade, Bahamas, Barbade, Basoutoland, Bermudes, Biafra, Brechou, Caïmanes (Îles), Cameroun allemand, Cap de Bonne-Espérance (guerre anglo-boer), Cocos, Cook, Côte de l'Or, Côte du Niger, Cuba, Davaar, Dominique, Falkland, Falkland (dépendances), Fidji, Gambie, Ghana, Gibraltar, Gilbert & Ellice, Grande-Bretagne (compagnies privées de chemins de fer), Grenade, Guernesey, Guernesey (occupation allemande), Herm, Ingrie, Iran, Jamaïque, Jersey (occupation allemande), Jethou, Leeward, Malawi, Malte, Marshall, Montserrat, Nauru, Nigeria, Nigeria du Nord, Nigeria du Sud, Niue, Norfolk, Nouvelle Guinée (occupation britannique, administration australienne), Nouvelle République d'Afrique du Sud, Nouvelle-Galles du Sud, Nouvelle-Zélande, Nouvelles-Hébrides, Nyassaland, Orange, Pabay, Papouasie, Papouasie et Nouvelle-Guinée, Pitcairn, Prince Édouard, Rhéno-Palatin (État), Rhodésie, Rhodésie du Nord, Rhodésie du Sud, Rhodésie-Nyassaland, Ross (terre de), Saint-Christophe, Saint-Vincent, Sainte-Hélène, Sainte-Lucie, Salomon, Samoa, Sierra Leone, Soudan, Sud-Ouest Africain, Sud-Vietnam (République du), Swaziland, Tasmanie, Territoire Antarctique Australien, Tobago, Tokelau, Tonga, Transvaal, Trinité, Tristan da Cunha, Turks et Caïques, Victoria, Vierges, Vietnam du Nord, Vietnam du Sud, Vietnam (République Socialiste), Wurtemberg (occupation française), Yougoslavie, Zambie, Zoulouland

◆ D ➜ Iran

◆ D1/2 (avec une lettre dans chaque coin du timbre) ➜ Grande-Bretagne

◆ DAGESTAN ➜ Russie (postes locales de l'ex-U.R.S.S. : République du Daghestan)

◆ DAGESTAN REPUBLIC ➜ Russie (postes locales de l'ex-U.R.S.S. : République du Daghestan)

◉ *Daghestan (République du)* ➜ Russie (postes locales de l'ex-U.R.S.S.)

❖ DAG VAN DE POSTZEGEL ➜ Pays-Bas (postes locales : *Arnhem*)

◆ DAHOMEY ➜ Dahomey (colonie française)

□ **Dahomey**
Dahomey: Republic (E)
1960-1975
Afrique
Yvert et Tellier, Tome 2, 2ᵉ partie
  l RÉPUBLIQUE DU DAHOMEY (1960-1975)
  m f

☐ **Dahomey (colonie française)**
Dahomey: French colony (E)
1899-1944
Afrique
Yvert et Tellier, Tome 2, 1ʳᵉ partie
l   DAHOMEY (1906-1944)
    DAHOMEY ET DÉPENDANCES (1899-1912)
m c, f, fr
⇨ Togo (occupation militaire)

◆ DAHOMEY ET DÉPENDANCES ➜ Dahomey
(colonie française)

◆ DAI NIPPON 2602 ➜ Kedah (occupation japonaise),
Pahang (occupation japonaise)

◆ DAI NIPPON 2602 MALAYA ➜ Malacca (occupation
japonaise), Malaisie (occupation japonaise), Negri
Sembilan (occupation japonaise), Perak (occupation
japonaise), Selangor (occupation japonaise), Trengganu
(occupation japonaise)

◆ DAI NIPPON 2602 MALAYA SELANGOR
EXHIBITION ➜ Malacca (occupation japonaise)

◆ DAI NIPPON 2602 PENANG ➜ Penang (occupation
japonaise)

◆ DAI NIPPON YUBIN ➜ Perak (occupation japonaise)

◆ DAI NIPPON YUBIN 2408 SEDANG ➜ Sedang
(Royaume de, poste locale) :*occupation japonaise*

℗ *Dalmatia (E)* ➜ Dalmatie

☐ **Dalmatie**
Dalmatia (E)
1921-1922
Europe
Yvert et Tellier, Tome 3, 2ᵉ partie
(à : *Italie*)
s   CENTESIMI DI CORONA (Italie : 1921-1922)
    CORONA (Italie : 1921-1922)
    LIRE DI CORONA (Italie : 1921-1922)

◆ DALTON GA. ➜ États Confédérés d'Amérique
(émissions des Maîtres de postes : Dalton, Georgie)

❖ DAMPFSCHILFAHRT ➜ Compagnie Danubienne de
Navigation à Vapeur

■ **Danemark**
Denmark (E)
1851-auj.
Europe
Yvert et Tellier, Tome 3, 1ʳᵉ partie
l   AVISPORTO MAERKE (1907-1915)
    DANMARK (1870-auj.)
    FRIMAERKE KGL POST (1851)
    GENERALDIREKTORATET FOR POST-OG
    TELEGRAFVAESENET (1934)
    GENERALDIREKTORATET FOR
    POSTVAESENET (1890)
    KGL POST FRM (1854-1864)
    KONGELIGT POST FRIMAERKE (1851)
    ODENSE BYPOST (1884-1891)
    POSTVAESENETS OVERBESTVREISE
    KJØBENHAVN (1878)
    TJENESTE POST FRIMAERKE (1871-1924)
m rigsbank-skilling, rbs, s, sk, ØRE, krone, kroner, kr
⇨ Féroé (occupation anglaise)

◆ *Danemark* ➜ voir aussi : Féroé, Féroé (occupation
anglaise), Groenland
℗ *Danish West Indies (E)* ➜ Antilles danoises
◆ *Dankov* ➜ Zemstvos
◆ DANMARK ➜ Danemark
◆ DANSK VESTINDIEN ➜ Antilles danoises
◆ DANSK VEST. INDIEN ➜ Antilles danoises
◆ DANSK VESTINDISKE OER ➜ Antilles danoises

☐ **Dantzig**
Danzig (E)
1920-1939
Europe
Yvert et Tellier, Tome 4, 1ʳᵉ partie
l   DANZIG (1921-1937)
    FREIE STADT DANZIG (1921-1939)
    VOM EMPFANGER EINZUZIEHEN (1921-
    1939)
s   DANZIG (Allemagne : 1920)
m pfennige, mark, m, mk, gr, gulden, rpf, reichsmark

☐ **Dantzig (bureau polonais)**
Poland: Polish offices in Danzig (E)
1925-1938
Europe
Yvert et Tellier, Tome 4, 1ʳᵉ partie
l   POCZTA POLSKA PORT GDANSK (1938)
s   PORT GDAŃSK (Pologne : 1925-1937)
m gr

℗ *Danube Steamship Company (E)* ➜ Compagnie
Danubienne de Navigation à Vapeur
◆ DANVILLE VA. ➜ États Confédérés d'Amérique
(émissions des Maîtres de postes : Danville, Virginie)
◆ *Danville (Virginie)* ➜ États Confédérés d'Amérique
(émissions des Maîtres de postes)
◆ DANZIG ➜ Dantzig
◆ DARDANELLES ➜ Levant (bureaux russes)
❖ DARIUS ➜ Iran
◆ DARIUS SUR SON TRONE ➜ Iran

❖ DARULEHSAN ➔ Selangor

❖ DARUSSALAM ➔ Brunei

☐ **Datia**
* *Duttia: Native Feudatory State (E)*
1893-1919
Asie
Yvert et Tellier, Tome 5, 3ᵉ partie
(à : *États princiers de l'Inde*)
  l DUTTIA STATE (1898-1919)

☐ **Davaar**
1964-1973
Europe
Émission non admise par l'U.P.U.
  l DAVAAR ISLAND (1964-1973)
  m p, d

◆ DAVAAR ISLAND ➔ Davaar

◆ DAVIS'S PENNY POST BALT. ➔ États-Unis d'Amérique (postes locales et privées) : *Baltimore*

❖ DAWK ➔ Inde anglaise

⊙ db ➔ Saint-Thomas et Prince

◆ DBP K.1 K., DBP K.2 K., DBP K.3 K., DBP K.7 K., DBP K.10 K., etc. ➔ Vladivostok

◆ DBSR LOCAL POST KUSTENDJE CZERNAWODA ➔ Turquie (Entreprise Lianos et Cⁱᵉ)

⊙ d cy ➔ Prince Édouard

◆ D D R ➔ Allemagne Orientale (République Démocratique)

❖ D.D.S.G. ➔ Compagnie Danubienne de Navigation à Vapeur

◆ *De Bilt / Bilthoven* ➔ Pays-Bas (postes locales)

☐ **Debreczen**
Hungary: Romanian occupation - Debreczen issue (E)
1919-1920
Europe
Yvert et Tellier, Tome 4, 1ʳᵉ partie
(à : *Hongrie*)
  s SEGÉLY-BÉLYEG (Hongrie : 1919)
     ROMANIA ZONA DE OCUPATIE 1919
     (Hongrie : 1920)
     ZONA DE OCUPATIE ROMANA 1919
     (Hongrie : 1919-1920)
  m filler, korona

𝕡 *Dedeagatch (E)* ➔ Dédéagh

◆ DÉDÉAGH ➔ Dédéagh (bureau français)

☐ **Dédéagh**
Dedeagatch (E)
1913
Europe
Yvert et Tellier, Tome 3, 1ʳᵉ partie
(à : *Grèce*)
  l ΕΛΛΗΝΙΚΗ ΔΙΟΙΚΗΣΙΣ ΔΕΔΕΑΓΑΤΣ (1913)
     ΠΡΟΣΩΡΙΝΟΝ ΕΛΛΗΝΙΚΗ ΔΙΟΙΚΗΣΙΣ
     ΔΕΔΕΑΓΑΤΣ (1913)
  s ΕΛΛΗΝΙΚΗ ΔΙΟΙΚΗΣΙΣ ΔΕΔΕΑΓΑΤΣ
     (Bulgarie : 1913)
  m ΛΕΡΤΟΝ, ΛΕΡΤΑ, ΔΡΑΧΜΗ

☐ **Dédéagh (bureau français)**
French Offices in Turkish Empire: Dedeagh (E)
1893-1911
Europe
Yvert et Tellier, Tome 2, 1ʳᵉ partie
  l DÉDÉAGH (1902-1911)
  s DÉDÉAGH (France : 1893-1900)
  m c, piastres

◆ DEFICIT ➔ Pérou
◆ DEH SEDANG ➔ Sédang (Royaume de)
◆ DE L'ÉTAT DU KATANGA 11 JUILLET ➔ Katanga
◆ *Delfzijl* ➔ Pays-Bas (postes locales)
❖ DELGADA ➔ Ponta Delgada
◆ DELIVERED BY SCOUTS ➔ Grande-Bretagne (postes de Noël)
◆ *Demiansk* ➔ Zemstvos
◆ DEMING'S PENNY POST FRANKFORD ➔ États-Unis d'Amérique (postes locales et privées) : *Frankford (Pennsylvanie)*
◆ DEMNAT MARRAKECH ➔ Maroc (postes locales)
◆ DEMOCRACIA EN CHILE ➔ Chili
◆ DEMOCRATIC REPUBLIC OF SUDAN ➔ Soudan
◆ DEMOKRATSKA FEDERATIVNA JUGOSLAVIJA ➔ Yougoslavie
◆ *Demopolis (Alabama)* ➔ États Confédérés d'Amérique (émissions des Maîtres de postes : Demopolis, Alabama)
◆ *Den Helder* ➔ Pays-Bas (postes locales)
𝕡 *Denmark (E)* ➔ Danemark
◆ DENNIK NASINEC OLOMOUC FRANKO HOTOVE ZAPLACENO ➔ Tchécoslovaquie
◆ DEPARTMENT OF HAWAII FOREIGN AFFAIRS ➔ Hawaï
◆ DEPARMENTOS DEL SUR ➔ Arequipa
◆ DEPARTAMENTO DE ANTIOQUIA ➔ Antioquia
◆ DEPARTAMENTO DE BOLIVAR ➔ Bolivar
◆ DEPARTAMENTO DE BOYACA ➔ Boyaca
◆ DEPARTAMENTO DE CUNDINAMARCA ➔ Cundinamarca
◆ DEPARTAMENTO DEL TOLIMA ➔ Tolima
◆ DEPARTAMENTO DE SANTANDER ➔ Cucuta
◆ DEPARTAMENTO DE SANTANDER ➔ Santander
◆ DEPARTATOS DEL SUR ➔ Arequipa
◆ DEPARTMENT GOVERNMENT TELEGRAPH ➔ Ceylan
◆ DEPARTMENTO DE PANAMA ➔ Panama-Colombie

- DEPARTMENT OF COMMUNICATIONS OF JAPAN → Japon
- DEPARTMENT OF INTERIOR → États-Unis d'Amérique
- DEPARTMENT OF JUSTICE → États-Unis d'Amérique
- DEPARTMENT OF NAVY → États-Unis d'Amérique
- DEPARTMENT OF STATE → États-Unis d'Amérique
- DEPARTMENT OF WAR → États-Unis d'Amérique
- DEP. DE SANTANDER → Cucuta
- DEP SANTANDER → Cucuta
- ❖ DEPTO DE APURIMAC ABANCAY → Apurimac
- DEPTO DE BOYACA → Boyaca
- DEPTO DE CUNDINAMARCA → Cundinamarca
- DEPTO DE SANTANDER → Santander
- DEPT OF AGRICULTURE → États-Unis d'Amérique
- DERECHO JUDICIAL → Philippines
- DERECHOS DE FIRMA → Philippines
- ❖ DESCOBERTA DA GUINÉ → Guinée portugaise
- ❖ DESH → Bangladesh
- DESPATCH → États-Unis d'Amérique
- DESPATCH POST G. S. HARRIS PAID → États-Unis d'Amérique (postes locales et privées) : *Philadelphie*
- DESPATCH POST T. A. HAMPTON PAID → États-Unis d'Amérique (postes locales et privées) : *Philadelphie*
- DE STADSPOST → Pays-Bas (postes locales : *Maastricht, Sittard*)
- ❖ DE TÉTOUAN À EL KSAR → Maroc (postes locales)
- DEUTSCHE BESETZUNG ZARA → Italie (occupation allemande)
- DEUTSCHE BUNDESPOST → Allemagne fédérale
- DEUTSCHE BUNDESPOST BERLIN → Allemagne (Berlin)
- DEUTSCHE BUNDESPOST SAARLAND → Sarre
- DEUTSCHE DEMOKRATISCHE REPUBLIK → Allemagne Orientale (République Démocratique)
- DEUTSCHE FELDPOST → Allemagne
- DEUTSCHE FLUGPOST → Allemagne
- DEUTSCHE LUFTPOST → Allemagne
- DEUTSCHE MILITAER-VERWALTUNG MONTENEGRO → Monténégro (occupation allemande)
- DEUTSCHE MILITÄR-VERWALTUNG KOTOR → Italie (occupation allemande)
- DEUTSCHE NATIONALVERSAMMLUNG → Allemagne
- DEUTSCHE POST → Allemagne (Berlin), Allemagne (zones Américaine, Anglaise et Soviétiques d'occupation - zones A.A.S.), Allemagne bizone (zone anglo-américaine d'occupation), Allemagne Orientale (République Démocratique), Allemagne Orientale (zone soviétique d'occupation : émissions générales)
- DEUTSCHE POST BERLIN → Allemagne (Berlin)
- DEUTSCHE POST BUNDESLAND SACHSEN → Saxe Orientale
- DEUTSCHE POST LEIPZIGER MESSE 1948 DEUTSCHE POST MM→ Allemagne Orientale (zone soviétique d'occupation : émissions générales)
- DEUTSCHE POST LEIPZIGER MESSE 1949 DEUTSCHE POST MM→ Allemagne Orientale (zone soviétique d'occupation : émissions générales)
- DEUTSCHE POST OSTEN → Pologne (occupation allemande)
- DEUTSCHE POST PFENNIG DEUTSCHE POST → Saxe Occidentale
- DEUTSCHE POST STADT LÜBBENAU → Allemagne Orientale (zone soviétique d'occupation : postes locales)
- DEUTSCHE POST WIEDERAUFBAU STADT LÜBBENAU → Allemagne Orientale (zone soviétique d'occupation : postes locales)
- DEUTSCHE REICHSPOST → Allemagne
- DEUTSCHE REICHS-POST → Allemagne
- DEUTSCHER GAU OSTTIROL → Autriche (postes locales ou privées) : *Tirol Oriental*
- DEUTSCHES NATIONALTHEATER → Thuringe
- DEUTSCHES REICH → Allemagne
- DEUTSCHES REICH BÖHMEN UND MAHREN CECHY A MORAVA → Bohème et Moravie
- DEUTSCHES REICH GENERAL GOUVERNEMENT → Pologne (occupation allemande)
- ❖ DEUTSCHLAND → Allemagne bizone (zone anglo-américaine d'occupation), Allemagne fédérale
- DEUTSCHLAND → Allemagne fédérale
- DEUTSCH NEUGUINEA → Nouvelle Guinée (colonie allemande)
- DEUTSCH NEU GUINEA → Nouvelle Guinée (colonie allemande)
- DEUTSCH-OSTAFRIKA → Afrique orientale allemande (colonie allemande)
- DEUTSCHÖSTERREICH → Autriche
- DEUTSCH-SÜDWESTAFRIKA → Afrique du Sud-Ouest (colonie allemande)
- DEUTSCH-SÜDWEST-AFRIKA → Afrique du Sud-Ouest (colonie allemande)
- ● *Deventer* → Pays-Bas (postes locales)
- ❖ DEVLETI → Alexandrette (administration turque)
- ❖ DEVLETI POSTALARI → Chypre (administration turque)
- DEVOLUCION DE CORRESPONDENCIA SOBRANTE → Espagne
- DFB CITY EXPRESS → États-Unis d'Amérique (postes locales et privées) : *New York*
- ⊙ dh → Ajman, Émirats arabes unis, Fujeira, Maroc, Qatar, Ras al Khaima, Sharjah

☐ **Dhar**
* *Dhar: Native Feudatory State (E)*
1898-1899
Asie
Yvert et Tellier, Tome 5, 3ᵉ partie
(à : *États princiers de l'Inde*)
I DHAR STATE POSTAGE (1898-1899)
m anna

- DHAR STATE POSTAGE → Dhar
- ❖ DHMOKPATIA (grec) → Grèce

☐ **Dhofar**
Dhufar (E)
1963-1976
Asie
Émission non admise par l'U.P.U.
  l DHUFAR (1963-1976)
  m b, r

⊙ dhs ➜ Émirats arabes unis
◆ DHUFAR ➜ Dhofar
⊙ di ➜ Iran
❖ DIAMOND JUBILEE 1897 ➜ Grande-Bretagne
◆ DIA MUNDIAL DE LA SALUO MEXICO ➜ Mexique
◆ DIÉGO-SUAREZ ➜ Diégo-Suarez

☐ **Diégo-Suarez**
Diego-Suarez (E)
1890-1893
Afrique
Yvert et Tellier, Tome 2, 1ʳᵉ partie
  l DIÉGO-SUAREZ (1890-1893)
  s 15 (*penché*) (Colonies françaises : 1890)
     DIÉGO-SUAREZ (Colonies françaises : 1891-1892)
  m c, centime, centimes
  ⇨ Madagascar (colonie française)

❖ DIEMENS LAND ➜ Tasmanie
❖ DIENSTMARKE ➜ Allemagne
◆ DIENSTMARKE BAYERN ➜ Bavière
◆ *Dikson (Île)* ➜ Russie (postes locales de l'ex-U.R.S.S.)
❖ DILACERADA ➜ Brésil
◆ DILIGENCIA ➜ Uruguay
⊙ din ➜ Lubiana-Slovénie (occupation italienne), Trieste (Zone B Yougoslave), Yougoslavie
⊙ dinar ➜ Abou Dhabi, Arabie du Sud, Irak, Iran, Kuwait, Mahra, Yougoslavie
⊙ dinar, dinars ➜ Irak, Iran, Soudan
⊙ dinara ➜ Yougoslavie
◆ DINARS ➜ Iran
◆ DINARS + DINARS ➜ Iran
◆ DINARS + RIALS ➜ Iran
⊙ dinero ➜ Pérou
❖ DIOL. GKIOYMOY LTZINAS (grec) ➜ Thrace
❖ DIOIKHCIC (grec) ➜ Albanie (occupation grecque)
❖ DIOIKHEIE (grec) ➜ Dédéagh
❖ DIOIKHSIS (grec) ➜ Cavalle, Icarie
◆ DIOS PATRIA REY ➜ Espagne (émissions nationalistes : Mondragon)
◆ DIOS PATRIA REY CATALUNA ➜ Espagne (Insurrection Carliste)
◆ DIOS PATRIA REY ESPANA ➜ Espagne
◆ DIOS PATRIA REY ESPAÑA ➜ Espagne (Insurrection Carliste)
◆ DIOS PATRIA Y REY 1936 ➜ Espagne (émissions nationalistes :Saint-Sébastien)
❖ DIPUTADOS ➜ Espagne
⊙ dirham, dirhams ➜ Dubaï, Émirats arabes unis, Qatar
⊙ dirhams ➜ Ajman
❖ DISPATCH ➜ États-Unis d'Amérique

❖ DISTRICT DAWK ➜ Inde anglaise
◆ DISTRITO ➜ Cuzco
◆ DJ ➜ Côte des Somalis
◆ DJIBOUTI ➜ Côte des Somalis

■ **Djibouti**
1977-auj.
Afrique
Yvert et Tellier, Tome 2, 2ᵉ partie
  l RÉPUBLIQUE DE DJIBOUTI (1977-auj.)
  s RÉPUBLIQUE DE DJIBOUTI (Afars et Issas : 1977)
  m f

◆ DJIBOUTI RF ➜ Côte des Somalis
⊙ dkk ➜ Groenland
⊙ dm ➜ Allemagne (Berlin), Allemagne bizone (zone anglo-américaine d'occupation), Allemagne Fédérale, Allemagne Orientale (République Démocratique), Kosovo
⊙ d.m. ➜ Rhéno-Palatin (État)
◆ *Dmitriev* ➜ Zemstvos
◆ *Dmitrov* ➜ Zemstvos
◆ *Dnieprovsk* ➜ Zemstvos
◆ D. O. BLOOD & CO. ➜ États-Unis d'Amérique (postes locales et privées) : *Philadelphie*
◆ DOCTOR THEBUSSEM ➜ Espagne
🄟 *Dodecanese Islands (E)* ➜ Calino, Carchi, Caso, Coo, Égée (îles de la mer), Égée (îles de la mer) (occupation grecque), Lero, Lipso, Nisiro, Patmo, Piscopi, Rhodes, Scarpanto, Simi, Stampalia
◆ *Doetinchem* ➜ Pays-Bas (postes locales)
⊙ doll. ➜ Chine (bureaux russes)
◆ DOLL. ➜ Chine (bureaux russes)
◆ DOLLAR ➜ Chine (bureaux russes)
⊙ dollar, dollars ➜ Barbade, Bornéo du Nord, Brunei, Canada, Chine, Chine (bureaux allemands), Cook, États-Unis d'Amérique (postes locales et privées), Hong Kong, Jamaïque, Kedah, Kiao-Tchéou, Libéria, Malacca (établissements des détroits de Malacca et Singapour), Chine (bureaux russes), Johore, Nouvelle-Zélande, Terre-Neuve, Trengganu
◆ DOLLAR, DOLLARS ➜ Chine (bureaux russes)
⊙ dollari ➜ Chine (bureaux italiens)
⊙ dollarmung ➜ Mongolie
❖ DOMICILE ➜ France
◆ DOMINICA ➜ Dominique

■ **Dominicaine**
Dominican Republic (E)
1865-auj.
Amérique Centrale
Yvert et Tellier, Tome 5, 3e partie
  l   CORREOS MEDIO REAL (1865-1874)
      CORREOS UN REAL (1865-1874)
      CRUZ ROJA DOMINICANA (1932)
      MEDIO REAL (1865-1874)
      R.D.-UPU (1980)
      REPUBLICA DOMINICANA (1879-auj.)
      RÉPUBLIQUE DOMINICAINE (1887)
      T (1901-1922)
      UN REAL (1865-1874)
  m   real, cents, centimos, franco, francos, centavo,
      ctavos, c, $, rd$

❖ DOMINICANA ➜ Dominicaine
🏠 *Dominican Republic (E)* ➜ Dominicaine
✦ DOMINION OF NEW ZEALAND ➜ Nouvelle-
    Zélande

■ **Dominique**
Dominica (E)
1874-auj.
Amérique Centrale
Yvert et Tellier, Tome 5, 3e partie
  l   COMMONWEALTH OF DOMINICA (1979-
      auj.)
      DOMINICA (1874-1878)
  m   penny, pence, shilling, d, $, cent, c

❖ DONAU DAMPFSCHIFFAHRT. GESELLSCHAFT.
    ➜ Compagnie Danubienne de Navigation à Vapeur
✦ DON BOSCO 1815-1886 ➜ Pays-Bas (postes locales :
    Hertogenbosch)
◆ *Donetz* ➜ Zemstvos
(υ) đồng ➜ Vietnam du Nord
❖ DOPLATA ➜ Lituanie centrale, Pologne
◆ *Dordrecht* ➜ Pays-Bas (postes locales)
✦ DORDT IN STOOM ➜ Pays-Bas (postes locales :
    Dordrecht)
✦ DOUBLES ➜ Herm
✦ DOUGLAS' CITY DESPATCH ➜ États-Unis
    d'Amérique (postes locales et privées) : *New York*
◆ *Doukhovchtchina* ➜ Zemstvos
✦ D. PENCE. P.M RHEATOWN TENN ➜ États
    Confédérés d'Amérique (émissions des Maîtres de
    postes : Rheatown, Tennessee)
⊙ d.pf. ➜ Bade, Rhéno-Palatin (État), Wurtemberg
    (occupation française)
✦ DPRK ➜ Corée du Nord
✦ DPR KOREA ➜ Corée du Nord
✦ DPR OF KOREA ➜ Corée du Nord
✦ DPTO. ZELAYA B TELEGRAFOS ➜ Bluefield
⊙ drs ➜ Iran
✦ D. R. SUDAN ➜ Soudan
✦ DR. THEBUSSEM KRTRO HONORARIO DE
    ESPANA ➜ Espagne
✦ DR. THEBUSSEM KRTRO HONORARIO DE
    ESPANA Y DE SUS INDIAS ➜ Espagne

✦ DR. THEBUSSEM KRTRO HONORARIO DE LA
    HABANA ➜ Espagne
❖ DR. THEBUSSEM KRTRO HONORARIO DE
    MADRID ➜ Espagne
✦ DRUNEN STADSPOST LANGSTRAAT ➜ Pays-Bas
    (postes locales : *Langstraat*)
❖ DRZAVA HRVATSKA ➜ Croatie
❖ DRZAVA S H S ➜ Yougoslavie
✦ DRZAVA S.H.S. BOSNA I HERCEGOVINA ➜
    Yougoslavie
✦ DRZAVNA POSTA HRVATSKA ➜ Yougoslavie
❖ DRZ. HRVATSKA ➜ Croatie
✦ DRZ. POSTA HRVATSKA ➜ Yougoslavie
⊙ d stg ➜ Canada, Prince Édouard
✦ DUBAI ➜ Dubaï

☐ **Dubaï**
Dubai (E)
1963-1972
Asie
Yvert et Tellier, Tome 5, 1re partie
(à : *Arabie du Sud-Est*)
  l   DUBAI (1963-1972)
  m   r, np, dirham

◆ *Dubayy* ➜ Dubaï
✦ DUC. DI PARMA PIAC ECC. ➜ Parme
❖ DUITSCHLAND ➜ Allemagne (occupation belge)
❖ DUITSCH OOST AFRIKA BELGISCHE BEZETTING
    ➜ Ruanda-Urundi
❖ DUPLICATE ➜ États-Unis d'Amérique (compagnies
    privées de télégraphe) : *American Rapid Telegraph
    Company*
✦ DUPUY & SCHENCK PENNY POST ➜ États-Unis
    d'Amérique (postes locales et privées) : *New York*
◆ *Durango* ➜ Espagne (émissions nationalistes)
◆ DURAZZO ➜ Levant (bureaux italiens)
✦ DURCH ZU KÖLN DEUTSCHE POST ➜ Allemagne
    bizone (zone anglo-américaine d'occupation)
🏠 *Duttia (E)* ➜ Datia
✦ DUTTIA STATE ➜ Datia
❖ DZELZCELI ➜ Lettonie
✦ DZIESIECIOLECIE 1944-1954 ➜ Pologne (exil)
✦ E ➜ Grande-Bretagne
⊙ e ➜ Madère, Portugal, Quelimane, Saint-Thomas et
    Prince, Swaziland
⊙ € ➜ Açores, Aland, Allemagne Fédérale, Andorre
    (bureaux espagnols), Andorre (poste française),
    Autriche, Belgique, Espagne, Finlande, France, Grèce,
    Irlande, Italie, Luxembourg, Madère, Mayotte, Monaco,
    Nations Unies (Vienne), Pays-Bas, Portugal, Saint-
    Marin, Saint-Pierre et Miquelon, Terres Australes et
    Antarctiques françaises, Vatican
✦ E A ➜ Algérie
✦ E.A.F. ➜ Somalie italienne (occupation britannique)
✦ EAGLE CITY POST ➜ États-Unis d'Amérique (postes
    locales et privées) : *Philadelphie*
✦ EAGLE POST ➜ États-Unis d'Amérique (postes
    locales et privées) : *Philadelphie*
✦ EASDALE ➜ Easdale

☐ **Easdale**
Europe
Émission non admise par l'U.P.U.
  l   EASDALE

❖ EAST AFRICA ➜ Afrique orientale britannique
● EAST AFRICA AND UGANDA PROTECTORATES
    ➜ Afrique orientale britannique
❖ EAST AFRICA COMPANY ➜ Afrique orientale
  britannique
🏱 *East Africa Forces (E)* ➜ Érythrée (occupation
  britannique), Tripolitaine (occupation britannique)
● EAST AFRICAN COMMUNITY ➜ Est-Africain
❖ EAST AFRICA PROTECTORATE ➜ Afrique orientale
  britannique
🏱 *East China (E)* ➜ Chine orientale
🏱 *Eastern Rumelia (E)* ➜ Roumélie Orientale
🏱 *Eastern Rumelia: South Bulgaria (E)* ➜ Bulgarie du
  Sud
🏱 *Eastern Silesia (E)* ➜ Silésie Orientale
● EAST INDIA ➜ Inde anglaise
● EAST INDIA POSTAGE ➜ Inde anglaise
◆ *Easton (Pennsylvanie)* ➜ États-Unis d'Amérique
  (postes locales et privées)
● EAST RIVER P.O. ➜ États-Unis d'Amérique (postes
  locales et privées) : *New York*
🏱 *East Saxony (E)* ➜ Saxe Orientale
● EATONTON GA. ➜ États Confédérés d'Amérique
  (émissions des Maîtres de postes : Eatonton, Georgie)
☉ ecu ➜ France
◆ ECUADOR ➜ Équateur
◆ ECUADOR PROVISIONAL ➜ Équateur

☐ **Édouard VII (terre d')**
King Edward VII Land (E)
1908
Océanie
Yvert et Tellier, Tome 6, 2ᵉ partie
(à : *Nouvelle-Zélande*)
  s   KING EDWARD VII LAND (Nouvelle-Zélande :
      1908)

❖ EDWARD ISLAND ➜ Prince Édouard
❖ EDWARD VII LAND ➜ Édouard VII (terre d')
● E. E. DE SANTANDER ➜ Santander
◆ E. E. F. ➜ Palestine
◆ EESTI ➜ Estonie
◆ EESTI POST ➜ Estonie, Estonie (occupation
  allemande : poste locale d'Elwa)
◆ EESTI VABARIIK ➜ Estonie
◆ EE. UU. DE C. E. S. DEL T. ➜ Tolima
◆ EE. UU. DE COLOMBIA ➜ Colombie
◆ EE. UU. DE COLOMBIA E. S. DEL TOLIMA ➜
  Tolima
◆ EE. UU. DE COLOMBIA ESTADO S. DEL TOLIMA
  ➜ Tolima
◆ EE. UU. DE VENEZUELA ➜ Venezuela
◆ E. E. U. U. DE VENEZUELA ➜ Venezuela
❖ E.E.U.U. DE VENEZUELA ➜ Venezuela
❖ EFFORTS DE L'IRAN POUR LA VICTOIRE ➜ Iran

☐ **Égée (îles de la mer)**
Italian offices in the Dodecanese Islands (E)
1912-1940
Europe
Yvert et Tellier, Tome 3, 1ʳᵉ partie
  l   ISOLE ITALIANE DELL'EGEO (1940)
  s   EGEO (Italie : 1912)
      ISOLE ITALIANE DELL'EGEO (Italie : 1930-
      1938)
  m cent, lire

◆ *Égée (îles de la mer)* ➜ voir aussi : Calino, Carchi,
  Caso, Coo, Égée (îles de la mer), Égée (îles de la mer)
  (occupation grecque), Lero, Lipso, Nisiro, Patmo,
  Piscopi, Rhodes, Scarpanto, Simi, Stampalia

☐ **Égée (îles de la mer) (occupation grecque)**
*Greece: occupation stamps for use in the
Dodecanese Islands (E)*
1947
Europe
Yvert et Tellier, Tome 3, 1ʳᵉ partie
  s   Σ. Δ. Δ. (Grèce : 1947)

◆ EGEO ➜ Égée (îles de la mer)
❖ EGEO AXI ➜ Italie
❖ EGIZIANE ➜ Égypte

☐ **Église (États Pontificaux)**
Roman States (E)
1852-1868
Europe
Yvert et Tellier, Tome 3, 2ᵉ partie
(à : *Italie*)
  l   FRANCO BOLLO POSTALE (1852-1868)
  m baj, scudo, cent, centesimi

◆ EGYPT ➜ Égypte
◆ ÉGYPTE ➜ Égypte

■ **Égypte**
★ *Egypt (E)*
1866-auj.
Afrique
Yvert et Tellier, Tome 5, 3ᵉ partie
  l   AR EGYPT (1971-1975)
      A.R. EGYPT (1971-1975)
      EGYPT (1957-1958, 1976-auj.)
      ÉGYPTE (1926-1956)
      EGYPT POSTAGE (1914)
      PARA (1967-1969)
      P E (1967-1969)
      POSTES D'EGYPTE (1879-1951)
      POSTES EGYPTIENNES (1879-1951)
      POSTKHEDEUIE EGIZIANE (1872-1879)
      RÉPUBLIQUE D'ÉGYPTE (1954)
      ROYAUME D'ÉGYPTE (1925-1935)
      UAR (1958-1971)
      UAR EGYPT (1958-1971)
      UNITED ARAB REPUBLIC (1968)
  m l.e., para, piastres, milliemes, mills, m, p, r
  ⇨ Palestine (occupation égyptienne), Soudan

❖ EGYPTIENNES ➜ Égypte

🏵 *Egypt: occupation stamps (E)* ➜ Palestine (occupation égyptienne)

✦ EGYPT POSTAGE ➜ Égypte

✦ E. H. L. KURZ UNION DESPATCH POST ➜ États-Unis d'Amérique (postes locales et privées) : *New York*

✦ EIERCITO RENOVADOR ➜ Mexique

✦ EIL ➜ Autriche (postes locales ou privées) : *Graz, Linz, Vienne*

✦ EILMARKE ➜ Autriche (postes locales ou privées) : *Liezen*

◆ *Eindhoven* ➜ Pays-Bas (postes locales)

❖ EINZUZIEHEN ➜ Dantzig

✦ EIRE ➜ Irlande

✦ ÉIRE ➜ Irlande

❖ éıʀeᴀnn 1922 ➜ Irlande

◆ *Ekaterinbourg* ➜ Zemstvos

◆ *Ekaterinbourg (Ville de)* ➜ Russie (postes locales de l'ex-U.R.S.S.)

❖ EKATERINBURG ➜ Russie (postes locales de l'ex-U.R.S.S. : Ville d'Ekaterinbourg [Région Centre-Oural])

☐ **Ekaterinoslav**
ᴧ **1919**
Europe
Yvert et Tellier, Tome 4, 1ʳᵉ partie
(à : *Ukraine*)
s * (Russie : 1919)

◆ *Ekaterinoslav* ➜ voir aussi : Zemstvos

⊙ ekuele ➜ Guinée équatoriale

✦ ELEANOR ROOSEVELT ➜ Formose

✦ ELECTRIC TELEGRAPHS N. S. WALES ➜ Nouvelle-Galles du Sud

✦ ELLYOLPA (grec) ➜ Icarie

✦ ELEZIONI PADANE ➜ Italie (état fédéral)

✦ ELFSTEDENTOCHT 21 FEBRUARI 1985 STADSPOST ➜ Pays-Bas (postes locales : *Haarlem, Leeuwarden*)

◆ *Elisavetgrad* ➜ Zemstvos

❖ EL KSAR ➜ Maroc (postes locales)

❖ ELLADOS TOYPKIAS (grec) ➜ Grèce

✦ ELLAS (grec) ➜ Crète (administration grecque), Grèce

✦ ELL. AYTON HMEIPOS (grec) ➜ Épire

✦ ELL. DIOI. GKIOYMOY LTZINAS (grec) ➜ Thrace

✦ ELLHNIKH (grec) ➜ Cavalle, Dédéagh, Grèce, Icarie

❖ ELLICE ISLANDS ➜ Gilbert & Ellice

✦ ELLIOT-FAIRCHILD AIR SERVICE RED LAKE AERIAL MAIL 1926 ➜ Canada

✦ ELLIOT-FAIRCHILD'S AIR SERVICE SPECIAL AIR DELIVERY ➜ Canada

✦ ELLIOT FAIRCHILD AIR TRANSPORT LIMITED AIR MAIL SERVICE 1926 ➜ Canada

☐ **Elobey, Annobon & Corisco**
1903-1909
Afrique
Yvert et Tellier, Tome 5, 3ᵉ partie
  l ANNOBON Y CORISCO (1903-1909)
    ELOBEY (1903-1909)
    TERRITORIOS ESPANOLES DEL AFRICA OCCIDENTAL CORREOS 1909 (1909)
  m centimo, cents, peseta, ctms, cen de peseta
  ⇨ Guinée espagnole

✦ ELOBEY, ANNOBON Y CORISCO ➜ Elobey, Annobon & Corisco

❖ ELOIGNE SESEL SEYCHELLES ➜ Zil Eloigne Sesel

✦ EL PARLAMENTO A CERVANTES ➜ Espagne

✦ EL PARLAMENTO ESPANOL A CERVANTES ➜ Espagne

✦ EL SALVADOR ➜ Salvador

✦ EL SALVADOR CA ➜ Salvador

✦ EL SALVADOR CAMPEON ➜ Salvador

✦ ELSASS ➜ Alsace-Lorraine

❖ ELUA KENETA ➜ Hawaï

◆ *Elwa* ➜ Estonie (occupation allemande : poste locale d'Elwa)

❖ ELWAGNE SESEL SEYCHELLES ➜ Zil Eloigne Sesel

❖ ELWANNYEN SESEL SEYCHELLES ➜ Zil Eloigne Sesel

✦ « emblème des Scouts (fleur de lys) » ➜ Grande-Bretagne (postes de Noël)

❖ EMIRATES ➜ Émirats arabes unis

■ **Émirats arabes unis**
United Arab Emirates (E)
1971-auj.
Asie
Yvert et Tellier, Tome 5, 3ᵉ partie
  l UAE (1974-1988)
    U. A. E. (1974-1988)
    U. A. EMIRATES (1974)
    UNITED ARAB EMIRATES (1973-auj.)
  s UAE (Abou Dhabi : 1972)
  m dh, dhs, dirham, dirhams, fils

◆ *Emmen* ➜ Pays-Bas (postes locales)

✦ EMORY ➜ États Confédérés d'Amérique (émissions des Maîtres de postes : Emory, Virginie)

◆ *Emory (Virginie)* ➜ États Confédérés d'Amérique (émissions des Maîtres de postes)

✦ EMP. OTTOMAN ➜ Turquie

✦ EMP. OTTOMAN ROUMÉLIE ORIENTALE ➜ Roumélie Orientale

❖ EMPFANGER EINZUZIEHEN ➜ Dantzig

✦ EMPIRE CENTRAFRICAIN ➜ Centrafricaine

✦ EMPIRE CITY DISPATCH CO. ➜ États-Unis d'Amérique (postes locales et privées) : *New York*

✦ EMPIRE D'ÉTHIOPIE ➜ Éthiopie

✦ EMPIRE FRANC ➜ France

✦ EMPIRE FRANÇAIS ➜ Colonies françaises, France

⊙ en ➜ Japon

✦ EN ➜ Japon

- ENAEP. TAXYP. SYTKOIN. ITALIAS-ELLADOS-TOYPKIAS (grec) ➜ Grèce

- ENAPIOMON (grec) ➜ Grèce

- ENCERRAMEN TO DO SANTO-FATIMA 1951 ➜ Colonies portugaises

- ENCOMBREMENT POSTAL SUITE DES GRÈVES COURRIER POSTÉ À REIMS ➜ France

- ENGLAND-AUSTRALIA ➜ Australie

- EN MARK YKSI MARKKA ➜ Finlande

- *Enschede* ➜ Pays-Bas (postes locales)

- EN SOUVENIR DES EFFORTS DE L'IRAN POUR LA VICTOIRE ➜ Iran

- ENTR'AIDE DE L'AVIATION ➜ Colonies françaises

☐ **Entre-Rios**
1898
Amérique du Sud
Yvert et Tellier, Tome 5, 1re partie
(à : *Argentine*)
l PROVINCIAL DE ENTRE RIOS (1898)
m centavos

- ⊙ E⁰ ➜ Chili

- EONIKH (grec) ➜ Grèce

- E⁰ S⁰ DE ANTIOQUIA ➜ Antioquia

- ❖ E⁰ S⁰ DE CUNDINAMARCA ➜ Cundinamarca

- ❖ E⁰ S⁰ DEL TOLIMA ➜ Tolima

- EP *(au milieu de caractères asiatiques)* ➜ Johore (occupation japonaise), Kelantan (occupation japonaise), Malacca (occupation japonaise), Malaisie (occupation japonaise), Negri Sembilan (occupation japonaise), Pahang (occupation japonaise), Perak (occupation japonaise), Selangor (occupation japonaise),Trengganu (occupation japonaise)

- *Epe* ➜ Pays-Bas (postes locales)

- ❖ ÉPINAL TAXE D'ACHEMINEMENT ➜ France

☐ **Épire**
Epirus (E)
1914-1916
Europe
Yvert et Tellier, Tome 3, 1re partie
l ΑΥΤΟΝΟΜΟΣ ΗΠΕΙΡΟΣ (1914-1915)
ΑΥΤΟΝΟΜΟΣ ΗΠΕΙΡΟΣ ΚΟΡΙΤΣΑ (1914-1915)
ΕΛΛ. ΑΥΤΟΝ. ΗΠΕΙΡΟΣ (1914)
ΕΛΛΗΝΙΚΗ ΗΠΕΙΡΟΣ (1914)
ΗΠΕΙΡΟΣ (1914-1916)
ΚΟΡΙΤΣΑ (1915)
s Β ΗΠΕΙΡΟΣ (Grèce : 1915-1916)
m ΛΕΠΤΟΝ, ΛΕΠΤΑ, ΛΕΠΤ., ΔΡΑΧΜ, ΔΡΑΧΜΑΙ
⇨ Albanie

- *Épire* ➜ voir aussi : Argyrocastro

- *Epirus (E)* ➜ Épire

◼ **Équateur**
Ecuador (E)
1865-auj.
Amérique du Sud
Yvert et Tellier, Tome 5, 3e partie
l CORREOS DEL ECUADOR (1866-1986)
CORREOS INTERNOS DEL ECUADOR (1866-1986)
CORREOS ECUADOR (1988-auj.)
CORREOS PROVISIONALES (1897)
ECUADOR (1865-auj.)
ISLAS GALAPAGOS (1957)
REPUBLICA DEL ECUADOR (1899-1959, 1981-1985)
TELEGRAFOS DEL ECUADOR (1893-1922)
UNION POSTALE UNIVERSELLE EQUATEUR (1887)
s ECUADOR PROVISIONAL (Colombie : 1928)
m real, centavos, cents, cts, centv, ctvs, sucre, sucres, s, $, usd

- *Equatorial Guinea (E)* ➜ Guinée Équatoriale

- E. R. I. ➜ Orange, Transvaal

- ER IS MEER DAN VOORHEENAAN DE PTT TE VOLDOEN … NEDERLAND ➜ Pays-Bas (postes locales : *Leeuwarden*)

- ERITREA ➜ Érythrée (République), Érythrée (colonie italienne)

- ❖ ERITREA ➜ Érythrée (occupation britannique)

- ERSTE K. K. PR. DONAU DAMPFSCHILFAHRT. GESELLSCHAFT. ➜ Compagnie Danubienne de Navigation à Vapeur

◼ **Érythrée (République)**
Eritrea (E)
1993-auj.
Afrique
Yvert et Tellier, Tome 5, 3e partie
l **ERITREA** (1993-auj.)
m Nfa, c, birr

☐ **Érythrée (colonie italienne)**
Eritrea (E)
1893-1934
Afrique
Yvert et Tellier, Tome 5, 3e partie
l COLONIA ERITREA (1910-1920)
COLONIE ITALIANE ERITREA (1933-1934)
ERITREA (1920-1934)
REGNO D'ITALIA COLONIA ERITREA (1910-1929)
s COLONIA ERITREA (Italie : 1893-1922)
ERITREA (Italie : 1916-1930 ; Somalie italienne : 1922-1924)
m cent, centesimi, lira, lire

☐ **Érythrée (occupation britannique)**
British Offices in Africa: for use in Eritrea (E)
1948-1951
Afrique
Yvert et Tellier, Tome 5, 3ᵉ partie
  s B. A. ERITREA (Grande-Bretagne : 1950-1951)
    B. M. A. ERITREA (Grande-Bretagne : 1948-1949)
  m cents, cts, sh, shillings

⊙ esc ➜ Mozambique, Portugal
⊙ escudo, escudos ➜ Mozambique (compagnie de), Nyassa
⊙ escudos ➜ Guinée-Bissau
❖ ESCUELA DE HUERFANOS DE CORREOS ➜ Espagne
◆ ESCUELAS BOLIVARES ➜ Venezuela
◆ ESCUELAS CENTAVOS FUERTES ➜ Venezuela
◆ ESCUELAS CENTESIMOS ➜ Venezuela
◆ ESCUELAS CENTIMO ➜ Venezuela
◆ ESCUELAS CENTIMOS ➜ Venezuela
◆ ESCUELA VENEZOLANOS ➜ Venezuela
◆ E. S. DE ANTIOQUIA ➜ Antioquia
◆ E. S. DE CUNDINAMARCA ➜ Cundinamarca
❖ ESIRGEME KURUMU ➜ Turquie

■ **Espagne**
Spain (F)
1850-auj.
Europe
Yvert et Tellier, Tome 3, 1ʳᵉ partie
  l 1605 1905 (1905 ;1938)
    11º CONGRESO INTERNACIONAL DE FERROCARRILES (1920-1930)
    AMERICA ESPAÑA CORREOS (1994 ; 2001)
    ¡ARRIBA ESPAÑA! (1937)
    CARTILLA POSTAL DE ESPAÑA (1869)
    COLEGIO DE HUERFANOS DE TELEGRAFOS (1927-1935)
    COMUNICACIONES (1872-1899)
    COMUNICACIONES ESP. (1872-1899)
    CONGRESO DE LOS DIPUTADOS (1896-1898)
    CORREO AEREO (1929-1937)
    CORREO AEREO ESPAÑA (1929-1937)
    CORREO INTERIOR (1853)
    CORREO OFICIAL (1855)
    CORREO URGENTE (1905-1937)
    CORREOS (1855-1866)
    CORREOS 1850 (1850)
    CORREOS 1851 (1851)
    CORREOS 1852 (1852)
    CORREOS 1853 (1853)
    CORREOS 1854 (1854)
    CORREOS 1864 (1864)
    CORREOS CERTIFICADO (1850)
    CORREOS DR. THEBUSSEM KRTRO HONORARIO DE MADRID (1880)
    CORREOS DE ESPANA (1867-auj.)
    CORREOS FRANCO (1850-1854)
    CORREOS Y TELEGˢ (1879-1882)
    CORREOS Y TELEGᵒˢ (1879-1882)

    CORRESPONDENCIA URGENTE (1905-1937)
    CRUZADA CONTRA EL FRIO (1936-1938)
    DEVOLUCION DE CORRESPONDENCIA SOBRANTE (1875)
    DIOS PATRIA REY ESPANA (1875)
    DOCTOR THEBUSSEM (1890)
    DR. THEBUSSEM KRTRO HONORARIO DE ESPANA (1882)
    DR. THEBUSSEM KRTRO HONORARIO DE ESPANA Y DE SUS INDIAS (1882)
    DR. THEBUSSEM KRTRO HONORARIO DE LA HABANA (1881)
    EL PARLAMENTO A CERVANTES (1916)
    EL PARLAMENTO ESPANOL A CERVANTES (1916)
    ESPAÑA CORREOS (1862-auj.)
    ESTADO ESPANOL (1937-1940)
    EXPOSICION GENERAL ESPANOLA (1929)
    EXPOSICION Gᴿᴬᴸ ESPANOLA (1929)
    EXPOSICION Gᴿᴬᴸ SEVILLA BARCELONA (1929)
    F.C. ANDALUCES SERVICIO PUBLICO DE TELEGRAFOS (1883)
    F. DE D. À A. SERVICIO PUBLICO DE TELEGRAFOS (1883)
    FRANCO CORREOS (1851)
    FRANQUICIA POSTAL (1881) (1930)
    HOGAR ESCUELA DE HUERFANOS DE CORREOS (1938-1941)
    HOGAR TELEGRAFICO (1937)
    GOYA HUERFANOS DEL CUERDO DE TELEGRAFOS (1938-1939)
    DE GUERRA (1873-1898)
    IMPUESTO DE GUERRA (1873-1898)
    LA CRUZ ROJA ESPANOLA (1926-1927)
    MILENARIO DE CASTILLA (1944)
    PLAN SUR DE VALENCIA (1971)
    PRO TUBERCOLOSOS POBRES (1937-1938)
    PRO UNION IBEROAMERICANA (1930)
    R. ALVAREZ SEREIX CARTERO PPAL. HONORARIO (1880)
    ALVAREZ SEREIX CARTERO HONORARIO MADRID (1880)
    RECARGO (1898)
    REPUBLICA ESPANOLA (1931-1938)
    IMPᵀᵒ R. REPUBLICA ESPANOLA CORREO SUBMARINO (1938)
    SEVILLA BARCELONA (1929)
    SEVILLA-BARCELONA EXPOSICION Gᴿᴬᴸ ESPAÑOLA (1929)
    TELEGRAFOS (1864-1951)
    TELEGRAFO VILLADA MUNICIPAL (1901)
    TIMBRE DEL ESTADO (1938)
    TIMBRE MOVIL (1882-1908)
    VII CONGRESSO U.P.U. (1920)
  s CORREO AEREO (1929-1937)
    CORREO AEREO ESPAÑA (1929-1937)
    REPUBLICA ESPANOLA (1931-1938)

m c, c. de peseta, cent, cent de esc°, centimo, centimos, cents peseta, c^s, c^s peseta, c^{to}, c^{tos}, cuarto, cuartos, cuart^s, libra, mil^s de e°, mil^s de esc°, mil^s de escudo, onza, onzas, peseta, pesetas, ptas, pts, real, reales, r, real^s, r^t, €

⇨ Andorre (bureaux espagnols), Cap Juby, Espagne (émissions nationalistes), Espagne (émissions républicaines), Guinée espagnole, Ifni, Maroc (bureaux espagnols), Sahara espagnol

---

☐ **Espagne (émissions nationalistes)**
Spain: issued by the Nationalist Forces (E)
1936-1939
Europe
Yvert et Tellier, Tome 3, 1re partie

l ESPAÑA ISLA DE MENORCA SELLO PROVISIONAL CORREO AÉREO (1939) : *Menorca (Minorque)*
ESPAÑA ISLA DE MENORCA SELLO PROVISIONAL CORREOS (1939) : *Menorca (Minorque)*

s 1.° ANIVERSARIO DEL ALZAMIENTO PATRIOTICA TAFALLA 18-7-1937 (Espagne : 1937) : *Tafalla*
1934-MALAGA-1937 18 JULIO ¡ARRIBA ESPAÑA! FRANCO-FRANCO-FRANCO (Espagne : 1937) : *Malaga*
1936 ANIVERSARIO DEL FRENTE POPULAR 1937 (Espagne : 1937) : *Barcelone*
ANTEQUERA « VIVA ESPANA » JULIO-1936 (Espagne : 1936) : *Antequera*
¡¡ARRIBA ESPAÑA!! 1936 (Espagne : 1936) : *Saint-Sébastien*
ARRIBA ESPAÑA 3-IV-1938 LÉRIDA (Espagne : 1936) : *Lerida*
ARRIBA ESPAÑA AÉREO 1.° ABRIL 1939 VALENCIA (Espagne : 1939) : *Valencia (Valence)*
ARRIBA ESPAÑA AÉREO PROVISIONAL 1.° ABRIL 1939 VALENCIA (Espagne : 1939) : *Valencia (Valence)*
¡ARRIBA ESPAÑA! BADAJOZ 19-Julio-36 (Espagne : 1936) : *Badajoz*
¡ARRIBA ESPAÑA! 18 JULIO 1936 BURGOS (Espagne : 1936) : *Burgos*
ARRIBA ESPAÑA CADIZ (Espagne : 1937) : *Cadix*
¡ARRIBA ESPAÑA! HABILITADO PARA CORRESPONDENCIA URGENTE ¡VIVA ESPAÑA! (Espagne : 1937) : *Saragosse*
¡ARRIBA ESPAÑA! HUESCA 18-VII-37 (Espagne : 1937) : *Huesca*
¡ARRIBA ESPAÑA! MALAGA LIBERADAD 8-2-1937 (Espagne : 1937) : *Malaga*
¡ARRIBA ESPAÑA! NAVARRA 1936 (Espagne : 1936) : *Pamplona (Pampelune)*
¡ARRIBA ESPAÑA! PONTEVEDRA 18 JULIO 1937 11 ANO TRIUNFAL (Espagne : 1937) : *Pontevedra*

¡ARRIBA ESPAÑA! SAN JUAN DESPI 26 ENERO 1939 (Espagne : 1939) : *San Juan Despi*
ARRIBA ESPAÑA VIVA CAUDILLO FRANCO 1936-1937 (Espagne : 1937) : *Santander*
ASTURIAS LIBERADA Y AGRADECIDA A FRANCO ¡ARRIBA ESPAÑA! (Espagne : 1938) : *La Coruna*
AVILA POR ESPAÑA 18 JULIO 1936 (Espagne : 1937) : *Avila*
AYUNTAMIENTO DE CADIZ (Espagne : 1936) : *Cadix*
BADAJOZ ¡¡VIVA ESPAÑA!! AGOSTO-36 (Espagne : 1936) : *Badajoz*
BAENA 5-8-936 ¡¡ARRIBA ESPAÑA!! 3-8-937 (Espagne : 1937) : *Baena*
BAENA POR ESPAÑA 18-7 1936 5-8 (Espagne : 1937) : *Baena*
BAENA ¡VIVA FRANCO! 18-7 1936 5-8 (Espagne : 1937) : *Baena*
BAENA ¡VIVA QUEIPO! 18-7 1936 5-8 (Espagne : 1937) : *Baena*
CANARIAS 18 JULIO 1937 HOMENAJE AL CAUDILLO FRANCO (Espagne : 1937) : *Santa Cruz de Teneriffe*
CANARIAS 18 JULIO 1937 HOMENAJE AL HÉROE MOSCARDO (Espagne : 1937) : *Santa Cruz de Teneriffe*
CANARIAS 18 JULIO 1937 HOMENAJE A LOS HÉROES DE STA MARTA DE LA CABEZA (Espagne : 1937) : *Santa Cruz de Teneriffe*
CANARIAS 18 JULIO 1937 HOMENAJE AL INVICTO MOLA (Espagne : 1937) : *Santa Cruz de Teneriffe*
CASTELLON POR ESPAÑA 1938 (Espagne : 1938) : *Castellon de la Plana*
CORREO AEREO VIVA ESPAÑA (Espagne : 1937) : *Saint-Sébastien*
CORREOS 1936 VIVA ESPAÑA 1937 ZARAGOZA (Espagne : 1937) : *Saragosse*
CORREOS ¡VIVA ESPAÑA! TERUEL HEROICA Y LEAL (Espagne : 1936) : *Teruel*
CORRESPONDENCIA URGENTE (Espagne : 1936) : *Burgos*
CORRESPONDENCIA URGENTE ORDEN 9 NVBRE. 1936 (Espagne : 1936) : *Burgos*
1936) : DIOS PATRIA REY (Espagne : 1936) : *Mondragon*
PATRIA Y REY 1936 (Espagne : 1937) : *Saint-Sébastien*
ESPAÑA 28-IV-1937 DURANGO (Espagne : 1937) : *Durango*
DIOS ESPAÑA I AÑO TRIUNFAL 18-VII-37 (Espagne : 1937) : *Pamplona (Pampelune)*
FIESTA NACIONAL DEL CAUDILLO I-X-II (Espagne : 1938) : *Pamplona (Pampelune)*
FRANCO CAUDILLO DE ESPAÑA TAFALLA 1937 (Espagne : 1938) : *Tafalla*
¡FRANCO! ¡FRANCO! ¡FRANCO! ¡ARRIBA ESPAÑA! (Espagne : 1937) : *Jerez de la Frontera*
X-¡FRANCO! ¡FRANCO! ¡FRANCO! ¡VIVA

ESPAÑA! (Espagne : 1937) : *Caceres*
GENERAL MOLA CAUDILLO DEL NORTE
¡PRESENTE! (Espagne : 1937) : *Bilbao*
1-GOBIERNO NACIONAL DE ESPAÑA
(Espagne : 1936) : *Mondragon*
HABIITADO 0'05 PTAS (Espagne : 1937) :
Baléares
HABIITADO 0'15 PTAS (Espagne : 1937) :
Baléares
HABILITADO 0'05 PTAS (Espagne : 1937) :
Baléares
HABILITADO 0'10 PTAS (Espagne : 1937) :
Baléares
HABILITADO 0'15 PTAS (Espagne : 1937) :
Baléares
HABILITADO PARA CORRESPONDENCIA
URGENTE (Espagne ; 1937) : *Santa Cruz de Teneriffe*
HABILITADO PARA LA CORRESPONDENCIA
URGENTE (Espagne : 1936) : *Burgos*
HABILITADO PARA LA CORRESPOND^IA
URGENTE (Espagne : 1936) : *Burgos*
HABILITADO PARA URGNTE (Espagne :
1937) : *Santa Cruz de Teneriffe*
HABLLLTADO PARA URGNTE (Espagne :
1937) : *Santa Cruz de Teneriffe*
HEROES DEL « BALEARES » ¡PRESENTES!
(Espagne : 1938) : *La Coruna*
HOMENAJE AL GENERAL VARELA 30-5-37
31 10-37 II AÑA TRIUNFAL DEFENSOR DE
SEGOVIA (Espagne : 1937) : *Ségovie*
HOMENAJE DE LUGO A ASTURIAS
LIBERADA 21 OCTUBRE 1937 ¡ARRIBA
ESPAÑA! (Espagne : 1937) : *Lugo*
HOMENAJE GENERAL VARELA 31-X-37
(Espagne : 1937) : *Ségovie*
HUESCA VENCEDORA HEROICA LEAL 1937
(Espagne : 1937) : *Huesca*
HUEVAR VIVA ESPAÑA 18-7-37 (Espagne :
1937) : *Huevar*
HUEVAR VIVA FRANCO 18-7-37 (Espagne :
1937) : *Huevar*
HUEVAR VIVA QUEIPO 18-7-37 (Espagne :
1937) : *Huevar*
J D N 18 JULIO 1936 (Espagne : 1937) :
Salamanca (Salamanque)
CORUNA FRANCO 18 JULIO 1936 (Espagne :
1937) : *La Coruna*
LA LINEA 18-7-1937 ANIVERSARIO AÑO
TRIUNFAL (Espagne : 1937) : *La Linea de la Concepcion*
LINEA DE LA C^ON 18-7-1937 ANIVERSARIO
PRIMER AÑO TRIUNFAL (Espagne : 1937) : *La Linea de la Concepcion*
LA LA LINEA DE LA CONCEPCION VIVA
ESPAÑA CORREOS 18 JULIO 1936 (Espagne :
1936) : *La Linea de la Concepcion*
LOGROÑO (Espagne : 1937) : *Logrono*
MALAGA AGRADECIDA A TRANQUILLO-LA
BIANCHI 8-2-1937 ¡ARRIBA ESPAÑA!

(Espagne : 1937) : *Malaga*
MALAGA A SU CAUDILLO FRANCO 8-2-1937
¡ARRIBA ESPAÑA! (Espagne : 1937) : *Malaga*
MALAGA A SU SALVADOR OUELPO DE
LLANO 8-2-1937 ¡ARRIBA ESPAÑA! (Espagne :
1937) : *Malaga*
MADRID LIBERACION 0,50 CTS 28 MARZO
1939 (Espagne : 1939) : *Madrid*
MADRID LIBERADO 28 MARZO 1939
(Espagne : 1939) : *Madrid*
MALAGA SALUTA AL CONDE CIANO 17-7-39
(Espagne : 1939) : *Malaga*
MANZANILLA UN ANO 1936-1937 DE
TRIUNFO (Espagne : 1937) : *Manzanilla*
NAVARRA 1936 ¡VIVA ESPAÑA! (Espagne :
Pamplona (Pampelune)
PRIMER AÑO TRIUNFAL CANARIAS
(Espagne : 1937) : *Santa Cruz de Teneriffe*
SALUDO A FRANCO 18 DE JULIO 1936-37
CADIZ ¡¡ARRIBA ESPAÑA!! (Espagne : 1937) :
Cadix
SALUDO A FRANCO 29 OCTUBRE CAIDOS
POR ESPAÑA ¡PRESENTES! ARRIBA ESPAÑA
(Espagne : 1937) : *Saragosse*
SALUDO A FRANCO 29 OCTUBRE HEROES
DE BELCHITE ¡PRESENTES! ARRIBA
ESPAÑA (Espagne : 1937) : *Saragosse*
SALUDO A FRANCO 29 OCTUBRE HEROES
DE MONTE-ARAGON ¡PRESENTES! ARRIBA
ESPAÑA (Espagne : 1937) : *Saragosse*
SALUDO A FRANCO 29 OCTUBRE HEROES
DE SARRION ¡PRESENTES! ARRIBA ESPAÑA
(Espagne : 1937) : *Saragosse*
SALAMANCA ¡VIVA ESPAÑA! JULIO 1936
(Espagne : 1937) : *Salamanca (Salamanque)*
SALUDO A FRANCO ¡ARRIBA ESPAÑA! 26-8-
37 SANTANDER (Espagne : 1937) : *Santander*
SAN SEBASTIAN (Espagne : 1937) : *Saint-Sébastien*
SANTA MARIA DE ALBARRACIN ¡VIVA
ESPAÑA! JULIO 1936 (Espagne : 1936) : *Santa Maria de Albarracin*
SEVILLA (Espagne : 1938) : *Séville*
SEVILLA «VIVA ESPAÑA» JULIO 1936
(Espagne : 1936) : *Séville*
TERUEL LA HEROICA VIVA ESPAÑA 31-XII-
37 (Espagne : 1938) : *Teruel*
TRIUNFO DE ESPAÑA BADAJOZ 15-8-36
(Espagne : 1936) : *Badajoz*
TRIUNFO DE ESPAÑA BILBAO 19-6-1937
(Espagne : 1937) : *Bilbao*
TRIUNFO DE ESPAÑA MALAGA 8-2-1937
(Espagne : 1937) : *Malaga*
TRIUNFO DE ESPAÑA SAN SEBASTIAN 13-
IX-1936 (Espagne : 1936) : *Saint-Sébastien*
TRIUNFO DE ESPAÑA SANTANDER 26-8-
1937 (Espagne : 1937) : *Santander*
TRIUNFO DE ESPAÑA TOLEDO 27-9-36
(Espagne : 1936) : *Toledo (Tolède)*
UNA GRANDE LIBRE (Espagne : 1938) : *Azuaga*

UNA GRANDE LIBRE (Espagne : 1938) : *Séville*
URGENTE (Espagne : 1937) : *Malaga*
URGENTE (Espagne : 1936) : *Burgos*
URGENTE (Espagne : 1937) : *Saragosse*
VALLADOLID 1936 HABILITADO PARA
CORREOS (Espagne : 1936) : *Valladolid*
VIA AÉREA (Espagne : 1938) : *Burgos*
¡VIVA 19-VII-36 ESPAÑA! (Espagne : 1937) :
Vitoria
VIVA ESPAÑA (Espagne : 1937) :*Vitoria*
¡VIVA ESPAÑA! (Espagne : 1936) : *Orense*
VIVA ESPAÑA 18-7-36 CANARIAS (Espagne :
1937) : *Santa Cruz de Teneriffe*
VIVA ESPAÑA 18-7-36 TENERIFE (Espagne :
1937) : *Santa Cruz de Teneriffe*
VIVA ESPAÑA 18 JULIO 1936 (Espagne : 1937) :
Santa Cruz de Teneriffe
VIVA ESPANA 1936 37 ARRIBA ESPANA
(Espagne : 1937) : *Saragosse*
¡VIVA ESPAÑA! AVILA 1936 (Espagne : 1937) :
Avila
¡VIVA ESPAÑA! BILBAO 19 JUNIO 1937
(Espagne : 1937) : *Bilbao*
¡VIVA ESPAÑA! BURGOS JULIO-1936
(Espagne : 1936) : *Burgos*
¡VIVA ESPAÑA! CORREO AÉREO (Espagne :
1936-1938) : *Burgos*
¡VIVA ESPAÑA! CORREO AÉREO ORDEN 9
NOVBRE 1936 (Espagne : 1936) : *Burgos*
VIVA ESPANA CORREOS 1936-37 ARAGON
(Espagne : 1937) : *Saragosse*
¡VIVA ESPAÑA! CORUNA 18 JULIO 1936
(Espagne : 1938) : *La Coruna*
VIVA ESPAÑA FRANCO QUEIPO (Espagne :
1937) : *Séville*
VIVA ESPANA II AÑO TRIUNFAL ARAGON
(Espagne : 1937) : *Saragosse*
VIVA ESPAÑA JULIO, 1936 ZARAGOZA
(Espagne : 1937) : *Saragosse*
¡VIVA ESPAÑA! MALLORCA 19 JULIO 1936
(Espagne : 1936) : *Palma de Mallorca (Palma de
Majorque)*
¡VIVA ESPAÑA! PALENCIA 1936 (Espagne :
1936) : *Palencia*
¡VIVA ESPAÑA! PONTEVEDRA 20 JULIO 1936
(Espagne : 1937) : *Pontevedra*
¡VIVA ESPAÑA! URGENTE (Espagne : 1936-
1938) : *Burgos*
VIVA FRANCO AÑO DE LA VICTORIA LA
CAROLINA (Espagne : 1939) : *La Carolina*
¡VIVA FRANCO! CAUDILLO DE ESPAÑA 1492
1937 GLORIA A COLÓN 12 OCTOBRE CADIZ
(Espagne : 1937) : *Cadix*
VIVA FRANCO VIVA QUEIPO SEVILLA 18
JULIO 1936-1937 (Espagne : 1937) : *Séville*
m cts, pta, ptas, pts

□ **Espagne (émissions républicaines)**
Spain: Revolutionary issues (E)
1931
Europe
Yvert et Tellier, Tome 3, 1ʳᵉ partie
  s REPÚBLICA (Espagne : 1931) : *Almeria, Valence*
      REPUBLICA (Espagne : 1931) : *Barcelone,
      Madrid*
      REPUBLICA *(avec bonnet républicain)*
      (Espagne : 1931) : *Tolosa*
      REPUBLICA *(avec croix gammée)* (Espagne :
      1931) : *Tolosa*
  m (cf. Espagne)

◆ *Espagne* → voir aussi : Asturies et Léon, Barcelone,
Canaries (Îles)

□ **Espagne (insurrection Carliste)**
Spain: Carlist issues (E)
1873-1874
Europe
Yvert et Tellier, Tome 3, 1ʳᵉ partie
  l CATALUNA (1874)
      DIOS PATRIA REY CATALUNA (1874)
      DIOS PATRIA REY ESPAÑA (1874-1875)
      ESPAÑA FRANQUEO (1874-1875)
      ESPAÑA VALENCIA (1874)
      FRANQUEO ESPAÑA (1874-1875)
  m real, rl, mᵃ vᵈ

  ◆ ESPAÑA 28-IV-1937 DURANGO → Espagne
  (émissions nationalistes : Durango)
  ◆ ESPAÑA I AÑO TRIUNFAL 18-VII-37 → Espagne
  (émissions nationalistes : Pamplona [Pampelune])
  ◆ ESPAÑA CORREOS → Espagne
  ◆ ESPAÑA CORREOS MELILLA EJERCITO → Melilla
  (expédition militaire)
  ◆ ESPAÑA CORREOS MELILLA ESCUADRA →
  Melilla (expédition militaire)
  ◆ ESPAÑA CORREOS SAHARA → Sahara espagnol
  ◆ ESPANA FERNANDO POO → Fernando Poo
  ◆ ESPAÑA FRANQUEO → Espagne (Insurrection
  Carliste)
  ◆ ESPANA IFNI → Ifni
  ◆ ESPAÑA ISLA DE MENORCA SELLO
  PROVISIONAL CORREO AÉREO → Espagne
  (émissions nationalistes : Menorca [Minorque])
  ◆ ESPAÑA ISLA DE MENORCA SELLO
  PROVISIONAL CORREOS → Espagne (émissions
  nationalistes : Menorca [Minorque])
  ◆ ESPANA RIO MUNI → Rio Muni
  ◆ ESPAÑA SAHARA CORREOS → Sahara espagnol
  ◆ ESPAÑA VALENCIA → Espagne (insurrection
  Carliste)
  ❖ ESPANOLAS DE AFRICA OCCIDENTAL → Guinée
  espagnole
  ◆ ESPRESSO → Italie (République Sociale)
  ◆ ESSEX LETTER EXPRESS → États-Unis d'Amérique
  (postes locales et privées) : *New York*
  ◆ ESTADO DA GUINE-BISSAU → Guinée-Bissau
  ◆ ESTADO DA INDIA → Inde portugaise

- ESTADO DE CAMPECHE ➜ Campeche
- ESTADO DE HONDURAS ➜ Honduras
- ESTADO DE NICARAGUA ➜ Nicaragua
- ESTADO ESPANOL ➜ Espagne
- ESTADO S DE BOLIVAR ➜ Bolivar
- ESTADO SOBERANO DE ANTIOQUIA ➜ Antioquia
- ESTADO SOBERANO DE BOLIVAR ➜ Bolivar
- ESTADO SOBERANO DE CUNDINAMARCA ➜ Cundinamarca
- ESTADO SOBERANO DEL TOLIMA ➜ Tolima
- ESTADO SOBERANO DE SANTANDER ➜ Santander
- ESTADOS UNIDOS DE COLOMBIA ➜ Cucuta
- ESTADOS UNIDOS DE COLOMBIA CORREOS DE PANAMA ➜ Panama-Colombie
- ESTADOS UNIDOS DE NUEVA GRANADA ➜ Colombie
- ESTADOS UNIDOS DO BRAZIL ➜ Brésil
- ESTADOS UNIDOS MEXICANOS ➜ Mexique

□ **Est-Africain**
Kenya, Uganda, Tanganyika and Zanzibar (E)
1964-1976
Afrique
Yvert et Tellier, Tome 5, 3ᵉ partie
 l EAST AFRICAN COMMUNITY (1972)
 KENYA TANZANIA UGANDA (1965-1976)
 KENYA UGANDA TANZANIA (1965-1976)
 TANZANIA KENYA UGANDA (1965-1976)
 TANZANIA UGANDA KENYA (1965-1976)
 UGANDA KENYA TANGANYIKA ZANZIBAR (1964)
 UGANDA KENYA TANZANIA (1965-1976)
 UGANDA TANZANIA KENYA (1965-1976)
 m cents, c

- EST AFRICAIN ALLEMAND OCCUPATION BELGE. DUITSCH OOST AFRIKA BELGISCHE BEZETTING. ➜ Ruanda-Urundi
- ESTAMPILLAS ➜ Colombie
- ESTAMPILLAS. EL ADMOR. ➜ Cauca
- ESTAMPILLAS PAGO ... TUMACO ➜ Tumaco
- ESTENSI ➜ Modène
- ESTERO ➜ Levant (bureaux italiens)
- ESTEVAN WINNIPEG 1ST OCTOBER 1924 ➜ Canada
- ESTLAND EESTI ➜ Estonie (occupation allemande)
- *Estonia (E)* ➜ Estonie
- ESTONIA EESTI ➜ Estonie
- *Estonia: occupation stamps (E)* ➜ Estonie (occupation allemande)

■ **Estonie**
Estonia (E)
1919-1940 ; 1991-auj.
Europe
Yvert et Tellier, Tome 4, 1ʳᵉ partie
 l EESTI (1928-auj.)
 EESTI POST (1919-1940)
 EESTI VABARIIK (1919-1925)
 ESTONIA EESTI (1999)
 m k, penni, marka, senti, kroon, kr, krooni
 ⇨ Estonie (occupation allemande : poste locale d'Elwa)

□ **Estonie (occupation allemande)**
Estonia: occupation stamps (E)
1918 ; 1941-1944
Europe
Yvert et Tellier, Tome 4, 1ʳᵉ partie
 l ESTLAND EESTI (1941-1944)
 s 20 PFG. (Russie : 1918)
 40 PFG. (Russie : 1918)
 m pfg

□ **Estonie (occupation allemande : poste locale d'Elwa)**
Estonia: occupation stamps (E)
1941-1944
Europe
 s EESTI POST (Estonie, Russie : 1941-1944)

- Eˢ Uˢ DE COLOMBIA CORREOS NALES ➜ Colombie
- ÉTABLISSEMENTS DE L'INDE, ➜ Inde (établissements français)
- ÉTABLISSEMENTS DE L'OCÉANIE ➜ Océanie
- ÉTABLISSEMENTS FRANÇAIS DANS L'INDE ➜ Inde (établissements français)
- ÉTABLISSEMENTS FRANÇAIS DE L'OCÉANIE ➜ Océanie
- ETA BRASIL ➜ Compagnie E.T.A.
- ÉTABTS FRᶜᴬᴵˢ DE L'OCÉANIE ➜ Océanie
- ÉTABTS FRᶜᴬᴵˢ D'OCÉANIE ➜ Océanie
- ÉTAT AUTONOME DU SUD-KASAÏ ➜ Sud-Kasaï
- ÉTAT COMORIEN ➜ Comores
- ÉTAT D'ANJOUAN ➜ Anjouan (État d')
- ÉTAT DU CAMBODGE ➜ Cambodge
- ÉTAT DU CAMEROUN ➜ Cameroun
- ÉTAT DU INCHI YA KATANGA ➜ Katanga
- ÉTAT DU KATANGA 11 JUILLET ➜ Katanga
- ÉTAT FRANÇAIS ➜ France
- ÉTAT FRANÇAIS COURRIER OFFICIEL ➜ France
- ÉTAT IND. DU CONGO ➜ Congo (belge, état indépendant, république, république démocratique)
- ÉTAT INDÉPENDANT DU CONGO ➜ Congo (belge, état indépendant, république, république démocratique)

□ **États Confédérés d'Amérique (émissions des Maîtres de postes)**
Confederated States of America: issues by Postmasters (E)
1861-1862
Amérique du Nord
Yvert et Tellier, Tome 5, 3ᵉ partie

I 5 (1861) : *Laurens Court House (Caroline du Sud) ; Limestone Springs (Caroline du Sud) ; New-Smyrna (Floride) ; Oakway (Caroline du Sud) ; Weatherford (Texas)*
5 AHA (1861) : *Jetersville (Virginie)*
ABERDEEN MI. (1861) : *Aberdeen (Missouri)*
ALBANY GA. (1861) : *Albany (Georgia)*
ANDERSON C.H. S.C. (1861) : *Anderson (Caroline du Sud)*
ATHENS GA (1861) : *Athens (Georgie)*
ATLANTA GA. (1861) : *Atlanta (Georgie)*
ATLANTA GEO. (1861) : *Atlanta (Georgie)*
AUSTIN MISS (1861) : *Austin (Missouri)*
AUSTIN TEX (1861) : *Austin (Texas)*
AW MCNEEL PM (1861) : *Autaugaville (Alabama)*
AW MᶜNEEL PM AUTAUGAVILLE (1861) : *Autaugaville (Alabama)*
BATON ROUGE LA (1861) : *Baton-Rouge (Louisiane)*
BEAUMONT (1861) : *Beaumont (Texas)*
BEAUMONT TEXAS (1861) : *Beaumont (Texas)*
CHAPEL HILL N.C. (1861) : *Chapel Hill (Caroline du Nord)*
CHATTANOOGA TEN. (1861) : *Chattanooga (Tennessee)*
C.H. CHARLTON P.M KNOXVILLE TENN (1861) : *Knoxville (Tennessee)*
COLAPARCHEE GA (1861) : *Colaparchee (Georgie)*
COLUMBIA TEN. (1861) : *Columbia (Tennessee)*
COLUMBUS GA. (1861) : *Columbus (Georgie)*
COURTLAND AL. (1861) : *Courtland (Alabama)*
C S A POSTAGE (1861-1862) : *Uniontown (Alabama) ou émissions générales*
DALTON GA. (1861) : *Dalton (Georgie)*
DANVILLE VA. (1861) : *Danville (Virginie)*
D. PENCE. P.M RHEATOWN TENN (1861) : *Rheatown (Tennessee)*
EATONTON GA. (1861) : *Eatonton (Georgie)*
EMORY (1861) : *Emory (Virginie)*
FINCASTLE (1861) : *Fincastle (Virginie)*
FIVE CENTS (1861) : *Macon (Georgie)*
FORSYTH (1861) : *Forsyth (Georgie)*
FREDERICKSB'G (1861) : *Fredericksburg (Virginie)*
GALVESTON TEX. (1861) : *Galveston (Texas)*
GEORGETOWN S.C. (1861) : *Georgetown (Caroline du Sud)*
GOLIAD (1861) : *Goliad (Texas)*
GONZALES TEXAS (1861) : *Gonzales (Texas)*
GREENSBORO ALA. (1861) : *Greensboro (Alabama)*
GREENSBORO N.C. (1861) : *Greensboro (Caroline du Nord)*
GREENSBOROUGH ALA. (1861) : *Greensboro (Alabama)*
GREENVILLE ALA (1861) : *Greenville (Alabama)*
GREENVILLE.C.H. S.C. (1861) : *Greenville Court House (Caroline du Sud)*
GREENVILLE ALA (1861) : *Greenville (Alabama)*
GRIFFIN GA. (1861) : *Griffin (Georgie)*
GROVE HILL ALA (1861) : *Grove Hill (Alabama)*
HALLETTSVILLE TEX. (1861) : *Hallettsville (Texas)*
HAMBURGH S.C. (1861) : *Hamburgh (Caroline du Sud)*
HELENA (1861) : *Helena (Texas)*
HOUSTON TXS. (1861) : *Houston (Texas)*
HUNTSVILLE TEX (1861) : *Huntsville (Texas)*
INDEPENDENCE TEX (1861) : *Independence (Texas)*
I-U-KA PAID 5CTS (1861) : *Iuka (Missouri)*
J. P. JOHNSON P.M. (1861) : *Pittsylvania Court House (Virginie)*
J.E. WILLIAMS. JONESBORO T. (1861) : *Jonesboro (Tennessee)*
J.L. RIDDELL, P.M. (1861) : *Nouvelle Orléans (Louisiane)*
KINGSTON GA. (1861) : *Kingston (Georgie)*
KNOXVILLE TENN (1861) : *Knoxville (Tennessee)*
LAGRANGE TEX (1861) : *La Grange (Texas)*
LAKE CITY FLA. (1861) : *Lake City (Floride)*
LAVACA (1861) : *Port Lavaca (Texas)*
LENOIR N. C. (1861) : *Lenoir (Caroline du Nord)*
LEXINGTON MISS. (1861) : *Lexington (Missouri)*
LIVINGSTON (1861) : *Livingston (Alabama)*
L.F.SILER, P.M. FRANKLIN N.C. (1861) : *Franklin (Caroline du Nord)*
M C GALLAWAY (1861) : *Memphis (Tennessee)*
M. F. JOHNSON P. M. TELLICO PLAINS TENN. (1861) : *Tellico Plains (Tennessee)*
MACON GA (1861) : *Macon (Georgie)*
MACON GEO (1861) : *Macon (Georgie)*
MARIETTA GA (1861) : *Marietta (Georgie)*
MARION VA (1861) : *Marion (Virginie)*
MEMPHIS TENN (1861) : *Memphis (Tennessee)*
MICANOPY, FLA. (1861) : *Micanopy (Floride)*
MILLEDGEVILLE GA. (1861) : *Milledgeville (Georgie)*
MOBILE (1861) : *Mobile (Alabama)*
MONTGOMERY. ALA (1861) : *Montgomery (Alabama)*
MT LEBANON (1861) : *Mt Lebanon (Tennesse)*
NASHVILLE (1861) : *Nashville (Tennesse)*
NASHVILLE TENN (1861) : *Nashville (Tennesse)*
NEW ORLEANS (1861) : *Nouvelle Orléans (Louisiane)*

PAID (1861) : *Greenwood (Virginie)* ; *Aberdeen (Missouri)*

PAID 10 (1861) : *Savannah (Georgie)* ; *Sumter (Caroline du Sud)* ; *Tullahoma (Tennessee)* ; *Valdosta (Georgie)* ; *Walterborough (Caroline du Sud)* ; *Washington (Georgie)*

PAID 5 (1861) : *Augusta (Georgie)* ; *Canton (Missouri)* ; *Carolina City (Caroline du Nord)* ; *Colaparchee (Georgie)* ; *Demopolis (Alabama)* ; *Emory (Virginie)* ; *Bridgeville (Alabama)* ; *Galveston (Texas)* ; *Georgetown (Caroline du Sud)* ; *Hillsboro (Caroline du Nord)* ; *Savannah (Georgie)* ; *Selma (Alabama)* ; *Statesville (Caroline du Nord)* ; *Sumter (Caroline du Sud)* , *Thomasville (Georgie)* ; *Tuscaloosa (Alabama)* ; *Unionville (Caroline du Sud)* ; *Winnsborough (Caroline du Sud)* ; *Wytheville (Virginie)*

PAID 5 R. H.. CLASS P.M (1861) : *Lynchburg (Virginie)*

PAID 5 CENTS (1861) : *Christianburg (Virginie)* ; *Kingston (Georgie)* ; *Jackson (Missouri)*

PAID 5CTS (1861) : *Liberty (Virginie)* ; *Salem (Virginie)*

PAID 5 W T A (1861) : *Jacksonville (Alabama)*

PAID A.D.HALL (1861) : *Gainesville (Alabama)*

PAID 5 T.WELSH. (1861) : *Montgomery (Alabama)*

PAID H (1861) : *Pensacola (Floride)*

PETERSBURG VIRGINIA (1861) : *Petersburg (Virginie)*

PLEASANT SHADE (1861) : *Pleasant Shade (Virginie)*

P. O. CHARLESTON (1861) : *Charleston (Caroline du Sud)*

P O COLUMBIA S.C. (1861) : *Columbia (Caroline du Sud)*

POST OFFICE COLUMBIA S.C. (1861) : *Columbia (Caroline du Sud)*

RALEIGH N.C. (1861) : *Raleigh (Caroline du Nord)*

RHEATOWN TENN (1861) : *Rheatown (Tennessee)*

RICHMOND TEXAS (1861) : *Richmond (Texas)*

RINGGOLD GEORGIA (1861) : *Ringgold (Georgie)*

RUTHERFORDTON N.C. (1861) : *Rutherfordton (Caroline du Nord)*

SALEM N. C. (1861) : *Salem (Caroline du Nord)*

SALISBURY N. C. (1861) : *Salisbury (Caroline du Nord)*

SAN ANTONIO TEX. (1861) : *San Antonio (Texas)*

SOUTHERN CONFEDERACY. DANVILLE VA. W.B. PAYNE, P.M. (1861) : *Danville (Virginie)*

SPARTA GEO. (1861) : *Sparta (Georgie)*

SPARTANBURG (1861) : *Spartanburg (Caroline du Sud)*

TALBOTTON GA (1861) : *Talbotton (Georgie)*

T CRAWFORD PM ATHENS GA (1861) : *Athens (Georgie)*

TELLICO PLAINS TENN. (1861) : *Tellico Plains (Tennessee)*

THOMASVILLE GA. (1861) : *Thomasville (Georgie)*

TULLAHOMA TEN. (1861) : *Tullahoma (Tennessee)*

TUSCUMBIA ALA (1861) : *Tuscumbia (Alabama)*

TWO CENTS (1861) : *Macon (Georgie)*

UNION CITY TENNESSEE (1861) : *Union City (Tennessee)*

UNIONTOWN (1861) : *Uniontown (Alabama)*

VALDOSTA GA (1861) : *Valdosta (Georgie)*

VICTORIA (1861) : *Victoria (Texas)*

WARRENTON GA. (1861) : *Warrenton (Georgie)*

W.D COLEMAN P.M (1861) : *Danville (Virginie)*

W. D, MCNISH P.M (1861) : *Nashville (Tennesse)*

WINNSBOROUGH S.C. (1861) : *Winnsborough (Caroline du Sud)*

WYTHEVILLE VA (1861) : *Wytheville (Virginie)*

m cents, cts

☐ **États Confédérés d'Amérique (émissions générales)**
Confederated States of America: General Issues (E)
1861-1864
Amérique du Nord
Yvert et Tellier, Tome 5, 3e partie
l CONFEDERATE STATES (1861-1864)
CONFEDERATE STATES OF AMERICA (1861-1864)
m cents, cts

♦ *États Malais Fédérés* → Malaisie

☐ **États Princiers de l'Inde**
* *Native Feudatory States (E)*
1877-1950
Asie
Yvert et Tellier, Tome 5, 3e partie
m anna, rupie, rupees, pies, ps, as, pice, puttan, chuckram, chuckrams, cash, c, pice

♦ *États Princiers de l'Inde* → voir aussi à : Alwar, Bahawalpur, Bamra, Barwani, Bhopal, Bhore, Bijawar, Bundi, Bussahir, Cachemire, Charkhari, Cochin, Datia, Dhar, Faridkot, Haiderabad, Holkar, Idar, Jaipur, Jasdan, Jhalawar, Jhind, Kishengarh, Las Bela, Morvi, Nandgame, Népal, Nowanuggur, Orcha, Pountch, Rajasthan, Rajpeepla, Sirmoor, Soruth, Travancore, Travancore-Cochin, Wadhwan

■ **États-Unis d'Amérique**
United States of America: General Issues (E)
1847-auj.
Amérique du Nord
Yvert et Tellier, Tome 5, 3e partie
l BECKMAN'S CITY POST (1860)
BROWN & MC GILL'S U.S. P.O. DESPATCH (1857-1858)

CARRIERS DISPATCH (1851-1856)
CARRIERS STAMP (1851-1856)
CHRISTMAS GREETINGS AND GOOD
HEALTH (1927)
CITY DISPATCH POST (1842-1858)
CITY POST (1842-1858)
DEPARTMENT OF INTERIOR (1873)
DEPARTMENT OF JUSTICE (1873)
DEPARTMENT OF NAVY (1873)
DEPARTMENT OF STATE (1873)
DEPARTMENT OF WAR (1873)
DEPT OF AGRICULTURE (1873)
DESPATCH (1851)
EXECUTIVE DEP^T (1873)
GOVERNMENT CITY DISPATCH (1851)
HONOURS CITY EXPRESS(1849-1858)
HONOUR'S CITY POST(1849-1858)
HONOUR'S PENNY POST (1849-1858)
JEFFERSON (*carte postale avec portrait de Jefferson*) (1894)
KINGMAN'S CITY POST (1850-1851)
LOUISIANA 1812-1962 U. S. POSTAGE (1962)
MARTIN'S CITY POST (1858)
MESSAGE CARD (*carte postale*) (1892-1924)
ONE 1 CENT (*carte postale avec portrait de Jefferson*) (1885)
PENNY POST (1849-1850)
PILGRIM TERCENTENARY 1620-1920 (1920)
POSTAGE ONE CENT. 1843 – M^{C}KINLEY – 1901 (*carte postale*) (1902)
POSTAL CARD (1879)
POST OFFICE DEP^T (1873)
POST OFFICE DESPATCH (1851)
REPLY CARD (*carte postale*) (1892-1926)
SIX CENTS (*enveloppe avec portrait de Washington*) (1853-1855)
SOUTH CAROLINA (1970)
STEINMEYER'S CITY POST (1858-1859)
TEN CENTS (*enveloppe avec portrait de Washington*) (1853-1855)
THREE CENTS (*enveloppe avec portrait de Washington*) (1853-1855)
TREASURY DEP^T (1873)
U S POST OFFICE (1847)
U. S. P. O. DESPACTH (1851)
U.S. PARCEL POST (1912)
U.S. PENNY POST (1849)
U.S.P.O. (1849-1852)
U.S. POSTAL CARD (*carte postale*) (1910-1926)
UNITED STATES OF AMERICA (1893-auj.)
UNITED STATES (1869-1976)
UNITED STATES POSTAGE (1869-1976)
US (1851-1983)
U. S. (1851-1983)
U. S. POSTAGE (1851-1983)
U. S. POSTAL SERVICE (1851-1983)
US BICENTENNIAL (1851-1983)
USA (1975-auj.)
WHARTONS U.S. P.O. DESPATCH (1854)
m cents, c, $

⇨ Chine (bureaux des États-Unis), Cuba, France, Guam (occupation américaine), Panama-Canal, Philippines, Puerto Rico

☐ **États-Unis d'Amérique (émissions des Maîtres de postes)**
United States of America: provisional issues by Postmasters (E)
1846-1847
Amérique du Nord
Yvert et Tellier, Tome 5, 3e partie
I ALEXANDRIA POST OFFICE (1846 : Alexandria, Virginie)
BRATTLEBORO VT (1846 : Brattleboro, Vermont)
JAMES M BUCHANON (1846 : Alexandria, Virginie)
LOCKPORT N.Y. (1846 : Lockport, New-York)
PAID 5 CENTS (1845 : Boscaven, New-Hampshire)
POST OFFICE FIVE CENTS (1845 : New-York)
POST OFFICE PAID 5. CTS. (1846 : Millbury, Massachusetts)
POST OFFICE PROV. R.I. (1847 : Providence, Rhode Island)
PROV. R.I. (1847 : Providence, Rhode Island)
SAINT LOUIS (1845-1847 : Saint Louis)
m cents

☐ **États-Unis d'Amérique (postes locales et privées)**
United States of America: local issues (E)
1842-1905
Amérique du Nord
I 3RD AVE. POST S-R (1855) : *New York*
ADAMS CITY EXPRESS POST (1850-1851) : *Californie*
8TH AVENUE POST OFFICE (1852) : *New York*
ADAMS CITY EXPRESS POST (1850-1851) : *Californie*
ADAMS & CO'S EXPRESS (1854) : *New York*
ALLEN'S CITY DISPATCH (1882) : *Chicago*
AMERICAN EXPRESS COMPANY (1857) : *New York*
AMERICAN LETTER MAIL CO. (1844) : *Boston, Philadelphia*
A. M. HINKLEY'S EXPRESS C^O (1855) : *New York*
A.R.U. STRIKE FRESNO AND SAN FRANCISCO BICYCLE MAIL ROUTE (1894) : *Californie*
A. W. AUNERS DESPATCH POST (1851) : *Philadelphie*
BAKERS CITY - EXPRESS - POST (1849) : *Cincinnati*
BANK & INSURANCE DELIVERY OFFICE (1854-1861) : *New York*
BANK & INSURANCE CITY POST (1856) : *New York*

BARNARD'S CITY LETTER EXPRESS CAMBRIDGE ST. (1845-1847) : *Boston*
BARR'S PENNY DISPATCH (1855) : *Lancaster (Pennsylvanie)*
BAYONNE CITY DISPATCH POST (1883) : *Bayonne City (New Jersey)*
BENTLEY'S DISPATCH NEW-TORK (1856) : *New York*
BERFORD & CO^S EXPRESS TO CALIFORNIA (1851) : *New York*
BIGELOW'S EXPRESS (1848-1851) : *Boston*
BISHOP'S CITY POST CLEV^D O. (1854) : *Cleveland (Ohio)*
BLOOD'S DESPATCH (1848-1855) : *Philadelphie*
BLOOD'S DESPATCH FOR THE POST OFFICE (1848) : *Philadelphie*
BLOOD'S DISPATCH ENVELOPE (1850-1860) : *Philadelphie*
BLOOD'S PENNY KOCHERSPERGER & C^O PHILAD^A (1855) : *Philadelphie*
BOUTON'S CITY DISPATCH POST (1848) : *New York*
BOUTON'S MANHATTAN EXPRESS (1848) : *New York*
BOYCE'S CITY EXPRESS POST (1852) : *New York*
BOYD'S CITY DISPATCH (1874-1877) : *New York*
BOYD'S CITY EXPRESS POST (1844-1867) : *New York*
BOYD'S CITY POST (1864) : *New York*
BOYD'S DISPATCH (1878-1882) : *New York*
BRADWAY'S DESPATCH MILLVILLE (1857) : *Millville (New Jersey)*
BRADY, & CO. (1857-1858) : *New York*
BRADY & CO^b CHICAGO PENNY POST (1857-1858) : *Chicago*
BRAINARD & CO. (1844) : *Albany-Troy-New York*
BRIGG'S DESPATCH (1847-1848) : *Philadelphie*
BROAD WAY POST-OFFICE (1848) : *New York*
BRONSON & FORBES' CITY EXPRESS POST (1855-1858) : *Chicago*
BROOKLYN CITY EXPRESS POST (1851-1864) : *Brooklyn*
BROWN & C^{OS} CITY POST (1852-1855) : *Cincinnati*
BROWNE'S EASTON DESPATCH (1857) : *Easton (Pennsylvanie)*
BROWNE'S EASTON DESPATCH POST (1857) : *Easton (Pennsylvanie)*
BURY'S CITY POST (1857) : *New York*
CALIFORNIA CITY EXPRESS CO. (1862-1866) : *San Francisco*
CALIFORNIA PENNY POST CO. (1855) : *Californie*
CALIFORNIA PENNY POST COMPANY (enveloppe) (1855-1859) : *Californie*
CALIFORNIA PENNY POSTAGE (1855) : *Californie*

CARE OF MASON'S NEW ORLEANS CITY EXPRESS (1850-1857) : *Nouvelle Orléans (Louisiane)*
CARNES' CITY LETTER EXPRESS (1864) : *San Francisco*
CARNES SAN FRANCISCO LETTER EXPRESS (1864) : *San Francisco*
CARTERS DISPATCH (1849-1851) : *Philadelphie*
CHEEVER & TOWLE CITY LETTER DELIVERY (1846-1850) : *Boston*
CHICAGO PENNY POST (1862-1863) : *Chicago*
CINCINNATI CITY DELIVERY (1883) : *Cincinnati*
CITY DELIVERY G. & H. SAN FRANCISCO (1864-1870) : *San Francisco*
CITY DESPATCH POST (1842-1850) : *New York*
CITY DESPATCH M. W. MEARIS. (1846) : *Baltimore*
CITY DESPATCH POST JOHNSON & CO. (1848) : *Baltimore*
CITY DISPATCH (1851) : *Saint Louis*
CITY DISPATCH DELIVERY (1860) : *Philadelphie*
CITY DISPATCH POST OFFICE (1847) : *Nouvelle Orléans (Louisiana)*
CITY DISPATCH POST PAID (1843-1845) : *Philadelphie*
CITY EXPRESS G. & H. PAID (1864-1870) : *San Francisco*
CITY EXPRESS POST (1846-1850) : *Philadelphie*
CITY LETTER EXPRESS (1868) : *San Francisco*
CITY MAIL FREE STAMP (1845) : *New York*
CITY ONE CENT DISPATCH (1851) : *Baltimore*
CITY POST FROM BROWN'S STAMP OFFICE (1876) : *New York*
CLARK & CO. (1845) : *New York*
CLARK & HALL'S PENNY POST (1851) : *Saint Louis*
CLARKE'S CIRCULAR EXPRESS (1863-1868) : *New York*
COOK'S DISPATCH (1853) : *Baltimore*
CORNWELL POST OFFICE MADISON SQUARE (1856) : *New York*
CRESSMAN & CO'S PENNY POST PHILAD'A. (1856) : *Philadelphie*
CROSBY'S SPECIAL MESSAGE POST (1870-1871) : *New York*
CROSBY'S CITY POST (1870-1871) : *New York*
CUMMING'S CITY POST (1845) : *New York*
CUMMING'S CITY EXPRESS POST N.Y. (1845) : *New York*
CUTTING'S DESPATCH POST (1848) : *Buffalo (New York)*
DAVIS'S PENNY POST BALT. (1852) : *Baltimore*
DEMING'S PENNY POST FRANKFORD (1854) : *Frankford (Pennsylvanie)*
DESPATCH POST G. S. HARRIS PAID (1847) :

Philadelphie
DESPATCH POST T. A. HAMPTON PAID (1847) : *Philadelphie*
DFB CITY EXPRESS (1857) : *New York*
D. O. BLOOD & CO. (1845-1847) : *Philadelphie*
DOUGLAS' CITY DESPATCH (1879) : *New York*
DUPUY & SCHENCK PENNY POST (1846-1848) : *New York*
EAGLE CITY POST (1847-1849) : *Philadelphie*
EAGLE POST (1850) : *Philadelphie*
EAST RIVER P.O. (1852-1865) : *New York*
E. H. L. KURZ UNION DESPATCH POST (1851-1853) : *New York*
EMPIRE CITY DISPATCH CO. (1881) : *New York*
ESSEX LETTER EXPRESS (1856) : *New York*
FAUNCES'S ATLANTIC CITY (1885) : *Atlantic City (New Jersey)*
F.B.S. (1877) : *Barnesville (Ohio)*
FISKE & RICE'S EXPRESS (1851-1854) : *New England*
FLOYD'S PENNY POST (1860) : *Chicago*
FOR PHILA. DELIVERY BLOOD'S DISPATCH STAMP (1850-1860) : *Philadelphie*
FOR PHILADA. DELIVERY BLOOD'S DISPATCH ENVELOPE (1850-1860) : *Philadelphie*
FOR THE POST OFFICE D. O. BLOOD & CO. CITY DESPATCH (1847) : *Philadelphie*
FOR THE POST OFFICE G. S. HARRIS CITY DESPATCH PAID (1847) : *Philadelphie*
FOR THE POST OFFICE T. A. HAMPTON CITY DESPATCH PAID (1847) : *Philadelphie*
FRANKLIN CITY DESPATCH POST (1847) : *New York*
FRAZER & CO. CITY DESPATCH (1845-1851) : *Cincinnati*
G. A. MILLS' FREE DESPATCH POST (1847) : *New York*
G. CARTER'S DESPATCH (1849-1851) : *Philadelphie*
GLEN HAVEN DAILY MAIL. (1854-1858) : *Glen Haven (New York)*
GORDON'S CITY EXPRESS (1848-1852) : *New York*
GRAFFLIN'S BALTIMORE DESPATCH (1856) : *Baltimore*
GUY'S CITY DESPATCH (1879) : *Philadelphie*
HALE & CO. 13 COURT ST. BOSTON (1844) : *Boston*
HALL & MILLS' FREE DESPATCH POST (1847) : *New York*
HANFORD'S PONY EXPRESS POST (1845) : *New York*
H. & B. ATLANTIC CITY PENNY POST (1886) : *Atlantic City (New Jersey)*
H. FRAZER'S CITY EXPRESS POST (1848-1851) : *Cincinnati*
HILL'S POST BOSTON (1849) : *Boston*
HOMAN'S EMPIRE EXPRESS (1852) : *New York*

HOPEDALE PENNY POST (1849-1854) : *Milford (Massachusetts)*
HOYT'S LETTER EXPRESS TO ROCHESTER (1844) : *Rochester (New York)*
HUMBOLD EXPRESS (1863) : *Nevada*
HUSSEY'S BANK & INSURANCE SPECIAL MESSAGE POST (1872-1873) : *New York*
HUSSEY'S CITY POST (1861) : *New York*
HUSSEY'S EXPRESS (1880) : *New York*
HUSSEY'S POST (1861-1873) : *New York*
HUSSEY'S S.M POST (1863) : *New York*
JABEZ FEAREY & CO.'S « MUSTANG EXPRESS » (1870) : *Newark (New Jersey)*
JEFFERSON MARKET POST OFFICE (1850) : *New York*
JENKINS' CAMDEN DISPATCH (1853) : *Camden (New Jersey)*
JENKIN'S DESPATCH (1853) : *Camden (New Jersey)*
JONES' CITY EXPRESS POST (1845) : *Brooklyn*
KELLOGG'S PENNY POST CITY DESPATCH (1853) : *Cleveland (Ohio)*
KIDDER'S CITY EXPRESS POST (1847) : *Brooklyn*
LETTER DISPATCH J. H. PRINCE (1861) : *Portland (Maine)*
LETTER EXPRESS FREE 10 FOR $ 1.00 (1844) : *New York, Chicago, Detroit, Duluth*
LETTER EXPRESS FREE 20 FOR $ 1.00 (1844) : *New York, Chicago, Detroit, Duluth*
LETTER EXPRESS MAIL (1856) : *Newark (New Jersey)*
LOCOMOTIVE EXPRESS POST (1854) : *Buffalo York)*
(New MAGIC LETTER EXPRESS (1864-1865) : *Richmond (Virginia)*
MᶜGREELY'S EXPRESS (1898) : *Alaska*
MᶜINTIRE'S CITY EXPRESS POST (1859) : *York*
MC MILLAN'S DISPATCH (1855) : *Chicago*
MENANT & CO EXPRESS POST (1853-1855) : *Nouvelle Orléans (Louisiane)*
MERCANTILE LIBRARY DELIVERY STAMP (1869-1875) : *New York*
New MESSENKOPES UNION SQUARE POST OFFICE (1849) : *New York*
METROPOLITAN ERRAND & CARRIER EXPRESS COMPANY (1855-1859) : *New York*
METROPOLITAN P. O. AMERICAN BIBLE HOUSE N. Y. (1852-1853) : *New York*
METROPOLITAN P. O. EXPRESS TO MAIL (1852-1853) : *New York*
METROPOLITAN POST OFFICE BIBLE HOUSE NEW YORK (1852-1853) : *New York*
MOODY'S PENNY DISPATCH CHICAGO (1856) : *Chicago*
NEW-YORK CITY EXPRESS POST (1847) : *York*
OCEAN PENNY POSTAGE PAID (*enveloppe*) (1855-1859) : *Californie*

New ONE CENT DESPATCH (1856) : *Baltimore, Washington*
OVERTON & Cº, LETTER EXPRESS (1844) : *Boston, New York*
PENNY EXPRESS COMPANY (1866) : *?*
PENNY POSTAGE PAID (*enveloppe*) (1855-1859) : *Californie*
PHILA. DESPATCH POST (1841-1843) : *Philadelphie*
PINKNEY'S EXPRESS POST (1851) : *New York*
DAILY MAIL GEO. ABRAHAMS (1862) : *New York*
PIPS PONY EXPRESS WELLS FARGO & CO. (1861-1864)
PAID 1 CENT (1852) : *Philadelphie*
O. POMEROY'S LETTER EXPRESS (1844) : *New York*
PRICE'S CITY EXPRESS POST (1857-1858) : *New York*
PRICE'S POST OFFICE (1854) : *New York*
PRIEST'S DESPATCH (1851) : *Philadelphie*
PRIVATE POST OFFICE 5 KEARNY St., S. F (1864) : *San Francisco*
PROVIDENCE DESPATCH (1849) : *Providence (Rhodes Island)*
PUBLIC LETTER OFFICE (*enveloppe*) (1864) : *San Francisco*
PUBLISHERS' PAID STAMP W. F. & CO.'S EXPRESS (1862-1876)
REED'S CITY DESPATCH POST (1853-1854) : *San Francisco*
RICKETTS & HALL ONE CENT DISPATCH (1857) : *Baltimore*
ROBISON & CO ONE CENT (1855-1856) : *New York*
ROCHE'S CITY DISPATCH WILMINGTON, DEL. (1850) : *Wilmington (Delaware)*
RUSSEL POST OFFICE (1854-1858) : *New York*
SPAULDING'S PENNY POST (1848) : *Buffalo (New York)*
SQUIER & CO'S CITY LETTER DISPATCH (1859-1860) : *Saint Louis*
STATEN ISLAND EXPRESS POST (1849) : *Staten Island (New York)*
ST. LOUIS CITY DELIVERY (1883) : *Saint Louis*
STRINGER & MORTON'S CITY DESPATCH (1883) : *Baltimore*
P. SULLIVAN'S DISPATCH POST (1853) : *Cincinnati*
SWARTS CITY DISPATCH POST (1849-1853) : *York*
SWARTS FOR U.S. MAIL ONE CENT PRE-PAID (1849-1853) : *New York*
TEESE & CO. PENNY POST PHILAD'A (1852) : *Philadelphie*
New TELEGRAPH DESPATCH P.O. (1848) : *Philadelphie*
THE AMERICAN LETTER MAIL CO. (1844) : *Boston, Philadelphia*
LEDGER DISPATCH (1882) : *New York*

TO THE POST OFFICE CARE OF THE "PENNY POST CO" (*enveloppe*) (1855-1859) : *Californie*
UNION POST HRS (1846) : *New York*
UNION SQUARE P.O. (1852) : *New York*
THE WALTON & CA'S CITY EXPRESS POST (1846) : *Brooklyn*
WELLS, FARGO & CO. (1861-1888)
WESTERVELT'S POST CHESTER, N. Y. (1863-1865) : *Chester (New York)*
WEST-TOWN (1853-1870) : *Westtown (Pennsylvania)*
WHITTELSEY'S EXPRESS (1857-1858) : *Chicago*
WILLIAMS CITY POST (1854) : *Cincinnati*
WOOD & CO. CITY DESPATCH BALTIMORE (1856-1857) : *Baltimore*
WYMAN (1844) : *Boston*
W. ZIEBER'S ONE CENT DISPATCH (1851) : *Pittsburgh (Pennsylvania)*
m c, cent, cents, cts, dollar, dollars, $

☐ **États-Unis d'Amérique (compagnies privées de télégraphe)**
United States of America: private telegraph companies (E)
1870-1946
Amérique du Nord
l A. R. T. CO. DUPLICATE (1881) : *American Rapid Telegraph Company*
AM RAPID TEL. CO. COLLECT (1881) : *American Rapid Telegraph Company*
AM RAPID TEL. CO. TELEGRAM (1881) : *American Rapid Telegraph Company*
A T CO. COMMUTATION (1888) : *Atlantic Telegraph Company*
B & O COMMUTATION (1885) : *Baltimore & Ohio Telegraph Companies*
CAL. STATE TEL. CO. (1870) : *California State Telegraph Company*
CAL. STATE TELEGRAPH (1870-1875) : *California State Telegraph Company*
C. L. & M. TELEGRAPH CO (1876) : *Colusa Lake & Mendocino Telegraph Company*
COMMERCIAL UNION TELEGRAPH CO. COMMUTATION (1891) : *Commercial Union Telegraph Company*
COMMERCIAL UNION TELEGRAPH CO. COMPLIMENTARY (1891) : *Commercial Union Telegraph Company*
CONN. B & O COMMUTATION (1887) : *Baltimore & Ohio-Connecticut River Telegraph Companies*
FRANK B & O COMPLIMENTARY 1886 (1886) : *Baltimore & Ohio Telegraph Companies*
MUTUAL UNION TELEGRAPH COMPANY (1882-1883) : *Mutual Union Telegraph Company*
NORTH AMERICAN TELEGRAPH COMPANY COMPLIMENTARY (1891)
NORTH AMERICAN TELEGRAPH COMPANY COMPLIMENTARY FRANK (1899-1907) : *North American Telegraph Company*
NORTHERN MUTUAL TELEGRAPH (1883) :

Northern Mutual Telegraph Company
NORTHERN NEW YORK TELEGRAPH CO.
(1894-1895) : *Northern New York Telegraph
Company*
PACIFIC MUTUAL TELEGRAPH COMPANY
COMMUTATION (1883) : *Pacific Mutual
Telegraph Company*
PACIFIC POSTAL TELEGRAPH-CABLE CO.
(1886) : *Pacific Postal Telegraph-Cable Company*
POSTAL TELEGRAPH (1942) : *Postal Telegraph
Company*
POSTAL TELEGRAPH-CABLE COMPANY
(1892-1932) : *Postal Telegraph Company*
POSTAL TELEGRAPH COMPANY (1885) :
Postal Telegraph Company
POSTAL TELEGRAPH CO (1892-1920) : *Postal
Telegraph Company*
THE CITY & SUBURBAN TELEGRAPH
(1886) : *New York City and Suburban Printing
Telegraph Company*
WESTERN UNION TELEGRAPH COMPANY
(1871-1940) : *Western Union Telegraph Company*
WESTERN UNION TELEGRAPH STAMP
(1940-1946) : *Western Union Telegraph Company*
 m cent, cents

◆ *États-Unis de la Nouvelle-Grenade* ➜ Colombie

☐ **Été (Îles de l')**
Summer Isles (E)
1970-1988
Europe
Émission non admise par l'U.P.U.
 l SUMMER ISLES SCOTLAND (1970-1988)
 m p

❖ ETFAL CEMIYETI ➜ Turquie
◆ ETHIOPIA ➜ Éthiopie
℗ *Ethiopia: occupation stamps (E)* ➜ Éthiopie
(occupation italienne)
◆ ÉTHIOPIE ➜ Éthiopie

■ **Éthiopie**
★ *Ethiopia (E)*
1894-auj.
Afrique
Yvert et Tellier, Tome 5, 3ᵉ partie
 l EMPIRE D'ÉTHIOPIE (1931-1936)
   ETHIOPIA (1942-1943, 1950-auj.)
   ÉTHIOPIE (1919-1954)
   MENELIK II ETHIOPIAE IMP. REX (1903)
   POSTES ETHIOPIENNES (1909)
 s 5 CENTIMES (1905)
   5C/M (1905)
   AFF. EXCEP FAUTE TIMBRE (1911)
   ÉTHIOPIE (1900-1901)
   PIASTRE (1908)
   T (1905-1925)
   TAXE À PERCEVOIR T (1905)
 m c/m, centimes, piastre, guerche, mehalek, thalers,
   cmes, c, birr

☐ **Éthiopie (occupation italienne)**
Ethiopia: occupation stamps (E)
1936
Afrique
Yvert et Tellier, Tome 5, 3ᵉ partie
 l ETIOPIA (1936)
 m cent

❖ ETHIOPIENNES ➜ Éthiopie
◆ ETIOPIA ➜ Éthiopie (occupation italienne)
◆ « étoile et caractères arabes » ➜ Bahawalpur
◆ « étoile juive » ➜ Tchécoslovaquie
◆ « étoile, oiseau et couronne de lauriers » ➜ Pérou
(occupation chilienne)
◆ Éᵀˢ FRANÇAIS DE L'OCÉANIE ➜ Océanie
◆ ETˢ. FR. DANS L'INDE ➜ Inde (établissements
français)
◆ *Etten-Leur* ➜ Pays-Bas (postes locales)
◆ E.T ΣΜΥΡΝΗ (grec) ➜ Turquie (Smyrne)
◆ E. U. DE COLOMBIA ➜ Colombie
◆ E. U. DE COLOMBIA CORREOS NACIONALES ➜
Colombie
◆ E. U. DO BRAZIL ➜ Brésil
◆ EUPEN ➜ Eupen et Malmédy
◆ EUPEN & MALMÉDY ➜ Eupen et Malmédy

☐ **Eupen et Malmédy**
Germany: Belgian occupation (E)
1920-1921
Europe
Yvert et Tellier, Tome 3, 1ʳᵉ partie
(à : *Belgique*)
 s EUPEN (Belgique : 1920-1921)
   EUPEN & MALMÉDY (Belgique : 1920-1921)
   MALMÉDY (Belgique : 1920-1921)
 m pf, mk

⊙ eur ➜ Pays-Bas
⊙ euro ➜ Aland
⊙ e. v. ➜ Norvège (postes locales : *mission Norvégienne
au Madagascar*)
◆ *Evenkia (Région autonome d')* ➜ Russie (postes locales
de l'ex-U.R.S.S. :)
◆ *Evreskaja* ➜ Russie (postes locales de l'ex-U.R.S.S. :
République Juive)
◆ EXECUTIVE DEPᵀ ➜ États-Unis d'Amérique
◆ EXERCITO EM OPERACOES CONTRA O
PARAGUAY ➜ Brésil
❖ EXPÉDITIONNAIRE ➜ Cameroun (colonie française)
❖ EXPÉDᴼᴺ DE LETTRES PRIVÉE METZ ➜
Allemagne (postes locales et privées : Metz)
❖ EXPOSICAO DE S. FRANCISCO XAVIER INDIA ➜
Inde portugaise
❖ EXPOSICÃO FILATELICA PORTUGUESA ➜
Portugal
◆ EXPOSICION DE BARCELONA 1930 ➜ Barcelone
◆ EXPOSICION GENERAL ESPANOLA ➜ Espagne
◆ EXPOSICION Gᴿᴬᴸ ESPANOLA ➜ Espagne
❖ EXPOSICION Gᴿᴬᴸ ESPAÑOLA ➜ Espagne
◆ EXPOSICION Gᴿᴬᴸ SEVILLA BARCELONA ➜
Espagne

◆ EXPOSICION INTERNACIONAL BARCELONA 1929 ➜ Barcelone

◆ EXPRESSEN *(avec un cœur)* ➜ Suède

◆ *Extrême-Orient* ➜ Russie (postes locales de l'ex-U.R.S.S.)

◆ *Extrême-Orient* ➜ Sibérie et Extrême-Orient

◆ EYNHALLOW ➜ Eynhallow

☐ **Eynhallow**
1973
Europe
Émission non admise par l'U.P.U.
  l EYNHALLOW (1973)
  m p

⊙ eyr ➜ Islande

⊙ ezer p ➜ Hongrie

⊙ f ➜ Afars et Issas (Territoire des), Afrique Équatoriale, Afrique Occidentale, Albanie, Algérie, Algérie (département français), Allemagne (occupation française), Andorre (poste française), Antilles danoises, Antilles espagnoles, Belgique, Bénin, Burkina, Burundi, Cameroun, Cameroun (colonie française), Centrafricaine, Colonies françaises, Comores, Comores (colonie française et TFO), Congo, Congo (belge, état indépendant, république, république démocratique), Congo (colonie française), Côte d'Ivoire, Côte d'Ivoire (colonie française), Côte des Somalis, Dahomey, Dahomey (colonie française), Djibouti, Fezzan, France, Gabon, Gabon (colonie française), Ghadamès, Grande Comore, Guadeloupe, Guinée, Guinée (colonie française), Guinée équatoriale, Guyane (colonie française), Haute-Volta, Haute-Volta (colonie française), Hoï-Hao, Hongrie, Inini, Irak, Katanga, Luxembourg, Madagascar, Mali, Maroc, Maroc (bureaux et protectorat français), Maroc (postes locales), Martinique, Mauritanie, Mauritanie (colonie française), Mayotte, Mohéli, Monaco, Monténégro (timbres d'exil), Nations Unies (Genève), Niger, Niger (colonie française), Nossi-Bé, Nouvelle-Calédonie, Obock, Océanie, Oubangui, Pakhoi, Pologne, Polynésie Française, Port-Lagos, Réunion, Ruanda-Urundi, Rwanda, Saint-Pierre et Miquelon, Sainte-Marie de Madagascar, Sarre, Sénégal, Sénégal (colonie française), Sénégambie et Niger, Silésie Orientale (Haute), Soudan (colonie française), Sud-Kasaï, Surinam, Tahiti, Tch'ong-K'ing, Tchad, Tchad (colonie française), Territoire Antarctique Russe (poste maritime), Terres Australes et Antarctiques françaises, Togo, Togo (occupation militaire, mandat français), Tunisie, Tunisie (protectorat français), Wallis et Futuna, Yémen du Sud, Yémen (République), Yunnanfou, Zanzibar (bureau français)

◆ F. ➜ France

❖ F.A.F.L. ➜ Levant (bureaux français)

◆ FAIRCHILD AIR TRANSPORT LIMITED AIR MAIL SERVICE ➜ Canada

❖ FAKKAN ➜ Khor Fakkan

■ **Falkland**
Falkland Islands (E)
1878-auj.
Amérique du Sud
Yvert et Tellier, Tome 5, 3ᵉ partie
  l FALKLAND ISLANDS (1878-auj.)
  m penny, pence, d, p, shillings, £
  ⇨ Falkland (dépendances)

■ **Falkland (dépendances)**
South Georgia + Falkland Islands Dependencies (E)
1944-auj.
Amérique du Sud
Yvert et Tellier, Tome 5, 3ᵉ partie
  l FALKLAND ISLANDS DEPENDENCIES (1946-1985 : Géorgie du Sud ou Shetlands du Sud)
     SOUTH GEORGIA AND SOUTH SANDWICH IS (1992-auj. : Géorgie du Sud et Iles Sandwich du Sud)
     SOUTH GEORGIA AND THE SOUTH SANDWICH IS (1986-1992 : Géorgie du Sud et Iles Sandwich du Sud)
     SOUTH GEORGIA AND THE SOUTH SANDWICH ISLANDS (1986-1992 : Géorgie du Sud et Iles Sandwich du Sud)
     SOUTH GEORGIA AND SOUTH SANDWICH ISLANDS (1986-1992 : Géorgie du Sud et Iles Sandwich du Sud)
     SOUTH GEORGIA (1944-1979 : Géorgie du Sud)
     SOUTH GEORGIA DEPENDENCY OF (1944-1979 : Géorgie du Sud)
  s GRAHAM LAND DEPENDENCY OF (Falkland : 1944)
     SOUTH GEORGIA DEPENDENCY OF (Falkland : 1944)
     SOUTH ORKNEYS DEPENDENCY OF (Falkland : 1944)
     SOUTH SHETLANDS DEPENDENCY OF (Falkland : 1944)
  m p, d, £

◆ FALKLAND ISLANDS ➜ Falkland

◆ FALKLAND ISLANDS DEPENDENCIES ➜ Falkland (dépendances : Géorgie du Sud ou Shetlands du Sud)

◆ FALTA DE PORTE ➜ Mexique

❖ FÄLTPOST ➜ Finlande

⊙ fanon, fanons ➜ Inde (établissements français)

◆ FARDOS POSTAGES ➜ Salvador

℔ *Far Eastern Republic (E)* ➜ Blagoviechtchensk, Nikolaievsk sur l'Amour, Omsk, Tcheliabinsk, Tchita, Vladivostok

☐ **Faridkot**
* *Faridkot: Native Feudatory State (E)*
1879-1880
Asie
Yvert et Tellier, Tome 5, 3ᵉ partie
(à : *États princiers de l'Inde*)

☐ **Faridkot (protectorat britannique)**
Faridlot: Convention State of the British Empire in India (E)
1886-1900
Asie
Yvert et Tellier, Tome 5, 3ᵉ partie
s   FARIDKOT STATE (Inde anglaise : 1886-1900)

♦ FARIDKOT STATE ➜ Faridkot (protectorat britannique)
⋈ *Faroe Islands (E)* ➜ Féroé
⊙ farthing ➜ Barbade, Bermudes
⊙ farthings ➜ Héligoland
❖ FASCISTA BASE ATLANTICA ➜ France
❖ FASO ➜ Burkina

☐ **Fatah**
1957
Asie
Émission non admise par l'U.P.U.
l   PALESTINIAN RESISTANCE RESISTANCE PALESTINIENNE AL-FATEH (1957)

◆ *Fatezh* ➜ Zemstvos
♦ « faucille et marteau » ➜ Autriche
♦ FAUCONNIERE ➜ Jethou
♦ FAUNCES'S ATLANTIC CITY ➜ États-Unis d'Amérique (postes locales et privées) : *Atlantic City (New Jersey)*
❖ FAUTE TIMBRE ➜ Éthiopie
♦ F.B.S. ➜ États-Unis d'Amérique (postes locales et privées) : *Barnesville (Ohio)*
⊙ fc ➜ Anjouan (État d'), Comores, Congo (belge/état indépendant/république/république démocratique), Congo (république démocratique)
♦ F.C. ANDALUCES SERVICIO PUBLICO DE TELEGRAFOS ➜ Espagne
♦ F. CENT ➜ Belgique (occupation allemande), France
⊙ fcfa ➜ Guinée-Bissau
⊙ f cfa ➜ Réunion
⊙ f.c.f.a. ➜ Guinée équatoriale
♦ Fᶜᴼ BOLLO POSTALE ITALIANO ➜ Italie
♦ F. DE B. À A. SERVICIO PUBLICO DE TELEGRAFOS ➜ Espagne
♦ FEDERACION VENEZOLANA ➜ Venezuela
♦ FEDERAL REPUBLIC OF CAMEROON ➜ Cameroun
⋈ *Federal Republic of Germany (E)* ➜ Allemagne Fédérale
❖ FEDERATA DEMOKRATIKE MDERKOMBETARE E GRAVE ➜ Albanie
♦ FEDERATED MALAY STATES ➜ Malaisie
♦ FEDERATED STATES OF MICRONESIA ➜ Micronésie
♦ FÉDÉRATION DU MALI ➜ Mali
♦ FEDERATION OF SOUTH ARABIA ➜ Arabie du Sud
❖ FELDPOST ➜ Allemagne, Autriche-Hongrie
♦ FELKELÖ MAGYAROK ALTAL MEGSZALLT NYUGATMAGYARORSZAG 1921. AUG. SZEPT. ➜ Hongrie occidentale

♦ FELKELÖ MAGYAROK ESZAKI HADSEREGE 1921 ➜ Hongrie occidentale
⊙ fen ➜ Mandchourie, Pologne, Silésie (Haute : poste locale de Zawiercie)
♦ FEN ➜ Mandchourie
⊙ fenigow ➜ Pologne
♦ FERIA DE BARCELONA ➜ Barcelone
♦ FERIPAEGA ➜ Occussi-Ambeno (Sultanat d')
⋈ *Fernando Po (E)* ➜ Fernando Poo
♦ FERNANDO POO ➜ Fernando Poo

☐ **Fernando Poo**
Fernando Po (E)
1868-1968
Afrique
Yvert et Tellier, Tome 5, 3ᵉ partie
l   ESPANA FERNANDO POO (1960-1968)
FERNANDO POO (1868-1960)
FERNANDO POO ESPANA CORREOS (1960-1968)
SELLO 10° 25 C. DE PESO (1900-1901)
SELLO 10° Aˢ 1896 Y 97 25 C. DE PESO (1896-1899)
Tᴮᴿᴱ MOVIL-Fᴰᴼ POO 1896 (1896-1899)
m   cen de esc., c de peseta, cent, pts, c de peso, cen, centavos, milesima, milesimas, cts, centimos, pta, ptas

♦ FERNANDO POO ESPANA CORREOS ➜ Fernando Poo

■ **Féroé**
Faroe Islands (E)
1975-auj.
Europe
Yvert et Tellier, Tome 3, 1ʳᵉ partie
(à : *Danemark*)
l   FØROYAR (1975-auj.)
m   oyru, kr

☐ **Féroé (occupation anglaise)**
Faroe Islands (E)
1940-1941
Europe
Yvert et Tellier, Tome 3, 1ʳᵉ partie
(à : *Danemark*)
s   20 (Danemark : 1940-1941)
50 (Danemark : 1940-1941)
60 (Danemark : 1940-1941)

♦ FERRO-CARRIL ANDINO ➜ Argentine
♦ FERRO-CARRIL ARGENTINO DEL ESTE ➜ Argentine
♦ FERRO-CARRIL BUENOS AIRES AL PACIFICO ➜ Argentine
♦ FERRO-CARRIL BUENOS AIRES Y PTO. DE LA ENSENADA ➜ Argentine
♦ FERRO-CARRIL CENTRAL AL NORTE ➜ Argentine
❖ FERROCARRILES ➜ Espagne
♦ FERROCARRILES DE CHILE ➜ Chili
♦ FERRO-CARRIL OESTE ARGENTINO ➜ Argentine

- FERRO-CARRIL SANTA FE A LAS COLONIAS ➜ Argentine
- *Festiniog* ➜ Grande-Bretagne (compagnies privées de chemins de fer : Ffestiniog)
- FESTIVAL OF BRITAIN 1851-1951 ➜ Grande-Bretagne
- FEUDATORY POSTAGE ➜ Bamra
- ❖ FEUDATORY STATE ➜ Bamra
- FEUDATORY STATE RAJ NANDGAM CP ➜ Nandgame
- FEZ-MEQUINES ➜ Maroc (postes locales)
- FEZ SEFRO ➜ Maroc (postes locales)

☐ **Fezzan**
Libya: French occupation (E)
1943-1951
Afrique
Yvert et Tellier, Tome 2, 1ʳᵉ partie
  l   FEZZAN-GHADAMÈS (1946)
       TERRITOIRE DU FEZZAN (1946-1951)
       TERRITOIRE MILITAIRE DU FEZZAN (1946-1951)
       TERRITOIRE MILITAIRE FEZZAN-GHADAMÈS (1946-1951)
  s   FEZZAN OCCUPATION FRANÇAISE (Italie, Libye : 1943)
  m   F, frs, c

- *Fezzan* ➜ voir aussi : Ghadamès
- FEZZAN-GHADAMÈS ➜ Fezzan
- FEZZAN OCCUPATION FRANÇAISE ➜ Fezzan
- ⅊ *Ffestiniog Railway Company (E)* ➜ Grande-Bretagne (compagnies privées de chemins de fer : Ffestiniog)

■ **Fidji**
Fiji (E)
1870-auj.
Océanie
Yvert et Tellier, Tome 5, 3ᵉ partie
  l   FIJI (1871-auj.)
       FIJI TIMES EXPRESS (1870)
  m   penny, pence, shillings, d, c, $
  ⇨ Gilbert & Ellice, Nouvelles-Hébrides

- ❖ FIERA CAMPIONARIA I RASSEGNA INTERNAZIONALE TRIPOLI POSTE ITALIANE ➜ Tripolitaine
- ❖ FIERA CAMPIONARIA TRIPOLI POSTE ITALIANE ➜ Tripolitaine
- FIERA DI TRIESTE ➜ Trieste (Zone A Anglo-Américaine)
- FIESTA NACIONAL DEL CAUDILLO I-X-II ➜ Espagne (émissions nationalistes : Pamplona [Pampelune])
- FIJI ➜ Fidji
- FIJI TIMES EXPRESS ➜ Fidji
- FILIPᴬˢ IMPRESOS ➜ Philippines
- FILIPᴬˢ TELEGRAFOS ➜ Philippines
- FILIPINAS ➜ Philippines
- FILIPᴺᴬˢ ➜ Philippines
- ☉ fill ➜ Hongrie occidentale, Temesvar (Timisiorra)
- FILL ➜ Temesvar (Timisiorra)

- ☉ filler ➜ Banat-Bacska, Debreczen, Hongrie, Hongrie (occupation française), Hongrie occidentale, Temesvar (Timisiorra)
- FILLER ➜ Temesvar (Timisiorra)
- ☉ fils ➜ Abou Dhabi, Arabie du Sud, Bahrain, Émirats arabes unis, Irak, Jordanie, Kathiri (Seyun), Kuwait, Mahra, Palestine (autorité palestinienne), Qu'Aiti (Hadramaout), Upper Yafa, Yémen du Sud, Yémen (République), Yémen (république arabe)
- ❖ FINANZVERWALTUNG ALBANIENS ➜ Albanie
- FINCASTLE ➜ États Confédérés d'Amérique (émissions des Maîtres de postes : Fincastle, Virginie)
- ❖ FINLAND ➜ Finlande
- ⅊ *Finland: Aland Islands (E)* ➜ Aland

■ **Finlande**
Finland (E)
1856-auj.
Europe
Yvert et Tellier, Tome 3, 1ʳᵉ partie
  l   ПОЧТОВАЯ МАРКА (1891)
       AUTOPAKETTI BILPAKET (1949-1950)
       AUTOPAKETTI BUSSPAKET (1952-1963)
       EN MARK YKSI MARKKA (1866-1870)
       FINLAND SUOMI (1875-1895)
       KALEVALA SUOMI (1935)
       KENTTÄPOSTIA FÄLTPOST (1944-1983)
       KOP (1856-1870)
       LINJA-AUTORAHTI BUSSFRAKT (1981)
       MARK (1866-1870)
       PEN (1866-1870)
       PUOLUSTUSVOIMAT KENTTÄPOSTIA (1941-1944)
       SUOMI FINLAND (1918-auj.)
       SUOMI KALEVALA (1935)
       WANAJAVESI ANGBATSBOLAG (1866)
  s   МАРО (Russie : 1901-1916)
  m   €, КОП, kop, pen, ПЕН, pennia, penni, МАРК, mark, markka, markkaa, mapo, m, mk, p, luokka klass (*1ᵉʳ classe*)
  ⇨ Carélie orientale (occupation finlandaise), Russie (occupation finlandaise)

- *Finlande* ➜ voir aussi : Aland

☐ **Finlande (poste locale)**
Finland: local issues (E)
1866-1891
Europe
  l   KAUPUNGIN POSTI HELSINGEOBS STADSPOST (1866-1891)
  m   pennia, penni

- FINLAND SUOMI ➜ Finlande
- ❖ FIRENZE VENEZIA-GIULIA ➜ Italie (*poste privée S.A.B.E.*)
- ❖ FIRMA ➜ Philippines
- ❖ FIRST AERIAL SERVICE – PER ROYAL AIR FORCE AUGUST 1918 ➜ Canada
- FIRST SASKATCHEVAN AERIAL MAIL ESTEVAN WINNIPEG 1ˢᵀ OCTOBER 1924 ➜ Canada

- FISCALIA DE INSTRUCCION PUBLICA ESTADO GUAYANA ➔ Venezuela

- FISKE & RICE'S EXPRESS ➔ États-Unis d'Amérique (postes locales et privées) : *New England*

- FIUMANO KUPA ➔ Zone de Fiume et de la Kupa

- FIUME ➔ Fiume

☐ **Fiume**
1919-1924
Europe
Yvert et Tellier, Tome 3, 2ᵉ partie
(à : *Italie***)**
I FIUME (1919)
  POSTA DI FIUME (1919-1923)
  POSTA FIUME (1919-1923)
s FIUME (Hongrie : 1919)
  FRANCO FIUME (Hongrie : 1919)
  REGGENZA ITALIANA DEL CARNARO (1920)
m cen, cent, centesimi, lira, lire
⇨ Arbe et Veglia

◆ *Fiume* ➔ voir aussi : Arbe et Veglia, Zone de Fiume et de la Kupa

⌶ *Fiume-Kupa Zone (E)* ➔ Zone de Fiume et de la Kupa

- FIUME RIJEKA ➔ Istrie

- FIVE CENTS ➔ États Confédérés d'Amérique (émissions des Maîtres de postes : Macon, Georgie)

- FJAMMINGI ➔ Malte

⊙ fl ➔ Bavière

- F L F 1C ➔ Libéria

- FLORIDA R ➔ Uruguay

- FLOYD'S PENNY POST ➔ États-Unis d'Amérique (postes locales et privées) : *Chicago*

- FLÜCHLINGSHILFE MONTENEGRO ➔ Monténégro (occupation allemande)

- FLUGPOST ➔ Allemagne

- FLUGPOST LAUFEN 1913 ➔ Suisse

- FLUGSPENDE HERISAUER FLUGTAG 1913 II. SCHWEIZ FLUGPOST ➔ Suisse

- FLUGTAG IN LIESTAL ➔ Suisse

- F.M ➔ Allemagne Orientale (zone soviétique d'occupation : postes locales)

⊙ fmg ➔ Madagascar

- Fᴺ ➔ Mandchourie

⊙ Fᴺ ➔ Mandchourie

⊙ fnh ➔ Nouvelles-Hébrides, Vanuatu

- F.N.R. JUGOSLAVIJA ➔ Yougoslavie

- FOOCHOW ➔ Chine

- FORCES FRANÇAISES LIBRES LEVANT ➔ Levant (bureaux français)

⊙ forint ➔ Hongrie

- FORMOSA CHINA ➔ Formose

■ **Formose**
* *Republic of China (E)*
1888 (province chinoise) ; 1945-auj.
Asie
Yvert et Tellier, Tome 5, 3ᵉ partie
I 1 (*accompagné de caractères chinois*)
  (administration japonaise :1945)
  3 (*accompagné de caractères chinois*)
  (administration japonaise :1945)
  5 (*accompagné de caractères chinois*)
  (administration japonaise :1945)
  10 (*accompagné de caractères chinois*)
  (administration japonaise :1945)
  30 (*accompagné de caractères chinois*)
  (administration japonaise :1945)
  40 (*accompagné de caractères chinois*)
  (administration japonaise :1945)
  50 (*accompagné de caractères chinois*)
  (administration japonaise :1945)
  ELEANOR ROOSEVELT (1965)
  FORMOSA CHINA (1888)
  ICFTU (1959)
  REPUBLIC OF CHINA (1953-1954, 1961-auj.)
  THE WORLD UNITED AGAINST MALARIA (1962)
  WORLD REFUGEE YEAR 1959-1960 (1960)
s *caractères asiatiques* (Chine : 1946-1950)
  caractères asiatiques (Chine du nord-est : 1950)
  caractères asiatiques (Japon : 1945)
m cts

- FØROYAR ➔ Féroé

- FOR PHILADA. DELIVERY BLOOD'S DISPATCH ENVELOPE ➔ États-Unis d'Amérique (postes locales et privées) : *Philadelphie*

- FOR PHILA. DELIVERY BLOOD'S DISPATCH STAMP ➔ États-Unis d'Amérique (postes locales et privées) : *Philadelphie*

- FORSYTH ➔ États Confédérés d'Amérique (émissions des Maîtres de postes : Forsyth, Georgie)

- FORT DUVERNETTE ➔ Saint-Vincent

- FOR THE POST OFFICE D. O. BLOOD & CO. CITY DESPATCH ➔ États-Unis d'Amérique (postes locales et privées) : *Philadelphie*

- FOR THE POST OFFICE G. S. HARRIS CITY DESPATCH PAID ➔ États-Unis d'Amérique (postes locales et privées) : *Philadelphie*

- FOR THE POST OFFICE T. A. HAMPTON CITY DESPATCH PAID ➔ États-Unis d'Amérique (postes locales et privées) : *Philadelphie*

- FOU ➔ Yunnanfou

- FOUR PIES ➔ Travancore-Cochin

- FOUR PIES SERVICE ➔ Travancore-Cochin

⊙ fr ➜ Albanie, Algérie (département français), Belgique, Belgique (occupation allemande), Campione, Canton, Cavalle (bureau français), Chine (bureaux français), Congo (belge, état indépendant, république, république démocratique), Crète (bureaux français), Dahomey (colonie française), France, Guinée (colonie française), Haut-Sénégal et Niger, Haute-Volta (colonie française), Indochine, Katanga, Liechtenstein, Luxembourg, Madagascar, Madagascar (colonie française), Mauritanie (colonie française), Monaco, Mong-Tzeu, Niger (colonie française), Nouvelles-Hébrides (postes locales), Oubangui, Pakhoi, Réunion, Ruanda-Urundi, Rwanda, Sarre, Sénégal (colonie française), Suisse, Wallis et Futuna, Yunnanfou, Zanzibar (bureau français)

⊙ franc ➜ Antilles danoises, Belgique, Crète (bureaux autrichiens), Levant (bureaux français)

❖ FRANC ➜ Belgique

✦ FRANC ➜ Crète (bureaux autrichiens)

⊙ franc, francs ➜ Belgique, Colonies françaises, France, Katanga, Luxembourg, Maroc anglais (zone française)

✦ FRANC À PERCEVOIR ➜ Colonies françaises, France

✦ FRANCA ➜ Ancachs, Arequipa

✦ FRANCA (dans un ovale) ➜ Chiclayo

✦ FRANCE D'OUTREMER ➜ Colonies françaises

✦ FRANCE POSTES ➜ France

■ **France**
  1849-auj.
  Europe
  Yvert et Tellier, Tome 1
  I   B. PALISSY (1970-1980)
      CENTIME À PERCEVOIR (1859-1935)
      CENTIMES À PERCEVOIR (1859-1935)
      CHAMBRE DE COMMERCE AMIENS (1909)
      CHAMBRE DE COMMERCE DE ROANNE COURRIER COMMERCIAL (1968)
      CHAMBRE DE COMMERCE D'ORLÉANS ET DU LOIRET TAXE D'ACHEMINEMENT (1953)
      CHAMBRE DE COMMERCE DE SAINT-NAZAIRE FRONT ATLANTIQUE (1945)
      CHAMBRE DE COMMERCE DE SAUMUR SERVICE POSTAL ROUTIER AVION POSTAL MILITAIRE (1953)
      CHAMBRE DE COMMERCE DE TARBES 1968 TAXE D'ACHEMINEMENT (1968)
      CHAMBRE DE COMMERCE DE VALENCIENNES SERVICE POSTAL INTÉRIMAIRE 1914 (1914)
      CHAMBRE DE COMMERCE ET D'INDUSTRIE DE LIBOURNE TAXE D'ACHEMINEMENT (1968)
      CHAMBRE DE COMMERCE ET D'INDUSTRIE DE ST-DIÉ TAXE D'ACHEMINEMENT (1968)
      CHAMBRE DE COMMERCE ET D'INDUSTRIE D'ÉPINAL TAXE D'ACHEMINEMENT (1968)
      CHAMBRE DE COMMERCE ET D'INDUSTRIE TAXE D'ACHEMINEMENT COURRIER COMMERCIAL DE ROYAN (1974)
      CHAMBRE DE COMMERCE ET D'INDUSTRIE TAXE D'ACHEMINEMENT COURRIER COMMERCIAL DE STE FOY LA GRANDE (1974)
      CHAMBRE DE COMMERCE ET D'INDUSTRIE TAXE D'ACHEMINEMENT DE SAINT-DIZIER ET DE LA HAUTE MARNE (1968)
      CHIFFRE TAXE (1859-1884)
      COLIS POSTAL 15 À 20 KG DOMICILE (1945)
      COLIS POSTAL APPORT À LA GARE (1892-1923)
      COLIS POSTAL APPORT À LA GARE D'UN COLIS 3,5 OU 10 KILOG. (1926-1938)
      COLIS POSTAL APPORT À LA GARE D'UN COLIS DÉPOSÉ DANS UN BUREAU DE VILLE DE PARIS (1926-1932)
      COLIS POSTAL COLIS ENCOMBRANT (1945)
      COLIS POSTAL ENCOMBRANT (1933-1939)
      COLIS POSTAL INTÉRÊT À LA LIVRAISON JUSQU'À 1000 FRANCS (1939-1945)
      COLIS POSTAL INTÉRÊT À LA LIVRAISON JUSQU'À 500 FRANCS (1926-1939)
      COLIS POSTAL JUSQU'À 10 KGS DOMICILE (1939-1945)
      COLIS POSTAL LIVRAISON PAR EXPRÈS (1892-1923)
      COLIS POSTAL LIVRAISON PAR EXPRÈS D'UN COLIS 3,5 OU 10 KILOG. (1926-1938)
      COLIS POSTAL MAJORATION (1918-1938)
      COLIS POSTAL REMBOURSEMENT (1939-1945)
      COLIS POSTAL VALEUR DÉCLARÉE JUSQU'À 500 F (1892-1938)
      COLIS POSTAUX DE PARIS, COLIS POSTAUX PARIS POUR PARIS
      CONSEIL DE L'EUROPE (1958-auj.)
      CONVERSATION DE 5 MINUTES (1880)
      CORPS EXPÉDITIONNAIRE DE LA LÉGION DES VOLONTAIRES FRANÇAIS CONTRE LE BOLCHEVISME COURRIER OFFICIEL PAR AVION (1942)
      CORPS EXPÉDITIONNAIRE DE LA LÉGION DES VOLONTAIRES FRANÇAIS CONTRE LE BOLCHEVISME COURRIER SPÉCIAL PAR AVION (1942)
      EMPIRE FRANC (1853-1862)
      EMPIRE FRANÇAIS (1863-1871)
      DE ENCOMBREMENT POSTAL SUITE DES GRÈVES COURRIER POSTÉ À REIMS (1988)
      ÉTAT FRANÇAIS (1943)
      ÉTAT FRANÇAIS COURRIER OFFICIEL (1943)
      FRANC À PERCEVOIR (1881-1935)
      FRANCS À PERCEVOIR (1881-1935)
      FRANCE POSTES (1928-auj.)
      GRÈVE DES P.T.T. 1969 COURRIER COMMERCIAL TAXE D'ACHEMINEMENT PAR VOIE MARITIME CORSE-CONTINENT (1968)
      FRANCE D'OUTREMER 1941 (1941)
      LA LÉGION DES VOLONTAIRES FRANÇAIS

CONTRE LE BOLCHEVISME (1942)
LVF (1942)
LYON TAXE D'ACHEMINEMENT GRÈVE PTT 1974 (1974 ; 1988)
POSTE LIBRE F.F.I. M.L.N. (vignette : 1945)
POSTES (1900-1924)
POSTES FRANÇAISES (1941-1943)
POSTE SPÉCIALE F.F.I. M.L.N. (1944)
P.T.T RADIODIFFUSION (1935-1937)
RAVITAILLEMENT GÉNÉRAL (1946)
RÉPUB. FRANC. (1849-1852, 1870-1875)
RÉPUBLIQUE FRANÇAISE (1876-auj.)
RÉPUBLIQUE FRANÇAISE LA POSTE (1989-auj.)
RÉSEAU D'ÉTAT (1901)
(1928-auj.)
RF POSTES (1928-auj.)
SNCF (1941-1945)
RF SOCIÉTÉ NATIONALE DES CHEMINS DE FER FRANÇAIS (1944-1960)
TIMBRE IMPERIAL JOURNAUX (1868-1869)
UNESCO (1960-auj.)

s BASE ATLANTICA (Italie : 1943-1944)
CENT. (Allemagne : 1916-1917)
BESETZTES GEBIET NORDFRANKREICH (1940)
F. (Allemagne : 1916-1917)
F. CENT. (Allemagne : 1916-1917)
ITALIA REPUBBLICANA FASCISTA BASE ATLANTICA (Italie : 1943-1944)
PAR AVION BATIMENT DE LIGNE RICHELIEU (France, Mauritanie [colonie française], Sénégal [colonie française] : 1943)
REPUBBLICA SOCIALE ITALIANA
REPUBLICA SOCIALE ITALIANA RF (États-Unis d'Amérique : 1944-1945)
R.F (États-Unis d'Amérique : 1944-1945)
R.F. (États-Unis d'Amérique : 1944-1945)
R.F. V SAVERNE LIBRE (Allemagne : 1944)

m c, centime, centimes, cent, ecu, f, fr, franc, francs, €

⇨ Afrique Occidentale, Alaouites, Alexandrie, Algérie, Algérie (département français), Andorre (poste française), Castellorizo (colonie française), Cavalle (bureau français), Chine (bureaux français), Cilicie, Dédéagh (bureau français), Gabon (colonie française), Grand Liban, Indochine, Jérusalem (bureau consulaire français), Levant (bureaux français), Madagascar (colonie française), Majunga, Maroc (bureaux et protectorat français), Memel (administration française), Monténégro (timbres d'exil), Oubangui, Port-Lagos, Port-Saïd, Réunion, Saint-Pierre et Miquelon, Serbie, Syrie (administration française), Tunisie (protectorat français), Vathy, Zanzibar (bureau français)

◆ *France* ➔ voir aussi : Alsace-Lorraine
🏳 *France: German Occupation (E)* ➔ Alsace-Lorraine
◆ *Francfort (poste privée)* ➔ Allemagne (postes locales ou privées)

◆ FRANCHIGIA MILITARE ➔ Italie
⊙ franco ➔ Dominicaine
❖ FRANCO ➔ Espagne
◆ FRANCO ➔ Suisse
◆ FRANCO BOLLO DI STATO ➔ Italie
◆ FRANCO BOLLO POSTALE ➔ Église (États Pontificaux)
◆ FRANCO BOLLO POSTALE ITALIANO ➔ Italie
◆ FRANCO BOLLO POSTALE ROMAGNE ➔ Romagne
◆ FRANCOBOLLO POSTALE TOSCANO ➔ Toscane
❖ FRANCO BOLLO STAMPE ➔ Sardaigne
◆ FRANCO CAUDILLO DE ESPAÑA TAFALLA 1-X-1937 ➔ Espagne (émissions nationalistes : Tafalla)
◆ FRANCO CHIHUAHUA ➔ Chihuahua
◆ FRANCO CORREOS ➔ Espagne
◆ FRANCO CORREOS 1854 Y 55 ➔ Philippines
◆ FRANCO CUZCO ➔ Cuzco
◆ FRANCO EN GUADALAJARA ➔ Guadalajara
◆ FRANCO FIUME ➔ Fiume
◆ ¡FRANCO! ¡FRANCO! ¡FRANCO! ¡ARRIBA ESPAÑA! ➔ Espagne (émissions nationalistes : Jerez de la Frontera)
◆ ¡FRANCO! ¡FRANCO! ¡FRANCO! ¡VIVA ESPAÑA! ➔ Espagne (émissions nationalistes : Caceres)
◆ FRANCO HOTOVE PLACENO ➔ Tchécoslovaquie
◆ FRANCO MARKE ➔ Brême
◆ FRANCO POSTE BOLLO ➔ Italie, Parme, Royaume des deux Siciles, Sardaigne
❖ FRANCO QUEIPO ➔ Espagne (émissions nationalistes : Séville)
◆ FRANCOROLLO POSTALE TOSCANO ➔ Toscane
⊙ francos ➔ Dominicaine
◆ FRANCO SCRISOREI ➔ Roumanie
⊙ francs ➔ Congo (belge/état indépendant/république/ république démocratique), Libye
◆ FRANCS ➔ Crète (bureaux autrichiens)
◆ FRANCS À PERCEVOIR ➔ Colonies françaises, France
⊙ francs or ➔ Nouvelles-Hébrides
◆ FRANK B & O COMPLIMENTARY 1886 ➔ États-Unis d'Amérique (compagnies privées de télégraphe) : *Baltimore & Ohio Telegraph Companies*
⊙ franken ➔ Belgique, Liechtenstein, Sarre
❖ FRANKEER ZEGEL ➔ Surinam
◆ *Frankford (Pennsylvanie)* ➔ États-Unis d'Amérique (postes locales et privées)
❖ FRANKFURT A/M ➔ Allemagne (postes locales ou privées : Francfort)
◆ FRANKLIN CITY DESPATCH POST ➔ États-Unis d'Amérique (postes locales et privées) : *New York*
❖ FRANKLIN N.C. ➔ États Confédérés d'Amérique (émissions des Maîtres de postes : Franklin, Caroline du Nord)
◆ FRANKO ➔ Autriche (postes locales ou privées) : *St. Gilgen*
◆ FRANKO BAR ➔ Tchécoslovaquie
◆ FRANKO BAR BEZAHLT ➔ Tchécoslovaquie
◆ FRANKO BAR BEZAHLT « PILSNER TAGBLATT » ➔ Tchécoslovaquie
◆ FRANKO HOTOVE PLACENO ➔ Tchécoslovaquie

- FRANKO HOTOVE ZAPLACENO → Tchécoslovaquie
- FRANKO HOTOVE ZAPRAVENO CESKE SLOVO → Tchécoslovaquie
- FRANQUEO → Arequipa
- ❖ FRANQUEO → Espagne (Insurrection Carliste)
- FRANQUEO ESPAÑA → Espagne (Insurrection Carliste)
- FRANQUEO OFICIAL GUATEMALA → Guatemala
- FRANQUICIA POSTAL → Espagne
- ☉ fr. ar → Albanie
- FRAZER & CO. CITY DESPATCH → États-Unis d'Amérique (postes locales et privées) : *Cincinnati*
- F. R. C⁰. → Grande-Bretagne (compagnies privées de chemins de fer : Ffestiniog)
- FREDERICKSB'G → États Confédérés d'Amérique (émissions des Maîtres de postes : Fredericksburg, Virginie)
- ◆ *Fredericksburg (Virginie)* → États Confédérés d'Amérique (émissions des Maîtres de postes : Fredericksburg, Virginie)
- ▾ FREE CROATIA → Croatie (timbres d'exil)
- FREEDOM FROM FRUMIOUS NIPPON 1946 → Sedang (Royaume de, poste locale)
- FREEDOM FROM HUNGER 1963 → Japon
- FREI DURCH ABLÖSUNG → Bade (Grand Duché)
- FREIES AUSSEE LAND → Autriche
- FREIE STADT DANZIG → Dantzig
- ❖ FREIMARKE → Bade (Grand Duché)
- FREIMARKE → Prusse
- FREIMARKE BADEN POSTVEREIN → Bade (Grand Duché)
- FREIMARKE KREUZER → Tour et Taxis
- FREIMARKE * KREUZER → Wurtemberg
- FREIMARKE LAND TIROL → Autriche (postes locales ou privées) : *Tirol*
- ❖ FREIMARKE SCHWERIN → Mecklembourg-Schwerin
- FREIMARKE SILB. GROSCH. → Tour et Taxis
- FREISTAAT BAYERN → Bavière
- ↳ *French Colonies (E)* → Colonies françaises
- ↳ *French Congo (E)* → Congo (colonie française)
- ↳ *French Equatorial Africa (E)* → Afrique Équatoriale
- ↳ *French Guiana (E)* → Guyane (colonie française)
- ↳ *French Guinea (E)* → Guinée (colonie française)
- ↳ *French India (E)* → Inde (établissements français)
- ↳ *French Morocco (E)* → Maroc (bureaux et protectorat français)
- ↳ *French Offices in China (E)* → Canton, Chine (bureaux français), Hoï-Hao, Kouang-Tchéou, Mong-Tzeu, Pakhoi, Tch'ong-K'ing, Yunnanfou
- ↳ *French Offices in Crete (E)* → Crète (bureaux français)
- ↳ *French Offices in Egypt (E)* → Alexandrie, Port-Saïd
- ↳ *French Offices in Turkish Empire (E)* → Cavalle (bureau français), Dédéagh (bureau français), Levant (bureaux français), Port Lagos, Vathy
- ↳ *French Offices in Zanzibar (E)* → Zanzibar (bureau français)
- ↳ *French Polynesia (E)* → Océanie, Polynésie Française
- ↳ *French Southern and Antarctic Territories (E)* → Terres Australes et Antarctiques Françaises

- ↳ *French Sudan (E)* → Soudan (colonie française)
- ↳ *French West Africa (E)* → Afrique Occidentale
- ❖ FRESNO AND SAN FRANCISCO BICYCLE MAIL ROUTE → États-Unis d'Amérique (postes locales et privées) : *Californie*
- FRIEDRICH WILHELMSHAFEN → Nouvelle Guinée (occupation britannique, administration australienne)
- ❖ FRIMAERKE → Danemark
- FRIMAERKE → Norvège
- FRIMAERKE KGL POST → Danemark
- FRIMÄRKE FOR LOCALBREF. → Suède
- FRIMÄRKE LANDSTORMEN → Suède
- FRIMÄRKE LOKALBREF → Suède
- ❖ F.R.M. → Schleswig-Holstein
- ❖ FRMRK. → Schleswig-Holstein
- ❖ FRONT ATLANTIQUE → France
- ☉ frs → Algérie (département français), Fezzan, Jérusalem (bureau consulaire français)
- ☉ fr. sh. → Albanie
- ☉ frw → Rwanda
- ☉ f.s. → Nations Unies (Genève)
- ☉ ft → Hongrie
- ◆ *Fudjayra* → Fujeira
- FUERSTENTUM LIECHTENSTEIN → Liechtenstein
- FUJEIRA → Fujeira

☐ **Fujeira**
1964-1972
Asie
Yvert et Tellier, Tome 5, 1ʳᵉ partie
(à : *Arabie du Sud-Est*)
I FUJEIRA (1964-1972)
m np, dh, r

- FUJI HAKONE NATIONAL PARK → Japon

☐ **Funafuti**
Tuvalu: Funafuti (E)
1984-1988
Océanie
Yvert et Tellier, Tome 7, 2ᵉ partie
(à : *Tuvalu*)
I FUNAFUTI-TUVALU (1984-1988)
m c, $

- FUNAFUTI-TUVALU → Funafuti
- FUNCHAL → Funchal

☐ **Funchal**
1892-1905
Europe
Yvert et Tellier, Tome 3, 2ᵉ partie
(à : *Portugal*)
I FUNCHAL (1892-1905)
m reis

- FÜRSTENTUM LIECHTENSTEIN → Liechtenstein
- ☉ g → Autriche, Haïti, Islande, Paraguay, Royaume des deux Siciles
- G → Griqualand
- GAB → Gabon (colonie française)

■ **Gabon**
Gabon Republic (E)
1959-auj.
Afrique
Yvert et Tellier, Tome 2, 2ᵉ partie
  l RÉPUBLIQUE GABONAISE (1959-auj.)
  m f

□ **Gabon (colonie française)**
Gabon (E)
1886-1933
Afrique
Yvert et Tellier, Tome 2, 1ʳᵉ partie
  l AFRIQUE ÉQUATORIALE GABON (1915-
     1931)
     CONGO FRANÇAIS GABON (1910)
     GABON-CONGO POSTES RÉPUBLIQUE
     FRANÇAISE (1889)
  s GAB (Colonies françaises : 1886)
     GABON A. E. F. (France : 1928)
     GABON TIMBRE (Colonies françaises : 1889)
  m c, f
  ⇨ Afrique Équatoriale, Cameroun (colonie française)

♦ GABON A. E. F. ➜ Gabon (colonie française)
❖ GABONAISE ➜ Gabon
♦ GABON-CONGO POSTES RÉPUBLIQUE
  FRANÇAISE ➜ Gabon (colonie française)
🏳 *Gabon Republic (E)* ➜ Gabon
♦ GABON TIMBRE ➜ Gabon (colonie française)
🏳 *Gaboon (E)* ➜ Gabon
♦ *Gadiatch* ➜ Zemstvos
♦ *Gainesville (Alabama)* ➜ États Confédérés d'Amérique
  (émissions des Maîtres de postes : Gainesville,
  Alabama)
♦ GAIRSAY ➜ Gairsay

□ **Gairsay**
Europe
Émission non admise par l'U.P.U.
  l GAIRSAY

🏳 *Galapagos Islands (E)* ➜ Équateur
❖ GALLAWAY ➜ États Confédérés d'Amérique
  (émissions des Maîtres de postes : Memphis, Tennessee)
♦ GALVESTON TEX. ➜ États Confédérés d'Amérique
  (émissions des Maîtres de postes : Galveston, Texas)
♦ GAMBIA ➜ Gambie

■ **Gambie**
Gambia (E)
1869-auj.
Afrique
Yvert et Tellier, Tome 5, 3ᵉ partie
  l GAMBIA (1869-1965)
     THE GAMBIA (1966-auj.)
  m penny, pence, s, d, shilling, b, D

♦ G. A. MILLS' FREE DESPATCH POST ➜ États-Unis
  d'Amérique (postes locales et privées) : *New York*
❖ GAND ➜ Belgique

♦ G. A.O.ONZ ➜ Levant (bureaux russes)
⊙ garch ➜ Arabie Saoudite, Nedjed

□ **Garzon**
Colombia: Garzon (E)
1894
Amérique du Sud
Yvert et Tellier, Tome 5, 2ᵉ partie
(à : *Colombie*)
  l R. DE C. GARZON (1894)
  m $, peso

❖ GAWHAR SHAD ➜ Iran
❖ GAZAN ➜ Iran
❖ GAZZETTE ➜ Modène
♦ GAZZETTE ESTERE PARMA ➜ Parme
♦ GAZZETTE ESTERE PIACENZA ➜ Parme
♦ G. CARTER'S DESPATCH ➜ États-Unis d'Amérique
  (postes locales et privées) : *Philadelphie*
♦ G & D ➜ Guadeloupe
❖ GDANSK ➜ Dantzig (bureau polonais)
❖ GDAŇSK ➜ Dantzig (bureau polonais)
♦ G.D. DE LUXEMBOURG ➜ Luxembourg
♦ Gᴰ DUCHÉ DE LUXEMBOURG ➜ Luxembourg
⊙ gde ➜ Haïti
♦ Gᴰ LIBAN ➜ Grand Liban
♦ *Gdov* ➜ Zemstvos
♦ G.E.A. ➜ Afrique orientale allemande (occupation
  britannique)
❖ GEBIET NORDFRANKREICH ➜ France
♦ GEGEN VOLKSMAT VOLKSSOLIDARITÄT
  DEUTSCHE POST ➜ Saxe Occidentale
♦ G ET D ➜ Guadeloupe
❖ GEMONA ➜ Autriche-Hongrie (occupation en Italie)
♦ *Général Denikin* ➜ Russie (Armées du Sud)
♦ GENERALDIREKTORATET FOR POST-OG
  TELEGRAFVAESENET ➜ Danemark
♦ GENERALDIREKTORATET FOR POSTVAESENET
  ➜ Danemark
❖ GENERALE ANDERS ➜ Pologne (corps polonais)
♦ GENERAL GOUVERNEMENT ➜ Pologne
  (occupation allemande)
♦ *Général Miller* ➜ Russie (Armée du Nord)
♦ GENERAL MOLA CAUDILLO DEL NORTE
  ¡PRESENTE! ➜ Espagne (émissions nationalistes :
  Bilbao)
♦ GENERAL POST OFFICE OF JAPAN ➜ Japon
❖ GENÈVE ➜ Suisse
♦ GEN. GOUV. WARSCHAU ➜ Pologne (occupation
  allemande)
♦ GENT GAND ➜ Belgique
♦ GEORGETOWN S.C. ➜ États Confédérés d'Amérique
  (émissions des Maîtres de postes : Georgetown,
  Caroline du Sud)
❖ GEORGIA ➜ Falkland (dépendances : Géorgie du Sud)
♦ GEORGIA ➜ Géorgie
❖ GEORGIA AND THE SOUTH SANDWICH IS
  ➜ Falkland (dépendances : Géorgie du Sud et Iles
  Sandwich du Sud)
❖ GEORGIA DEPENDENCY ➜ Falkland (dépendances :
  Géorgie du Sud)

■ **Géorgie**
* *Georgia (E)*
1919-1923 ; 1993-auj.
Europe
Yvert et Tellier, Tome 4, 1ʳᵉ partie
  l   **GEORGIA** (1993-auj.)
     GRUZIJA (1993-auj.)
     LA GEORGIE (1919-1920)
     RÉPUBLIQUE GEORGIENNE (1919-1920)
  m kopek, rouble

◆ *Géorgie du Sud* ➔ Falkland (dépendances)
◆ *Géorgie du Sud et Iles Sandwich du Sud* ➔ Falkland (dépendances)
❖ GEORGIENNE ➔ Géorgie
℗ *German Democratic Republic (E)* ➔ Allemagne Orientale (République Démocratique)
℗ *German East Africa (E)* ➔ Afrique orientale allemande (colonie allemande)
℗ *German East Africa: Belgium Occupation (E)* ➔ Ruanda-Urundi
℗ *German East Africa: British Occupation (E)* ➔ Afrique orientale allemande (occupation britannique)
℗ *German New Guinea (E)* ➔ Nouvelle Guinée (colonie allemande)
℗ *German Offices in China (E)* ➔ Chine (bureaux allemands)
℗ *German Offices in Morocco (E)* ➔ Maroc (bureaux allemands)
℗ *German Offices in Turkish Empire (E)* ➔ Levant (bureaux allemands)
℗ *German South-West Africa (E)* ➔ Afrique du Sud-Ouest (colonie allemande)
℗ *German States (E)* ➔ Allemagne du Nord (confédération), Bade (Grand Duché), Bavière, Bergedorf, Brême, Brunswick, Hambourg, Hanovre, Lubeck, Mecklembourg-Schwerin, Mecklembourg-Strelitz, Oldenbourg, Prusse, Saxe (royaume), Schleswig-Holstein, Tour et Taxis, Wurtemberg
℗ *Germany (E)* ➔ Allemagne, Allemagne (zones Américaine, Anglaise et Soviétiques d'occupation - zones A.A.S.)
℗ *Germany: Federal Republic (E)* ➔ Allemagne Fédérale
℗ *Germany: for use in the United Sates and British zones (A. M. G. issue) (E)* ➔ Allemagne bizone (zone anglo-américaine d'occupation)
℗ *Germany: local issues (E)* ➔ Allemagne (postes locales ou privées)
℗ *Germany: Belgian occupation (E)* ➔ Allemagne (occupation belge), Eupen et Malmédy
℗ *Germany: French occupation (E)* ➔ Allemagne (occupation française), Bade, Rhéno-Palatin (État), Wurtemberg (occupation française)
◆ GERUSALEMME ➔ Levant (bureaux italiens)
❖ GESELLSCHAFT ➔ Autriche
❖ GESELLSCHAFT. ➔ Compagnie Danubienne de Navigation à Vapeur
⊙ ggr ➔ Hanovre

□ **Ghadamès**
Libya: French occupation (E)
1949
Afrique
Yvert et Tellier, Tome 2, 1ʳᵉ partie
  l   GHADAMÈS TERRITOIRE MILITAIRE (1949)
  m f

◆ *Ghadamès* ➔ voir aussi : Fezzan
◆ GHADAMÈS TERRITOIRE MILITAIRE ➔ Ghadamès
◆ GHANA ➔ Ghana

■ **Ghana**
1957-auj.
Afrique
Yvert et Tellier, Tome 5, 3ᵉ partie
  l   GHANA (1957 auj.)
  s   GHANA INDEPENDENCE 6ᵀᴴ MARCH 1957 (Côte de l'Or : 1957-1958)
  m d, p, np, nc, c

◆ GHANA INDEPENDENCE 6ᵀᴴ MARCH 1957 ➔ Ghana
◆ GIBRALTAR ➔ Gibraltar

■ **Gibraltar**
1886-auj.
Europe
Yvert et Tellier, Tome 3, 1ʳᵉ partie
  l   GIBRALTAR (1886-auj.)
  s   GIBRALTAR (Bermudes : 1886)
  m penny, halfpenny, pence, d, p
  ⇨ Maroc anglais (tous les bureaux <1918, zone espagnole)

□ **Gilbert**
Gilbert Islands (E)
1976-1979
Océanie
Yvert et Tellier, Tome 5, 3ᵉ partie
  l   GILBERT ISLANDS (1976-1979)
     THE GILBERT ISLANDS (1976-1979)
  s   THE GILBERT ISLANDS (Gilbert & Ellice : 1976)
  m c

□ **Gilbert & Ellice**
Gilbert and Ellice Islands (E)
1911-1975
Océanie
Yvert et Tellier, Tome 5, 3ᵉ partie
  l   GILBERT & ELLICE ISLANDS (1911-1975)
     GILBERT & ELLICE ISLANDS PROTECTORATE (1911-1975)
  s   GILBERT & ELLICE PROTECTORATE (Fidji : 1911)
  m d, penny, pence, c, cents
  ⇨ Gilbert, Tuvalu

◆ GILBERT & ELLICE ISLANDS ➔ Gilbert & Ellice

- GILBERT & ELLICE ISLANDS PROTECTORATE ➔ Gilbert & Ellice
- GILBERT & ELLICE PROTECTORATE ➔ Gilbert & Ellice
- GILBERT ISLANDS ➔ Gilbert
- GILDESTAD NIJMEGEN NEDERLAND ➔ Pays-Bas (postes locales : *Nijmegen*)
- ⊙ gildi ➔ Islande
- GIORNALI FRANCO BOLLO STAMPE ➔ Italie
- GIORNALI FRANCO BOLLO STAMPE ➔ Sardaigne
- GIOTTO STADSPOST ➔ Pays-Bas (postes locales : *Gravenhage*)
- ❖ GIUBA ➔ Outre-Djouba
- ⊙ gl ➔ Pays-Bas
- ◢ *Glazov* ➔ Zemstvos
- ⊙ gld ➔ Inde néerlandaise, Nouvelle Guinée Néerlandaise, Pays-Bas, Pays-Bas (postes locales), Surinam
- GLEN HAVEN DAILY MAIL. ➔ États-Unis d'Amérique (postes locales et privées) : *Glen Haven (New York)*
- G. L. P. S. HEDJAZ ➔ Grand Liban
- ⊙ gnf ➔ Guinée
- G.N.R. ➔ Italie (République Sociale)
- GOAT ➔ Goat

□ **Goat**
Europe
Émission non admise par l'U.P.U.
  I GOAT

- GOBIERNO GENERAL DE ASTURIAS Y LEON ➔ Asturies et Léon
- GOBIERNO NACIONAL DE ESPAÑA ➔ Espagne (émissions nationalistes : Mondragon)
- ❖ GOBIERNO PROVISIONAL ➔ Tumaco
- GOBIERNO PROVISIONAL CORREOS ESTADOS UNIDOS DE COLOMBIA ➔ Cucuta
- GOBIERNO PROVISIORIO CORREOS ESTADOS UNIDOS DE COLOMBIA ➔ Cucuta
- GOETHE ➔ Thuringe
- GOLD COAST ➔ Côte de l'Or
- GOLFE DE BÉNIN ➔ Bénin (colonie française)
- GOLFO DE GUINEA ➔ Guinée espagnole
- GOLIAD ➔ États Confédérés d'aAmérique (émissions des Maîtres de postes : Goliad, Texs)
- GONZALES TEXAS ➔ États Confédérés d'Amérique (émissions des Maîtres de postes : Gonzales, Texas)
- ❖ GOOD HOPE ➔ Cap de Bonne-Espérance (colonie britannique)
- ❖ GOOI-POST ➔ Pays-Bas (postes locales : *Bussum*)
- GORDON'S CITY EXPRESS ➔ États-Unis d'Amérique (postes locales et privées) : *New York*
- ❖ GORGAN ➔ Iran
- GORNY SLASK ➔ Silésie Orientale (Haute)
- ◢ *Gouda* ➔ Pays-Bas (postes locales)
- ⊙ gourde ➔ Haïti
- ❖ GOUVERNEMENT HAUTE SILÉSIE ➔ Silésie (Haute)
- GOVERNATORATO DEL MONTENEGRO VALORE IN LIRE ➔ Monténégro (occupation italienne)

- GOVERNMENT CITY DISPATCH ➔ États-Unis d'Amérique
- GOVERNMENT OF CEYLON ➔ Ceylan
- GOVERNMENT OF INDIA ➔ Inde anglaise
- GOVERNMENT OF SHARJAH AND ITS DEPENDENCIES ➔ Sharjah
- ❖ GOVERNMENT TELEGRAPH ➔ Ceylan
- GOVERNO GERAL DE ANGOLA ➔ Angola
- GOVERNO MILITARE ALLEATO ➔ Italie (occupation interalliée)
- GOV^T OF INDIA ➔ Inde anglaise
- GOYA ➔ Espagne
- GPE ➔ Guadeloupe
- G. P. E. ➔ Guadeloupe
- ⊙ gr ➔ Albanie, Dantzig, Dantzig (bureau polonais), Islande, Oldenbourg, Pologne, Pologne (corps polonais), Pologne (exil), Pologne (occupation allemande), Royaume des deux Siciles
- ⊙ gra ➔ Royaume des deux Siciles
- ❖ GRACIAS ➔ Cabo
- GRAFFLIN'S BALTIMORE DESPATCH ➔ États-Unis d'Amérique (postes locales et privées) : *Baltimore*
- GRAF ZEPPELIN ➔ Compagnie Condor
- GRAHAM LAND DEPENDENCY OF ➔ Falkland (dépendances : Terre de Graham)
- ⊙ grana ➔ Royaume des deux Siciles
- ❖ GRANADA GOBERMACION DEL CHOCO ➔ Cauca
- ❖ GRANADINA NACIONALES ➔ Colombie
- ꒒ *Grand Comoro (E)* ➔ Grande Comore
- GRAND DUCHÉ DE LUXEMBOURG ➔ Luxembourg

■ **Grande-Bretagne**
Great Britain (E)
1840-auj.
Europe
Yvert et Tellier, Tome 3, 1ʳᵉ partie
l 1923-1948 (1948)
1st (2001-auj.)
2nd (2001-auj.)
BRITISH EMPIRE EXHIBITION 1924 (1924)
BRITISH EMPIRE EXHIBITION 1924 (1925)
COMMEMORATIVE STAMP DIAMOND
JUBILEE 1897 (1897)
D1/2 (avec une lettre dans chaque coin) (1870)
E (2001-auj.)
FESTIVAL OF BRITAIN 1851-1951 (1951)
HALFCROWN POSTAGE (1912-1922)
INLAND REVENUE (1862-1867)
MILITARY TELEGRAPHS (1884)
NATIONAL TELEPHONE COMPANY LIMITED
(1884)
OFFICIALLY SEALED IN THE RETURNED
OFFICE LONDON (1902)
OLYMPIC GAMES 1948 (1948)
POSTAGE (1840-1881)
POSTAGE & REVENUE (1883-1967)
POSTAGE AND REVENUE (1883-1967)
POSTAGE REVENUE (1883-1967)
POSTAGE AND INLAND REVENUE (1881)
POSTAGE DUE (1914-1969)
POSTAL UNION CONGRESS LONDON 1929
(1929)
PRINCE OF WALES HOSPITAL FUND (1897)
SILVER JUBILEE (1977)
SILVER JUBILEE 1910-1935 (1935)
SILVER WEDDING (1972)
TELEGRAPHS (1870-1881)
THE QUEENS COMMEMORATION CHARITY
TO PAY (1914-auj.)
UNIVERSAL POSTAL UNION 1874-1949 (1949)
VICTORIA GEORGE 1840 - 1940 (1940)
s ADMIRALTY OFFICIAL (1902-1903)
ARMY OFFICIAL (1902-1903)
ARMY TELEGRAPHS (1895-1900)
BOARD OF EDUCATION (1902-1903)
B. T (1901-1902)
O.W. OFFICIAL (1902-1903)
R.H. OFFICIAL (1901-1902)
m penny, pence, pound, pounds, shilling, shillinco,
crown, £
⇨ Afrique orientale britannique, Bahrain,
Bechuanaland (colonie britannique), Bechuanaland
(protectorat britannique), Chypre, Côte du Niger,
Érythrée (occupation britannique), Irlande,
Kuwait, Levant (bureaux anglais), Maroc anglais
(Tanger), Maroc anglais (tous les bureaux <1918,
zone espagnole), Maroc anglais (tous les bureaux),
Maroc anglais (zone française), Mascate, Oman,
Dubaï et Qatar, Moyen-Orient, Nauru, Qatar,
Rhodésie du Sud, Somalie italienne (occupation
britannique), Tripolitaine (occupation britannique),
Um al Qiwain, Zoulouland

◆ *Grande-Bretagne* → voir aussi : Aurigny, Brechou,
Guernesey, Guernesey (occupation allemande), Herm,
Jersey, Jersey (occupation allemande), Lundy, Man,
Pabay, Sark

■ **Grande-Bretagne (compagnies privées de**
chemins de fer)
British Railway Mail (E)
??-auj.
Europe
Émissions non admises par l'U.P.U.
La liste donnée ci-dessous n'est pas exhaustive
l BLUEBELL RAILWAY (-auj.) : *Bluebell*
F. R. Cº. (1969-auj.) : *Ffestiniog*
GREAT EASTERN RAILWAY : *Great Eastern*
GREAT NORTHERN RAILWAY COMPANY :
Great Northern
LANCASHIRE & YORKSHIRE RLY. :
Lancashire et Yorkshire
MID-HANTS RAILWAY (-auj.) : *Mid-Hants*
MID-HANTS RAILWAY LETTER (-auj.) : *Mid-*
Hants
MID-SUFFOLK LIGHT RAILWAY (auj.) :
Mid-Suffolk
MSLR (-auj.) : *Mid-Suffolk*
NENE VALLEY RAILWAY (-1999) : *Nene-Valley*
NVR RAILWAY (-auj.) : *Nene-Valley*
NYMR RAILWAY LETTER (-auj.) : *North*
Yorkshire Moors
SNOWDON MOUNTAIN RAILWAY (-auj.) :
Snowdon
TALYLLYN (1974-auj.) : *Talyllyn*
m c, d, p

■ **Grande-Bretagne (postes de Noël)**
Great Britain: Christmas Posts (E)
1981-auj.
Europe
Émission non admise par l'U.P.U.
La liste donnée ci-dessous n'est pas exhaustive mais la
plupart des inscriptions sont du même type
l BEWDLEY WORCS.
B.S.P.
CHRISTMAS POST
DELIVERED BY SCOUTS
« emblème des Scouts (fleur de lys) »
MERRY CHRISTMAS
MERRY XMAS SCOUT POST
SCOUT DISTRICTS
SCOUT FELLOWSHIP
SCOUT GROUP
SCOUT MAIL
SCOUT POST
SCOUTS
SEASONS GREETINGS

◆ GRANDE COMORE → Grande Comore

☐ **Grande Comore**
Grand Comoro (E)
1897-1912
Afrique
Yvert et Tellier, Tome 2, 1ʳᵉ partie
  l GRANDE COMORE (1897-1912)
  m c, f

◆ GRAND LIBAN ➜ Grand Liban

❖ GRAND LIBAN ➜ Syrie (administration française)

☐ **Grand Liban**
Lebanon: French Mandate (E)
1924-1945
Asie
Yvert et Tellier, Tome 2, 1ʳᵉ partie
  l GRAND LIBAN (1924-1926)
     RÉPUBLIQUE LIBANAISE (1927-1945)
  s A. D. P. O. Z. O. (Turquie [fiscla] : 1923)
     Gᴰ LIBAN (France : 1924-1925)
     GRAND LIBAN (France : 1924)
     G. L. P. S. HEDJAZ (1925)
     RÉPUBLIQUE LIBANAISE (1927-1930)
  m centièmes, p, piastre, piastres
  ⇨ Levant (bureaux français)

◉ grani ➜ Malte (Ordre souverain de)

◉ grano ➜ Royaume des deux Siciles

◆ GRAN PREMIO DE MEXICO ➜ Mexique

◆ *Gravenhage* ➜ Pays-Bas (postes locales)

◆ GRAVENHAGE STADS ➜ Pays-Bas (postes locales : *Gravenhage*)

◆ *Grave-Ravenstein* ➜ Pays-Bas (postes locales)

◆ *Graz* ➜ Autriche (postes locales ou privées)

◆ GREAT BARRIER ISLAND SPECIAL POST ➜ Nouvelle-Zélande (poste privée)

℔ *Great Britain (E)* ➜ Grande-Bretagne

℔ *Great Britain: Christmas Posts (E)* ➜ Grande-Bretagne (postes de Noël)

◆ GREAT EASTERN RAILWAY ➜ Grande-Bretagne (compagnies privées de chemins de fer : Great Eastern)

◆ GREAT NORTHERN RAILWAY COMPANY ➜ Grande-Bretagne (compagnies privées de chemins de fer : Great Northern)

■ **Grèce**
Greece (E)
1861-auj.
Europe
Yvert et Tellier, Tome 3, 1ʳᵉ partie
  l ΕΛΛΑΣ (1886-1984)
     ΕΛΛΑΣ-HELLAS (1886-1984)
     ΕΛΛΑΣ LORD BYRON (1924)
     ΕΛΛΑΣ ΝΑΥΑΡΙΝΟΝ (1928)
     ΕΛΛ. ΕΡ. ΣΤΑΥΟΣ (1924)
     ΕΛΛ ΓΡΑΜΜ (1861-1882)
     ΕΛΛΗΝΙΚΗ ΔΗΜΟΚΡΑΤΙΑ (1927 ; 1982-auj.)
     ΕΛΛΗΝΙΚΗΣ ΔΙΟΙΚΗΣΕΩΣ (1917)
     ΕΝΑΕΡ. ΤΑΧΥΔΡ. ΣΥΓΚΟΙΝ. ΕΘΝΙΚΗ ΠΕΡΙΘΑΛΨΙΣ (1914)
     ΕΝΑΡΙΟΜΟΝ ΓΡΑΜΜΑΤΟΣΗΜΟΝ (1875-1944)
     HELLAS (1966-auj.)
     ΙΤΑΛΙΑΣ-ΕΛΛΑΔΟΣ-ΤΟΥΡΚΙΑΣ (1926-1933)
     ΝΑΥΑΡΙΝΟΝ ΕΛΛΑΣ (1928)
     ΝΟΜΟΣ 6022 (1934-1942)
     ΟΛΥΜΠ ΑΓΩΝΕΣ (1896-1906)
     ΟΛΥΜΠΙΑΚΟΙ ΑΓΩΝΕΣ (1896-1906)
     ΠΡΟΣΤΑΣΙΑ ΦΥΜΑΤΙΚΩΝ ΤΤΤ (1934-1946)
     ΧΑΡΤΟΧΗΜΟΝ ΕΛΛΗΝΙΚΗΣ ΔΙΟΙΚΗΣΕΩΣ (1917)
  s ΕΠΑΝΑΣΤΑΣΙΣ 1922 (Crète [administration grecque] : 1923)
     ΤΤΤ (1934-1946)
  m ΛΕΠΤ, ΛΕΠΤΑ, ΛΕΠΤΟΝ, ΔΡΑΧΜΗ, ΔΡΑΧΜΙ, ΔΡ., ΔΡΑΧ, ΔΡΧ, Λ, €
  ⇨ Albanie (occupation grecque), Corfou, Égée (îles de la mer) (occupation grecque), Épire, Hios, Icarie, Ioniennes (Îles) (occupation italienne), Lemnos, Thrace, Turquie (Smyrne)

◆ *Grèce* ➜ voir aussi : Albanie (occupation grecque), Cavalle, Dédéagh, Hios, Icarie, Lemnos, Mytilène, Samos

℔ *Greece (E)* ➜ Grèce

℔ *Greece: occupation and annexation stamps (E)* ➜ Albanie (occupation grecque), Cavalle, Dédéagh, Égée (îles de la mer) (occupation grecque), Grèce (*New Greece*), Hios, Icarie, Lemnos, Samos

℔ *Greenland (E)* ➜ Groenland

◆ GREENSBORO ALA. ➜ États Confédérés d'Amérique (émissions des Maîtres de postes : Greensboro, Alabama)

◆ GREENSBORO N.C. ➜ États Confédérés d'Amérique (émissions des Maîtres de postes : Greensboro, Caroline du Nord)

◆ GREENSBOROUGH ALA. ➜ États Confédérés d'Amérique (émissions des Maîtres de postes : Greensboro, Alabama)

◆ GREENVILLE ALA ➜ États Confédérés d'Amérique (émissions des Maîtres de postes : Greenville, Alabama)

◆ GREENVILLE.C.H. S.C. ➜ États Confédérés d'Amérique (émissions des Maîtres de postes : Greenville Court House, Caroline du Sud)

◆ GREENVILLE REGISTERED➜ Libéria

◆ *Greenwood (Virginie)* ➔ États Confédérés d'Amérique (émissions des Maîtres de postes)

◆ GREFFE ➔ Cochinchine, Indochine

◆ GRENADA ➔ Grenade

◆ GRENADA/CARRIACOU & PETITE MARTINIQUE ➔ Grenadines

◆ GRENADA GRENADINES ➔ Grenadines

◆ GRENADA POSTAGE ➔ Grenade

■ **Grenade**
Grenada (E)
1860-auj.
Amérique Centrale
Yvert et Tellier, Tome 5, 3ᵉ partie
　l　**GRENADA** (1860-auj.)
　　　GRENADA POSTAGE (1860-auj.)
　m　penny, d, pence, shillings, c, cents, $
　⇨　Grenadines

◆ GRENADINES ➔ Grenadines

■ **Grenadines**
Grenada Grenadines (E)
1974-auj.
Amérique Centrale
Yvert et Tellier, Tome 5, 3ᵉ partie
　l　GRENADA/CARRIACOU & PETITE
　　　MARTINIQUE (2000)
　　　GRENADA GRENADINES (1975 auj.)
　　　GRENADINES (1974-1975)
　s　GRENADINES (Grenade : 1974-1975)
　m　c, $

◆ GRENADINES OF ST. VINCENT ➔ Saint-Vincent (Îles Grenadines)

❖ GRENADINES OF ST.VINCENT ➔ Béquia

◆ GRÈVE DES P.T.T. 1968 COURRIER COMMERCIAL TAXE D'ACHEMINEMENT PAR VOIE MARITIME CORSE-CONTINENT ➔ France

◆ G.R.I. ➔ Marshall, Nouvelle Guinée (occupation britannique, administration australienne), Samoa

◆ *Griazovetz* ➔ Zemstvos

◆ GRIFFIN GA. ➔ États Confédérés d'Amérique (émissions des Maîtres de postes : Griffin, Georgie)

□ **Griqualand**
Griqualand West (E)
1874-1878
Afrique
Yvert et Tellier, Tome 5, 3ᵉ partie
　s　G (Cap de Bonne Espérance : 1877-1878)
　　　G. W. (Cap de Bonne Espérance : 1877)

ꑀ *Griqualand West (E)* ➔ Griqualand

◆ G. R. MAFIA ➔ Afrique orientale allemande (occupation britannique)

◆ *Grodno* ➔ Lituanie du Sud

◆ GROENE KRUIS SURINAME ➔ Surinam

■ **Groenland**
Greenland (E)
1938-auj.
Amérique du Nord
Yvert et Tellier, Tome 3, 1ʳᵉ partie
(à : *Danemark*)
　l　GRØNLAND (1938-1993)
　　　GRØNLAND KALAALLIT NUNAAT (1938-1993)
　　　KALAALLIT NUNAAT GRØNLAND (1978-auj.)
　　　KALAALLIT NUNAAT (1969-1993)
　　　KALÂTDLIT NUNÂT GRØNLAND (1969-1993)
　　　PAKKE-PORTO (1905-1937)
　m　ØRE, kr, krone, kroner, dkk

◆ *Groenland* ➔ voir aussi : Thulé

◆ *Groningen* ➔ Pays-Bas (postes locales)

◆ GRØNLAND ➔ Groenland

◆ GRØNLAND KALAALLIT NUNAAT ➔ Groenland

◆ *Grootebroek* ➔ Pays-Bas (postes locales)

⊙ groschen ➔ Allemagne, Allemagne du Nord (bureau), Allemagne du Nord (confédération), Autriche, Brunswick, Hanovre, Oldenbourg, Pologne (occupation allemande), Prusse

⊙ grosh ➔ Albanie

◆ GROBRÄSCHEN POST ➔ Allemagne Orientale (zone soviétique d'occupation : postes locales)

◆ GROSSDEUTSCHES REICH ➔ Allemagne

◆ GROSSDEUTSCHES REICH BÖHMEN UND MAHREN CECHY A MORAVA ➔ Bohème et Moravie

◆ GROSSDEUTSCHES REICH GENERAL GOUVERNEMENT ➔ Pologne (occupation allemande)

⊙ grosz ➔ Pologne

⊙ grosze ➔ Pologne (postes locales)

⊙ groszy ➔ Pologne, Pologne (postes locales)

⊙ grote ➔ Brême

⊙ grouch ➔ Turquie

◆ GROVE HILL ALA ➔ États Confédérés d'Amérique (émissions des Maîtres de postes : Grove Hill, Alabama)

□ **Grunay**
1981
Europe
Émission non admise par l'U.P.U.
　l　GRUNAY SCOTLAND (1981)
　m　p

◆ GRUNAY SCOTLAND ➔ Grunay

◆ GRUYNARD ➔ Gruynard

□ **Gruynard**
Europe
Émission non admise par l'U.P.U.
　l　GRUYNARD

◆ GRUZIJA ➔ Géorgie

⊙ gs ➔ Paraguay

❖ GUA. ➔ Moquegua

☐ **Guadalajara**
Mexico: provisional issues of Guadalajara (E)
1867-1868
Amérique du Nord
Yvert et Tellier, Tome 6, 2ᵉ partie
(à : *Mexique*)
　l　FRANCO EN GUADALAJARA (1867-1868)
　m　real, reales

◆ GUADELOUPE ➜ Guadeloupe

☐ **Guadeloupe**
1884-1947
Amérique Centrale
Yvert et Tellier, Tome 2, 1ʳᵉ partie
　l　À PERCEVOIR (1876-1879)
　　GUADELOUPE (1905-1947)
　　GUADELOUPE ET DÉPENDANCES (1892-
　　1904)
　s　G & D (1903-1904)
　　G ET D (1903-1904)
　　GPE (Colonies françaises : 1884-1891)
　　G. P. E. (Colonies françaises : 1884-1891)
　　GUADELOUPE (Colonies françaises : 1889-
　　1891)
　m　c, f

◆ GUADELOUPE ET DÉPENDANCES ➜ Guadeloupe
❖ GUAIRA ➜ Saint-Thomas-La-Guaira
◆ GUAM ➜ Guam (occupation américaine)

☐ **Guam (occupation américaine)**
Guam (E)
1899
Océanie
Yvert et Tellier, Tome 5, 3ᵉ partie
　s　GUAM (États-Unis d'Amérique : 1899)

☐ **Guam (poste locale)**
Guam: local issues (E)
1930
Océanie
Yvert et Tellier, Tome 5, 3ᵉ partie
　l　GUAM GUARD MAIL (1930)
　s　GUAM GUARD MAIL (Philippines : 1930)
　m　cent, cents

◆ GUAM GUARD MAIL ➜ Guam (poste locale)
◆ GUANACASTE ➜ Guanacaste

☐ **Guanacaste**
1885-1889
Amérique Centrale
Yvert et Tellier, Tome 5, 2ᵉ partie
(à : *Costa Rica*)
　s　GUANACASTE (Costa Rica : 1885-1889)

⊙ guarani, guaranies ➜ Paraguay
❖ GUARD MAIL ➜ Guam (poste locale)
❖ GUATA ➜ Guatemala
◆ GUATEMALA ➜ Guatemala

■ **Guatemala**
1871-auj.
Amérique Centrale
Yvert et Tellier, Tome 5, 3ᵉ partie
　l　ADMINISTRACION LOCAL DE CORREOS
　　CERRADO Y SELLADO POR LA OFICINA
　　(1885-1897)
　　CENSO (1973)
　　CORREO GUATEMALA (1871-1971)
　　CORREOS DE GUATEMALA (1871-1971)
　　CORREOS NACIONALES GUATEMALA
　　(1886-1902)
　　CORREOS NACIONALES DE LA R. DE
　　GUATEMALA (1886-1902)
　　FRANQUEO OFICIAL GUATEMALA (1902)
　　GUATEMALA (1902-auj.)
　　REFORESTE (1979)
　　REPUBLICA DE GUATEMALA (1898-1923)
　　RPBᶜᴬ DE GUATᴬ (1894)
　　UNION POSTAL UNIVERSAL GUATEMALA
　　(1879-1895)
　m　$, c, centaños, centavo, centavos, centavo de
　　quetzal, centavos de quetzal, centovos, ctavos, cts,
　　ctvs, pesos, q, quetzal, reales

◆ *Guebwiller (poste privée de l'Hôtel du Grand Ballon)*
　➜ Allemagne (postes locales ou privées)
⊙ guerche ➜ Arabie Saoudite, Éthiopie, Nedjed

☐ **Guernesey**
Guernsey: Bailiwick issues (E)
1969-auj.
Europe
Yvert et Tellier, Tome 3, 1ʳᵉ partie
(à : *Grande-Bretagne*)
　l　BAILIWICK OF GUERNSEY (1970-1984)
　　GUERNSEY (1975-auj.)
　　GUERNSEY BAILIWICK (1969-1981)
　m　p, d

☐ **Guernesey (occupation allemande)**
Guernsey: occupation stamps (E)
1941-1944
Europe
Yvert et Tellier, Tome 3, 1ʳᵉ partie
(à : *Grande-Bretagne*)
　l　GUERNSEY POSTAGE (1941-1944)
　m　d

◆ GUERNSEY ➜ Guernesey
❖ GUERNSEY ALDERNEY ➜ Aurigny
◆ GUERNSEY BAILIWICK ➜ Guernesey
▷ *Guernsey: Bailiwick issues (E)* ➜ Guernesey
▷ *Guernsey: British Regional issues (E)* ➜ Grande-
　Bretagne
▷ *Guernsey: occupation stamps (E)* ➜ Guernesey
　(occupation allemande)
◆ GUERNSEY POSTAGE ➜ Guernesey (occupation
　allemande)
◆ GUERNSEY-SARK ➜ Sark

❖ GUERRA ➔ Afrique portugaise, Espagne, Inde portugaise
◆ GUERRIER PERSE ➔ Iran
◆ GUGH ➔ Gugh

☐ **Gugh**
Europe
Émission non admise par l'U.P.U.
　l　GUGH

❖ GUIANA ➔ Guyane
◆ GUINÉ ➔ Guinée portugaise
◆ GUINEA ➔ Guinée espagnole
🗗 *Guinea (E)* ➔ Guinée
🗗 *Guinea-Bissau (E)* ➔ Guinée-Bissau
◆ GUINEA CONTI^{AL} ESPAÑOLA ➔ Guinée espagnole
◆ GUINEA CONTINENTAL CORRESO ASSOBLA ➔ Guinée espagnole
❖ GUINEA ECUATORIAL ➔ Guinée équatoriale
◆ GUINEA ESPAÑOLA ➔ Guinée espagnole
◆ GUINÉE ➔ Guinée (colonie française)

■ **Guinée**
Guinea (E)
1958-auj.
Afrique
Yvert et Tellier, Tome 2, 2ᵉ partie
　l　RÉPUBLIQUE DE GUINÉE (1959-1980, 1984-auj.)
　　RÉPUBLIQUE POPULAIRE RÉVOLUTIONNAIRE DE GUINÉE (1981-1984)
　s　RÉPUBLIQUE DE GUINÉE (Afrique Occidentale : 1958)
　m　f, gnf

☐ **Guinée (colonie française)**
French Guinea (E)
1892-1944
Afrique
Yvert et Tellier, Tome 2, 1ʳᵉ partie
　l　GUINÉE (1906-1944)
　　GUINÉE FRANÇAISE (1892-1944)
　　GUINÉE FR^{ÇAISE} (1892-1944)
　m　c, f, fr

◆ GUINÉ-BISSAU ➔ Guinée-Bissau

■ **Guinée-Bissau**
Guinea-Bissau (E)
1974-auj.
Afrique
Yvert et Tellier, Tome 6, 1ʳᵉ partie
　l　ESTADO DA GUINE-BISSAU (1974-1977)
　　GUINE-BISSAU (1983-auj.)
　　REP. DA BISSAU (1975-1985)
　　REP. DA GUINE-BISSAU (1975-1985)
　　REPUBLICA DA GUINE-BISSAU (1975-1985)
　s　REP. DA BISSAU (Guinée portugaise : 1975)
　m　fcfa, p, pesos, escudos, $, pg

■ **Guinée équatoriale**
Equatorial Guinea (E)
1968-auj.
Afrique
Yvert et Tellier, Tome 6, 1ʳᵉ partie
　l　REP. DE GUINEA ECUATORIAL (1968-auj.)
　　REPUBLICA DE GUINEA ECUATORIAL (1968-auj.)
　m　ptas, ptas guineanas, ekuele, bk, f.c.f.a.

☐ **Guinée espagnole**
Spanish Guinea (E)
1902-1959
Afrique
Yvert et Tellier, Tome 6, 1ʳᵉ partie
　l　GUINEA (1902-1959)
　　GUINEA ESPAÑOLA (1902-1959)
　　GUINEA CONTI^{AL} ESPAÑOLA (1902-1959)
　　POSESIONES ESPANOLAS DE AFRICA OCCIDENTAL (1904)
　　TERRITORIOS ESPANOLES DEL AFRICA OCCIDENTAL HABILITADO PARA CORREOS (1904-1911)
　　TERRITORIOS ESPANOLES DEL GOLFO DE GUINEA (1909-1951)
　　TERR^{S} ESPANOLES DEL GOLFO DE GUINEA (1912-1943)
　s　GUINEA (Espagne : 1929-1943)
　　GUINEA ESPAÑOLA (Espagne : 1926)
　　HABILITADO PARA CORREOS (Espagne : 1904-1911)
　　TERRITORIOS ESPANOLES DEL GOLFO DE GUINEA (Espagne : 1939)
　　TERRS ESPANOLES DEL GOLFO DE GUINEA (Espagne : 1939)
　　GUINEA CONTINENTAL CORRESO ASSOBLA (Elobey, Annobon & Corisco : 1906)
　　GOLFO DE GUINEA (Espagne : 1942)
　m　centimos, co, cs, cents, peseta, pesetas, pts, pa

◆ *Guinée espagnole* ➔ voir aussi : Elobey/Annobon & Corisco, Fernando Poo, Guinée équatoriale, Rio Muni
◆ GUINÉE FRANÇAISE ➔ Guinée (colonie française)
◆ GUINÉE FR^{ÇAISE} ➔ Guinée (colonie française)

☐ **Guinée portugaise**
Portuguese Guinea (E)
1880-1973
Afrique
Yvert et Tellier, Tome 6, 1ʳᵉ partie
　l　5° CENTENARIO DA DESCOBERTA DA GUINÉ (1946)
　　GUINÉ (1880-1973)
　　GUINÉ PORTUGAL (1880-1973)
　　GUINÉ PORTUGESA (1880-1973)
　　REPUBLICA PORTUGUESA GUINÉ (1914-1973)
　　ULTRAMAR PORTUGUES GUINÉ (1952)
　　ULTRAMAR REPUBLICA TAXA DE GUERRA (1919)

s GUINÉ (Cap-Vert : 1880-1884)
GUINÉ PORTUGESA (Cap-Vert : 1880-1973)
REPUBLICA GUINÉ (Afrique portugaise, Macao,
Timor : 1913)
ULTRAMAR REPUBLICA TAXA DE GUERRA
(1919)
m reis, c, $
⇨ Guinée-Bissau

◆ GUINÉ PORTUGAL ➔ Guinée portugaise
◆ GUINÉ PORTUGESA ➔ Guinée portugaise
⊙ gulden ➔ Autriche, Curaçao, Dantzig, Inde
néerlandaise, Nouvelle Guinée Néerlandaise, Pays-Bas,
Surinam
◆ GÜLTIG 9. ARMEE ➔ Roumanie (9ᵉ armée)
❖ GUNBAD ➔ Iran
⊙ gutegr. ➔ Brunswick
❖ GUTEGR. ➔ Brunswick
⊙ gutengr. ➔ Hanovre
◆ GUYANA ➔ Guyane
◆ GUYANA INDEPENDENCE 1966 ➔ Guyane
❖ GUYANAIS ➔ Guyane (colonie française)
◆ GUYANA SOUTH AMERICA ➔ Guyane
◆ GUYANE ➔ Guyane (colonie française)

■ **Guyane**
British Guiana + Guyana (E)
1850-auj.
Amérique du Sud
Yvert et Tellier, Tome 6, 1ʳᵉ partie
l B GUIANA (1863-1875)
BRITISH GUIANA (1850-1966)
GUYANA (1966-auj.)
GUYANA SOUTH AMERICA (1966-auj.)
INDEPENDENCE OF GUYANA (1982)
s GUYANA INDEPENDENCE 1966 (1966-1967)
m cents, $, c

□ **Guyane (colonie française)**
French Guiana (E)
1886-1947
Amérique du Sud
Yvert et Tellier, Tome 2, 1ʳᵉ partie
l GUYANE (1892-1944)
GUYANE FRANCAISE (1904-1947)
GUYANE FRᶜᴬᴵˢᴱ (1937-1941)
POSTES FRANÇAISES GUYANE (1941-1944)
TAG (1921)
T. A. G. (1921)
TAG POSTE AÉRIENNE (1921)
TRANSPORTS AÉRIENS GUYANAIS (1921)
s GUYANE (Colonies françaises : 1892)
GUY. FRANC. (Colonies françaises : 1886-1888)
m c, f
⇨ Inini

◆ *Guyane (colonie française)* ➔ voir aussi : Counani
(République du)
◆ GUYANE FRANCAISE ➔ Guyane (colonie française)
◆ GUYANE FRᶜᴬᴵˢᴱ ➔ Guyane (colonie française)
◆ GUY. FRANC. ➔ Guyane (colonie française)

◆ GUY'S CITY DESPATCH ➔ États-Unis d'Amérique
(postes locales et privées) : *Philadelphie*
◆ G. W. ➔ Griqualand
◆ GWALIOR ➔ Gwalior

□ **Gwalior**
★ *Gwalior: Convention State of the British Empire
in India (E)*
1885-1949
Asie
Yvert et Tellier, Tome 6, 1ʳᵉ partie
s GWALIOR (Inde anglaise : 1885-1949)

⊙ h ➔ Afrique orientale britannique, Arabie Saoudite,
Autriche (postes locales ou privées), Bohème et
Moravie, Moluques du Sud, Pologne, Roumanie
(occupation roumaine de la Galicie), Slovaquie,
Tchécoslovaquie, Tchécoslovaquie (occupation
allemande des territoires des Sudètes), Yougoslavie
◗ *Haarlem* ➔ Pays-Bas (postes locales)
◗ *Haarlemmermeer* ➔ Pays-Bas (postes locales)
◗ *Habarovsk (Région de)* ➔ Russie (postes locales de
l'ex-U.R.S.S.)
◆ HABIITADO 0'05 PTAS ➔ Espagne (émissions
nationalistes : Baléares)
◆ HABIITADO 0'15 PTAS ➔ Espagne (émissions
nationalistes : Baléares)
◆ HABILITADO 0'05 PTAS ➔ Espagne (émissions
nationalistes : Baléares)
◆ HABILITADO 0'10 PTAS ➔ Espagne (émissions
nationalistes : Baléares)
◆ HABILITADO 0'15 PTAS ➔ Espagne (émissions
nationalistes : Baléares)
◆ HABILITADO 1/2 ➔ Tlacotalpan
◆ HABILITADO MEDELLIN ➔ Medellin
❖ HABILITADO PARA CORREOS ➔ Guinée espagnole
◆ HABILITADO PARA CORRESPONDENCIA
URGENTE ➔ Espagne (émissions nationalistes : Santa
Cruz de Teneriffe)
❖ HABILITADO PARA CORRESPONDENCIA
URGENTE ¡VIVA ESPAÑA! ➔ Espagne (émissions
nationalistes : Saragosse)
◆ HABILITADO PARA LA CORRESPONDENCIA
URGENTE ➔ Espagne (émissions nationalistes :
Burgos)
◆ HABILITADO PARA LA CORRESPONDⁱᴬ
URGENTE ➔ Espagne (émissions nationalistes :
Burgos)
◆ HABILITADO PARA URGNTE ➔ Espagne
(émissions nationalistes : Santa Cruz de Teneriffe)
◆ HABILITADO POR LA NACION ➔ Philippines
◆ HABILITADO VALE $ 0,01 HONDA ➔ Honda
◆ HABLLLTADO PARA URGNTE ➔ Espagne
(émissions nationalistes : Santa Cruz de Teneriffe)
❖ HA BOCTOKB (cyrillique) ➔ Levant (bureaux russes)
❖ HADHRAMAUT ➔ Qu'Aiti (Hadramaout)

☐ **Haiderabad**
* *Hyderabad: Native Feudatory State (E)*
1869-1950
Asie
Yvert et Tellier, Tome 5, 3ᵉ partie
(à : *États princiers de l'Inde*)
l H.E.H. THE NIZAM'S GOVERNMENT (1927-1950)
H.E.H. THE NIZAM'S GOVT POSTAGE (1927-1950)
H.E.H. THE NIZAM'S SILVER JUBILEE (1927-1950)
HYDERABAD (1946)
POST & RECEIPT (1915-1931)
POST STAMP (1871-1904)
POSTAGE ANNA (1905-1931)
POSTAGE H.E.H. THE NIZAM'S GOVERNMENT (1927)
POSTAGE PIES (1931-1950)
POSTAGE RB (1931)
m anna, rupee

❖ HAILEYBURY, ONT. SPECIAL AIR DELIVERY ➔ Canada
◆ HAÏTI ➔ Haïti

■ **Haïti**
Haiti (E)
1881-auj.
Amérique Centrale
Yvert et Tellier, Tome 6, 1ʳᵉ partie
l HAÏTI (1881-auj.)
RÉPUBLIQUE D'HAÏTI (1881-auj.)
R H. CHIFFRE TAXE (1898-1902)
s RH (1898)
m cent, centimes, centimes de piastre, piastre, centimes de gourde, cts gourde, cts piastre, gourde, c, gde, g

⊙ hal. ➔ Pologne
◆ HALE & CO. 13 COURT ST. BOSTON ➔ États-Unis d'Amérique (postes locales et privées) : *Boston*
⊙ haleru ➔ Tchécoslovaquie, Tchécoslovaquie (occupation allemande des territoires des Sudètes)
⊙ halerzy ➔ Pologne, Pologne (postes locales)
◆ HALF ANNA ➔ Travancore-Cochin
◆ HALF ANNA SERVICE ➔ Travancore-Cochin
◆ HALFCROWN POSTAGE ➔ Grande-Bretagne
⊙ halfpenny ➔ Caïmanes (Îles), Gibraltar
⊙ halierov ➔ Slovaquie
◆ HALLEIN ➔ Autriche
◆ HALLETTSVILLE TEX. ➔ États Confédérés d'Amérique (émissions des Maîtres de postes : Hallettsville, Texas)
❖ HALLINTO ➔ Carélie orientale (occupation finlandaise)
◆ HALL & MILLS' FREE DESPATCH POST ➔ États-Unis d'Amérique (postes locales et privées) : *New York*
◆ HAMADAN ➔ Iran
❖ HAMB BOTEN ➔ Allemagne (postes locales ou privées : Hambourg, service de messagerie)

☐ **Hambourg**
Hamburg (E)
1859-1867
Europe
Yvert et Tellier, Tome 3, 1ʳᵉ partie
(à : *Allemagne*)
l HAMBURG (1859-1867)
m schilling

◆ *Hambourg (poste locale)* ➔ Allemagne (postes locales ou privées)
◆ *Hambourg (service de messagerie)* ➔ Allemagne (postes locales ou privées)
◆ HAMBOURG AMERICAN PACKET COMPANY WEST INDIA LINE PRIVATE POSTAGE STAMP ➔ Saint-Thomas-La-Guaira
◆ HAMBURG ➔ Hambourg
❖ HAMBURG BRIEF PACKET & GÜTER EXPEDITION ➔ Allemagne (postes locales ou privées : Hambourg, service de messagerie)
❖ HAMBURGER BOTEN ➔ Allemagne (postes locales ou privées : Hambourg, service de messagerie)
◆ HAMBURGH S.C. ➔ États Confédérés d'Amérique (émissions des Maîtres de postes : Hamburgh, Caroline du Sud)
◆ HAMBURG W. KRANTZ INSTITUT HAMBURGER BOTEN ➔ Allemagne (postes locales ou privées : Hambourg, service de messagerie)
◆ HAMILTON BERMUDA ➔ Bermudes
◆ HAMONIA WK RANTZ ➔ Allemagne (postes locales ou privées : Hambourg, poste locale)
◆ HANFORD'S PONY EXPRESS POST ➔ États-Unis d'Amérique (postes locales et privées) : *New York*
◆ HANG-KHONG BUU-CHINH ➔ Vietnam (Empire)
◆ HANNOVER ➔ Hanovre
ℙ *Hanover (E)* ➔ Hanovre

☐ **Hanovre**
Hanover (E)
1850-1864
Europe
Yvert et Tellier, Tome 3, 1ʳᵉ partie
(à : *Allemagne*)
l BESTELLGELD FREI (1860)
HANNOVER (1850-1864)
m ggr, groschen, gutengr., pfennige, silb groschen, thaler

❖ HANSA ➔ Allemagne (postes locales ou privées : Lubeck)
◆ HANSA LÜBECK ➔ Allemagne (postes locales ou privées : Lubeck)
◆ HANSA PRIVATSTADT BRIEFBEFORDERUNG ➔ Allemagne (postes locales ou privées : Lubeck)
◆ HANSA STRASSBURG ➔ Allemagne (postes locales et privées : Strasbourg)
❖ HAO ➔ Hoï-Hao
◆ *Harderwijk* ➔ Pays-Bas (postes locales)
◆ *Harlingen* ➔ Pays-Bas (postes locales)
◆ HARPER REGISTERED ➔ Libéria

❖ HASEMITE KINGDOM OF THE JORDAN ➜
Jordanie

🏵 *Hatay (E)* ➜ Alexandrette (administration turque)

🏵 *Hatay: French administration (E)* ➜ Alexandrette
(administration française)

◆ HATAY DEVLETI ➜ Alexandrette (administration
turque)

◆ HATAY DEVLETI POSTALARI ➜ Alexandrette
(administration turque)

❖ HAUTE SILÉSIE ➜ Silésie (Haute)

◆ HAUTE-VOLTA ➜ Haute-Volta (colonie française)

☐ **Haute-Volta**
Burkina Faso: Upper Volta (E)
1959-1984
Afrique
Yvert et Tellier, Tome 2, 2ᵉ partie
  l RÉPUBLIQUE DE HAUTE-VOLTA (1959-1984)
  m f

☐ **Haute-Volta (colonie française)**
Burkina Faso: Upper Volta (E)
1920-1931
Afrique
Yvert et Tellier, Tome 2, 1ʳᵉ partie
  l HAUTE-VOLTA (1920-1931)
  s HAUTE-VOLTA (Haut-Sénégal et Niger : 1920-
     1928)
  m c, f, fr
  ⇨ Côte d'Ivoire (colonie française)

◆ *Haut-Karabakh (Région du)* ➜ Russie (postes locales
de l'ex-U.R.S.S.)

☐ **Haut-Karabakh (république)**
Nagorno Karabagh Republic (E)
1992-2000
Asie
Émission non admise par l'U.P.U.
  l REPUBLIC OF MOUNTAINOUS KARABAKH
     (1992-1997)
     REPUBLIC OF NAGORNO KARABAKH
     (1997-2000)

◆ HAUT SÉNÉGAL-NIGER ➜ Haut-Sénégal et Niger

☐ **Haut-Sénégal et Niger**
Upper Senegal and Niger (E)
1906-1917
Afrique
Yvert et Tellier, Tome 2, 1ʳᵉ partie
  l AFRIQUE OCCIDENTALE FRANÇAISE
     HAUT- SÉNÉGAL ET NIGER (1914-1917)
     AFRIQUE OCCIDENTALE FRANÇAISE Hᵀ
     SÉNÉGAL-NIGER (1906-1917)
  m c, fr
  ⇨ Haute-Volta (colonie française), Niger (colonie
     française), Soudan (colonie française)

☐ **Hawaï**
Hawaii (E)
1851-1899
Océanie
Yvert et Tellier, Tome 6, 1ʳᵉ partie
  l DEPARTMENT OF HAWAII FOREIGN
     AFFAIRS (1897)
     HAWAII (1864-1893)
     HAWAIIAN ISLAND POSTAGE (1851-1894)
     HAWAIIAN POSTAGE (1851-1894)
     HAWAIIAN POSTAGE INTER ISLAND (1851-
     1894)
     H.I. POSTAGE ELUA KENETA (1875-1893)
     H.I. POSTAGE KENETA (1875-1893)
     H.I. & U.S. POSTAGE (1851-1852)
     HONOLULU HAWAII (1884)
     HONOLULU HAWAIIAN Iˢ (1853)
     INTER ISLAND HAWAIIAN POSTAGE (1864-
     1868)
     KAMEHAMEHA POSTAL UNION (1883)
     UKU LETA ELUA KENETA (1862)
  m cent, cents, cts, kala, keneta

◆ HAWAII ➜ Hawaï

🏵 *Hawaii (E)* ➜ Hawaï

◆ HAWAIIAN ISLAND POSTAGE ➜ Hawaï

◆ HAWAIIAN POSTAGE ➜ Hawaï

◆ HAWAIIAN POSTAGE INTER ISLAND ➜ Hawaï

◆ HAZADNAK RENDUETLENUL…! SOPRON 1956
OKT. 22 ➜ Hongrie (émission locale de Sopron)

◆ H. & B. ATLANTIC CITY PENNY POST ➜ États-
Unis d'Amérique (postes locales et privées) : *Atlantic
City (New Jersey)*

❖ HEDJAZ ➜ Grand Liban

☐ **Hedjaz**
★ **1916-1925**
Asie
Yvert et Tellier, Tome 5, 1ʳᵉ partie
(à : *Arabie Saoudite*)
  ⇨ Transjordanie, Turquie (Anatolie)

◆ HEDJAZ & NEDJDE ➜ Arabie Saoudite

⊙ hEHT (serbe-croate-bosniaque) ➜ Monténégro
(occupation italienne)

◆ H.E.H. THE NIZAM'S GOVERNMENT ➜
Haiderabad

◆ H.E.H. THE NIZAM'S GOVT POSTAGE ➜
Haiderabad

◆ H.E.H. THE NIZAM'S SILVER JUBILEE ➜
Haiderabad

❖ héɪʀeᴀnn 1922 ➜ Irlande

◆ HEJAZ & NEJD ➜ Arabie Saoudite

◆ *Helden-Maasbree* ➜ Pays-Bas (postes locales)

◆ HELENA ➜ États Confédérés d'Amérique (émissions
des Maîtres de postes : Helena, Texas)

⊙ helera ➜ Yougoslavie

◆ HELFTBERLIN DEUTSCHE POST ➜ Allemagne
bizone (zone anglo-américaine d'occupation)

◆ HELIGOLAND ➜ Héligoland

☐ **Héligoland**
Heligoland (E)
1867-1879
Europe
Yvert et Tellier, Tome 3, 2ᵉ partie
  l   HELIGOLAND (1867-1879)
  m farthings, schilling, pence, pfennig, sh, mk

◆ HELLAS ➔ Grèce
◉ heller ➔ Afrique orientale allemande (colonie allemande), Albanie, Autriche, Autriche (postes locales ou privées), Autriche-Hongrie, Bosnie Herzégovine, Merano, Liechtenstein, Trentin, Vénétie Julienne
◆ *Helmond* ➔ Pays-Bas (postes locales)
◆ HELP CROATIAN BISHOPS AND CLERGY ➔ Croatie (timbres d'exil)
❖ HELPT NEDERLAND ➔ Curaçao
❖ HELPT ONZE OOST ➔ Curaçao
❖ HELSINGEOBS STADSPOST ➔ Finlande (poste locale)
◆ HELVETIA ➔ Suisse
❖ HELVETICA ➔ Suisse
◆ *Hengelo* ➔ Pays-Bas (postes locales)
◆ HENGELO (O.) STADSPOST ➔ Pays-Bas (postes locales : *Hengelo*)
◆ *Heraklion* ➔ Crète (bureau anglais d'Héraklion)
◆ HERBERTSHOHE ➔ Nouvelle Guinée (occupation britannique, administration australienne)
❖ HERCEG BOSNA ➔ Herceg Bosna

☐ **Herceg Bosna**
1994-1995
Europe
Yvert et Tellier, Tome 3, 1ʳᵉ partie
(à : *Bosnie Herzégovine*)
  l   BOSNA I HERCEGOVINA HR HERCEG
      BOSNA (1994)
      BOSNA I HERCEGOVINA HRVATSKA
      REPUBLIKA HERCEG BOSNA (1994)
      HR HERCEG BOSNA BOSNA I
      HERCEGOVINA (1995)

❖ HERCEGOVINA ➔ Bosnie Herzégovine
◆ HÉRIONS STADT-BRIEF-PACKET BEFÖRDERUNG ➔ Allemagne (postes locales ou privées : Mulhouse)
◆ HÉRIONS STADT-BRIEF & PACKET BEFÖRDERUNG ➔ Allemagne (postes locales ou privées . Mulhouse)

☐ **Herm**
1949-1969
Europe
Émission non admise par l'U.P.U.
  l   DOUBLES (1969)
      HERM ISLAND (1949-1969)
  m d, pence

◆ HERM ISLAND ➔ Herm
❖ HEROES DE BELCHITE ¡PRESENTES! ARRIBA ESPAÑA ➔ Espagne (émissions nationalistes : Saragosse)

◆ HEROES DEL « BALEARES » ¡PRESENTES! ➔ Espagne (émissions nationalistes : La Coruna)
❖ HEROES DE MONTE-ARAGON ¡PRESENTES! ARRIBA ESPAÑA ➔ Espagne (émissions nationalistes : Saragosse)
❖ HEROES DE SARRION ¡PRESENTES! ARRIBA ESPAÑA ➔ Espagne (émissions nationalistes : Saragosse)
❖ HEROICA Y LEAL ➔ Espagne (émissions nationalistes : Teruel)
◆ *Hertogenbosch* ➔ Pays-Bas (postes locales)
❖ HERZEGOWINA ➔ Bosnie Herzégovine
◆ HERZOCTH HOLSTEIN ➔ Schleswig-Holstein
◆ HERZOCTH. SCHLESWIG ➔ Schleswig-Holstein
◆ HERZOCTHUM HOLSTEIN ➔ Schleswig-Holstein
◆ HESSLING STADSPOST HAARLEM ➔ Pays-Bas (postes locales : *Haarlem*)
◆ H. FRAZER'S CITY EXPRESS POST ➔ États-Unis d'Amérique (postes locales et privées) : *Cincinnati*
◆ H. H. NAWAB SHAH JAHAN BEGAM ➔ Bhopal
◆ H. II. NAWAB SULTAN JAHAN BEGAM ➔ Bhopal
❖ HILFSPOST 1918 ➔ Merano
❖ HILFS-POST 1918 ➔ Merano
◆ HILIBRE ➔ Hilibre

☐ **Hilibre**
Europe
Émission non admise par l'U.P.U.
  l   HILIBRE

◆ *Hillsboro (Caroline du Nord)* ➔ États Confédérés d'Amérique (émissions des Maîtres de postes : Hillsboro, Caroline du Nord)
◆ HILL'S POST BOSTON ➔ États-Unis d'Amérique (postes locales et privées) : *Boston*
◆ *Hilversum* ➔ Pays-Bas (postes locales)
❖ HIMAYEI ETFAL CEMIYETI ➔ Turquie
❖ HIND ➔ Azad Hind
❖ HIOC ➔ Irlande

☐ **Hios**
Chios (E)
1913
Europe
Yvert et Tellier, Tome 3, 1ʳᵉ partie
(à : Grèce)
  s   E*Λ (Grèce : 1913)
      E*Λ (Grèce : 1913)

◆ H.I. POSTAGE ELUA KENETA ➔ Hawaï
◆ H.I. POSTAGE KENETA ➔ Hawaï
❖ HIRLAP BÉLYEG ➔ Hongrie
◆ H.I. & U.S. POSTAGE ➔ Hawaï
◆ H. K. JORDAN ➔ Jordanie
◆ H. K. OF JORDAN ➔ Jordanie
◆ HLASLIDU V. PROSTEJOVE POSTOVNE ZAPLACENO ➔ Tchécoslovaquie
◆ HOGAR ESCUELA DE HUERFANOS DE CORREOS ➔ Espagne
◆ HOGAR TELEGRAFICO ➔ Espagne
❖ HOI ➔ Pakhoi
◆ HOI-HAO ➔ Hoï-Hao

☐ **Hoï-Hao**
French Offices in China: Hoi Hao (E)
1901-1919
Asie
Yvert et Tellier, Tome 2, 1ʳᵉ partie
  s HOI-HAO (Indochine : 1901-1919)
    HOI HAO (Indochine : 1901-1919)
  m c, cents, f

☐ **Holkar**
✱ *Indore: Native Feudatory State (E)*
1886-1948
Asie
Yvert et Tellier, Tome 5, 3ᵉ partie
(à : *États princiers de l'Inde*)
  l HOLKAR STATE POSTAGE (1886-1935)
    INDORE STATE POSTAGE (1904-1948)
  m anna, rupees

• HOLKAR STATE POSTAGE ➜ Holkar
❖ HOLM ➜ Steep Holm
◆ *Holstein* ➜ Schleswig-Holstein
❖ HOLSTEIN ➜ Schleswig-Holstein
• HOMAN'S EMPIRE EXPRESS ➜ États-Unis
d'Amérique (postes locales et privées) : *New York*
• HOMENAJE AL GENERAL <u>VARELA</u> 30-5-37 31 10-
37 II AÑA TRIUNFAL DEFENSOR DE <u>SEGOVIA</u> ➜
Espagne (émssions nationalistes : Ségovie)
• HOMENAJE DE LUGO A ASTURIAS LIBERADA
21 OCTUBRE 1937 ¡ARRIBA ESPAÑA! ➜ Espagne
(émssions nationalistes : Lugo)
• HOMENAJE GENERAL VARELA 31-X-37 ➜
Espagne (émssions nationalistes : Ségovie)
◆ *Honan* ➜ Chine du Nord (occupation japonaise)

☐ **Honda**
Colombia: Honda (E)
1896
Amérique du Sud
Yvert et Tellier, Tome 5, 1ʳᵉ partie
(à : *Colombie*)
  s HABILITADO VALE $ 0,01 HONDA (Colombie :
    1896)
  m $

• HONDURAS ➜ Honduras

■ **Honduras**
1865-auj.
Amérique Centrale
Yvert et Tellier, Tome 6, 1ʳᵉ partie
  l CORREOS DE HONDURAS (1865-1930)
    CRUZ ROJA HONDURENA (1941-1945)
    ESTADO DE HONDURAS (1898-1899)
    HONDURAS (1990-auj.)
    RECUEROG FEBRERO PRESIDENTE DE LA
    REPUBLICA (1916)
    REP. DE HONDURAS C. A., REPUBLICA DE
    HONDURAS C. A. (1949-1987)
    REP. DE HONDURAS, REPUBLICA DE
    HONDURAS (1878-1895, 1931-1990)
  m reales, centavo, cts, peso, centavos de lempira, l

☐ **Honduras britannique**
British Honduras (E)
1866-1973
Amérique Centrale
Yvert et Tellier, Tome 6, 1ʳᵉ partie
  l BR. HONDURAS (1971-1972)
    BRITISH HONDURAS (1866-1973)
  m penny, pence, shilling, cents, c
  ⇨ Belize

• HONG KONG ➜ Hong Kong

■ **Hong Kong**
✱ **1862-auj.**
Asie
Yvert et Tellier, Tome 6, 1ʳᵉ partie
  l HONG KONG (1903-1998)
    HONG KONG, CHINA (1998-auj.)
  m cent, dollar, dollars, c, $
  ⇨ Chine (bureaux anglais)

• HONG KONG, CHINA ➜ Hong Kong

■ **Hong Kong (occupation japonaise)**
✱ *Hong Kong: Japanese Occupation (E)*
1945
Asie
  s *caractères asiatiques* (Japon : 1945)

🅟 *Hong Kong: Japanese Occupation (E)* ➜ Hong Kong
(occupation japonaise)

■ **Hongrie**
Hungary (E)
1867-auj.
Europe
Yvert et Tellier, Tome 4, 1ʳᵉ partie
  l KR (1871-1872)
    MAGY. KIR. HIRLAP BÉLYEG (1868)
    MAGYAR KIR POSTA (1874-1945)
    MAGYAR KIR TAVIRDA (1873-1875)
    MAGYAR KIRALYI POSTA (1916-1945)
    MAGYAR NEPKÔZTARSASAG (1949)
    MAGYAR POSTA (1920-1990)
    MAGYAR TANACS KÔZTARSASAG (1919)
    MAGYARORSZAG (1923-1937, 1991-auj.)
    M. KIR. POSTATAKAREKPENZTAR (1916)
    REPUBLICA HUNGARICA (1946)
  s KÔZTARSASAG (1919)
  m adópengö, ap, billio p, ezer p, filler, korona, kr, f,
    forint, ft, milliard p, millió p, mil pengö, pengö
  ⇨ Banat-Bacska, Baranya, Debreczen, Fiume,
    Hongrie (occupation française), Hongrie (émission
    locale de Sopron), Hongrie occidentale, Szeged,
    Tchécoslovaquie, Temesvar (Timisiorra),
    Transylvanie, Ukraine sub-carpathique,
    Yougoslavie

◆ *Hongrie* ➔ voir aussi : Banat-Bacska, Baranya, Debreczen, Szeged, Temesvar (Timisiorra)

◆ *Hongrie du Sud-Ouest (occupation serbe)* ➔ Baranya

☐ **Hongrie (émission locale de Sopron)**
Hungary: local issue of Sopron (E)
1956
Europe
Yvert et Tellier, Tome 4, 1ʳᵉ partie
  s HAZADNAK RENDUETLENUL…! SOPRON 1956 OKT. 22 (Hongrie : 1956)
  m filler, korona

☐ **Hongrie (occupation française)**
Hungary: French occupation (Arad issue) (E)
1919
Europe
Yvert et Tellier, Tome 2, 1ʳᵉ partie
  s OCCUPATION FRANÇAISE (Hongrie : 1919)
  m filler, korona

◆ *Hongrie (occupation roumaine)* ➔ Debreczen

◆ *Hongrie (occupation serbe)* ➔ Banat-Bacska

☐ **Hongrie occidentale**
Western Hungary (E)
1921
Europe
  l LAJTABANSAG POSTA (1921)
     LAJTABANSAG PORTO (1921)
  s FELKELÖ MAGYAROK ALTAL MEGSZALLT NYUGATMAGYARORSZAG 1921. AUG. SZEPT. (Hongrie : 1921)
     FELKELÖ MAGYAROK ESZAKI HADSEREGE 1921 (Hongrie : 1921)
     LAJTABANSAG-POSTA (Hongrie : 1921)
     NYUGATMAGYARORSZAGI FELKELÖK 1921 "A" ZONA (Hongrie : 1921)
     NYUGATMAGYARORSZAG NEPE NEM NEM SOHA! (Hongrie : 1921)
     NYUGAT-MAGYARORSZAG ORSZVÉ WESTUNGARN ORGLAND (Hongrie : 1921)
     WEST-UNGARN (Autriche : 1921)
  m fill., filler, korona

◆ HONOLULU HAWAII ➔ Hawaï
◆ HONOLULU HAWAIIAN Iˢ ➔ Hawaï
◆ HONOURS CITY EXPRESS ➔ États-Unis d'Amérique
◆ HONOUR'S CITY POST ➔ États-Unis d'Amérique
◆ HONOUR'S PENNY POST ➔ États-Unis d'Amérique
◆ *Hoogeveen* ➔ Pays-Bas (postes locales)
❖ HOPE ➔ Cap de Bonne-Espérance (colonie britannique)
◆ HOPEDALE PENNY POST ➔ États-Unis d'Amérique (postes locales et privées) : *Milford (Massachusetts)*
◆ *Hopeh* ➔ Chine du Nord (occupation japonaise)
◆ *Horst-Sevenum* ➔ Pays-Bas (postes locales)
◆ HORTA ➔ Horta

☐ **Horta**
1892-1899
Europe
Yvert et Tellier, Tome 3, 2ᵉ partie
(à : *Portugal*)
  l HORTA (1892-1899)
  m reis

◆ HOTOVE PLACENO ➔ Tchécoslovaquie
◆ HOUSTON TXS. ➔ États Confédérés d'Amérique (émissions des Maîtres de postes : Houston, Texas)
◆ HOYT'S LETTER EXPRESS TO ROCHESTER ➔ États-Unis d'Amérique (postes locales et privées) : *Rochester (New York)*
❖ HPAKLEIOY (grec) ➔ Crète (bureau anglais d'Héraklion)
⊙ hrd ➔ Croatie
◆ HR HERCEG BOSNA BOSNA I HERCEGOVINA ➔ Herceg Bosna
❖ HRVATA I SLOVENACA ➔ Yougoslavie
❖ HRVATSKA ➔ Croatie, Italie (occupation croate)
◆ HRVATSKA ➔ Yougoslavie
❖ HRVATSKA REPUDLIKA HERCEG BOSNA ➔ Herceg Bosna
◆ HRVATSKA SHS ➔ Yougoslavie
◆ H.R.Z.G.L. POST F.R.M. ➔ Schleswig-Holstein
◆ HRZGL POST FRMRK ➔ Schleswig-Holstein
❖ Hᵀ SÉNÉGAL-NIGER ➔ Haut-Sénégal et Niger

☐ **Huacho**
Peru: provisional issues of Huacho (E)
1884
Amérique du Sud
Yvert et Tellier, Tome 7, 1ʳᵉ partie
(à : *Pérou*)
  s T (Pérou : 1884)

◆ HUERFANOS DEL CUERDO DE TELEGRAFOS ➔ Espagne
❖ HUERFANOS DE TELEGRAFOS ➔ Espagne
◆ *Huesca* ➔ Espagne (émissions nationalistes)
◆ HUESCA VENCEDORA HEROICA LEAL 1937 ➔ Espagne (émissions nationalistes : Huesca)
◆ *Huevar* ➔ Espagne (émissions nationalistes)
◆ HUEVAR VIVA ESPAÑA 18-7-37 ➔ Espagne (émissions nationalistes : Huevar)
◆ HUEVAR VIVA FRANCO 18-7-37 ➔ Espagne (émissions nationalistes : Huevar)
◆ HUEVAR VIVA QUEIPO 18-7-37 ➔ Espagne (émissions nationalistes : Huevar)
◆ HUMBOLD EXPRESS ➔ États-Unis d'Amérique (postes locales et privées) : *Nevada*
❖ HUNGARICA ➔ Hongrie
🏳 *Hungary (E)* ➔ Hongrie
🏳 *Hungary: local issue of Sopron (E)* ➔ Hongrie (émission locale de Sopron)
🏳 *Hungary: occupation stamps (E)* ➔ Banat-Bacska, Baranya, Debreczen, Hongrie (occupation française), Szeged, Temesvar (Timisiorra), Transylvanie
❖ HUNGER 1963 ➔ Japon

- HUNTSVILLE TEX ➜ États Confédérés d'Amérique (émissions des Maîtres de postes : Huntsville, Texas)
- HUSSAR IRYSTOM ➜ Russie (postes locales de l'ex-U.R.S.S. : République d'Ossétie du Sud)
- HUSSEY'S BANK & INSURANCE SPECIAL MESSAGE POST ➜ États-Unis d'Amérique (postes locales et privées) : New York
- HUSSEY'S CITY POST ➜ États-Unis d'Amérique (postes locales et privées) : New York
- HUSSEY'S EXPRESS ➜ États-Unis d'Amérique (postes locales et privées) : New York
- HUSSEY'S S.M POST ➜ États-Unis d'Amérique (postes locales et privées) : New York
- HYDERABAD ➜ Haiderabad
- ⊙ i ➜ Pérou
- ❖ IAEA GENERAL CONFERENCE ➜ Japon
- ❖ IAR ➜ Carn Iar
- ◈ Iarensk ➜ Zemstvos
- ◈ Iakoutie (République de) ➜ Russie (postes locales de l'ex-U.R.S.S.)
- ❖ I.B. ➜ Indonésie (territoire de l'ex-Nouvelle-Guinée néerlandaise)
- ❖ IBEROAMERICANA ➜ Espagne
- ▱ Icaria (E) ➜ Icarie

☐ **Icarie**
Icaria (E)
1912-1913
Europe
Yvert et Tellier, Tome 3, 1ʳᵉ partie
(à : Grèce)
  l ΕΛΕΥΟΕΡΑ ΓΟΛΙΤΕΙΑ (1912)
  s ΕΛΛΗΝΙΚΗ ΔΙΟΙΚΗΣΙΣ (Grèce : 1913)
  m ΛΕΡΤΟΝ, ΛΕΡΤΑ, ΔΡΑΧΜΗ

- ICC ➜ Inde
- ▱ Iceland (E) ➜ Islande
- ICFTU ➜ Formose
- ICHANG ➜ Chine
- ❖ ICORL XI ICP ➜ Japon
- ⊙ id ➜ Kurdistan Irakien

☐ **Idar**
Idar: Native Feudatory State (E)
1939-1944
Asie
Yvert et Tellier, Tome 5, 3ᵉ partie
(à : États princiers de l'Inde)
  l IDAR STATE POSTAGE (1939-1944)
  m anna

- IDAR STATE POSTAGE ➜ Idar
- I. E. F. ➜ Inde anglaise
- ❖ I. E. F. 'D' ➜ Irak
- ◈ Iegorievsk ➜ Zemstvos
- ◈ Ieletz ➜ Zemstvos
- IFNI ➜ Ifni

☐ **Ifni**
1938-1968
Afrique
Yvert et Tellier, Tome 6, 1ʳᵉ partie
  l ESPANA IFNI (1960-1968)
     IFNI (1951-1963)
     IFNI CORREOS (1950-1968)
     IFNI ESPANA CORREOS (1950-1968)
     TERRITORIO DE IFNI ESPANA (1943-1947)
  s IFNI (Espagne : 1938-1949)
     TERRITORIO DE IFNI (Espagne : 1941-1949)
     VIA AÉREA VIVA FRANCO (Espagne : 1940)
  m cts, ptas

- IFNI CORREOS ➜ Ifni
- IFNI ESPANA CORREOS ➜ Ifni
- I. K. K. PR. DONAU DAMPFSCHILFAHRT. GESELLSCHAFT. ➜ Compagnie Danubienne de Navigation à Vapeur
- ❖ ÎLE DE LA RÉUNION ➜ Réunion
- ❖ ÎLE ROUAD ➜ Rouad
- ❖ ÎLES WALLIS ET FUTUNA ➜ Wallis et Futuna
- IM FÜRSTENTUM LIECHTENSTEIN K.K. OESTERR. POST. ➜ Liechtenstein
- ❖ IMMEDIATE DELIVERY ➜ Nouvelle-Zélande
- IMPERIAL BRITISH EAST AFRICA COMPANY ➜ Afrique orientale britannique
- IMPERIAL CHINESE POST ➜ Chine
- ❖ IMPÉRIALES DE CORÉE ➜ Corée (royaume, empire)
- IMPERIAL JAPANESE POST ➜ Japon
- ❖ IMPÉRIAL JOURNAUX ➜ France
- IMPERIAL KOREAN POST ➜ Corée (royaume, empire)
- ❖ IMPERIAL POST ➜ Chine
- IMPERIO COLONIAL PORTUGUES ➜ Afrique portugaise
- IMPERIO COLONIAL PORTUGUES ANGOLA ➜ Angola
- IMPERIO COLONIAL PORTUGUES PORTEADO ESTADO DA INDIA ➜ Inde portugaise
- IMPERIO DO BRAZIL ➜ Brésil
- IMPER. REG. POSTA AUSTR. ➜ Levant (bureaux autrichiens)
- IMPOSTO DO SELO COLONIAS ➜ Inde portugaise
- IMPRESOS COBᴺᴼ REVOLUCIONARIO FILIPINAS ➜ Philippines
- IMPᵀᴼ DE GUERRA ➜ Espagne
- IMPUESTO DE GUERRA ➜ Espagne
- ❖ IN CONCESSIONE ➜ Italie
- ❖ INDE ➜ Inde (établissements français)

■ **Inde**
India (Dominion + Republic) (E)
1947-auj.
Asie
Yvert et Tellier, Tome 6, 1re partie
l   INDIA (1947-auj.)
     INDIA POSTAGE (1947-auj.)
     REPUBLIC OF INDIA (1950)
s   ICC (1965-1968)
     U. N. FORCE (INDIA) CONGO (1962)
     UNEF (1965)
m   a, as, ps, re, rs, np, p

□ **Inde (établissements français)**
French India (E)
1892-1954
Asie
Yvert et Tellier, Tome 2, 1re partie
l   ÉTABLISSEMENTS DE L'INDE (1892-1954)
     ÉTABLISSEMENTS FRANÇAIS DANS L'INDE
     (1892-1954)
     ETS. FR. DANS L'INDE (1892-1954)
s   INDE FCAISE (Timbre fiscal : 1903)
m   c, caches, fanon, fanons, roupies

□ **Inde anglaise**
India (E)
1852-1946
Asie
Yvert et Tellier, Tome 6, 1re partie
l   EAST INDIA (1855-1879)
     EAST INDIA POSTAGE (1855-1879)
     GOVT OF INDIA (1861-1867)
     GOVERNMENT OF INDIA (1861-1867)
     INDIA (1854-1946)
     INDIA POSTAGE (1854-1946)
     INDIA POSTAGE & REVENUE (1854-1946)
     POSTAGE SIX ANNAS (1866)
     SCINDE DISTRICT DAWK (1852)
     SERVICE TWO ANNAS (1867-1884)
     SERVICE FOUR ANNAS (1867-1884)
     SERVICE EIGHT ANNAS (1867-1884)
     STAMP OFFICE (1854)
     TELEGRAPH TWO RUPEES (1881)
s   I. E. F. (1914)
     TELEGRAPH 1 ANNA (1904)
     TELEGRAPH TWO RUPEES (1881)
m   anna, annas, an, ANS, pies, rupee, rupees, r, RPS, rs
⇨ Afrique orientale britannique, Bahawalpur,
     Bahrain, Birmanie (Dominion britannique),
     Ceylan, Chamba, Chine (bureaux anglais),
     Faridkot (protectorat britannique), Gwalior,
     Jhind (protectorat britannique), Kuwait, Malacca
     (établissements des détroits de Malacca et
     Singapour), Mascate, Nabha, Pakistan, Patiala,
     Somaliland, Zanzibar

□ **Inde anglaise (occupation japonaise des Îles Andaman)**
India: Japanese occupation of the Andaman Islands (E)
1942
Asie
s   .3 (Inde anglaise : 1942)
     .5 (Inde anglaise : 1942)
     .10 (Inde anglaise : 1942)
     .20 (Inde anglaise : 1942)
     .30 (Inde anglaise : 1942)
m   c, caches, fanon, fanons, roupies

♦ INDE FÇAISE ➜ Inde (établissements français)

□ **Inde néerlandaise**
Netherlands Indies (E)
1864-1949
Asie
Yvert et Tellier, Tome 6, 1re partie
l   BATAVIA (1845)
     JAVA-AUSTRALIE (1931)
     NED. INDIE POST ZEGEL (1864-1948)
     NED DE INDIE (1864-1948)
     NEDERL INDIE (1864-1948)
     NEDERL-INDIË (1864-1948)
     NEDERLANDSCH INDIE (1864-1948)
     TE BETALEN PORT (1874-1946)
     INDONESIA (1948)
s   BUITEN BEZIT. (1908)
     INDONESIA (1948)
     JAVA (1908)
     NED. INDIE (Pays-Bas : 1899-1948)
m   cent, gulden, ct, c, gld, sen, rupiah
⇨ Inde néerlandaise (république indonésienne),
     Indonésie

□ **Inde néerlandaise (occupation japonaise)**
Netherlands Indies: Japanese occupation (E)
1943
Asie
Yvert et Tellier, Tome 6, 1re partie
⇨ Inde néerlandaise (république indonésienne)

□ **Inde néerlandaise (république indonésienne)**
Netherlands Indies: Indonesian Republic (E)
1945-1949
Asie
Yvert et Tellier, Tome 6, 1re partie
l   N. R. INDONESIA (1946)
     REPOEBLIK INDONESIA (1946)
     REPUBLIK INDONESIA (1948-1949)
s   REPOEBLIK INDONESIA (Inde néerlandaise :
     1945)
     REPOEBLIK INDONESIA (Inde néerlandaise
     [occupation japonaise] : 1945)
m   s, sen
⇨ Indonésie

♦ *Inde néerlandaise* ➜ voir aussi : Moluques du Sud

☐ **Inde portugaise**
Portuguese India (E)
1871-1962
Asie
Yvert et Tellier, Tome 6, 1ʳᵉ partie
　l　COMEMORATIVO DA EXPOSICAO DE S.
　　FRANCISCO XAVIER INDIA (1931)
　　CORREIO INDIA (1933-1945)
　　ESTADO DA INDIA (1938-1962)
　　IMPERIO COLONIAL PORTUGUES
　　PORTEADO ESTADO DA INDIA (1945)
　　IMPOSTO DO SELO COLONIAS (1935)
　　INDIA CORREIOS (1898-1913)
　　INDIA PORTUGAL (1898-1914)
　　INDIA PORTUGUESA (1948-1961)
　　INDIA PORTUGUEZA (1879-1886)
　　PORTEADO INDIA A RECEBER (1904-1914)
　　PORTUGAL INDIA (1895-1901)
　　REPUBLICA PORTUGUESA INDIA (1913-1934)
　　SERVIÇO POSTAL INDIA PORT (1871-1883,
　　1952)
　　TAXA DE GUERRA 0:00:05,48 (1919)
　　TAXA DE GUERRA 0:01:09,94 (1919)
　　TAXA DE GUERRA 0:02:03,43 (1919)
　m　real, reis, tanga, tangas, rps, rl, rs, $, cents, tg
　⇨ Timor

❖ INDEPENDENCE 6TH MARCH 1957 ➜ Ghana
◆ INDEPENDENCE OF GUYANA ➜ Guyane
◆ INDEPENDENCE OF THE PHILIPPINES ➜
　Philippines
◆ INDEPENDENCE TEX ➜ États Confédérés
　d'Amérique (émissions des Maîtres de postes :
　Independence, Texas)
❖ INDEPENDENCIA NACIONAL ➜ Colombie
◆ INDEPENDENT ANGUILLA ➜ Anguilla
◆ INDIA ➜ Inde, Inde anglaise
⌧ *India (E)* ➜ Inde anglaise
⌧ *India: Convention States of the British Empire (E)* ➜
　Chamba, Faridkot (protectorat britannique), Gwalior,
　Jhind (protectorat britannique), Nabha, Patiala
◆ INDIA CORREIOS ➜ Inde portugaise
◆ INDIAN BUNDELKHAND ➜ Charkhari
⌧ *India (Dominion) (E)* ➜ Inde
⌧ *India: military stamps (E)* ➜ Chine (bureaux anglais),
　Inde anglaise
⌧ *India: Native Feudatory States (E)* ➜ États Princiers de
　l'Inde, Alwar, Bamra, Barwani, Bhopal, Bhore, Bijawar,
　Bundi, Busssahir, Cachemire, Charkhari, Cochin,
　Datia, Dhar, Faridkot, Haiderabad, Idar, Holkar, Jaipur,
　Jasdan, Jhalawar, Jhind, Kishengarh, Las Bela, Morvi,
　Nandgame, Nowanuggur, Orcha, Pountch, Rajasthan,
　Rajpeepla, Sirmoor, Soruth, Travancore, Travancore-
　Cochin, Wadhwan
⌧ *Indian Expeditionary Force (E)* ➜ Inde anglaise
❖ INDIAN OCEAN ➜ Christmas
❖ INDIAN OCEAN TERRITORY ➜ Océan Indien
⌧ *India: Japanese occupation of the Andaman Islands (E)*
　➜ Inde anglaise (occupation japonaise des Îles
　Andaman)

◆ INDIA PORTUGAL ➜ Inde portugaise
◆ INDIA PORTUGUESA ➜ Inde portugaise
◆ INDIA PORTUGUEZA ➜ Inde portugaise
◆ INDIA POSTAGE ➜ Inde, Inde anglaise
◆ INDIA POSTAGE & REVENUE ➜ Inde anglaise
❖ INDIA RECEBER ➜ Inde portugaise
⌧ *India (Republic) (E)* ➜ Inde
❖ INDIE ➜ Inde néerlandaise
◆ IN DIENST O.V.S. R.D.M. ➜ Orange
⌧ *Indo-China (E)* ➜ Indochine
◆ INDOCHINE ➜ Indochine

☐ **Indochine**
Indo-China (E)
1889-1946
Asie
Yvert et Tellier, Tome 2, 1ʳᵉ partie
　l　INDO-CHINE (1900-1922)
　　INDOCHINE (1919-1946)
　　INDOCHINE FRANÇAISE (1904-1906 ; 1944)
　s　5 (Colonies françaises : 1904-1905)
　　10 (Colonies françaises : 1905)
　　30 (Colonies françaises : 1905)
　　GREFFE (Colonies françaises : 1888)
　　INDO-CHINE (Colonies françaises : 1889-1891)
　　INDOCHINE (France : 1919)
　m　c, cent, cents, fr
　⇨ Canton, Chine (bureaux français), Hoï-Hao,
　　Kouang-Tchéou, Mong-Tzeu, Pakhoi, Tch'ong-
　　K'ing, Vietnam du Nord, Yunnanfou

◆ INDO-CHINE ➜ Indochine
◆ INDOCHINE FRANÇAISE ➜ Indochine
◆ INDONESIA ➜ Inde néerlandaise
❖ INDONESIA ➜ Inde néerlandaise (république
　indonésienne)
⌧ *Indonesia (E)* ➜ Indonésie

■ **Indonésie**
Indonesia (E)
1950-auj.
Asie
Yvert et Tellier, Tome 6, 1ʳᵉ partie
　l　BAJAR (1968)
　　BAJAR PORTO (1951-1975)
　　BAYAR (1974-1988)
　　BAYAR PORTO (1976-1990)
　　REPUBLIK INDONESIA (1950-auj.)
　　REPUBLIK INDONESIA SERIKAT (1950)
　s　BAJAR PORTO (Inde néerlandaise : 1951-1953)
　　BAYAR PORTO (1976-1978)
　　RIAU (1954-1960)
　　RIAU (Inde néerlandaise : 1950)
　　RIS (Inde néerlandaise [république indonésienne] :
　　1950)
　m　sen, rupiah, rp, rph
　⇨ Indonésie (territoire de l'ex-Nouvelle-Guinée
　　néerlandaise)

☐ **Indonésie (territoire de l'ex-Nouvelle-Guinée néerlandaise)**
West Irian (E)
1964-1970
Asie
Yvert et Tellier, Tome 6, 1ʳᵉ partie
  I REPUBLIK INDONESIA IRIAN BARAT (1968-1970)
     REPUBLIK INDONESIA I.B. (1968-1970)
  s IRIAN BARAT (Indonésie : 1964-1968)
  m sen, s, rp

◆ *Indore* ➔ Holkar
◆ INDORE STATE POSTAGE ➔ Holkar
❖ INDUSTRIAL COLONIAS ➔ Timor
❖ INFANZIA ➔ Zone de Fiume et de la Kupa
◆ *Ingouchie (République d')* ➔ Russie (postes locales de l'ex-U.R.S.S.)
◆ INGUSHETIA ИНГУШЕТИЯ ➔ Russie (postes locales de l'ex-U.R.S.S. : République d'Ingouchie)

☐ **Ingrie**
North Ingermanland (E)
1920
Europe
Yvert et Tellier, Tome 3, 2ᵉ partie
  I POHJOIS INKERI (1920)
  m d, m

◆ INHAMBANE ➔ Inhambane

☐ **Inhambane**
1895-1917
Afrique
Yvert et Tellier, Tome 6, 1ʳᵉ partie
  I INHAMBANE (1903-1917)
     REPUBLICA PORTUGUESA INHAMBANE (1914)
  s CENTENARIO DE S. ANTONIO INHAMBANE MDCCCXCV (Mozambique : 1895)
     REPUBLICA INHAMBANE (Afrique portugaise, Macao, Timor : 1913)
  m c, ct, reis

◆ ININI ➔ Inini

☐ **Inini**
1932-1944
Amérique du Sud
Yvert et Tellier, Tome 2, 1ʳᵉ partie
  I ININI (1939-1942)
  s ININI (Guyane [colonie française] : 1941-1944)
     TERRITOIRE DE L'ININI (Guyane [colonie française] : 1932-1944)
  m c, f

❖ INKERI ➔ Ingrie
◆ INLAND ➔ Libéria
❖ INLAND REVENUE ➔ Grande-Bretagne
◆ INLAND REVENUE ➔ Grande-Bretagne
◆ INSEDIAMENTO DELL 1° PARLAMENTO PADANO ➔ Italie (état fédéral)

❖ INSELN ➔ Marshall
◆ INSTITUT HAMB BOTEN ➔ Allemagne (postes locales ou privées : Hambourg, service de messagerie)
◆ INSTITUT HAMBURGER BOTEN ➔ Allemagne (postes locales ou privées : Hambourg, service de messagerie)
◆ INSTITUT HAMBURGER BOTEN H. SCHEERENBECK ➔ Allemagne (postes locales ou privées : Hambourg, service de messagerie)
◆ INSTITUT HAMBURGᴿ BOTEN ➔ Allemagne (postes locales ou privées : Hambourg, service de messagerie)
◆ INSTRUÇAO D. L. N.°7 DE 3 2-1934 ➔ Timor
◆ INSTRUCCION BOLIVARES ➔ Venezuela
◆ INSTRUCCION CENTIMOS ➔ Venezuela
◆ INSTRUCCION E E.U.U. DE VENEZUELA ➔ Venezuela
❖ INSTRUCCION PRIMARIA 1900 ➔ Salvador
◆ INSTRUCCION SELLO PROVISIONAL CARUPANO 1902 ➔ Venezuela
◆ INSTRUCCION VENEZUELA ➔ Venezuela
◆ INSUFFICIENTLY PREPAID POSTAGE DUE ➔ Zanzibar
❖ INTERIOR ➔ Brésil, Espagne, États-Unis d'Amérique
❖ INTERIOR FRANCO ➔ Philippines
◆ INTER ISLAND HAWAIIAN POSTAGE ➔ Hawaï
◆ INTERISLAND POSTAGE THE AUSTRALIAN NEW HEBRIDES COMPANY LIMITED PORT VILA ➔ Nouvelles-Hébrides (postes locales)
◆ INTERNATION AIR TRANSPORT ASSOCIATION ➔ Japon
◆ INTERNATIONAL LETTER WRITING ➔ Japon
◆ INTERNATIONAL YEAR OF PEACE 1987 ➔ Syrie (état indépendant)
◆ INTERNERET BREV POSTFORSENDELSE ØSTRIGERLEJR 1946 TARP/ESBJERG PORTOFRIT I DANMARK ➔ Autriche (postes locales ou privées) : *Camp de prisonniers de Tarp (Danemark)*
◆ INTERPOST ➔ Pays-Bas (postes locales : *Beverwijk, Sittard*)
📕 *Ionian Islands (E)* ➔ Ioniennes (Îles) (possession britannique)
📕 *Ionian Islands: German occupation (E)* ➔ Ioniennes (Îles) (occupation allemande)
📕 *Ionian Islands: Italian occupation (E)* ➔ Ioniennes (Îles) (occupation italienne)

☐ **Ioniennes (Îles) (occupation allemande)**
Ionian Islands: German occupation (E)
1943
Europe
  s ΕΛΛΑΣ 2 X 43 (Ioniennes [Îles] [occupation italienne] : 1943)

☐ **Ioniennes (Îles) (occupation italienne)**
Ionian Islands: Italian occupation (E)
1941
Europe
Yvert et Tellier, Tome 3, 2ᵉ partie
　s　ISOLE JONIE (Italie : 1941)
　　　ITALIA OCCUPAZIONE MILITARE ITALIANA
　　　ISOLE CEFALONIA E ITACA (Grèce : 1941)
　⇨ Ioniennes (Îles) (occupation allemande)

☐ **Ioniennes (Îles) (possession britannique)**
Ionian Islands (E)
1859
Europe
Yvert et Tellier, Tome 3, 2ᵉ partie
　l　IONIKON ΚΡΑΤΟΣ (1859)

◆ IONIKON KPATOS (grec) ➔ Ioniennes (Îles)
　(possession britannique)

■ **Irak**
Mesopotamia + Iraq (E)
1917-auj.
Asie
Yvert et Tellier, Tome 6, 1ʳᵉ partie
　l　**IRAQ** (1923-auj.)
　　　IRAQ POSTAGE (1923-auj.)
　　　REPUBLIC OF IRAQ (1958-auj.)
　s　BAGHDAD IN BRITISH OCCUPATION
　　　(Turquie : 1917)
　　　IRAQ IN BRITISH OCCUPATION (Turquie :
　　　1918-1921)
　　　POSTAGE I. E. F. 'D' (Turquie : 1919)
　m　an, anna, annas, r, rupees, fils, dinar, dinars, f

◆ IRAN ➔ Iran

■ **Iran**
＊ **1868-auj.**
Asie
Yvert et Tellier, Tome 6, 1ʳᵉ partie
　l　ABARQUH GUNBAD (1950)
　　　ARDASHIR I ET AHURA MAZDA (1949)
　　　ARDISTAN MASJID (1950)
　　　BASTAM TOUR DE GAZAN (1950)
　　　BONBAD QABUS (1954)
　　　CTEDIPHON (1949)
　　　D (1938-1946)
　　　DARIUS SUR SON TRONE (1948)
　　　DINARS (1948-1950)
　　　DINARS + DINARS (1948-1950)
　　　DINARS + RIALS (1948-1950)
　　　EN SOUVENIR DES EFFORTS DE L'IRAN
　　　POUR LA VICTOIRE (1949)
　　　GUERRIER PERSE (1948)
　　　HAMADAN (1950)
　　　I. R. IRAN (1984-1992)
　　　IRAN (1950-1979)
　　　ISFAHAN MASJID (1950)
　　　ISLAMIC REP. OF IRAN (1991-auj.)
　　　ISLAMIC REPUBLIC OF IRAN (1986-1992)

KASHAN TOMBEAU DE BABA AFZAL (1950)
L'ANCIEN TOMBEAU D'AVICENNE (1954)
LE NOUVEAU TOMBEAU D'AVICENNE
(1954)
LION ET TAUREAU (1948)
« lion tenant un sabre » (1949-1976)
MASHAD MASJID I GAWHAR SHAD (1950)
MONNAIE SELDJLMIDE (1950)
PALAIS DE DARIUS (1948)
PERSE À PERCEVOIR (1886)
PORTRAIT D'AVICENNE (1954)
POST CO. OF I. R. IRAN (1990)
POSTE PERSANE (1881-1935)
POSTES PERSANES (1881-1935)
POSTES 1319 (1902-1903)
POSTES 812 (1902-1903)
POSTES IRANIENNES (1935-1937)
R (1938-1946)
R. I. IRAN (1980-1984)
RÉPUBLIQUE ISLAMIQUE DE L'IRAN (1979-
1980)
REZAICH MIHRAB DE LA MOSQUÉE (1950)
RIALS (1948-1950)
RIAL + DINAR (1948-1950)
RIAL + RIALS (1948-1950)
ROI ARDASHIR II (1949)
ROI NARSE (1949)
SHAPUR I ET VALÉRIEN (1949)
THE ISLAMIC REPUBLIC OF IRAN (1979-
1980)
TOMBEAU DE CYRUS (1948)
VASE DE GORGAN (1950)
　s　POSTE AÉRIEN (1928-1929)
　　　POSTE AÉRIENNE (1928-1929)
　　　POSTES IRANIENNES (1935-1937)
　　　P. L. TEHERAN (1902-1903)
　　　1925 (1925)
　m　ch, chahi, chahis, chaï, d, di, dinar, dinars, drs,
　　　k, kran, krans, kr, krs, r, rial, rials, rl, rls, toman,
　　　tomans
　⇨ Bouchir

☐ **Iran (poste locale)**
Iran: local issues (E)
1902
Asie
Yvert et Tellier, Tome 6, 1ʳᵉ partie
(à : *Iran*)
　l　V.C POSTES 1902 PERSANES (Meched : 1902)
　m　ch, k

❖ IRANIENNES ➔ Iran
◆ IRAQ ➔ Irak
◆ IRAQI KURDISTAN REGION ➔ Kurdistan Irakien
◆ IRAQ IN BRITISH OCCUPATION ➔ Irak
◆ IRAQ POSTAGE ➔ Irak
◆ *Irbit* ➔ Zemstvos
🕭 *Ireland (E)* ➔ Irlande
◆ IRIAN BARAT ➔ Indonésie (territoire de l'ex-
　Nouvelle-Guinée néerlandaise)

- ◆ I. R. IRAN ➔ Iran

■ **Irlande**
Ireland (F)
1922-auj.
Europe
Yvert et Tellier, Tome 3, 2ᵉ partie
  ʟ Ꭺn poꝛꞇ poblaꞇꞇ na h.éiꞅeann 1922 (1922)
    ÉIRE (1922-auj.)
    EIRE (1922-auj.)
    poꞅꞇaꞅ ʟe hioc (1925-1988)
    POSTAS LE HIOC (1925-1988)
  s Ꞅialꞇaꞅ Ꞅealaꝺac na héiꞅeann 1922
    (Grande-Bretagne : 1922)
    Ꞅaoꞅꞅꞓꙺc éiꞅeann 1922 (Grande-Bretagne :
    1922)
  m c, coꞅom, €, £, p, pinꞅin, pinꞅine, ꞅcilinꞅe

- ❖ IRYSTOM ➔ Russie (postes locaux de l'ex-U R S S. : République d'Ossétie du Sud)
- ◆ ISE-SHIMA NATIONAL PARK ➔ Japon
- ◆ ISFAHAN MASJID ➔ Iran
- ○ isk ➔ Islande
- ◆ ISLA DE CUBA ➔ Cuba
- ❖ ISLA DE MENORCA SELLO PROVISIONAL CORREO AÉREO ➔ Espagne (émissions nationalistes : Menorca [Minorque])
- ❖ ISLA DE MENORCA SELLO PROVISIONAL CORREOS ➔ Espagne (émissions nationalistes : Menorca [Minorque])
- ◆ ISLA DE PASCUA ➔ Chili
- ◆ ISLA DE PASCUA / CHILE ➔ Chili
- ◆ ISLAMIC REP. OF IRAN ➔ Iran
- ◆ ISLAMIC REPUBLIC OF IRAN ➔ Iran
- ◆ ISLAMIC REPUBLIC OF PAKISTAN ➔ Pakistan
- ❖ ISLAMIQUE DES COMORES ➔ Comores
- ◆ ISLAM REPUBLIC CHECHENIA ➔ Tchétchénie
- ◆ ISLAND ➔ Islande

■ **Islande**
Iceland (E)
1873-auj.
Europe
Yvert et Tellier, Tome 3, 2ᵉ partie
  l **ISLAND** (1873-auj.)
  m A, ara, aur, aurar, eyr, g, gildi, gr, kr, krona, kronur, prir, sk

- ◆ ISLAND OF SACHALIN ➔ Russie (postes locales de l'ex-U.R.S.S. : Île Sakhaline)
- ◆ ISLAS DE JUAN FERNANDEZ ➔ Chili
- ◆ ISLAS GALAPAGOS ➔ Équateur
- ◆ ISLE OF JETHOU ➔ Jethou
- ❖ ISLE OF MAN ➔ Calf of Man
- ◆ ISLE OF MAN ➔ Man
- ℗ *Isle of Man: Bailiwick issues (E)* ➔ Man
- ℗ *Isle of Man: British Regional issues (E)* ➔ Grande-Bretagne
- ◆ ISLE OF PABAY ➔ Pabay
- ◆ ISLE OF SOAY ➔ Soay
- ❖ ISLES SCOTLAND ➔ été (Îles de l')
- ◆ ISÖ ➔ Isö

□ **Isö**
Europe
Émission non admise par l'U.P.U.
  l ISÖ

- ◆ ISOLE ITALIANE DELL'EGEO ➔ Égée (îles de la mer)
- ◆ ISOLE JONIE ➔ Ioniennes (Îles) (occupation italienne)
- ◆ ISRAEL ➔ Israël

■ **Israël**
★ *Israel (E)*
1948-auj.
Asie
Yvert et Tellier, Tome 6, 1ʳᵉ partie
  l **ISRAEL** (1949-auj.)

- ❖ ISSAS ➔ Afars et Issas (Territoire des)
- ◆ ISTITUTO COLONIALE ITALIANO OLTRE GIUBA ➔ Outre-Djouba
- ◆ ISTRA ➔ Istrie
- ◆ ISTRA LITTORALE SLOVENO ➔ Istrie
- ◆ ISTRA SLOVENSKO PRIMORJE ➔ Istrie
- ℗ *Istria and the Slovene Coast (E)* ➔ Istrie, Istrie (administration militaire yougoslave)

□ **Istrie**
Yugoslavia: issues for Istria and the Slovene Coast (E)
1945-1946
Europe
Yvert et Tellier, Tome 3, 2ᵉ partie
(à : *Yougoslavie*)
  l ISTRA (1945-1946)
    ISTRA LITTORALE SLOVENO (1945-1946)
    ISTRA SLOVENSKO PRIMORJE (1945-1946)
  s ISTRA (Italie : 1945-1946)
    FIUME RIJEKA (Italie : 1945)
  m L, lira, lire, lit.

□ **Istrie (administration militaire yougoslave)**
Yugoslavia: issues for Istria and the Slovene Coast (E)
1947
Europe
Yvert et Tellier, Tome 3, 2ᵉ partie
(à : *Yougoslavie*)
  s VOJNA UPRAVA JUGOSLAVENSKE ARMIJE (Yougoslavie : 1947)
  m L

- ◆ ITÄ-KARJALA SOT.HALLINTO ➔ Carélie orientale (occupation finlandaise)
- ◆ ITÄ-KARJALA SOT.HALLINTO SUOMI FINLAND ➔ Carélie orientale (occupation finlandaise)
- ◆ ITALIA ➔ Italie
- ℗ *Italian Colonies (E)* ➔ Colonies italiennes
- ❖ ITALIANE ERITREA ➔ Érythrée (colonie italienne)
- ℗ *Italian East Africa (E)* ➔ Afrique orientale italienne
- ◆ *Italian Jubaland* ➔ Outre-Djouba

⊕ *Italian offices abroad (E)* ➔ Bengasi (Cyrénaïque),
Carchi, Calino, Caso, Chine (bureaux italiens), Coo,
Crète (bureau italien de la Canée), Égée (îles de la mer),
Lero, Levant (bureaux italiens), Lipso, Nisiro, Patmo,
Piscopi, Rhodes, Scarpanto, Simi, Stampalia, Tripoli

⊕ *Italian offices in Africa (E)* ➔ Bengasi (Cyrénaïque),
Tripoli

⊕ *Italian offices in the Dodecanese Islands (E)* ➔ Calino,
Carchi, Caso, Coo, Égée (îles de la mer), Lero, Lipso,
Nisiro, Patmo, Piscopi, Rhodes, Scarpanto, Simi,
Stampalia

⊕ *Italian offices in Turkish Empire (E)* ➔ Levant (bureaux
italiens)

⊕ *Italian Social Republic (E)* ➔ Italie (République
Sociale)

⊕ *Italian States (E)* ➔ Église (États Pontificaux),
Modène, Parme, Romagne, Royaume des deux Siciles,
Sardaigne, Toscane

• ITALIA OCCUPAZIONE MILITARE ITALIANA
ISOLE CEFALONIA E ITACA ➔ Ioniennes (Îles)
(occupation italienne)

• ITALIA REPUBBLICANA FASCISTA BASE
ATLANTICA ➔ France

❖ ITALIAS ELLADOS TOYPKIAS (grec) ➔ Grèce

• ITALIA STATO FEDERALE ➔ Italie (état fédéral)

■ **Italie**
Italy (E)
1862-auj.
Europe
Yvert et Tellier, Tome 3, 2ᵉ partie
I BIGLIETTI DI RICOGNIZIONE POSTALE
(1874)
CORRESPONDENZE FIRENZE VENEZIA-
GIULIA (1945, *poste privée S.A.B.E.*)
Fᶜᵒ BOLLO POSTALE ITALIANO (1867-1877)
FRANCHIGIA MILITARE (1943)
FRANCO BOLLO DI STATO (1875)
FRANCO BOLLO POSTALE ITALIANO (1863-
1910)
FRANCO POSTE BOLLO (1862)
GIORNALI FRANCO BOLLO STAMPE (1861-
1862)
ITALIA (1923-auj.)
MARCA DA BOLLO (1863-1942)
PACCHI POSTALI (1884-1934)
PACCHI POSTALI E LETTERE
RACCOMANDATE (1926-1936)
PACCHI POSTALI ORDINARI INTERNO
(1926-1936)
PACCHI SUL BOLLETTINO (1914-1973)
POSTA AEREA CROCIERA ZEPPELIN ISOLE
ITALIANE 1933 DEL EGEO AXI (1933)
POSTA AEREA ITALIANA (1932-1938)
POSTALI SULLA RICEVUTA (1914-1973)
POSTE ITALIANE (1863-1951, 1955-1969)
REGNO D'ITALIA (1926-1933)
REPUBBLICA ITALIANA (1951-1955)
SEGNA TASSA (1863-1934)
SEGNATASSE (1863-1934)
SEGNATASSE VAGLIA (1863-1934)

SERVIZIO COMMISSIONI (1913-1925)
TRASPORTO PACCHI IN CONCESSIONE
(1953-1984)
m cent, c, centesimo, centesimi, centme, lira, lire, l, €
⇨ Afrique orientale italienne, Autriche-Hongrie
(occupation en Italie), Bengasi (Cyrénaïque),
Calino, Carchi, Caso, Castellorizo (occupation
et colonie italienne), Chine (bureaux italiens),
Colonies Italiennes , Coo, Corfou, Crète (bureau
italien de la Canée), Cyrénaïque (colonie italienne),
Dalmatie, Égée (îles de la mer), Érythrée (colonie
italienne), Fezzan, France, Ioniennes (Îles)
(occupation italienne), Istrie, Italie (occupation
allemande), Italie (occupation croate), Italie
(occupation interalliée), Italie (République
Sociale), Lero, Levant (bureaux italiens), Lipso,
Lubiana-Slovénie (occupation allemande), Libye,
Monténégro (occupation italienne), Nisiro, Outre-
Djouba, Patmo, Piscopi, Rhodes, Saint-Marin,
Saseno, Scarpanto, Simi, Somalie italienne,
Stampalia, Trente et Trieste, Trentin, Trieste (Zone
A Anglo-Américaine), Tripoli, Tripolitaine, Vénétie
Julienne, Vénétie Julienne (occupation interalliée)

◆ *Italie* ➔ voir aussi : Arbe et Veglia, Campione,
Dalmatie, Église (États Pontificaux), Fiume, Lombardo-
Vénétie, Modène, Parme, Romagne, Royaume des deux
Siciles, Sardaigne, Toscane, Trente et Trieste, Trentin,
Udine, Vénétie Julienne, Vénétie Julienne (occupation
interalliée), Zone de Fiume et de la Kupa

☐ **Italie (comité de libération nationale)**
Italy: National Liberation Committee (E)
1945
Europe
I CLN ITALIA POSTA PARTIGIANA (1945)
m LIRE

☐ **Italie (état fédéral)**
Italy: Federal State (E)
1993-2000
Europe
Émission non admise par l'U.P.U.
I ELEZIONI PADANE (1997)
INSEDIAMENTO DELL 1° PARLAMENTO
PADANO (1997)
ITALIA STATO FEDERALE (1993-1996)
PADANIA (1997-2000)
PADANIA STATO FEDERALE (1996-1997)
REFERENDUM PER L'INDIPENDENZA
DELLA PADANIA (1997)
m lega, leghe

☐ **Italie (occupation allemande)**
Italy: German occupation (E)
1943-1944
Europe
I BOKA KOTORSKA (1944)
s BOKA KOTORSKA (Yougoslavie : 1944)
DEUTSCHE BESETZUNG ZARA (Italie : 1943)

DEUTSCHE MILITÄR-VERWALTUNG KOTOR
(Italie : 1944)
ZARA (Italie : 1943)
m LIT., R.M., Rpf

□ **Italie (occupation croate)**
Italy: Croatian occupation (E)
1944
Europe
s N. D. H. (Italie : 1944)
N. D. HRVATSKA (Italie : 1944)
m Kn

□ **Italie (occupation interalliée)**
Italy: Allied Military Government (E)
1943
Europe
Yvert et Tellier, Tome 3, 2ᵉ partie
l ALLIED MILITARY POSTAGE (1943)
s GOVERNO MILITARE ALLEATO (Italie : 1943)
ITALY CENTESIMI (1943)
ITALY LIRE (1943)
m centesimi, lira, lire

□ **Italie (occupation yougoslave)**
Italy: Yugoslavian occupation (E)
1945
Europe
Yvert et Tellier, Tome 3, 2ᵉ partie
s TRIESTE * TRST (Italie [République Sociale] :
1945)
m l

□ **Italie (République Sociale)**
Italian Social Republic (E)
1944-1945
Europe
Yvert et Tellier, Tome 3, 2ᵉ partie
l CORRIERI ALTA ITALIA S. P. AUTORIZZATO
D. STATO (1945, *poste privée Coralit*)
CORRIERI ALTA ITALIA S. P. AUTORIZZATO
DALLO STATO (1945, *poste privée Coralit*)
CORRIERI ALTA ITALIA SERVIZIO POSTALE
AUTORIZZATO DALLO STATO (1945, *poste
privée Coralit*)
ESPRESSO (1944)
REP. SOC. ITALIANA (1944)
REPUB. SOCIALE ITALIANA (1944)
REPUBBLICA SOCIALE ITALIANA (1944)
s G.N.R. (Italie : 1944)
REP. SOC. ITALIANA (Italie : 1944)
REPUBBLICA SOCIALE ITALIANA (Italie :
1944)
m cent, L, lira, lire
⇨ Italie (occupation yougoslave)

❖ ITALII ➜ Pologne (corps polonais)
🔖 *Italy (E)* ➜ Italie
◆ ITALY CENTESIMI ➜ Italie (occupation interalliée)

🔖 *Italy: Federal State (E)* ➜ Italie (état fédéral)
◆ ITALY LIRE ➜ Italie (occupation interalliée)
🔖 *Italy: National Liberation Committee (E)* ➜ Italie
(comité de libération nationale)
🔖 *Italy: Allied Military Government (E)* ➜ Italie
(occupation interalliée), Vénétie Julienne (occupation
interalliée), Trieste (Zone A Anglo-Américaine)
🔖 *Italy: Austrian Occupation (E)* ➜ Autriche-Hongrie
(occupation en Italie)
🔖 *Italy: Croatian occupation (E)* ➜ Italie (occupation
croate)
🔖 *Italy: German occupation (E)* ➜ Italie (occupation
allemande)
🔖 *Italy: Yugoslavian occupation (E)* ➜ Italie (occupation
yougoslave)
◆ *Iuka (Missouri)* ➜ États Confédérés d'Amérique
(émissions des Maîtres de postes : Iuka, Missouri)
◆ I-U-KA PAID 5CTS ➜ États Confédérés d'Amérique
(émissions des Maîtres de postes : Iuka, Missouri)
◆ IV CONGRESSO DO TUR SMO AFRICANO
LOURENÇO MARQUES ➜ Mozambique
◆ IV FIERA CAMPIONARIA I RASSEGNA
INTERNAZIONALE TRIPOLI POSTE ITALIANE ➜
Tripolitaine
🔖 *Ivory Coast (French colony) (E)* ➜ Côte d'Ivoire
(colonie française)
🔖 *Ivory Coast (Republic) (E)* ➜ Côte d'Ivoire
◆ IX FIERA CAMPIONARIA TRIPOLI ➜ Tripolitaine
◆ IZMIR HIMAYEI ETFAL CEMIYETI ➜ Turquie
⊙ j ➜ Syrie (état indépendant)
◆ J *(carmin dans un rond)* ➜ Yca
◆ JABEZ FEAREY & CO.'S « MUSTANG EXPRESS »
➜ États-Unis d'Amérique (postes locales et privées) :
Newark (New Jersey)
◆ *Jackson (Missouri)* ➜ États Confédérés d'Amérique
(émissions des Maîtres de postes : Jackson, Missouri)
◆ *Jacksonville (Alabama)* ➜ États Confédérés
d'Amérique (émissions des Maîtres de postes :
Jacksonville, Alabama)
◆ JACK V. ELLIOT AIR SERVICE FIRST RED LAKE
AERIAL MAIL 1926 ➜ Canada
◆ JAFFA ➜ Levant (bureaux russes)
❖ JAHAN BEGAM ➜ Bhopal

□ **Jaipur**
Jaipur: Native Feudatory State (E)
1904-1936
Asie
Yvert et Tellier, Tome 5, 3ᵉ partie
(à : *États princiers de l'Inde*)
l JAIPUR STATE (1904-1936)
m anna, as, rupee, rs
⇨ Rajasthan

◆ JAIPUR STATE ➜ Jaipur
◆ JAMAHIRIYA ➜ Libye
◆ JAMAICA ➜ Jamaïque
◆ JAMAICA POSTAGE ➜ Jamaïque
◆ JAMAICA POSTAGE & REVENUE ➜ Jamaïque
◆ JAMAICA REVENUE ➜ Jamaïque
◆ JAMAICA TELEGRAPHS ➜ Jamaïque

■ **Jamaïque**
Jamaica (E)
1860-auj.
Amérique Centrale
Yvert et Tellier, Tome 6, 1ʳᵉ partie
 l **JAMAICA** (1927-auj.)
  JAMAICA POSTAGE (1860-1938)
  JAMAICA POSTAGE & REVENUE (1860-1938)
  JAMAICA REVENUE (1860-1938)
  JAMAICA TELEGRAPHS (1860-1938)
 m penny, pence, shilling, shillings, d, s, c, $, dollar

 ◆ JAM. DIM. SOOMAALIYA ➜ Somalie
 ◆ JAMES M BUCHANON ➜ États-Unis d'Amérique
  (émissions des Maîtres de postes : Alexandria, Virginie)
 ◆ JAMHURI ZANZIBAR ➜ Zanzibar
 ◆ JAMHURI ZANZIBAR TANZANIA ➜ Zanzibar
 ◆ JAMMU AND KASHMIR ➜ Cachemire
 ◆ JANINA ➜ Levant (bureaux italiens)
 ℔ *Japan (E)* ➜ Japon
 ◆ JAPANESE EMPIRE ➜ Japon
 ℔ *Japan: Australian occupation (E)* ➜ Japon (occupation
  australienne)
 ℔ *Japanese offices abroad (E)* ➜ Chine (bureaux
  japonais), Corée (bureaux japonais), Formose
 ℔ *Japanese offices in China (E)* ➜ Chine (bureaux
  japonais)
 ℔ *Japanese offices in Korea (E)* ➜ Corée (bureaux
  japonais)
 ℔ *Japanese offices in Taiwan (Formosa) (E)* ➜ Formose
 ❖ JAPANESE POST ➜ Japon
 ◆ JAPAN MACHINARY FLOATING ➜ Japon

■ **Japon**
 ✱ *Japan (E)*
1871-auj.
Asie
Yvert et Tellier, Tome 6, 1ʳᵉ partie
 l 15ᵀᴴ CP GATT TOKYO 1959 (1959)
  1877-1952, 1879-1954, 1885-1960, 1910-1960,
  1890-1960, 1886-1961, 1863-1963 (1952-1961)
  1949 5⁰⁰, 1949 8⁰⁰, 1952 5⁰⁰, 1952 10⁰⁰, 1954 10⁰⁰,
  etc... 1965 5⁰⁰ (1949-1965)
  1951 - 5 - 5 (1951)
  1965 IAEA GENERAL CONFERENCE (1965)
  3ᴿᴰ ASIAN GAMES (1958)
  AIRMAIL 16⁰⁰, AIRMAIL 34⁰⁰, AIRMAIL 59⁰⁰,
  AIRMAIL 103⁰⁰, AIRMAIL 144⁰⁰ (1950)
  AKAN NATIONAL PARK (1950)
  BANDAI-ASAHI NATIONAL PARK (1952)
  BEPPU (1949)
  C2H5OH (1948)
  CHICHIBU-TAMA NATIONAL PARK (1955)
  CHUBU SANGAKU NATIONAL PARK (1952)
  COMMUNITY CHEST (1947)
  DEPARTMENT OF COMMUNICATIONS OF
  JAPAN (1888)
  EN (1946-1947)
  FREEDOM FROM HUNGER 1963 (1963)
  FUJI HAKONE NATIONAL PARK (1949)
  GENERAL POST OFFICE OF JAPAN (1885)

  IMPERIAL JAPANESE POST (1876-1896)
  INTERNATION AIR TRANSPORT
  ASSOCIATION (1959)
  INTERNATIONAL LETTER WRITING
  (1958-auj.)
  ISE-SHIMA NATIONAL PARK (1953)
  JAPAN MACHINARY FLOATING (1956)
  JAPANESE EMPIRE (1876-1877)
  JO-SHIN-ETSU KOGEN NATIONAL PARK
  (1954)
  NIPPON (1967-auj.)
  PARC NATIONAL DE NIKKO (1938-1941)
  PARC NATIONAL DE DAISEN (1938-1941)
  PARC NATIONAL DE SETONAIKAI (1938-1941)
  PARC NATIONAL D'ASO (1938-1941)
  PARC NATIONAL DE DAIZETSUZAN (1938-
  1941)
  PARC NATIONAL DE KIRISHIMA (1938-1941)
  PARC NATIONAL DE TUGITAKA-TAROKO
  (1938-1941)
  PARC NATIONAL DE DAITON (1938-1941)
  PARC NATIONAL DE NIITAKA-ABISAN
  (1938-1941)
  RIKICHU KAIGAN NATIONAL PARK (1955)
  Rᴺ (1876-1877)
  SAIKAI NATIONAL PARK (1956)
  SEN (1871-1875)
  SHIKOTSU-TOYA NATIONAL PARK (1953)
  Sᴺ (1876-1936)
  TELEGRAPHS ... SEN (1885)
  TOKYO 1964 (1961-1964)
  TOWADA NATIONAL PARK (1951)
  UNZEN NATIONAL PARK (1953)
  VIII ICORL XI ICP (1965)
  XVTH CONGRESS OF ICC. TOKYO (1955)
  YEN (1913-1948)
  Yᴺ (1899-1936)
  YOSHINO-KUMANO NATIONAL PARK (1949)
 m rin, sen, Rᴺ, Sᴺ, yen, en
 ⇨ Bornéo du Nord (occupation japonaise), Chine
  (bureaux japonais), Corée (bureaux japonais),
  Corée du Sud, Formose, Hong Kong (occupation
  japonaise)

□ **Japon (occupation australienne)**
 Japan: Australian occupation (E)
1946-1947
Asie
Yvert et Tellier, Tome 6, 1ʳᵉ partie
 s B.C.O.F. JAPAN 1946 (Australie : 1946-1947)

□ **Jasdan**
 ✱ *Jasdan: Native Feudatory State (E)*
1942
Asie
Yvert et Tellier, Tome 5, 3ᵉ partie
 (à : *États princiers de l'Inde*)
 l ONE ANNA (1942)
 m anna

- JAVA ➔ Inde néerlandaise
- JAVA-AUSTRALIE ➔ Inde néerlandaise
- J D N 18 JULIO 1936 ➔ Espagne (émissions nationalistes : Salamanca [Salamanque])
- J. D. SOOMAALIYA ➔ Somalie
- J. D. SOOMAALIYEED ➔ Somalie
- JEEND STATE ➔ Jhind (protectorat britannique)
- JEEND STATE SERVICE ➔ Jhind (protectorat britannique)
- JEFFERSON (*carte postale avec portrait de Jefferson*) ➔ États-Unis d'Amérique
- JEFFERSON MARKET POST OFFICE ➔ États-Unis d'Amérique (postes locales et privées) : *New York*
- JENKINS' CAMDEN DISPATCH ➔ États-Unis d'Amérique (postes locales et privées) : *Camden (New Jersey)*
- JENKIN'S DESPATCH ➔ États-Unis d'Amérique (postes locales et privées) : *Camden (New Jersey)*
- ◆ *Jerez de la Frontera* ➔ Espagne (émissions nationalistes)
- JERSEY ➔ Jersey

◼ **Jersey**
Jersey: Bailiwick issues (E)
1969-auj.
Europe
Yvert et Tellier, Tome 3, 1ʳᵉ partie
(à : *Grande-Bretagne*)
  I **JERSEY** (1969-auj.)
  m p, £

⚏ *Jersey: Bailiwick issues (E)* ➔ Jersey

⚏ *Jersey: British Regional issues (E)* ➔ Grande-Bretagne

☐ **Jersey (occupation allemande)**
Jersey: occupation stamps (E)
1941-1943
Europe
Yvert et Tellier, Tome 3, 1ʳᵉ partie
(à : *Grande-Bretagne*)
  I JERSEY POSTAGE (1941-1943)
  m d, p

⚏ *Jersey: occupation stamps (E)* ➔ Jersey (occupation allemande)

- JERSEY POSTAGE ➔ Jersey (occupation allemande)
- JERUSALEM ➔ Levant (bureaux russes)
- ◆ *Jerusalem* ➔ Levant (bureaux italiens)

☐ **Jérusalem (bureau consulaire français)**
Jerusalem: French Consular office (E)
1948
Asie
Yvert et Tellier, Tome 2, 1ʳᵉ partie
  s JERUSALEM 20 MILLIÈMES (France : 1948)
     JERUSALEM POSTE AERIENNE (France : 1948)
     JERUSALEM POSTES FRANÇAISES (France : 1948)
  m millièmes, frs

- JERUSALEM 20 MILLIÈMES ➔ Jérusalem (bureau consulaire français)
- JERUSALEM POSTE AERIENNE ➔ Jérusalem (bureau consulaire français)
- JERUSALEM POSTES FRANÇAISES ➔ Jérusalem (bureau consulaire français)
- ◆ *Jetersville (Virginie)* ➔ États Confédérés d'Amérique (émissions des Maîtres de postes : Jetersville, Virginie)

☐ **Jethou**
Isle of Jethou (E)
1960-1970
Europe
Émission non admise par l'U.P.U.
  I CREVICHON (1960)
     FAUCONNIERE (1960)
     ISLE OF JETHOU (1961-1970)
     JETHOU (1960-1970)
  m p, d

- JETHOU ➔ Jethou
- J.E. WILLIAMS. JONESBORO T. ➔ États Confédérés d'Amérique (émissions des Maîtres de postes : Jonesboro, Tennessee)
- JEWISH REPUBLIC ➔ Russie (postes locales de l'ex-U.R.S.S. : République Juive)

☐ **Jhalawar**
✳ *Jhalawar: Native Feudatory State (E)*
1887-1890
Asie
Yvert et Tellier, Tome 5, 3ᵉ partie
(à : *États princiers de l'Inde*)

☐ **Jhind**
✳ *Jind: Native Feudatory State (E)*
1874-1888
Asie
Yvert et Tellier, Tome 5, 3ᵉ partie
(à : *États princiers de l'Inde*)
  I R (1874-1888)

☐ **Jhind (protectorat britannique)**
Jind: Convention State of the British Empire in India (E)
1885-1943
Asie
Yvert et Tellier, Tome 6, 1ʳᵉ partie
  s JEEND STATE (Inde anglaise : 1885-1886)
     JEEND STATE SERVICE (Inde anglaise : 1885-1886)
     JHIND STATE (Inde anglaise : 1885-1923)
     JHIND STATE SERVICE (Inde anglaise : 1885-1923)
     JIND (Inde anglaise : 1914-1943)
     JIND STATE (Inde anglaise : 1914-1943)
     JIND STATE SERVICE (Inde anglaise : 1914-1943)

- JHIND STATE ➔ Jhind (protectorat britannique)

- JHIND STATE SERVICE ➔ Jhind (protectorat britannique)
- ❖ J. H. PRINCE ➔ États-Unis d'Amérique (postes locales et privées) : *Portland (Maine)*
- ❖ JIMENEZ ➔ Tumaco
- JIND ➔ Jhind (protectorat britannique)
- Ꝕ *Jind (E)* ➔ Jhind, Jhind (protectorat britannique)
- JIND STATE ➔ Jhind (protectorat britannique)
- JIND STATE SERVICE ➔ Jhind (protectorat britannique)
- J.L. RIDDELL, P.M. ➔ États Confédérés d'Amérique (émissions des Maîtres de postes : Nouvelle Orléans, Louisiane)
- ❖ JOHNSON P.M. ➔ États Confédérés d'Amérique (émissions des Maîtres de postes : Pittsylvania Court House, Virginie)
- ❖ JOHNSON P. M. TELLICO PLAINS TENN. ➔ États Confédérés d'Amérique (émissions des Maîtres de postes : Tellico Plains, Tennessee)
- JOHOR ➔ Johore

☐ **Johore**
Malaya: Johore + Malaysia: Johore (E)
1876-1960 ; 1965-1986
Asie
Yvert et Tellier, Tome 6, 2ᵉ partie
(à : *Malaysia*)
- l JOHORE (1935-1955)
  JOHORE MALAYA (1892-1955)
  JOHOR MALAYSIA (1971-1986)
  JOHORE POSTAGE (1892-1955)
  MALAYA JOHORE (1960)
  MALAYSIA JOHOR (1965-1979)
  PERSEKUTUAN TANAH MELAYU JOHORE (1960)
- s JOHOR (Malacca [établissements des détroits de Malacca et Singapour] : 1884-1891)
  JOHORE (Malacca [établissements des détroits de Malacca et Singapour] : 1884-1886)
- m cent, cents, dollar, dollars
- ⇨ Johore (occupation japonaise)

☐ **Johore (occupation japonaise)**
* *Malaya Johore: Japanese occupation (E)*
1943-1945
Asie
Yvert et Tellier, Tome 6, 2ᵉ partie
(à : *Malaysia*)
- s EP *(au milieu de caractères asiatiques)* (Johore : 1942)

- JOHORE ➔ Johore
- JOHORE MALAYA ➔ Johore
- Ꝕ *Johore: Japanese occupation (E)* ➔ Johore (occupation japonaise)
- JOHORE POSTAGE ➔ Johore
- JOHOR MALAYSIA ➔ Johore
- ❖ JONESBORO T. ➔ États Confédérés d'Amérique (émissions des Maîtres de postes : Jonesboro, Tennessee)

- JONES' CITY EXPRESS POST ➔ États-Unis d'Amérique (postes locales et privées) : *Brooklyn*
- JONIE ➔ Ioniennes (Îles) (occupation italienne)
- JORDAN ➔ Jordanie
- Ꝕ *Jordan: British mandate (E)* ➔ Transjordanie

■ **Jordanie**
Jordan: independent Kingdom (E)
1949-auj.
Asie
Yvert et Tellier, Tome 6, 1ʳᵉ partie
- l H. K. JORDAN (1954-1964, 1984-auj.)
  H. K. OF JORDAN (1999-auj.)
  JORDAN (1949-auj.)
  THE HASEMITE KINGDOM OF THE JORDAN (1949-1983)
- m mil, mils, fils

- Ꝕ *Jordan: independent Kingdom (E)* ➔ Jordanie
- Ꝕ *Jordan: occupation stamps for use in Palestine (E)* ➔ Palestine (occupation transjordanienne)
- JORNAES TIMOR ➔ Timor
- JO-SHIN-ETSU KOGEN NATIONAL PARK ➔ Japon
- JOURNÉE VALAISIENNE D'AVIATION SION 18 MAI 1913 ➔ Suisse
- J. P. JOHNSON P.M. ➔ États Confédérés d'Amérique (émissions des Maîtres de postes : Pittsylvania Court House, Virginie)
- J. SOOMAALIYA ➔ Somalie
- ❖ JUAN FERNANDEZ ➔ Chili
- ❖ JUBI ➔ Cap Juby
- JUBILAUMS MARKE HANSA LÜBECK ➔ Allemagne (postes locales ou privées: Lubeck)
- JUBILÉ DE L'UNION POSTALE UNIVERSELLE ➔ Suisse
- ❖ JUBILEE ➔ Grande-Bretagne
- ❖ JUBY ➔ Cap Juby
- ❖ JUDICIAL ➔ Philippines
- ❖ JUGOSLAVENSKE ARMIJE ➔ Istrie (administration militaire yougoslave)
- JUGOSLAVIJA ➔ Yougoslavie
- JUM. DIM. SOMALIYA ➔ Somalie
- ♦ *Jummo* ➔ Cachemire
- ♦ *Jummo et Cachemire* ➔ Cachemire
- ❖ JURE ➔ Lituanie
- ❖ JUSTICE ➔ États-Unis d'Amérique
- ⊙ k ➔ Alexandrette (administration turque), Arménie, Autriche, Autriche (postes locales ou privées), Autriche-Hongrie, Birmanie, Bohême et Moravie, Bosnie Herzégovine, Congo (belge, état indépendant, république, république démocratique), Croatie, Estonie, Iran, Laos, Liechtenstein, Lituanie, Malawi, Moldavie, Moluques du Sud, Nigeria, Papouasie et Nouvelle-Guinée, Pologne (corps polonais), Roumanie (occupation roumaine de la Galicie), Russie, Russie (postes locales de l'ex-U.R.S.S.), Slovaquie, Tchécoslovaquie, Tchita, Temesvar (Timisiorra), Touva, Ukraine, Vladivostok, Yougoslavie, Zaïre, Zambie, Zemstvos
- K ➔ Temesvar (Timisiorra)
- K. ➔ Russie (Armées du Sud)

- ❖ K.1 K., K.2 K., K.3 K., K.7 K., K.10 K., etc. ➜ Vladivostok
- ◆ K 60 K ➜ Arménie
- ◆ KABARDINO-BALKAR ➜ Russie (postes locales de l'ex-U.R.S.S. : République de Kabardino-Balkharie)
- ◆ *Kachira* ➜ Zemstvos
- ◆ *Kadnikov* ➜ Zemstvos
- ◆ KAISERLICHE KÖNIGLICHE ÖSTERREICHISCHE POST ➜ Autriche, Crète (bureaux autrichiens), Levant (bureaux autrichiens)
- ◆ KAIS KOENIDL OESTERR. POST ➜ Levant (bureaux autrichiens)
- ◆ KAIS. KÖN. ZEITUNGS STÄMPEL. ➜ Autriche, Lombardo-Vénétie
- ◆ KAIS. KÖN. ZEITUNGS-STEMPEL ➜ Autriche
- ⊙ kala ➜ Hawaï
- ◆ KALAALLIT NUNAAT ➜ Groenland
- ◆ KALAALLIT NUNAAT GRØNLAND ➜ Groenland
- ◆ KALANALÜK D.D.S.G. ➜ Compagnie Danubienne de Navigation à Vapeur
- ◆ KALÂTDLIT NUNÂT GRØNLAND ➜ Groenland
- ◆ K AI AYAAN NANG PILIPINAS ➜ Philippines (occupation japonaise)
- ❖ KALEVALA ➜ Finlande
- ◆ KALEVALA SUOMI ➜ Finlande
- ◆ *Kalmoukie (République de)* ➜ Russie (postes locales de l'ex-U.R.S.S.)
- ◆ KALMYKIA REPUBLIC ➜ Russie (postes locales de l'ex-U.R.S.S. : République de Kalmoukie)
- ◆ KAMEHAMEHA POSTAL UNION ➜ Hawaï
- ◆ KAMERUN ➜ Cameroun allemand
- ◆ *Kampen* ➜ Pays-Bas (postes locales)
- ❖ KAMPUCHÉA ➜ Kampuchéa

☐ **Kampuchéa**
* *Cambodia: Kampuchea Republic (E)*
1980-1989
Asie
Yvert et Tellier, Tome 2, 2ᵉ partie
  I RÉPUBLIQUE POPULAIRE DU KAMPUCHÉA (1980-1984)
     R. P. KAMPUCHÉA (1984-1989)
  m riel, riels, r

- ◆ *Kamtchatka (Région de)* ➜ Russie (postes locales de l'ex-U.R.S.S.)
- ◆ *Kamychlov* ➜ Zemstvos
- ❖ KANDAHAR ➜ Afghanistan
- ⊙ kap ➜ Lettonie
- ◆ KAPITAN KHLEBNIKOV ANTARCTICA 1992/93 ➜ Territoire Antarctique Russe
- ◆ *Karabakh* ➜ Haut-Karabakh (république)
- ◆ *Karabakh (Région du Haut-)* ➜ Russie (postes locales de l'ex-U.R.S.S.)
- ❖ KARAKALPAKIA ➜ Russie (postes locales de l'ex-U.R.S.S. : République de d'Ouzbékistan)
- ◆ *Karatchaevie-Tcherkessie (République de)* ➜ Russie (postes locales de l'ex-U.R.S.S.)
- ⌶ *Karelia (E)* ➜ Carélie
- ⌶ *Karelia: Finnish Occupation (E)* ➜ Carélie orientale (occupation finlandaise)

- ◆ KARJALA ➜ Carélie, Russie (postes locales de l'ex-U.R.S.S. : République de Carélie)
- ◆ KARJALA **КАРЕЛИЯ** (cyrillique) ➜ Russie (postes locales de l'ex-U.R.S.S. : République de Carélie)
- ◆ KARKI ➜ Carchi
- ◆ KARLSBAD 1. X. 1938 ➜ Tchécoslovaquie (occupation allemande des territoires des Sudètes)
- ❖ KÄRNTEN ➜ Autriche (postes locales ou privées) : *Carinthie*
- ◆ KÄRNTEN ABSTIMMUNG ➜ Carinthie
- ◆ KAROLINEN ➜ Carolines
- ◆ КАЗАКСТАН (cyrillique) ➜ Kazakhstan
- ◆ KASHAN TOMBEAU DE BABA AFZAL ➜ Iran
- ❖ KASHMIR ➜ Cachemire
- ◆ KASSA ➜ Ukraine sub-carpathique
- ◆ *Kassimov* ➜ Zemstvos
- ◆ KATANGA ➜ Katanga

☐ **Katanga**
1960-1962
Afrique
Yvert et Tellier, Tome 5, 2ᵉ partie
(à : *Congo*)
  I ÉTAT DU INCHI YA KATANGA (1961-1962)
     KATANGA (1961-1962)
     REPU. DU KATANGA POSTES LIBERTÉ (1960)
  s DE L'ÉTAT DU KATANGA 11 JUILLET (Congo [belge] : 1960)
     KATANGA (Congo [belge] : 1960-1962)
  m c, f, fr, francs

☐ **Kathiri (Seyun)**
Kathiri State of Seyun (E)
1942-1967
Asie
Yvert et Tellier Tome 5, 1ʳᵉ partie
(à : *Aden, Arabie du Sud*)
  I ADEN KATHIRI STATE OF SEIYUN (1942-1967)
  m c, cts, a, as, fils

- ❖ KATHIRI STATE OF SEIYUN ➜ Kathiri (Seyun)
- ◆ *Katschberg* ➜ Autriche (postes locales ou privées)
- ◆ KAUPUNGIN POSTI HELSINGEOBS STADSPOST ➜ Finlande (poste locale)
- ◆ KÄWIENG ➜ Nouvelle Guinée (occupation britannique, administration australienne)
- ◆ KAZAHSTAN ➜ Kazakhstan
- ◆ KAZAKHSTAN ➜ Kazakhstan

■ **Kazakhstan**
1992-auj.
Asie
Yvert et Tellier, Tome 4, 1ʳᵉ partie
  I KAZAHSTAN (1992)
     КАЗАКСТАН (1992-auj.)
     KAZAKHSTAN (1999-auj.)
  s КАЗАКСТАН (Russie : 1992)

- ◆ *Kazan* ➜ Zemstvos

⊙ kc ➜ Tchécoslovaquie, Tchécoslovaquie (occupation allemande des territoires des Sudètes), Tchèque (République)

⊙ kcs ➜ Tchécoslovaquie

◆ KEDAH ➜ Kedah

☐ **Kedah**
Malaya: Kedah + Malaysia: Kedah (E)
1912-1962 ; 1965-1986
Asie
Yvert et Tellier, Tome 6, 2ᵉ partie
(à : *Malaysia*)
  l KEDAH (1912-1937)
    KEDAH MALAYSIA (1983-1986)
    MALAYA KEDAH (1948-1959)
    MALAYSIA KEDAH (1965-1979)
  m c, $, dollar, cent, cents
  ⇨ Kedah (occupation japonaise)

☐ **Kedah (occupation japonaise)**
Malaya Kedah: Japanese occupation (E)
1942
Asie
Yvert et Tellier, Tome 6, 2ᵉ partie
(à : *Malaysia*)
  s DAI NIPPON 2602 (Kedah : 1942)

◆ KEDAH MALAYSIA ➜ Kedah

🕀 *Kedah: Japanese occupation (E)* ➜ Kedah (occupation japonaise)

❖ KEELING ➜ Cocos

☐ **Kelantan**
Malaya: Kelantan + Malaysia: Kelantan (E)
1911-1962 ; 1965-1984
Asie
Yvert et Tellier, Tome 6, 2ᵉ partie
(à : *Malaysia*)
  l KELANTAN MALAYSIA (1986)
    KELANTAN POSTAGE REVENUE (1911-1949)
    MALAYA *(sultan Ibrahim)* (1951-1955)
    MALAYA KELANTAN (1948-1962)
    MALAYSIA KELANTAN (1965-1984)
  m c, $
  ⇨ Kelantan (occupation japonaise), Kelantan (occupation thaïlandaise)

☐ **Kelantan (occupation japonaise)**
* *Malaya Kelantan: Japanese occupation (E)*
1942
Asie
  s $ *(avec 2 caractères asiatiques dans un ovale)* (Kelantan : 1942)
    EP *(au milieu de caractères asiatiques)* (Kelantan : 1942)
    CENTS *(avec 2 caractères asiatiques dans un ovale)* (Kelantan : 1942)
  m cents, $

☐ **Kelantan (occupation thaïlandaise)**
* *Malaya Kelantan: Thai occupation (E)*
1943
Asie
  s *caractères arabes* (Kelantan : 1943)

◆ KELANTAN MALAYSIA ➜ Kelantan

🕀 *Kelantan: Japanese occupation (E)* ➜ Kelantan (occupation japonaise)

🕀 *Kelantan: Thai occupation (E)* ➜ Kelantan (occupation thaïlandaise)

◆ KELANTAN POSTAGE REVENUE ➜ Kelantan

◆ KELLOGG'S PENNY POST CITY DESPATCH ➜ États-Unis d'Amérique (postes locales et privées) : *Cleveland (Ohio)*

⊙ keneta ➜ Hawaï

❖ KENETA ➜ Hawaï

❖ KENTTÄPOSTIA ➜ Finlande

◆ KENTTÄPOSTIA FÄLTPOST ➜ Finlande

◆ KENYA ➜ Kenya

■ **Kenya**
1963-auj.
Afrique
Yvert et Tellier, Tome 6, 1ʳᵉ partie
  l KENYA (1963-auj.)
    KENYA UHURU (1963)
    REPUBLIC OF KENYA (1964)
  m c, cents, cts

◆ KENYA AND UGANDA ➜ Kenya et Ouganda

☐ **Kenya et Ouganda**
Kenya and Uganda + Kenya, Uganda and Tanganyika (E)
1922-1963
Afrique
Yvert et Tellier, Tome 6, 1ʳᵉ partie
  l KENYA AND OUGANDA (1922-1933)
    KENYA TANGANYIKA UGANDA (1935-1960)
    KENYA UGANDA TANGANYIKA (1935-1963)
    TANGANYIKA KENYA UGANDA (1935-1952)
    UGANDA KENYA TANGANYIKA (1935-1958)
    UGANDA TANGANYIKA KENYA (1935-1960)
  s KENYA TANGANYIKA UGANDA (Afrique du Sud : 1941-1942)
  m c, s

◆ KENYA TANGANYIKA UGANDA ➜ Kenya et Ouganda

◆ KENYA TANZANIA UGANDA ➜ Est-Africain

🕀 *Kenya, Uganda and Tanganyika (E)* ➜ Kenya et Ouganda

◆ KENYA UGANDA TANGANYIKA ➜ Kenya et Ouganda

🕀 *Kenya, Uganda, Tanganyika and Zanzibar (E)* ➜ Est-Africain

◆ KENYA UGANDA TANZANIA ➜ Est-Africain

◆ KENYA UHURU ➜ Kenya

◆ KERASSUNDE ➜ Levant (bureaux russes)

- KERST-EN NIEUWJAARSZEGEL '85 UITGAVE PARTICULIERE STADSPOSTDIENSTEN → Pays-Bas (postes locales : *Hilversum, Purmerend, Schagen, Valkenswaard*)
- KESSELFALL ALPENHAUS ZELL A SEE → Autriche (postes locales ou privées) : *Zell Am See*
- K.G.C A 1920 → Carinthie
- KGL. BAYER STAATSEISENB. → Chemins de Fer de Bavière (Compagnie des)
- ❖ KGL POST → Danemark
- KGL POST FRM → Danemark
- K.G.L. POST F.R.M. → Antilles danoises
- ❖ KHAIMA → Ras al Khaima
- ● *Khakassie (République de)* → Russie (postes locales de l'ex-U.R.S.S.)

☐ **Kharkov**
★ **1919**
Europe
Yvert et Tellier, Tome 4, 2ᵉ partie
(à : *Ukraine*)
  s * (Russie : 1919)

- ● *Kharkov* → voir aussi : Zemstvos

☐ **Kherson**
★ **1919**
Europe
Yvert et Tellier, Tome 4, 2ᵉ partie
(à : *Ukraine*)
  s * (Russie : 1919)

- ● *Kherson* → voir aussi : Zemstvos

☐ **Khmère**
Cambodia: Khmer Republic (E)
1971-1975
Asie
Yvert et Tellier, Tome 2, 2ᵉ partie
  l RÉPUBLIQUE KHMÈRE (1971-1975)
  s 4ᴱ ANNIVERSAIRE DE LA RÉPUBLIQUE (Cambodge : 1974)
      RÉPUBLIQUE KHMÈRE (Cambodge : 1974-1975)

- ▶ *Khmer Republic (E)* → Khmère
- ● *Kholm* → Zemstvos
- ❖ KHONG BUU-CHINH → Vietnam (Empire)
- KHOR FAKKAN → Khor Fakkan

☐ **Khor Fakkan**
1965-1970
Asie
Yvert et Tellier, Tome 5, 1ʳᵉ partie
(à : *Arabie du Sud-Est*)
  l KHOR FAKKAN (1965-1970)
  s KHOR FAKKAN (Sharjah : 1965)
  m np, p

- ● *Khvalynsk* → Zemstvos

☐ **Kiao-Tchéou**
Kiauchau (E)
1900-1916
Asie
Yvert et Tellier, Tome 6, 1ʳᵉ partie
  l KIAUTSCHOU (1900-1916)
  s 5 PF. (Chine [bureaux allemands] : 1900)
     5 PFG. (Chine [bureaux allemands] : 1900)
  m pf, pfennig, pfg, mark, cent, cents, dollar, dollars

- ▶ *Kiauchau (E)* → Kiao-Tchéou
- KIAUTSCHOU → Kiao-Tchéou
- KIBRIS → Chypre
- KIBRIS CUMHURIYETI → Chypre
- KIBRIS TÜRK FEDERE DEVLETI POSTALARI → Chypre (administration turque)
- KIDDER'S CITY EXPRESS POST → États-Unis d'Amérique (postes locales et privées) : *Brooklyn*
- KIETA → Nouvelle Guinée (occupation britannique, administration australienne)

☐ **Kiev**
★ **1919**
Europe
Yvert et Tellier, Tome 4, 2ᵉ partie
(à : *Ukraine*)
  s * (Russie : 1919)

- KIGOMA → Ruanda-Urundi
- ❖ KILDA → Saint-Kilda
- ❖ KING → Tch'ong-K'ing
- ❖ K'ING → Tch'ong-K'ing
- ▲ KINGDOM OF LESOTHO → Lesotho
- KINGDOM OF LIBYA → Libye
- KINGDOM OF SAUDI ARABIA → Arabie Saoudite
- ❖ KINGDOM OF THE JORDAN → Jordanie
- KINGDOM OF TONGA → Tonga
- KINGDOM OF TONGA NIUAFO'OU TIN CAN ISLAND → Niuafo'ou
- KINGDOM OF YEMEN → Yémen
- KING EDWARD VII LAND → Édouard VII (terre d')
- KINGMAN'S CITY POST → États-Unis d'Amérique
- KINGSTON GA. → États Confédérés d'Amérique (émissions des Maîtres de postes : Kingston, Georgie)
- KIONGA → Kionga

☐ **Kionga**
1916
Afrique
Yvert et Tellier, Tome 6, 1ʳᵉ partie
  s KIONGA (Lorenzo-Marquès : 1916)
  m c

- ❖ KIRALYI POSTA → Hongrie

■ **Kirghiztan**
Kyrgyzstan (E)
1992-auj.
Asie
Yvert et Tellier, Tome 4, 1ʳᵉ partie
l КЫРГЫЗ РЕСПУБЛИКАЫ (1995)
КЫРГЫЗСТАН (1992-auj.)
KYRGYZSTAN (1992-auj.)
s ОШ (Russie : 1992) : *Ville d'Och*
m c, com, t, ТЫЙЫН

◆ KIRIBATI ➜ Kiribati

■ **Kiribati**
1979-auj.
Océanie
Yvert et Tellier, Tome 6, 1ʳᵉ partie
l **KIRIBATI** (1979-auj.)
m c, $, cent, cents

◆ *Kirillov* ➜ Zemstvos
❖ KIR POSTA ➜ Hongrie
❖ KIR. POSTATAKAREKPENZTAR ➜ Hongrie
❖ KIR TAVIRDA ➜ Hongrie
◆ KISHENGARH ➜ Kishengarh

☐ **Kishengarh**
* *Kishengarh: Native Feudatory State (E)*
1899-1928
Asie
Yvert et Tellier, Tome 5, 3ᵉ partie
(à : *États princiers de l'Inde*)
l KISHENGARH (1899-1928)
KISHENGARH STATE (1912-1928)
POSTAGE AND REVENUE (1904-1905)
m annas, rupees

◆ KISHENGARH STATE ➜ Kishengarh
❖ KITTS ➜ Saint-Christophe
❖ KIZILAY DERNEGI ➜ Turquie
❖ KJØBENHAVN ➜ Danemark
◆ K.K. OESTERR. POST. ➜ Liechtenstein
◆ K.K. OEST. TELEGRAPHEN-MARKE ➜ Autriche
◆ KKPOST STEMPEL ➜ Lombardo-Vénétie
◆ KKPOST-STEMPEL ➜ Autriche
◆ KLAIPEDA ➜ Memel (occupation lituanienne)
◆ KLAIPEDA MEMEL ➜ Memel (occupation
lituanienne)
◆ KLAIPEDA (MEMEL) ➜ Memel (occupation
lituanienne)
◆ KLONDIKE AIRWAYS LIMITED WHITEHORSE-
MAYO-KENO-DAWSON ➜ Canada
⊙ km ➜ Bosnie Herzégovine, Serbie (République de)
⊙ kn ➜ Croatie, Croatie (timbres d'exil), Italie
(occupation croate)
◆ *Knittelfeld* ➜ Autriche (postes locales ou privées)
◆ KNOXVILLE TENN ➜ États Confédérés d'Amérique
(émissions des Maîtres de postes : Knoxville,
Tennessee)
◆ KNTAN (cyrillique) ➜ Chine (bureaux russes)
◆ *Kobeliaki* ➜ Zemstvos

❖ KOENIDL OESTERR. POST ➜ Levant (bureaux
autrichiens)
❖ KOINOGOIHSIS (grec) ➜ Crète (poste des insurgés)
◆ *Kolguev (Île)* ➜ Russie (postes locales de l'ex-
U.R.S.S.)
❖ KÖLN ➜ Allemagne bizone (zone anglo-américaine
d'occupation)
◆ KÖLNER DOM 1248-1948 700 JAHRE DEUTSCHE
POST ➜ Allemagne bizone (zone anglo-américaine
d'occupation)
◆ *Kologriv* ➜ Zemstvos
◆ *Kolomna* ➜ Zemstvos
◆ KOLONIE CURAÇAO ➜ Curaçao
◆ KOLONIE SURINAME POSTZEGEL ➜ Surinam
◆ *Kolozswar* ➜ Transylvanie
◆ KOMEET HALLEY STADSPOST ➜ Pays-Bas (postes
locales : *Gravenhage*)
◆ KOMEET WEST STADSPOST ➜ Pays-Bas (postes
locales : *Gravenhage*)
◆ KOMI ➜ Russie (postes locales de l'ex-U.R.S.S. :
République des Komis)
◆ KOMI REPUBLIC ➜ Russie (postes locales de l'ex-
U.R.S.S. : République des Komis)
◆ *Komis (République des)* ➜ Russie (postes locales de
l'ex-U.R.S.S.)
◆ KOMI SUKTUVKAR ➜ Russie (postes locales de
l'ex-U.R.S.S. : République des Komis)
◆ KOMNKRILIK DER NEDERLANDEN ➜ Pays-Bas
◆ K.O.M.W. ➜ Pologne
◆ KONGELIGT POST FRIMAERKE ➜ Danemark
◆ KONGL. SVENSKA POSTVERKET ➜ Suède
❖ KÖNIGLICHE ÖSTERREICHISCHE POST ➜
Autriche
◆ *Konstantinograd* ➜ Zemstvos
❖ KÖN. ZEITUNGS STÄMPEL. ➜ Lombardo-Vénétie
⊙ кор ➜ Finlande, Russie, Silésie (Haute : poste localede
Sosnowiec), Touva, Wenden
◆ KOP ➜ Finlande
⊙ KOP ➜ Pologne (armées polonaises en U.R.S.S.)
⊙ kopek ➜ Géorgie
◆ KOPITSA (cyrillique) ➜ Épire
◆ KORCA ➜ Albanie
◆ KORÇÉ ➜ Albanie
◆ KORCES ➜ Albanie
❖ KORÇÉ VETQVERITARE ➜ Albanie
Ⱂ *Korea (E)* ➜ Corée (royaume, empire)
◆ KOREA ➜ Corée (royaume, empire), Corée du Sud
❖ KOREAN POST ➜ Corée (royaume, empire)
❖ KOREO ➜ Philippines
◆ *Koritza* ➜ Albanie
◆ KORMÀNY SZEGED 1919 ➜ Szeged
⊙ korona ➜ Debreczen, Hongrie, Hongrie (occupation
française), Hongrie occidentale, Temesvar (Timisiorra)
◆ KORONA ➜ Temesvar (Timisiorra)
◆ *Kortcheva* ➜ Zemstvos
⊙ korun ➜ Tchécoslovaquie
⊙ koruna ➜ Slovaquie
⊙ koruny ➜ Slovaquie, Tchécoslovaquie
Ⱂ *Kos (E)* ➜ Coo

■ **Kosovo**
2000-auj.
Europe
I PEACE . PAQE . MIR (2000-auj.)
UNITED NATIONS INTERIM
ADMINISTRATION MISSION IN KOSOVO
(2000-auj.)
m dm

◆ *Kotelnitch* ➜ Zemstvos
❖ KOTOR ➜ Italie (occupation allemande)
❖ KOTORSKA ➜ Italie (occupation allemande)
◆ KOUANG-TCHÉOU ➜ Kouang-Tchéou

□ **Kouang-Tchéou**
French Offices in China: Kwangchowan (E)
1906-1944
Asie
Yvert et Tellier, Tome 2, 1ʳᵉ partie
I KOUANG-TCHÉOU (1939)
s KOUANG-TCHÉOU (Indochine : 1908-1944)
KOUANG-TCHÉOU-WAN (Indochine : 1906)
m c, cts, cent, cents, $

◆ KOUANG TCHÉOU-WAN ➜ Kouang-Tchéou
◆ *Koungour* ➜ Zemstvos
◆ *Kouriles (Îles)* ➜ Russie (postes locales de l'ex-
U.R.S.S.)
◆ *Kouznetzk* ➜ Zemstvos
◆ KOWEIT ➜ Kuwait
◆ *Koweït* ➜ Kuwait
◆ *Kozeletz* ➜ Zemstvos
◆ KÔZTARSASAG ➜ Hongrie
◆ K. P. ➜ Philippines (occupation japonaise)
◆ KPA BEBNHA CPBNJA (cyrillique) ➜ Serbie
❖ KPAN (cyrillique) ➜ Nikolaievsk sur l'Amour
❖ KPATOS (grec) ➜ Ioniennes (Îles) (possession
britannique)
◆ KPHTH (cyrillique) ➜ Crète (administration crétoise)
◆ KPHTH (grec) ➜ Crète (poste des insurgés)
❖ KPHTHΣ (grec) ➜ Crète (poste des insurgés)
◆ K. PR. TELEGRAPH MARKE ➜ Prusse
◉ kr ➜ Autriche, Compagnie Danubienne de Navigation
à Vapeur, Bade (Grand Duché), Danemark, Estonie,
Féroé, Hongrie, Iran, Iran (poste locale), Islande,
Norvège, Suède
◆ KR ➜ Autriche, Hongrie
❖ KRALIE VINA SHS ➜ Yougoslavie
◆ KRALJEVINA SRBA HRVATA I SLOVENACA ➜
Yougoslavie
◆ KRALJEVINA YUGOSLAVIA ➜ Yougoslavie
◆ KRALJEVSTVO S.H.S. ➜ Yougoslavie
◆ KRALJEVSTVO SRBA HRVATA I SLOVENACA ➜
Yougoslavie
◉ kran, krans ➜ Iran
❖ KRANTZ INSTITUT HAMBURGER BOTEN ➜
Allemagne (postes locales ou privées : Hambourg,
service de messagerie)
◆ *Krapivna* ➜ Zemstvos
◆ *Krasnojarsk (Ville de)* ➜ Russie (postes locales de l'ex-
U.R.S.S.)

◆ *Krasnooufimsk* ➜ Zemstvos
◆ *Krassny* ➜ Zemstvos
◆ *Krementchoug* ➜ Zemstvos
◉ kreuzer ➜ Allemagne, Allemagne du Nord (bureau),
Allemagne du Nord (confédération), Autriche, Bade
(Grand Duché), Bavière, Levant (bureaux autrichiens),
Lombardo-Vénétie, Prusse, Tour et Taxis, Wurtemberg
◆ KREUZER ➜ Autriche
❖ KREUZER ➜ Tour et Taxis
◉ kron ➜ Norvège, Yougoslavie
◉ krona ➜ Islande, Suède
◉ krone ➜ Autriche, Danemark, Groenland,
Liechtenstein, Norvège, Trentin
◉ kronen ➜ Autriche, Liechtenstein, Schleswig-Holstein
◉ kroner ➜ Danemark, Groenland
◉ kronor ➜ Suède
◉ kronur ➜ Islande
◉ kroon ➜ Estonie
◉ krooni ➜ Estonie
◉ krs ➜ Alexandrette (administration turque), Iran,
Turquie
❖ KRTRO HONORARIO DE MADRID ➜ Espagne
❖ KRTRO HONORARIO DE LA HABANA ➜ Espagne
❖ KRUIS SURINAME ➜ Surinam
◉ kruna ➜ Yougoslavie
◉ ks ➜ Slovaquie
◆ K. S. A. ➜ Arabie Saoudite
◆ K.U.K. FELDPOST ➜ Autriche-Hongrie
◆ K U K MILITÄRPOST ➜ Bosnie Herzégovine
◆ K.U.K. MILIT. VERWALTUNG MONTENEGRO ➜
Autriche-Hongrie (occupation à Monténégro)
◉ kuna ➜ Croatie, Croatie (timbres d'exil)
◆ K UND K FELDPOST ➜ Autriche-Hongrie
◆ K UND K MILITÄRPOST ➜ Bosnie Herzégovine
◉ kune ➜ Croatie, Croatie (timbres d'exil)
❖ KUPA ➜ Zone de Fiume et de la Kupa

■ **Kurdistan Irakien**
Iraqi Kurdistan (E)
1993-auj.
Asie
Émission non admise par l'U.P.U.
I IRAQI KURDISTAN REGION (1993-auj.)
m id

◆ KURLAND ➜ Lettonie (occupation allemande)
❖ KURUMU ➜ Turquie
◉ kurus ➜ Turquie
❖ KUSTENDJE & CZERNAWODA ➜ Turquie
(Entreprise Lianos et Cⁱᵉ)
◆ KUWAIT ➜ Kuwait

■ **Kuwait**
1923-auj.
Asie
Yvert et Tellier, Tome 6, 1ʳᵉ partie
l KUWAIT (1958-auj.)
   STATE OF KUWAIT (1962-1992)
s KOWEIT (Inde anglaise : 1923)
   KUWAIT (Inde anglaise, Grande-Bretagne :
   1923-1957)
   KUWAIT SERVICE (Inde anglaise : 1923-1934)
m anna, annas, rupee, rupees, np, nave paise, fils,
   dinar

◆ KUWAIT SERVICE ➜ Kuwait

◆ KUZEY KIBRIS TÜRK CUMHURIYETI ➜ Chypre
(administration turque)

🏠 *Kwangchowan (E)* ➜ Kouang-Tchéou

◆ K. WURTTEMBERG ➜ Wurtemberg

◆ K. WÜRTT. POST ➜ Wurtemberg

◆ K. WÜRTT. POST AMTLICHER VERKEHR ➜
Wurtemberg

❖ KYBEPNHSIS KPHTHS (grec) ➜ Crète (poste des
insurgés)

◆ KYRGYZSTAN ➜ Kirghiztan

⊙ kz ➜ Angola

⊙ kzr ➜ Angola

⊙ l ➜ Albanie, Honduras, Istrie, Italie, Italie (occupation
yougoslave), Lituanie, Lubiana-Slovénie (occupation
allemande), Maldives, Moldavie, Roumanie, Saint-
Marin, Soudan, Trieste (Zone B Yougoslave), Vatican
(Cité du)

⊙ £ ➜ Ascension, Chypre, Falkland, Falkland
(dépendances), Grande-Bretagne, Jersey, Man, Nigeria,
Nigeria du Nord, Nouvelle Guinée (occupation
britannique/administration australienne), Nyassaland,
Océan Indien, Papouasie et Nouvelle-Guinée, Rhodésie
du Sud, Sainte-Hélène, Saint-Vincent, Tristan da Cunha,
Victoria, Zoulouland

◆ LA AGÜERA ➜ La Agüera

□ **La Agüera**
1921-1923
Afrique
Yvert et Tellier, Tome 6, 1ʳᵉ partie
l LA AGÜERA (1921)
   SAHARA OCCIDENTAL LA AGÜERA (1923)
   SAHARA OCCIDENTAL LA AGUERA (1923)
s LA AGÜERA (Rio de Oro : 1921)
m c, cs, pta, ptas

◉ *La Agüera* ➜ voir aussi : Sahara Espagnol

◆ LABUAN ➜ Labuan

□ **Labuan**
1879-1905
Océanie
Yvert et Tellier, Tome 6, 1ʳᵉ partie
l LABUAN COLONY (1902-1903)
   LABUAN POSTAGE (1879-1893)
   POSTAGE & REVENUE LABUAN (1897-1900)
s LABUAN (Bornéo du Nord : 1894-1905)
m cents

◆ LABUAN COLONY ➜ Labuan
◆ LABUAN POSTAGE ➜ Labuan
❖ LA CABEZA ➜ Espagne (émissions nationalistes :
Santa Cruz de Teneriffe)
◆ LA CANEA ➜ Crète (bureau italien de la Canée)
◉ *La Carolina* ➜ Espagne (émissions nationalistes)
◉ *La Coruna* ➜ Espagne (émissions nationalistes)
◆ LA CORUNA FRANCO 18 JULIO 1936 ➜ Espagne
(émissions nationalistes : La Coruna)
◆ LA CRUZ ROJA ESPANOLA ➜ Espagne
◆ LA FRANCE D'OUTREMER 1941 ➜ France
◆ LA GEORGIE ➜ Géorgie
◆ LAGOS ➜ Lagos
❖ LAGOS ➜ Port-Lagos

□ **Lagos**
1874-1905
Afrique
Yvert et Tellier, Tome 6, 1ʳᵉ partie
l LAGOS (1874-1905)
   LAGOS POSTAGE (1874-1903)
m penny, pence, shilling, shillings

◆ LAGOS POSTAGE ➜ Lagos
◆ LAGRANGE TEX ➜ États Confédérés d'Amérique
(émissions des Maîtres de postes : La Grange, Texas)
❖ LA GUAIRA ➜ Saint-Thomas-La-Guaira
❖ LA GUAIRA PAQUETE Pᵀᴼ CABELLO SAN TOMAS
➜ Saint-Thomas-La-Guaira
❖ LAIBACH ➜ Lubiana-Slovénie (occupation
allemande)
◉ *Laïchev* ➜ Zemstvos
◆ LAISVI TELSIAI ➜ Lituanie (occupation allemande)
◆ LAJTABANSAG PORTO ➜ Hongrie occidentale
◆ LAJTABANSAG POSTA ➜ Hongrie occidentale
◆ LAJTABANSAG-POSTA ➜ Hongrie occidentale
◆ LAKE CITY FLA. ➜ États Confédérés d'Amérique
(émissions des Maîtres de postes : Lake City, Floride)
◆ LA LÉGION DES VOLONTAIRES FRANÇAIS
CONTRE LE BOLCHEVISME ➜ France
◆ LA LINEA 18-7-1937 ANIVERSARIO AÑO
TRIUNFAL ➜ Espagne (émissions nationalistes : La
Linea de la Concepcion)
◆ LA LINEA DE LA Cᴼᴺ 18-7-1937 ANIVERSARIO
PRIMER AÑO TRIUNFAL ➜ Espagne (émissions
nationalistes : La Linea de la Concepcion)
◉ *La Linea de la Concepcion* ➜ Espagne (émissions
nationalistes)
◆ LA LINEA DE LA CONCEPCION VIVA ESPAÑA
CORREOS 18 JULIO 1936 ➜ Espagne (émissions
nationalistes : La Linea de la Concepcion)

- LANCASHIRE & YORKSHIRE RLY. ➔ Grande-Bretagne (compagnies privées de chemins de fer : Lancashire et Yorkshire)
- *Lancaster (Pennsylvanie)* ➔ États-Unis d'Amérique (postes locales et privées)
- LAN CHILE ➔ Chili
- L'ANCIEN TOMBEAU D'AVICENNE ➔ Iran
- LAND DEPENDENCY ➔ Falkland (dépendances : Terre de Graham)
- LANDESPOST BERLIN ➔ Allemagne (Berlin)
- LAND-POST PORTO-MARKE ➔ Bade (Grand Duché)
- *Landsmeer* ➔ Pays-Bas (postes locales)
- LANDSTORMEN ➔ Suède
- LAND TIROL ➔ Autriche (postes locales ou privées) : *Tirol*
- LAND TIROL POSTPAKET FREIMARKE ➔ Autriche (postes locales ou privées) : *Tirol*
- *Langstraat* ➔ Pays-Bas (postes locales)
- LANKA ➔ Sri Lanka
- LAO ➔ Laos

■ **Laos**
1951-auj.
Asie
Yvert et Tellier, Tome 2, 2e partie
 l LAO (1976-auj.)
    RÉP. DÉM. POP. LAO (1979-1982)
    RÉPUBLIQUE DÉMOCRATIQUE POPULAIRE LAO (1976-1982, 1988-1989)
    ROYAUME DU LAOS (1951-1975)
    UNION FRANÇAISE ROYAUME DU LAOS (1951-1953)
 m c, k

- LA PARTERA TRADICIONAL EN MEXICO ➔ Mexique
- L A R ➔ Libye
- L. A. R. ➔ Libye
- LARAICHE ➔ Maroc (postes locales)
- larees ➔ Maldives
- LAS BELA ➔ Las Bela

□ **Las Bela**
Las Bela: Native Feudatory State (E)
1897-1901
Asie
Yvert et Tellier, Tome 5, 3e partie
(à : *États princiers de l'Inde*)
 l LAS BELA (1897-1901)
    LAS BELA STATE (1897-1898)
 m anna

- LAS BELA STATE ➔ Las Bela
- LAS MALVINAS SON ARGENTINAS ➔ Argentine
- *Latakia (E)* ➔ Lattaquié
- lati ➔ Lettonie
- LATISANA ➔ Autriche-Hongrie (occupation en Italie)
- lats ➔ Lettonie

□ **Lattaquié**
Latakia (E)
1931-1933
Asie
Yvert et Tellier, Tome 2, 1re partie
 s LATTAQUIE (Syrie [administration française] : 1931-1933)
 m p, piastres

- latu ➔ Lettonie
- *Latvia (E)* ➔ Lettonie
- *Latvia: German occupation (E)* ➔ Lettonie (occupation allemande)
- *Latvia: Russian occupation (E)* ➔ Russie (Armées de l'Ouest)
- LATVIJA ➔ Lettonie
- LATVIJA 1941 1. VII ➔ Lettonie (occupation allemande)
- LATVIJAS DZELZCELI ➔ Lettonie
- LATVIJAS PSR ➔ Lettonie
- LATWIJA ➔ Lettonie
- LATWIJAS PASTS ➔ Lettonie
- LAUFEN 1913 ➔ Suisse
- *Laurens Court House (Caroline du Sud)* ➔ États Confédérés d'Amérique (émissions des Maîtres de postes : Laurens Court House, Caroline du Sud)
- LAURENTIDE AIR SERVICE LIMITED ➔ Canada
- LAVACA ➔ États Confédérés d'Amérique (émissions des Maîtres de postes : Port Lavaca, Texas)
- le ➔ Sierra Leone
- l.e. ➔ Égypte
- LEAL ➔ Espagne (émissions nationalistes : Teruel)
- *Lebanon: independent Republic (E)* ➔ Liban
- *Lebanon: French Mandate (E)* ➔ Grand Liban
- *Lebedian* ➔ Zemstvos
- *Lebedin* ➔ Zemstvos
- LEDGER DISPATCH ➔ États-Unis d'Amérique (postes locales et privées) : *New York*
- *Leeuwarden* ➔ Pays-Bas (postes locales)
- LEEUWARDEN STADSPOST ➔ Pays-Bas (postes locales : *Leeuwarden*)

□ **Leeward**
Leeward Islands (E)
1890-1954
Amérique Centrale
Yvert et Tellier, Tome 6, 1re partie
 l LEEWARD ISLANDS (1890-1954)
 m d, shilling, shillings, c, $
 ⇒ Barbuda

- LEEWARD ISLANDS ➔ Leeward
- LEFRENZ ➔ Allemagne (postes locales ou privées : Hambourg, service de messagerie)
- lega ➔ Italie (état fédéral)
- leghe ➔ Italie (état fédéral)
- LÉGION DES VOLONTAIRES FRANÇAIS CONTRE LE BOLCHEVISME ➔ France
- LEGIONISTOM POLSKIM ➔ Pologne
- LEGION WALLONIE POSTE DE CAMPAGNE ➔ Belgique

⊙ lei ➔ Autriche-Hongrie (occupation en Roumanie), Moldavie, Roumanie, Transylvanie
◆ LEI ➔ Autriche-Hongrie (occupation en Roumanie)
◆ *Leiden* ➔ Pays-Bas (postes locales)
◆ LEIPZIG DEUTSCHE POST ➔ Saxe Occidentale
◆ LEIPZIGER MESSE MM DEUTSCHE POST ➔ Saxe Occidentale
❖ LEIPZIGER MESSE 1948 DEUTSCHE POST MM➔ Allemagne Orientale (zone soviétique d'occupation : émissions générales)
❖ LEIPZIGER MESSE 1949 DEUTSCHE POST MM➔ Allemagne Orientale (zone soviétique d'occupation : émissions générales)
⊙ lek ➔ Albanie
⊙ leke ➔ Albanie

☐ **Lemnos**
1911-1913
Europe
Yvert et Tellier, Tome 3, 1ʳᵉ partie
(à : *Grèce*)
  s ΑΗΜΝΟΣ (Grèce : 1911-1913)
    ΛΗΜΝΟΣ (Grèce : 1911-1913)
    ΔΗΜΝΟΣ (Grèce : 1911-1913)

◆ *Leningradskaïa (base de)* ➔ Territoire Antarctique
◆ LENOIR N. C. ➔ États Confédérés d'Amérique (émissions des Maîtres de postes : Lenoir, Caroline du Nord)
◆ LE NOUVEAU TOMBEAU D'AVICENNE ➔ Iran
⊙ leone, leones ➔ Sierra Leone
⊙ lepta ➔ Corfou
◆ *Lerida* ➔ Espagne (émissions nationalistes)
◆ LERO ➔ Lero

☐ **Lero**
Italian offices in the Dodecanese Islands: issued in Lero (E)
1912-1932
Europe
Yvert et Tellier, Tome 3, 1ʳᵉ partie
(à : *Égée (îles de la mer)*)
  s LEROS (Italie : 1912-1922)
    LERO (Italie : 1930-1932)

◆ LEROS ➔ Lero
◆ *Lesbos* ➔ Mytilène
◆ LESOTHO ➔ Lesotho

■ **Lesotho**
1966-auj.
Afrique
Yvert et Tellier, Tome 6, 1ʳᵉ partie
  l KINGDOM OF LESOTHO (1981-1989)
    LESOTHO (1966-auj.)
  s LESOTHO (Basoutoland : 1966)
  m cents, c, cent, R, s, M

◆ LESOTHO BASUTOLAND ➔ Basoutoland
❖ LETA ELUA KENETA ➔ Hawaï
◆ LETTER DISPATCH J. H. PRINCE ➔ États-Unis d'Amérique (postes locales et privées) : *Portland (Maine)*

❖ LETTERE RACCOMANDATE ➔ Italie
◆ LETTER EXPRESS FREE 10 FOR $ 1.00 ➔ États-Unis d'Amérique (postes locales et privées) : *New York, Chicago, Detroit, Duluth*
◆ LETTER EXPRESS FREE 20 FOR $ 1.00 ➔ États-Unis d'Amérique (postes locales et privées) : *New York, Chicago, Detroit, Duluth*
◆ LETTER EXPRESS MAIL ➔ États-Unis d'Amérique (postes locales et privées) : *Newark (New Jersey)*
❖ LETTER WRITING ➔ Japon

■ **Lettonie**
Latvia (E)
1918-1941 ; 1991-auj.
Europe
Yvert et Tellier, Tome 4, 1ʳᵉ partie
  l **LATVIJA** (1918-auj.)
    LATVIJAS DZELZCELI (1926-1938)
    LATVIJAS PSR (1941)
    LATWIJA (1919-1921)
    LATWIJAS PASTS (1919-1921)
  m kap, rubli, rublis, rub, rbl, rubl, lati, lats, latu, santims, santimu, sant, santimi
  ⇨ Russie (Armées de l'Ouest)

☐ **Lettonie (occupation allemande)**
Latvia: German occupation (E)
1919 ; 1941-1945
Europe
Yvert et Tellier, Tome 4, 1ʳᵉ partie
  s LATVIJA 1941 1. VII (Russie : 1941)
    KURLAND (Allemagne : 1945)
    LIBAU (Allemagne : 1919)
    PERNAU 8. VII 1941 (Russie : 1941)

⊙ leu ➔ Roumanie, Transylvanie
⊙ leva ➔ Bulgarie
◆ LEVANT ➔ Levant (bureaux anglais), Levant (bureaux polonais)

☐ **Levant (bureaux allemands)**
German Offices in Turkish Empire (E)
1884-1913
Europe, Asie
Yvert et Tellier, Tome 3, 2ᵉ partie
  s CENTIMES (Allemagne : 1908)
    PARA (Allemagne : 1884-1913)
    PIASTER (Allemagne : 1884-1913)
  m para, piaster, centimes

☐ **Levant (bureaux anglais)**
British Offices in Turkish Empire (E)
1885-1921
Europe, Asie
Yvert et Tellier, Tome 3, 2ᵉ partie
  s LEVANT (Grande-Bretagne : 1905-1921)
    PARAS (Grande-Bretagne : 1885-1921)
    PIASTRES (Grande-Bretagne : 1885-1921)
  m paras, piastre, piastres

□ **Levant (bureaux autrichiens)**
Austrian Offices in Turkish Empire (E)
1867-1914
Europe, Asie
Yvert et Tellier, Tome 3, 2ᵉ partie
  l IMPER. REG. POSTA AUSTR. (1883-1886)
     KAISERLICHE KÖNIGLICHE
     ÖSTERREICHISCHE POST (1908-1914)
     KAIS KOENIDL OESTERR. POST (1890-1892)
     SLD (1867)
  s PARA (Autriche : 1888-1914)
     PIAST. (Autriche : 1888-1914)
     PIASTER (Autriche : 1888-1914)
  m kreuzer, sld, para, piast, piaster

□ **Levant (bureaux français)**
French Offices in Turkish Empire + Syria. military stamps (E)
1885-1943
Europe, Asie, Afrique
Yvert et Tellier, Tome 2, 1ʳᵉ partie
  l LIGNES AÉRIENNES DE LA FRANCE LIBRE,
     LIGNES AÉRIENNES F.A.F.L. (1943)
     POSTE PAR AVION EN ORIENT (1918)
  s BEYROUTH (1905)
     FORCES FRANÇAISES LIBRES LEVANT
     (Grand Liban, Syrie [administration française] :
     1942)
     LIGNES AÉRIENNES DE LA FRANCE
     LIBRE, LIGNES AÉRIENNES F.A.F.L. (Syrie
     [administration française] : 1943)
     PIASTRE (France : 1886-1901)
     PIASTRES (France : 1886-1901)
     RÉSISTANCE (Syrie [administration française] :
     1942)
  m franc, p, piastres, paras
  ⇨ Castellorizo (colonie française), Cilicie, Rouad,
     Syrie (administration française)

□ **Levant (bureaux italiens)**
Italian offices in Turkish Empire (E)
1874-1923
Europe, Asie
Yvert et Tellier, Tome 3, 2ᵉ partie
  s ALBANIA (Italie : 1902-1908)
     COSTANTINOPOLI (Italie : 1909-1923)
     DURAZZO (Italie : 1909-1911)
     ESTERO (Italie : 1874-1879)
     GERUSALEMME (Italie : 1909-1911)
     JANINA (Italie : 1909-1911)
     LEVANTE (Italie : 1908-1910)
     PARA (Italie : 1906-1922)
     PIASTRE (Italie : 1906-1923)
     SALONICCO (Italie : 1909-1911)
     SCUTARI DI ALBANIA (Italie : 1909-1911)
     SMIRNE (Italie : 1909-1922)
     VALONA (Italie : 1909-1916)
  m para, piastre, cent

□ **Levant (bureaux polonais)**
Polish offices in Turkish Empire (E)
1919
Europe
Yvert et Tellier, Tome 4, 1ʳᵉ partie
  s LEVANT (Pologne : 1919-1921)

◆ *Levant (bureaux polonais)* ➜ voir aussi : Odessa
(Levant bureaux polonais)

□ **Levant (bureaux roumains)**
Romanian offices in Turkish Empire (E)
1896-1919
Europe
Yvert et Tellier, Tome 4, 1ʳᵉ partie
  s 20PARAS20 (Roumanie : 1896)
     POSTA ROMANA CONSTANTINOPOL
     (Roumanie : 1919)

□ **Levant (bureaux russes)**
Russian offices in Turkish Empire (E)
1863-1919
Europe, Asie
Yvert et Tellier, Tome 4, 1ʳᵉ partie
  l ПОЧТОВАЯ МАРКА 1857 - 1907 (1909-1910)
     ВОСТОЧНАЯ КОРРЕСПОНДЕНЦИЯ (1868-
     1884)
     БАНДЕРОЛЬНОЕ ОТПРАВЛЕНIЕ НА
     ВОСТОКЪ (1864)
     Р.О.Л.иТ. (1865-1868)
  s 10PARA10 (Russie : 1913)
     BEYROUTH (1909-1910)
     CONSTANTINOPLE (1909-1910)
     CONSNATINOPLE (erreur : 1909-1910)
     CONSTANTINOPIE (erreur : 1909-1910)
     CONSTAUTINOPLE (erreur : 1909-1910)
     DARDANELLES (1909-1910)
     G. A.O.ONZ (1909-1910)
     JAFFA (1909-1910)
     JERUSALEM (1909-1910)
     KERASSUNDE (1909-1976)
     METELIN (1909-1910)
     MONT ATHOS (1909-1910)
     PARA (Russie : 1900-1913)
     PIASTRES (Russie : 1900-1910)
     PIAS50TRES(Russie : 1912-1913)
     PIAS100TRES (Russie : 1912-1913)
     Р.О.Л.иТ. (1865-1868)
     RIZEH (1909-1910)
     SALONIQUE (1909-1910)
     SMYRNE (1909-1910)
     TREBISONDE (1909-1910)
     TREBIZONDE (1909-1910)
  m para, piastre, piastres, pi
  ⇨ Levant (bureaux russes Armée Wrangel)

☐ **Levant (bureaux russes Armée Wrangel)**
Russian offices in Turkish Empire: Wrangel issues (E)
1920-1921
Europe, Asie
Yvert et Tellier, Tome 4, 1ʳᵉ partie
   s ПОЧТА РУССКОЙ АРМИИ (Russie, Russie [Armées du Sud], Levant [bureaux russes], Ukraine : 1920-1921)
   РУССКАЯ ПОЧТА (Russie, Russie [Armées du Sud], Levant [bureaux russes], Ukraine : 1920-1921)
   m РУБЛЕЙ

* LEVANTE → Levant (bureaux italiens)
* LEXINGTON MISS. → États Confédérés d'Amérique (émissions des Maîtres de postes : Lexington, Missouri)
* L F F 1C → Libéria
* L.F.SILER, P.M. FRANKLIN N.C. → États Confédérés d'Amérique (émissions des Maîtres de postes : Franklin, Caroline du Nord)
◢ *Lgov* → Zemstvos
* L.H.P.A. → Bergedorf
◢ *Lianos* → Turquie (Entreprise Lianos et Cⁱᵉ)
❖ LIBAN → Grand Liban
* LIBAN → Liban

■ **Liban**
Lebanon: independent Republic (E)
1946-auj.
Asie
Yvert et Tellier, Tome 6, 2ᵉ partie
   l **LIBAN** (1946-auj.)
   RÉPUBLIQUE LIBANAISE (1946-1951)
   m p, L. L.

◢ *Liban* → voir aussi : Grand Liban, Syrie (administration française)
❖ LIBANAISE → Grand Liban, Liban
* LIBAU → Lettonie (occupation allemande) ou Russie (occupation allemande)
❖ LIBÉRATION NATIONALE → Colonies françaises
* LIBERIA → Libéria

■ **Libéria**
Liberia (E)
1860-auj.
Afrique
Yvert et Tellier, Tome 6, 2ᵉ partie
   l BUCHANAN REGISTERED (1893-1894)
   BUCHANAN REGISTERED LIBERIA (1924)
   GREENVILLE REGISTERED (1893-1894)
   HARPER REGISTERED (1893-1894)
   INLAND (1881)
   LIBERIA (1947-auj.)
   LIBERIA INLAND POSTAGE (1860-1955)
   LIBERIA POSTAGE (1860-1955)
   LIBERIA REGISTERED (1860-1955)

MONROVIA REGISTERED (1893-1894)
   REPUBLIC LIBERIA (1882-1949)
   REPUBLIC OF LIBERIA (1991-auj.)
   ROBERTSPORT REGISTERED (1893-1894)
   s F L F 1C (1916)
   L F F 1C (1916)
   m cent, cents, dollar, dollars, c, ct, cts, $

* LIBERIA INLAND POSTAGE → Libéria
* LIBERIA POSTAGE → Libéria
* LIBERIA REGISTERED → Libéria
◢ *Liberty (Virginie)* → États Confédérés d'Amérique (émissions des Maîtres de postes : Liberty, Virginie)
* LIBIA → Libye
* LIBIA COLONIE ITALIANE → Libye
❖ LIBOURNE TAXE D'ACHEMINEMENT → France
☉ libra → Espagne
❖ LIBRE Y SOBERANO → Mexique
* LIBYA → Libye
🏮 *Libya (E)* → Libye, Tripolitaine
🏮 *Libya: French occupation (E)* → Fezzan, Ghadamès
* LIBYE → Libye

■ **Libye**
✱ *Libya (E)*
1912-auj.
Afrique
Yvert et Tellier, Tome 6, 2ᵉ partie
   l COLONIE ITALIANE ESPRESSO POSTE-LIBIA (1921-1927)
   JAMAHIRIYA (1977)
   KINGDOM OF LIBYA (1952-1969)
   L A R (1970-1977)
   L. A. R. (1970-1977)
   LIBIA (1938)
   LIBIA COLONIE ITALIANE (1921)
   LIBYA (1961-1968)
   LIBYE (1953-1955)
   POSTE COLONIALI ITALIANE LIBIA (1936)
   POSTE ITALIANE LIBIA (1924-1929)
   SOCIALIST PEOPLE'S LYBIAN ARAB JAMAHIRIYA (1977-1988)
   TRIPOLI INTERNATIONAL FAIR LYBIA (1962)
   THE GREAT SOCIALIST PEOPLE'S LYBIAN ARAB JAMAHIRIYA (1988-auj.)
   UNITED KINGDOM OF LIBYA (1955-1964)
   s LIBIA (Italie, Cyrénaïque [colonie italienne], Tripolitaine : 1912-1931)
   LIBYA (Cyrénaïque [occupation britannique] : 1952)
   m cent, lira, lire, mal, francs, mills, m
   ⇨ Fezzan

* LIECHTENSTEIN → Liechtenstein

- ■ **Liechtenstein**
  1912-auj.
  Europe
  Yvert et Tellier, Tome 3, 2ᵉ partie
  I **FUERSTENTUM LIECHTENSTEIN** (1912-auj.)
  FÜRSTENTUM LIECHTENSTEIN (1912-auj.)
  IM FÜRSTENTUM LIECHTENSTEIN (1949-1971)
  LIECHTENSTEIN K.K. OESTERR. POST. (1912-1915)
  m heller, k, krone, kronen, fr, franken, r, rp

- ✦ LIENZ ➔ Autriche
- ❖ LIESTAL ➔ Suisse
- ✦ LIETUVA ➔ Lituanie
- ✦ LIETUVA 50 SKATIKU ➔ Lituanie du Sud
- ✦ LIETUVA DE JURE ➔ Lituanie
- ✦ LIETUVA ORO PASTAS ➔ Lituanie
- ✦ LIETUVA PASTAS ➔ Lituanie
- ✦ LIETUVOS ORO PASTAS ➔ Lituanie
- ✦ LIETUVOS PASTA ➔ Lituanie
- ✦ LIETUVOS PASTAS ➔ Lituanie
- ✦ LIETUVOS PASTO ZENKLAS ➔ Lituanie
- ✦ LIETUVOS PAS. ZENK. ➔ Lituanie
- ◆ *Liezen* ➔ Autriche (postes locales ou privées)
- ❖ LIFE INSURANCE OFFICE ➔ Nouvelle-Zélande
- ✦ LIGNES AÉRIENNES DE LA FRANCE LIBRE ➔ Levant (bureaux français)
- ✦ LIGNES AÉRIENNES F.A.F.L. ➔ Levant (bureaux français)
- ✦ LIMA ➔ Pérou
- ❖ LIMA CALLAO ➔ Pérou
- ✦ LIMA PERU ➔ Pérou
- ✦ LIMBAGAN 1593 - 1943 ➔ Philippines (occupation japonaise)
- ◆ *Limestone Springs (Caroline du Sud)* ➔ États Confédérés d'Amérique (émissions des Maîtres de postes : Limestone Springs, Caroline du Sud)
- ✦ LINEA AEREA NACIONAL CHILE ➔ Chili
- ✦ LINJA-AUTORAHTI BUSSFRAKT ➔ Finlande
- ◆ *Linz* ➔ Autriche (postes locales ou privées)
- ❖ LINZ-WIEN ➔ Autriche (postes locales ou privées) : *Linz*
- ✦ « lion à double queue » ➔ Tchécoslovaquie
- ✦ « lion couronné sur tête d'Hitler » ➔ Autriche
- ✦ LION ET TAUREAU ➔ Iran
- ✦ « lion tenant un sabre » ➔ Iran
- ✦ LIPSO ➔ Lipso

- □ **Lipso**
  Italian offices in the Dodecanese Islands: issued in Lisso (E)
  1912-1932
  Europe
  Yvert et Tellier, Tome 3, 1ʳᵉ partie
  (à : *Égée (îles de la mer)*)
  s LIPSO (Italie : 1912-1932)
  LISSO (Italie : 1930)

- ☉ lir ➔ Pologne (corps polonais)

- ☉ lira, lire ➔ Afrique orientale italienne, Autriche-Hongrie (occupation en Italie), Castellorizo (occupation et colonie italienne), Chypre (administration turque), Cyrénaïque (colonie italienne), Érythrée (colonie italienne), Fiume, Istrie, Italie, Italie (comité de libération nationale), Italie (occupation interalliée), Italie (République Sociale), Libye, Modène, Monténégro (occupation allemande), Monténégro (occupation italienne), Outre-Djouba, Rhodes, Saint-Marin , Somalie italienne, Tripolitaine, Turquie
- ✦ LIRE…CTS ➔ Autriche-Hongrie (occupation en Italie)
- ✦ LIRE DI CORONA ➔ Dalmatie
- ☉ lire it. ➔ Toscane
- ☉ lirew ➔ Pologne (corps polonais)
- ☉ liry ➔ Pologne (corps polonais)
- ✦ LISSO ➔ Lipso
- ✦ LISZT ➔ Thuringe
- ☉ lit., LIT. ➔ Istrie, Italie (occupation allemande)
- ☉ litai ➔ Lituanie
- ⊙ litas ➔ Lituanie, Memel (occupation lituanienne)
- ✦ LITHOU ➔ Lithou

- ⊔ **Lithou**
  Europe
  Émission non admise par l'U.P.U.
  I LITHOU

- ㄼ *Lithuania (E)* ➔ Lituanie
- ㄼ *Lithuania: German occupation (E)* ➔ Lituanie (occupation allemande)
- ㄼ *Lithuania: Russian occupation (E)* ➔ Lituanie (occupation russe)

- ■ **Lituanie**
  Lithuania (E)
  1918-1940 ; 1990-auj.
  Europe
  Yvert et Tellier, Tome 4, 1ʳᵉ partie
  I **LIETUVA** (1920-auj.)
  LIETUVA ORO PASTAS (1921-1936)
  LIETUVA PASTAS (1932-1937)
  LIETUVA DE JURE (1922)
  LIETUVOS ORO PASTAS (1921-1936)
  LIETUVOS PASTA (1918-1919)
  LIETUVOS PASTO ZENKLAS (1919-1920)
  LIETUVOS PASTAS (1918-1919)
  LIETUVOS PAS. ZENK. (1919-1920)
  PASTAS LIETUVA (1933)
  RASEINIU APSKRICIO PASTO ZENKLAS (1919)
  VALSTYBES RINKLIAVA (1922)
  m auksinai, auks, auksinos, auk, auksinu, c, cent, centu, centai, cnt, ct, k, litai, litas, l, lt, sk, skat, skatiku
  ⇨ Lituanie (occupation russe), Lituanie centrale, Memel (occupation lituanienne)

☐ **Lituanie (occupation allemande)**
Lithuania: German occupation (E)
1916-1917 ; 1941
Europe
Yvert et Tellier, Tome 4, 1re partie
 s ALSEDZIAI (Russie : 1941)
   LAISVI TELSIAI (Russie : 1941)
   NEPRIKLAUSOMA LIETUVA 1941-VI-23
   (Russie : 1941)
   PANEVEZYS (Russie : 1941)
   POSTGEBIET OB.-OST (Russie : 1916-1917)
   RASEINIAI (Russie : 1941)
   ROKISKIS (Russie : 1941)
   UKMERGE (Russie : 1941)
   VILNIUS (Russie : 1941)
   ZARASAI (Russie : 1941)

☐ **Lituanie (occupation russe)**
Lithuania: Russian occupation (E)
1940
Europe
 s LTSR 1940 VII 21 (Lituanie : 1940)

☐ **Lituanie centrale**
Central Lithuania (E)
1920-1922
Europe
Yvert et Tellier, Tome 4, 1re partie
 l LITWA (1920-1922)
   LITWA SRODKOWA (1920-1922)
   LITWY SRODKOWEJ (1920-1922)
   POCZTA LITWY SRODKOWEJ DOPLATA
   (1920-1922)
 s NA SLASK 2 M. (1921)
   SRODKOWA LITWA POCZTA (Lituanie : 1920)
 m m, mar, mk, marki

☐ **Lituanie du Sud**
South Lithuania (E)
1919
Europe
Yvert et Tellier, Tome 4, 1re partie
 s LIETUVA 50 SKATIKU (Russie : 1919)
 m skatiku

☐ **Lituanie du Sud (occupation polonaise)**
South Lithuania: Polish occupation (E)
1919
Europe
Yvert et Tellier, Tome 4, 1re partie
 s SAMORZAD WARWISZKI (Pologne : 1923)
 m skatiku

 ◆ LITWA ➔ Lituanie centrale
 ◆ LITWA SRODKOWA ➔ Lituanie centrale
 ◆ LITWY SRODKOWEJ ➔ Lituanie centrale
 ◆ LIVINGSTON ➔ États Confédérés d'Amérique
   (émissions des Maîtres de postes : Livingston, Alabama)
 ◗ *Livny* ➔ Zemstvos

 ◗ *Livonia* ➔ Wenden

☐ **Livorno**
1930
Europe
 l LIVORNO XI MAGGIO VIII (1930)

 ◆ LIVORNO XI MAGGIO VIII ➔ Livorno
 ❖ LIVRAISON JUSQU'À 500 FRANCS ➔ France
 ❖ LIVRAISON JUSQU'À 1000 FRANCS ➔ France
 ❖ LIVRAISON PAR EXPRÈS ➔ France
 ❖ LIVRAISON PAR EXPRÈS D'UN COLIS ➔ France
 ⊙ L. L. ➔ Liban
 ⊙ £M ➔ Malte
 ⊙ LM ➔ Malte
 ◆ L. MARQUES CENTENARIO DE S. ANTONIO ➔
   Lorenzo-Marquès
 ◆ LMCL ➔ Trinité
 ❖ LOCALBREF. ➔ Suède
 ❖ LOCALE ➔ Suisse
 ❖ LOCAL POST KUSTENDJE & CZERNAWODA ➔
   Turquie (Entreprise Lianos et Cie)
 ❖ LOCAL TAXE ➔ Suisse
 ◆ LOCAL-VERKEHR LÜBECK ➔ Allemagne (postes
   locales ou privées: Lubeck)
 ◆ LOCKPORT N.Y. ➔ États-Unis d'Amérique
   (émissions des Maîtres de postes : Lockport, New-York)
 ◆ LOCOMOTIVE EXPRESS POST ➔ États-Unis
   d'Amérique (postes locales et privées) : *Buffalo (New
   York)*
 ◗ *Logrono* ➔ Espagne (émissions nationalistes)
 ❖ LOKALBREF ➔ Suède
 ◗ *Lokhvitza* ➔ Zemstvos

☐ **Lombardo-Vénétie**
Austria: Lombardy-Venetia (E)
1850-1864
Europe
Yvert et Tellier, Tome 3, 2e partie
(à : *Italie*)
 l CENTESIMI (1850)
   KAIS. KÖN. ZEITUNGS STÄMPEL. (1858)
   KKPOST STEMPEL (1850)
   SOLDI (1858-1864)
 m centes, soldi, kreuzer

 ꝑ *Lombardy-Venetia (E)* ➔ Lombardo-Vénétie
 ◆ LONDON TO LONDON CANADA – ENGLAND ➔
   Canada
 ◆ LONDON URCHINPOST ➔ Pays-Bas (postes
   locales : *Amsterdam*)
 ◆ LONG ➔ Long

☐ **Long**
Europe
Émission non admise par l'U.P.U.
 l LONG

 ❖ LONGARONE ➔ Autriche-Hongrie (occupation en
   Italie)
 ◗ *Loosdorf* ➔ Autriche (postes locales ou privées)
 ❖ LORD BYRON ➔ Grèce

YVERT & TELLIER

■ **Lord Howe (Île)**
Lord Howe Island (E)
1998-auj.
Océanie
Émission non admise par l'U.P.U.
  l   LORD HOWE ISLAND COURIER POST (1991-1999)
      LORD HOWE ISLAND ZEMAIL LOCAL DELIVERY ONLY (1998-auj.)
  m $

◆ LORD HOWE ISLAND COURIER POST ➔ Lord Howe (Île)
◆ LORD HOWE ISLAND ZEMAIL LOCAL DELIVERY ONLY ➔ Lord Howe (Île)

□ **Lorenzo-Marquès**
Lourenço Marques (E)
1893-1921
Afrique
Yvert et Tellier, Tome 6, 2ᵉ partie
  l   LOURENÇO MARQUES (1893-1921)
      LOURENÇO MARQUES PORTUGAL (1893-1921)
      PORTUGAL LOURENÇO MARQUES (1893-1921)
      REPUBLICA PORTUGUESA LOURENÇO MARQUES (1914-1921)
  s   L. MARQUES CENTENARIO DE S. ANTONIO (Mozambique : 1895)
      REPUBLICA LOURENÇO MARQUES (Afrique portugaise, Macao, Timor : 1913)
  m   reis, c, centavos
  ⇨ Kionga

◆ « losanges en étoile » ➔ Chachapoyas
◆ LÖSEN ➔ Suède
◆ LOTHRINGEN ➔ Alsace-Lorraine
❖ LOT KOP 10 ➔ Pologne
❖ LOTNICZA ➔ Pologne
❖ LOTNICZA POLSKA ➔ Pologne
◆ *Loubny* ➔ Zemstvos
◆ *Louga* ➔ Zemstvos
◆ LOUISIANA 1812-1962 U. S. POSTAGE ➔ États-Unis d'Amérique
🏵 *Lourenço Marques (E)* ➔ Lorenzo-Marquès
◆ LOURENÇO MARQUES ➔ Lorenzo-Marquès
❖ LOURENÇO MARQUES ➔ Mozambique
◆ LOURENÇO MARQUES PORTUGAL ➔ Lorenzo-Marquès
⊙ lp ➔ Transjordanie
◆ LP ➔ Russie (Armées de l'Ouest)
⊙ Lre ➔ Rhodes
⊙ l.s. ➔ Soudan
⊙ lt ➔ Lituanie
◆ LTSR 1940 VII 21 ➔ Lituanie (occupation russe)
❖ LÜBBENAU ➔ Allemagne Orientale (zone soviétique d'occupation : postes locales)
❖ LÜBECK ➔ Lubeck
❖ LÜBECK ➔ Allemagne (postes locales ou privées: Lubeck)

□ **Lubeck**
1859-1866
Europe
Yvert et Tellier, Tome 3, 1ʳᵉ partie
(à : *Allemagne*)
  l   LÜBECK (1859-1863)
      LUEBECK (1863-1866)
  m   schilling

◆ *Lubeck (postes locales)* ➔ Allemagne (postes locales ou privées)

□ **Lubiana-Slovénie (occupation allemande)**
Yugoslavia: German occupation of Lubijana (E)
1944
Europe
Yvert et Tellier, Tome 3, 2ᵉ partie
(à : *Yougoslavie*)
  l   LUBIJANSKA POKRAJINA (1944-1945)
      PROVINZ LAIBACH (1944-1945)
  s   LUBIJANSKA POKRAJINA (Italie : 1944-1945)
      PROVINZ LAIBACH (Italie : 1944-1945)
  m   cent, l

□ **Lubiana-Slovénie (occupation italienne)**
Yugoslavia: Italian occupation of Lubijana (E)
1941
Europe
Yvert et Tellier, Tome 3, 2ᵉ partie
(à : *Yougoslavie*)
  s   ALTO COMMISSARIO PER LA PROVINCIA DI LUBIANA (Yougoslavie : 1941)
      CO. CI. (Yougoslavie : 1941)
      R. COMMISSARIATO CIVILE TERRITORI SLOVENI OCCUPATI LUBIANA (Yougoslavie : 1941)
  m   din

🏵 *Lubijana (E)* ➔ Lubiana-Slovénie (occupation allemande), Lubiana-Slovénie (occupation italienne)
◆ LUBIJANSKA POKRAJINA ➔ Lubiana-Slovénie (occupation allemande)
◆ LUCHTPOST ➔ Moluques du Sud
◆ LUCHTPOST CURAÇAO ➔ Curaçao
◆ LUCHTPOST SURINAME ➔ Surinam
❖ LUCIA ➔ Sainte-Lucie
◆ LUEBECK ➔ Lubeck
◆ LUEBECK HANSA ➔ Allemagne (postes locales ou privées: Lubeck)
◆ LUEBECK LOCAL-VERKEHR ➔ Allemagne (postes locales ou privées: Lubeck)
❖ LUFTPOST ➔ Allemagne
◆ LUGANO 1913 PRO AVIAZONE NAZIONALE ➔ Suisse
❖ LUGO A ASTURIAS LIBERADA 21 OCTUBRE 1937 ➔ Espagne (émissions nationalistes : Lugo)
◆ LUNDY ➔ Lundy

■ **Lundy**
1929-1944 ; 1949-auj.
Europe
Émission non admise par l'U.P.U.
l   ATLANTIC COAST AIR SERVICES (1935)
LUNDY (1929-auj.)
m   p, pence, puffin

⊙ luokka klass (*1ère classe*) ➔ Finlande

◆ LUXEMBOURG ➔ Luxembourg

■ **Luxembourg**
1852-auj.
Europe
Yvert et Tellier, Tome 3, 2ᵉ partie
l   G.D. DE LUXEMBOURG (1859-1924)
Gᴰ DUCHÉ DE LUXEMBOURG (1859-1924)
GRAND DUCHÉ DE LUXEMBOURG (1859-1924)
LUXEMBOURG (1921-auj.)
POSTES (1852)
m   c, centime, centimes, f, fr, franc, francs, silbergros, €

☐ **Luxembourg (occupation allemande)**
Luxembourg: German occupation (E)
1940-1941
Europe
Yvert et Tellier, Tome 3, 2ᵉ partie
s   LUXEMBURG (Allemagne : 1940-1941)
RPF (Luxembourg : 1940)
m   rpf

⅋ *Luxembourg: German occupation (E)* ➔ Luxembourg
(occupation allemande)

◆ LUXEMBURG ➔ Luxembourg (occupation allemande)

⊙ lv ➔ Bulgarie

◆ LVF ➔ France

◉ *Lynchburg (Virginie)* ➔ États Confédérés d'Amérique
(émissions des Maîtres de postes)

◆ LYON TAXE D'ACHEMINEMENT GRÈVE PTT
1974 ➔ France

⊙ m ➔ Allemagne, Allemagne (occupation française),
Allemagne Orientale (République Démocratique),
Azerbaïdjan, Bavière, Calf of Man, Chypre, Chypre
(administration turque), Corée (royaume, empire),
Dantzig, Égypte, Finlande, Ingrie, Lesotho, Libye,
Lituanie centrale, Malte, Marienwerder, Memel
(occupation lituanienne), Pologne, Rhéno-Palatin
(État), Sarre, Sedang (Royaume de, poste locale),
Silésie (Haute), Tunisie, Turkménistan, Wurtemberg
(occupation française)

◆ MAASLAND POST ➔ Pays-Bas (postes locales :
Grave-Ravenstein)

◉ *Maastricht* ➔ Pays-Bas (postes locales)

■ **Macao**
1884-auj.
Asie
Yvert et Tellier, Tome 6, 2ᵉ partie
l   ASSISTENCIA MACAV (1931-1941)
CONTRIBUIÇAO INDUSTRIAL ULTRAMAR
(1911)
CORREIO MACAU (1884-1953)
CORREIOS MACAU (1884-1953)
MACAU (1884-1951)
MACAU CHINA (1999-auj.)
MACAU PORTUGAL (1884-1951)
MACAU REPUBLICA PORTUGUESA (1983-1999)
PORTEADO MACAU (1904-1914)
PORTUGAL MACAU (1893-1894)
PROVINCIA DE MACAU (1888)
REPUBLICA PORTUGUESA MACAU (1914-1932, 1954-1999)
s   TAXA DE GUERRA (1919)
m   a, avo, avos, pataca, patacas, ptc, ptcs, pts, reis
⇨ Cap-Vert, Congo portugais, Guinée portugaise,
Inhambane, Lorenzo-Marquès, Quelimane, Saint-Thomas et Prince, Tété, Timor

◆ MACAU ➔ Macao

◆ MACAU CHINA ➔ Macao

◆ MACAU PORTUGAL ➔ Macao

◆ MACAU REPUBLICA PORTUGUESA ➔ Macao

■ **Macédoine**
Macedonia (E)
1992-auj.
Europe
Yvert et Tellier, Tome 3, 2ᵉ partie
l   МАКЄΔОНИЈА (1992-1999)
МАКЕДОНИЈА (1992-auj.)
MACEDONIA (1992)
РЕПУБЛИКА МАКЕДОНИЈА (1999-auj.)
PTT MAKEDONIJA (1993-auj.)
ПТТ МАКЕДОНИЈА (1993-auj.)
REPUBLIC OF MACEDONIA (1993)

◆ MACEDONIA ➔ Macédoine

❖ MACHINARY FLOATING ➔ Japon

◆ MACON GA ➔ États Confédérés d'Amérique
(émissions des Maîtres de postes : Macon, Georgie)

◆ MACON GEO ➔ États Confédérés d'Amérique
(émissions des Maîtres de postes : Macon, Georgie)

◆ MADAGASCAR ➔ Madagascar (colonie française)

■ **Madagascar**
Malagasy Republic (E)
1958-auj.
Afrique
Yvert et Tellier, Tome 2, 2ᵉ partie
  l   REPOBLIKA DEMOKRATIKA MALAGASY
      (1976-1993)
      REPOBLIKA MALAGASY (1961-1976)
      REPOBLIKAN'I MADAGASIKARA (1993-
      auj.)
      RÉPUBLIQUE MALGACHE (1958-1960)
  m f, fr, fmg, ariary

ℙ *Madagascar: British Consular Mail (E)* ➔ Madagascar
   (poste britannique)

☐ **Madagascar (colonie française)**
Malagasy: French offices in Madagascar (E)
1889-1957
Afrique
Yvert et Tellier, Tome 2, 1ʳᵉ partie
  l   MADAGASCAR (1930-1957)
      MADAGASCAR ET DÉPENDANCES (1896-
      1942)
      MAYOTTE ET NOSSI-DÉ MADAGASCAR ET
      DÉPENDANCES POSTES FRANÇAISES (1942)
  s   25 (Colonies françaises : 1889)
      05 (Colonies françaises : 1889-1891)
      5 (Colonies françaises : 1891)
      15 (Colonies françaises : 1891)
      15ᶜ (France : 1896)
      0,05 (Diégo-Suarez : 1902)
      MADAGASCAR ET DÉPENDANCES (Colonies
      françaises : 1896)
      MADAGASCAR ET DÉPENDANCES (France :
      1919-1922)
      POSTES FRANÇAISES MADAGASCAR
      (France : 1895)
  m c, cent, fr
  ⇨ Terres Australes et Antarctiques françaises

  ◆ MADAGASCAR ET DÉPENDANCES ➔ Madagascar
    (colonie française)

☐ **Madagascar (poste britannique)**
Madagascar: British Consular Mail (E)
1884-1895
Afrique
  l   B. C. M. BRITISH VICE-CONSULATE
      ANTANANARIVO (1884-1886)
      POSTAGE. BRITISH VICE-CONSULATE
      ANTANANARIVO (1886)
      POSTAGE. BRITISH CONSULAR MAIL
      ANTANANARIVO (1886)
      BRITISH INLAND MAIL MADAGASCAR
      ROAVOAMENA (1895)
  m d, penny, pence

  ❖ MADAGASCAR ROAVOAMENA ➔ Madagascar
    (poste britannique)
  ❖ MADAGASIKARA ➔ Madagascar
  ◆ MADEIRA ➔ Madère

■ **Madère**
Madeira + Portugal: Madeira (E)
1868-1928 ; 1980- auj.
Europe
Yvert et Tellier, Tome 3, 2ᵉ partie
(à : *Portugal*)
  l   **PORTUGAL MADEIRA** (1980-auj.)
  s   MADEIRA (Portugal : 1868-1880)
  m c, e, €, reis, $

◆ *Madrid* ➔ Espagne (émissions républicaines), Espagne
  (émissions nationalistes)
◆ MADRID LIBERACION 0,50 CTS 28 MARZO 1939
  ➔ Espagne (émissions nationalistes : Madrid)
◆ MADRID LIBERADO 28 MARZO 1939 ➔ Espagne
  (émissions nationalistes : Madrid)
❖ MAERKE ➔ Danemark
' MAFEKING BESIEGED ➔ Cap de Bonne-Espérance
  (guerre anglo-boer)
◆ MAFEKING SIEGE ➔ Cap de Bonne-Espérance
  (guerre anglo-boer)
❖ MAFIA ➔ Afrique orientale allemande (occupation
  britannique)
◆ MAGIC LETTER EXPRESS ➔ États-Unis
  d'Amérique (postes locales et privées) : *Richmond
  (Virginia)*
◆ MAGYAR KIRALYI POSTA ➔ Hongrie
◆ MAGYAR KIR POSTA ➔ Hongrie
◆ MAGYAR KIR TAVIRDA ➔ Hongrie
◆ MAGYAR NEMZETI KORMÀNY SZEGED 1919 ➔
  Szeged
◆ MAGYAR NEPKÔZTARSASAG ➔ Hongrie
◆ MAGYAR POSTA ➔ Hongrie
◆ MAGYARORSZAG ➔ Hongrie
◆ MAGYAR TANACS KÔZTARSASAG ➔ Hongrie
◆ MAGY. KIR. HIRLAP BÉLYEG ➔ Hongrie

☐ **Mahra**
* **1967-1970**
Asie
Yvert et Tellier, Tome 5, 1ʳᵉ partie
(à : *Arabie du Sud*)
  l   MAHRA STATE SOUTH ARABIA (1967-1970)
  m fils, dinar

◆ MAHRA STATE SOUTH ARABIA ➔ Mahra
❖ MAHREN ➔ Bohème et Moravie
❖ MÄHREN CECHY A MORAVA ➔ Bohème et Moravie
❖ MAIL STEAM PACKET COMPANY ➔ Saint-
  Thomas-La-Guaira
❖ MAJORATION ➔ France

☐ **Majunga**
1895
Afrique
Yvert et Tellier, Tome 2, 1ʳᵉ partie
(à : *Madagascar*)
  s   0.15 (France : 1895)
      15 (France : 1895)

❖ MAKEDONIJA ➔ Macédoine
⊙ mal ➔ Libye

⊙ M.A.L. ➔ Tripolitaine (occupation britannique)

☐ **Malacca (administration militaire britannique)**
Straits Settlements (E)
1945
Asie
Yvert et Tellier, Tome 6, 2ᵉ partie
s   B M A MALAYA (Malacca [établissements des détroits de Malacca et Singapour] : 1945)

☐ **Malacca (établissements des détroits de Malacca et Singapour)**
Straits Settlements (E)
1867-1941
Asie
Yvert et Tellier, Tome 6, 2ᵉ partie
l   MALAYA (1936-1941)
    STRAITS SETTLEMENTS (1868-1941)
    STRAITS SETTLEMENTS POSTAGE (1868-1941)
s   CENTS (Inde anglaise : 1867)
m   cents, c, $, dollar, dollars
⇨ Bangkok, Johore, Malacca (administration militaire britannique), Malacca (occupation japonaise), Negri Sembilan, Pahang, Penang (occupation japonaise), Perak, Selangor, Sungei Ujong

☐ **Malacca (état fédéré de Malaysia)**
Malaya: Malacca + Malaysia: Malacca (E)
1948-1960 ; 1965-1986
Asie
Yvert et Tellier, Tome 6, 2ᵉ partie
(à : *Malaysia*)
l   MALAYA MALACCA (1948-1960)
    MALAYSIA MELAKA (1965-1986)
    MELAKA MALAYSIA (1986)
m   c, $, cent, cents

☐ **Malacca (occupation japonaise)**
* *Malaya Malacca + Straits Settlements: Japanese occupation(E)*
1942-1945
Asie
Yvert et Tellier, Tome 6, 2ᵉ partie
(à : *Malaysia*)
s   DAI NIPPON 2602 MALAYA (Malacca [établissements des détroits de Malacca et Singapour] : 1942)
    DAI NIPPON 2602 MALAYA SELANGOR EXHIBITION (Malacca [établissements des détroits de Malacca et Singapour] : 1942)
    EP *(au milieu de caractères asiatiques)* (Malacca [établissements des détroits de Malacca et Singapour] : 1942)
    SELANGOR EXHIBITION DAI NIPPON 2602 MALAYA (Malacca [établissements des détroits de Malacca et Singapour] : 1942)
m   cent

☉ *Malacca: Japanese occupation (E)* ➔ Malacca (occupation japonaise)

♦ *Malaga* ➔ Espagne (émissions nationalistes)

✦ MALAGA AGRADECIDA A TRANQUILLO-BIANCHI 8-2-1937 ¡ARRIBA ESPAÑA! ➔ Espagne (émissions nationalistes : Malaga)

✦ MALAGA A SU CAUDILLO FRANCO 8-2-1937 ¡ARRIBA ESPAÑA! ➔ Espagne (émissions nationalistes : Malaga)

✦ MALAGA A SU SALVADOR OUELPO DE LLANO 8-2-1937 ¡ARRIBA ESPAÑA! ➔ Espagne (émissions nationalistes : Malaga)

✦ MALAGA SALUTA AL CONDE CIANO 17-7-39 ➔ Espagne (émissions nationalistes : Malaga)

❖ MALAGASY ➔ Madagascar

☉ *Malagasy: French offices in Madagascar (E)* ➔ Madagascar (colonie française)

☉ *Malagasy Republic (E)* ➔ Madagascar

☐ **Malaisie**
Malaya: Federated Malay States + Federation of Malaya (E)
1900-1965
Asie
Yvert et Tellier, Tome 6, 2ᵉ partie
l   FEDERATED MALAY STATES (1901-1934)
    MALAYA FEDERATION OF MALAYA (1957-1958)
    MALAYA PERSEKUTUAN TANAH MELAYU (1957-1958)
    MALAYAN POSTAL UNION (1936-1965)
    PERSEKUTUAN TANAH MELAYU (1958-1963)
s   FEDERATED MALAY STATES (Negri Sembilan, Perak : 1900)
⇨ Malaisie (occupation japonaise)
m   c, $, cents, sen

☐ **Malaisie (occupation japonaise)**
* *Malaya: Japanese occupation (E)*
1943-1944
Asie
l   CENT *(et caractères asiatiques)* (1943-1944)
s   EP *(au milieu de caractères asiatiques)* (Malaisie : 1942)
    DAI NIPPON 2602 MALAYA (Malaisie : 1942)
m   cent

☐ **Malaisie (occupation thaïlandaise)**
* *Malaya: Thai occupation (E)*
1943-1944
Asie
l   SYBURI (1944) : *Kedah*
    THAILAND (1943)
m   cent, cents

❖ MALARIA ➔ Formose

♦ MALAWI ➔ Malawi

■ **Malawi**
1964-auj.
Afrique
Yvert et Tellier, Tome 6, 2° partie
   I **MALAWI** (1964-auj.)
      REPUBLIC OF MALAWI (1967-1975)
   m d, s, t, tambala, k

❖ MALAYA ➔ Johore, Malacca (administration militaire britannique), Singapour
◆ MALAYA ➔ Malacca (établissements des détroits de Malacca et Singapour)
◆ MALAYA (*armoiries*) ➔ Negri Sembilan
◆ MALAYA (*mosquée du palais de Klang*) ➔ Selangor
◆ MALAYA (*Suleiman Shah*) ➔ Selangor
◆ MALAYA (*Sultan Abou Bakar*) ➔ Pahang
◆ MALAYA (*Sultan Hisamuddin-Alam Shah*) ➔ Selangor
◆ MALAYA (*Sultan Ibrahim*) ➔ Kelantan
◆ MALAYA (*Sultan Ismaïl*) ➔ Trengganu
◆ MALAYA (*Sultan Yousouf Izzuddin*) ➔ Perak
🏵 *Malaya: Federated Malay States + Federation of Malaya (E)* ➔ Malaisie
◆ MALAYA FEDERATION OF MALAYA ➔ Malaisie
◆ MALAYA JOHORE ➔ Johore
🏵 *Malaya: Johore (E)* ➔ Johore
🏵 *Malaya Johore: Japanese occupation (E)* ➔ Johore (occupation japonaise)
◆ MALAYA KEDAH ➔ Kedah
🏵 *Malaya: Kedah (E)* ➔ Kedah
🏵 *Malaya Kedah: Japanese occupation (E)* ➔ Kedah (occupation japonaise)
◆ MALAYA KELANTAN ➔ Kelantan
🏵 *Malaya: Kelantan (E)* ➔ Kelantan
🏵 *Malaya Kelantan: Japanese occupation (E)* ➔ Kelantan (occupation japonaise)
🏵 *Malaya Kelantan: Thai occupation (E)* ➔ Kelantan (occupation thaïlandaise)
◆ MALAYA MALACCA ➔ Malacca (état fédéré de Malaysia)
🏵 *Malaya: Malacca (E)* ➔ Malacca
🏵 *Malaya Malacca: Japanese occupation (E)* ➔ Malacca (occupation japonaise)
◆ MALAYA NEGRI SEMBILAN ➔ Negri Sembilan
🏵 *Malaya: Negri Sembilan (E)* ➔ Negri Sembilan
🏵 *Malaya Negri Sembilan: Japanese occupation (E)* ➔ Negri Sembilan (occupation japonaise)
◆ MALAYAN POSTAL UNION ➔ Malaisie
◆ MALAYA PAHANG ➔ Pahang
🏵 *Malaya: Pahang (E)* ➔ Pahang
🏵 *Malaya Pahang: Japanese occupation (E)* ➔ Pahang (occupation japonaise)
◆ MALAYA PENANG ➔ Penang
🏵 *Malaya: Penang (E)* ➔ Penang
🏵 *Malaya Penang: Japanese occupation (E)* ➔ Penang (occupation japonaise)
◆ MALAYA PERAK ➔ Perak
🏵 *Malaya: Perak (E)* ➔ Perak
🏵 *Malaya Perak: Japanese occupation (E)* ➔ Perak (occupation japonaise)
🏵 *Malaya: Japanese occupation (E)* ➔ Malaisie (occupation japonaise)

🏵 *Malaya: Thai occupation (E)* ➔ Malaisie (occupation thaïlandaise)
◆ MALAYA PERLIS ➔ Perlis
🏵 *Malaya: Perlis (E)* ➔ Perlis
◆ MALAYA PERSEKUTUAN TANAH MELAYU ➔ Malaisie
◆ MALAYA SELANGOR ➔ Selangor
🏵 *Malaya: Selangor (E)* ➔ Selangor
🏵 *Malaya Selangor. Japanese occupation (E)* ➔ Selangor (occupation japonaise)
◆ MALAYA SINGAPORE ➔ Singapour
🏵 *Malaya: Sungei Ujong (E)* ➔ Sungei Ujong
🏵 *Malaya: Trengganu (E)* ➔ Trengganu
🏵 *Malaya Trengganu: Japanese occupation (E)* ➔ Trengganu (occupation japonaise)
◆ MALAYSIA ➔ Malaysia
❖ MALAYSIA ➔ Johore, Kedah, Kelantan, Malaysia, Perak, Sabah, Sarawak, Selangor, Trengganu

■ **Malaysia**
1963-auj.
Asie
Yvert et Tellier, Tome 6, 2° partie
   I **MALAYSIA** (1963-auj.)
      WILAYAH PERSEKUTUAN MALAYSIA (1986)
   m sen, c, rm, $

◆ *Malaysia* ➔ voir aussi : Johore, Johore (occupation japonaise), Kedah, Kedah (occupation japonaise), Kelantan, Kelantan, Malacca (état fédéré de Malaysia), Malacca (occupation japonaise), Negri Sembilan, Negri Sembilan (occupation japonaise), Pahang, Pahang (occupation japonaise), Penang, Penang (occupation japonaise), Perak, Perak (occupation japonaise), Perlis, Sabah, Sarawak, Sarawak (occupation japonaise), Selangor, Selangor (occupation japonaise), Singapour, Sungei Ujong, Trengganu, Trengganu (occupation japonaise)
◆ MALAYSIA JOHOR ➔ Johore
🏵 *Malaysia: Johore (E)* ➔ Johore
◆ MALAYSIA KEDAH ➔ Kedah
🏵 *Malaysia: Kedah (E)* ➔ Kedah
◆ MALAYSIA KELANTAN ➔ Kelantan
🏵 *Malaysia: Kelantan (E)* ➔ Kelantan
🏵 *Malaysia: Malacca (E)* ➔ Malacca (état fédéré de Malaysia)
◆ MALAYSIA MELAKA ➔ Malacca (état fédéré de Malaysia)
◆ MALAYSIA NEGERI SEMBILAN ➔ Negri Sembilan
🏵 *Malaysia: Negeri Sembilan (E)* ➔ Negri Sembilan
◆ MALAYSIA PAHANG ➔ Pahang
🏵 *Malaysia: Pahang (E)* ➔ Pahang
🏵 *Malaysia: Penang (E)* ➔ Penang
◆ MALAYSIA PERAK ➔ Perak
🏵 *Malaysia: Perak (E)* ➔ Perak
◆ MALAYSIA PERLIS ➔ Perlis
🏵 *Malaysia: Perlis (E)* ➔ Perlis
◆ MALAYSIA PULAU PINANG ➔ Penang
◆ MALAYSIA SABAH ➔ Sabah
🏵 *Malaysia: Sabah(E)* ➔ Sabah
◆ MALAYSIA SARAWAK ➔ Sarawak

▶ *Malaysia: Sarawak (E)* ➔ Sarawak

◆ MALAYSIA SELANGOR ➔ Selangor

▶ *Malaysia: Selangor (E)* ➔ Selangor

◆ MALAYSIA SELANGOR DARULEHSAN ➔ Selangor

◆ MALAYSIA TRENGGANU ➔ Trengganu

▶ *Malaysia: Trengganu (E)* ➔ Trengganu

▶ *Malaysia: Wilayah Persekutuan (E)* ➔ Malaysia

❖ MALAY STATES ➔ Malaisie

◆ MALDIVE ISLANDS ➔ Maldives

◆ MALDIVES ➔ Maldives

■ **Maldives**
Maldive Islands (E)
1906-auj.
Asie
Yvert et Tellier, Tome 6, 2ᵉ partie
  l **MALDIVES** (1909, 1986-auj.)
    MALDIVE ISLANDS (1950-1969)
    REPUBLIC OF MALDIVES (1968-1986)
    REPUBLIC OF THE MALDIVE ISLANDS
    (1968-1986)
  s MALDIVES (Ceylan : 1906)
    REPUBLIC OF MALDIVES (1969)
  m cents, larees, rupee, rupees, l, r, rf

❖ MALGACHE ➔ Madagascar

■ **Mali**
Mali + Republic of Mali (E)
1959-auj.
Afrique
Yvert et Tellier, Tome 2, 2ᵉ partie
  l FÉDÉRATION DU MALI (1959-1960)
    RÉPUBLIQUE DU MALI (1961-auj.)
  m f

❖ MALLORCA 19 JULIO 1936 ➔ Espagne (émissions nationalistes : Palma de Mallorca [Palma de Majorque])

◆ MALMÉDY ➔ Eupen et Malmédy

◆ *Malmij* ➔ Zemstvos

◆ *Maloarkhangelsk* ➔ Zemstvos

◆ MALTA ➔ Malte

▶ *Malta: Sovereign Order (E)* ➔ Malte (Ordre souverain de)

■ **Malte**
Malta (E)
1860-auj.
Europe
Yvert et Tellier, Tome 3, 2ᵉ partie
  l **MALTA** (1860-auj.)
    TAPIZZERIJI FJAMMINGI (1978)
  m shilling, shillings, penny, pence, d, c, £M, LM

■ **Malte (Ordre souverain de)**
Malta: Sovereign Order (E)
1966-auj.
Europe
Émission non admise par l'U.P.U.
  l **POSTE MAGISTRALI SOVRANO**
    MILITARE ORDINE DI MALTA (1966-auj.)
    SOVRANO MILITARE ORDINE DI MALTA
    POSTE MAGISTRALI (1966-auj.)
  m grani, scudo, scudi, tari

❖ MALUKU SELATAN ➔ Moluques du Sud
❖ MALVINAS SON ARGENTINAS ➔ Argentine
◉ man ➔ Azerbaïdjan

■ **Man**
Isle of Man: Bailiwick issues (E)
1973-auj.
Europe
Yvert et Tellier, Tome 3, 1ʳᵉ partie
(à : *Grande-Bretagne*)
  l ISLE OF MAN (1973)
  m p, £

◆ MANAMA ➔ Manama

☐ **Manama**
1966-1972
Asie
Yvert et Tellier, Tome 5, 1ʳᵉ partie
(à : *Arabie du Sud-Est*)
  l MANAMA (1968-1972)
  s MANAMA (Ajman : 1966-1968)

◉ manat ➔ Azerbaïdjan
◆ MANCHOUKUO POST OFFICE ➔ Mandchourie
▶ *Manchukuo (E)* ➔ Mandchourie
▶ *Manchuria (E)* ➔ Mandchourie (Chine)
◆ MANDATED TERRITORY OF TANGANYIKA ➔ Tanganyika

☐ **Mandchourie**
* *Manchukuo (E)*
1932-1945
Asie
Yvert et Tellier, Tome 6, 2ᵉ partie
  l FEN (1932-1940)
    Fᴺ (1932-1940)
    MANCHOUKUO POST OFFICE (1935-1937)
  s *caractères asiatiques* (Chine : 1935)
  m fen, FN

☐ **Mandchourie (Chine)**
* *Republic of China: Manchuria (E)*
1927-1933
Asie
Yvert et Tellier, Tome 5, 2ᵉ partie
(à : *Chine*)
  s *caractères asiatiques* (Chine : 1927-1933)

❖ MANIAGO ➔ Autriche-Hongrie (occupation en Italie)
❖ MANIZALES ➔ Manizales

□ **Manizales**
Colombia: Manizales (E)
1910
Amérique du Sud
Yvert et Tellier, Tome 5, 2ᵉ partie
(à : *Colombie*)
  l   URBANOS MANIZALES (1910)
  m cv

❖ MANUAL E. JIMENEZ ➜ Tumaco
◆ MANUS ➜ Nouvelle Guinée (occupation britannique, administration australienne)
◆ *Manzanilla* ➜ Espagne (émissions nationalistes)
◆ MANZANILLA UN ANO 1936-1937 DE TRIUNFO
  ➜ Espagne (émissions nationalistes : Manzanilla)
◉ MAPK (cyrillique) ➜ Finlande
❖ MAPKA (cyrillique) ➜ Blagoviechtchensk, Finlande, Russie, Russie (Armées du Sud), Serbie
❖ MAPKA 1857 – 1907 (cyrillique) ➜ Levant (bureaux russes)
❖ MAPKA A B P (cyrillique) ➜ Tchita
◉ mapo ➜ Finlande
◆ MAPO ➜ Finlande
◉ mar ➜ Lituanie centrale
❖ MAR ➜ Chili, Mexique
◆ MARCA DA BOLLO ➜ Italie
▣ *Mariana Islands (E)* ➜ Mariannes
• MARIANAS ESPAÑOLAS ➜ Mariannes
◆ MARIANEN ➜ Mariannes

□ **Mariannes**
Mariana Islands (E)
1899-1900
Océanie
Yvert et Tellier, Tome 6, 2ᵉ partie
  l   MARIANEN (1899-1900)
  s   MARIANEN (Allemagne : 1899-1900)
      MARIANAS ESPAÑOLAS (Philippines : 1899)
  m pfennig, mark

❖ MARIE DE MADAGASCAR ➜ Sainte-Marie de Madagascar

□ **Marienwerder**
1920
Europe
Yvert et Tellier, Tome 4, 1ʳᵉ partie
  l   COMMISSION INTERALLIÉE
      MARIENWERDER (1920)
  s   COMMISSION INTERALLIÉE
      MARIENWERDER (Allemagne : 1920)
  m pf, m, mark

◆ MARIETTA GA ➜ États Confédérés d'Amérique (émissions des Maîtres de postes : Marietta, Georgie)
◆ *Mariis (République des)* ➜ Russie (postes locales de l'ex-U.R.S.S.)
! MARINO ❯ Saint-Marin
◆ MARION VA ➜ États Confédérés d'Amérique (émissions des Maîtres de postes : Marion, Virginie)
◆ *Marioupol* ➜ Zemstvos
❖ MARITIME DE SUEZ ➜ Canal de Suez

◉ mark ➜ Afrique du Sud-Ouest (colonie allemande), Allemagne, Allemagne (zones Américaine, Anglaise et Soviétiques d'occupation - zones A.A.S.), Allemagne bizone (zone anglo-américaine d'occupation), Allemagne Orientale (République Démocratique), Allemagne Orientale (zone soviétique d'occupation : postes locales), Allenstein, Bavière, Cameroun allemand, Carolines, Chemins de Fer de Bavière (Compagnie des), Dantzig, Finlande, Kiao-Tchéou, Mariannes, Marienwerder, Marshall, Memel (administration française), Memel (occupation Lituanienne), Nouvelle Guinée (colonie allemande), Samoa, Sarre, Schleswig-Holstein, Silésie (Haute), Togo (colonie allemande), Wurtemberg

◆ MARK ➜ Finlande

◉ marka ➜ Estonie

❖ MARKE ➜ Brême

◉ markès ➜ Memel (occupation lituanienne)

◉ markl ➜ Lituanie centrale

◉ marklu ➜ Memel (occupation lituanienne)

◉ markka ➜ Finlande

❖ MARKKA ➜ Finlande

◉ markkaa ➜ Finlande

◆ MAROC ➜ Maroc, Maroc (bureaux et protectorat français)

■ **Maroc**
Morocco (E)
1956-auj.
Afrique
Yvert et Tellier, Tome 2, 2ᵉ partie
  l   MAROC (1956-1960)
      ROYAUME DU MAROC (1958-auj.)
  m f, dh

◆ MAROC ALCAZAR A OUAZZAN ➜ Maroc (postes locales)

□ **Maroc (bureaux allemands)**
German Offices in Morocco (E)
1899-1911
Afrique
Yvert et Tellier, Tome 6, 2ᵉ partie
  s   MAROCCO (Allemagne : 1899-1911)
      MAROKKO (Allemagne : 1911)
  m pes, cts, centimos

MAROC

☐ **Maroc (bureaux espagnols)**
Spanish Morocco (E)
1903-1953
Afrique
Yvert et Tellier, Tome 6, 2ᵉ partie
- l CORREOS MARRUECOS PROTECTORADO
  ESPAÑOL (1945-1955)
  MARRUECOS PROTECTORADO ESPAÑOL
  (1933-1948)
  REPUBLICA ESPAÑOLA TANGER (1937)
  TANGER CORREO AEREO (1949-1951)
  TANGER CORREO ESPAÑOL (1948-1951)
  TANGER CORREO URGENTE (1949)
  ZONA DE PROTECTORADO ESPAÑOL EN
  MARRUECOS (1928-1936)
- s CORREO AÉREO TANGER (Espagne : 1939-
  1940)
  CORREO ESPAÑOL MARRUECOS (Espagne :
  1903-1933)
  CORREO ESPAÑOL TANGER (Espagne : 1926-
  1938)
  CORREO TANGER (Espagne : 1939)
  MARRUECOS (Espagne : 1914-1938)
  PROTECTORADO ESPAÑOL EN
  MARRUECOS (Espagne : 1915-1920)
  PROTECTORADO MARRUECOS (Espagne :
  1929)
  TANGER (Espagne : 1929-1943)
  TETUAN (Espagne : 1908)
  VIA AÉREA TANGER (Espagne : 1939)
  ZONA DEL PROTECTORADO EN
  MARRUECOS (Espagne : 1943-1945)
  ZONA DE PROTECTORADO ESPAÑOL EN
  MARRUECOS (Espagne : 1916-1930)
  ZONA PROTECTORADO ESPAÑOL (Espagne :
  1926)
- m centimos, cts, cs, ps, pts, ct, cto, ctos, cents, ptas,
  peseta
- ⇨ Cap Juby

☐ **Maroc (bureaux et protectorat français)**
French Morocco (E)
1891-1956
Afrique
Yvert et Tellier, Tome 2, 1ʳᵉ partie
- l MAROC (1902-1956)
  MAROC COLIS-POSTAUX (1917)
- s CENTIMO (France : 1891-1900)
  CENTIMOS (France : 1891-1900)
  MAROC (France : 1915)
  PESETA (France : 1891-1900)
  PESETAS (France : 1891-1900)
  P.P. (France : 1903)
  PROTECTORAT FRANÇAIS (France : 1915)
  TANGER (France : 1918)
  TIMBRE POSTE (France : 1893)
- m centimo, centimos, c, f, peseta, pesetas

- ♦ MAROC COLIS-POSTAUX ➔ Maroc (bureaux et
  protectorat français)

☐ **Maroc (postes chérifiennes)**
* *Morocco: Cherifian issues (E)*
1912-1913
Afrique
Yvert et Tellier, Tome 2, 1ʳᵉ partie
- l « mosquée, palmier et caractères arabes » (1912-
  1913)

☐ **Maroc (postes locales)**
Morocco: local issues (E)
1906-1907
Afrique
Yvert et Tellier, Tome 2, 1ʳᵉ partie
- l ALCAZAR WAZAN (1896)
  CORREOS (1896)
  DEMNAT MARRAKECH (1906-1907)
  FEZ SEFRO (1894)
  FEZ-MEQUINES (1897-1901)
  MAROC ALCAZAR A OUAZZAN (1896-1897)
  MAZAGAN – AZEMOUR – MARRAKECH
  (1897)
  MAZAGAN A MAROC (1891-1899)
  MAZAGAN MARRAKESH (1897-1900)
  MOGADOR AGADIR (1899-1900)
  MOGADOR A MAROC (1892-1900)
  MOGADOR MARRAKECH (1892-1900)
  POSTES MAROCAINES DE TÉTOUAN À EL
  KSAR (1897-1898)
  SAFFI MARRAKECH (1898-1901)
  SERVICE DE COURRIERS FEZ SEFRO (1894-
  1901)
  SERVICIO DE CORREOS MARRUECOS (1896)
  SERVICE DE POSTES TANGER EL KSAR
  (1898-1900)
  TANGER-FEZ (1892)
  TANGER MOROCCO LARAICHE (1897-1898)
  TETOUAN MAROC CHECHOUAN (1896-1897)
  TETUAN SHESHUAN (1897)
- s SAFFI (Poste locale Mazagan-Marrakech : 1899)
- m centimos, centesimi, cents, c, f, peseta, pesetas

☐ **Maroc (zone nord ex-espagnole)**
Morocco: Northern Zone (E)
1956-1957
Afrique
Yvert et Tellier, Tome 6, 2ᵉ partie
- l MARRUECOS (1956-1957)
- m c, cts, pta, ptas

☐ **Maroc anglais (Tanger)**
*British Offices in Morocco: for use in the
International Zone of Tangier (E)*
1927-1957
Afrique
Yvert et Tellier, Tome 6, 2ᵉ partie
- s TANGIER (Grande-Bretagne : 1927-1957)

☐ **Maroc anglais (tous les bureaux <1918, zone espagnole)**
British Offices in Morocco: Spanish currency (E)
1898-1956
Afrique
Yvert et Tellier, Tome 6, 2ᵉ partie
  s MOROCCO (Gibraltar : 1898-1905)
     MOROCCO AGENCIES (Gibraltar : 1898-1905)
     MOROCCO AGENCIES CENTIMOS(Gibraltar, Grande-Bretagne : 1905-1956)
     MOROCCO AGENCIES PESETAS (Gibraltar, Grande-Bretagne : 1905-1956)
  m centimos, pesetas, pta, cts

☐ **Maroc anglais (tous les bureaux)**
British Offices in Morocco: British currency (E)
1907-1956
Afrique
Yvert et Tellier, Tome 6, 2ᵉ partie
  s MOROCCO AGENCIES (Grande-Bretagne : 1907-1956)

☐ **Maroc anglais (zone française)**
British Offices in Morocco: French currency (E)
1917-1937
Afrique
Yvert et Tellier, Tome 6, 2ᵉ partie
  s MOROCCO AGENCIES CENTIMES (Grande-Bretagne : 1917-1937)
     MOROCCO AGENCIES FRANCS (Grande-Bretagne : 1917-1937)
  m centimes, franc, francs

♦ MAROCCO ➜ Maroc (bureaux allemands)
♦ MAROKKO ➜ Maroc (bureaux allemands)
♦ MAROTIRI PIGEONGRAM ➜ Nouvelle-Zélande (poste privée)
❖ MARQUES ➜ Lorenzo-Marquès
❖ MARRAKECH ➜ Maroc (postes locales)
♦ MARRUECOS ➜ Maroc (bureaux espagnols), Maroc (zone nord ex-espagnole)
♦ MARRUECOS PROTECTORADO ESPAÑOL ➜ Maroc (bureaux espagnols)

■ **Marshall**
Marshall Islands (E)
1897-auj.
Océanie
Yvert et Tellier, Tome 6, 2ᵉ partie
  l MARSHALL INSELN (1900-1914)
    MARSHALL ISLANDS (1984-auj.)
  s G.R.I. (1914)
    MARSHALL INSELN (Allemagne : 1897-1900)
  m pfennig, d, s, mark, c, $
  ⇨ Nouvelle Guinée (occupation britannique, administration australienne)

♦ MARSHALL INSELN ➜ Marshall
♦ MARSHALL ISLANDS ➜ Marshall
♦ MARTINIQUE ➜ Martinique

☐ **Martinique**
1886-1947
Amérique Centrale
Yvert et Tellier, Tome 2, 1ʳᵉ partie
  l MARTINIQUE (1892-1947)
  s MARTINIQUE (Colonies françaises : 1886-1927)
    MQE (Colonies françaises : 1887)
  m c, f

♦ MARTIN'S CITY POST ➜ États-Unis d'Amérique

☐ **Mascate**
⋆ *Oman (Muscat) (E)*
1944
Asie
Yvert et Tellier, Tome 6, 2ᵉ partie
  s *caractères arabes* (Inde anglaise : 1944)

☐ **Mascate, Oman, Dubaï et Qatar**
Oman (Muscat and Oman) (E)
1948-1970
Asie
Yvert et Tellier, Tome 6, 2ᵉ partie
  l MUSCAT & OMAN (1966-1970)
  s ANNA (Grande-Bretagne : 1948-1957)
    ANNAS (Grande-Bretagne : 1948-1957)
    NP (Grande-Bretagne : 1957-1961)
    RUPEE (Grande-Bretagne : 1948-1961)
    RUPEES (Grande-Bretagne : 1948-1961)
  m anna, annas, rupee, rupeesnp, baiza, baizas, rial
  ⇨ Oman

♦ MAŠHAD MASJID I GAWHAR SHAD ➜ Iran

❖ MASJID ➜ Iran

❖ MATERNITA E INFANZIA ➜ Zone de Fiume et de la Kupa

⊙ math ➜ Sedang (Royaume de, poste locale)

■ **Maurice**
Mauritius (E)
1847-auj.
Afrique
Yvert et Tellier, Tome 6, 2ᵉ partie
  l **MAURITIUS** (1847-auj.)
    MAURITIUS POSTAGE (1847-auj.)
    REPUBLIC OF MAURITIUS (1992-1993)
  m penny, pence, cent, cents, shilling, rp, rps, c, r, rs, re, rupee, rupees, cs

⌨ *Mauritania (E)* ➜ Mauritanie (colonie française)

⌨ *Mauritania: Islamic Republic (E)* ➜ Mauritanie

♦ MAURITANIE ➜ Mauritanie (colonie française)

■ **Mauritanie**
Mauritania: Islamic Republic (E)
1960-auj.
Afrique
Yvert et Tellier, Tome 2, 2ᵉ partie
  I   **RÉPUBLIQUE ISLAMIQUE DE**
      MAURITANIE (1958-auj.)
  m f, um

□ **Mauritanie (colonie française)**
Mauritania (E)
1906-1942
Afrique
Yvert et Tellier, Tome 2, 1ʳᵉ partie
  I   MAURITANIE (1906-1942)
  m c, f, fr
     ⇨ France

◆ MAURITIUS ➔ Maurice
◆ MAURITIUS POSTAGE ➔ Maurice
⊙ mᵃ vᵈ ➔ Espagne (insurrection Carliste)
◆ MAYOTTE ➔ Mayotte

■ **Mayotte**
1892-1912 ; 1997-auj.
Afrique
Yvert et Tellier, Tome 2, 1ʳᵉ partie
  I   MAYOTTE (1892-1912)
      MAYOTTE RÉPUBLIQUE FRANÇAISE
      (1997-auj.)
      RÉPUBLIQUE FRANÇAISE MAYOTTE
      (1997-auj.)
  m c, f, €

◆ MAYOTTE ET NOSSI-BÉ MADAGASCAR ET
  DÉPENDANCES POSTES FRANÇAISES ➔
  Madagascar (colonie française)
◆ MAYOTTE RÉPUBLIQUE FRANÇAISE ➔ Mayotte
◆ MAZAGAN A MAROC ➔ Maroc (postes locales)
◆ MAZAGAN – AZEMOUR - MARRAKECH ➔ Maroc
  (postes locales)
◆ MAZAGAN MARRAKESH ➔ Maroc (postes locales)
◆ M.B.D. ➔ Nandgame
◆ MBRETNIA SHQIPTARE ➔ Albanie
◆ MBRETNIJA SHQIPTARE ➔ Albanie
◆ M C GALLAWAY ➔ États Confédérés d'Amérique
  (émissions des Maîtres de postes : Memphis, Tennessee)
❖ MC GILL'S U.S. P.O. DESPATCH ➔ États-Unis
  d'Amérique
◆ MᶜGREELY'S EXPRESS ➔ États-Unis d'Amérique
  (postes locales et privées) : *Alaska*
◆ MᶜINTIRE'S CITY EXPRESS POST ➔ États-Unis
  d'Amérique (postes locales et privées) : *New York*
❖ MᶜKINLEY – 1901 (*carte postale*) ➔ États-Unis
  d'Amérique
◆ MC MILLAN'S DISPATCH ➔ États-Unis d'Amérique
  (postes locales et privées) : *Chicago*
❖ MCNEEL PM ➔ États Confédérés d'Amérique
  (émissions des Maîtres de postes : Autaugaville,
  Alabama)

❖ MᶜNEEL PM AUTAUGAVILLE ➔ États Confédérés
  d'Amérique (émissions des Maîtres de postes :
  Autaugaville, Alabama)

❖ MCNISH P.M ➔ États Confédérés d'Amérique
  (émissions des Maîtres de postes : Nashville, Tennessee)

◆ *Meched* ➔ Iran (poste locale)

□ **Mecklembourg-Poméranie**
Mecklenburg-Vorpommern (E)
1945
Europe
Yvert et Tellier, Tome 3, 1ʳᵉ partie
(à : Allemagne Orientale [zone soviétique
d'occupation : émissions régionales])
  I   MECKLENBURG VORPOMMERN (1945)
  m pf, pfennig

□ **Mecklembourg-Schwerin**
Mecklenburg-Schwerin (E)
1856-1867
Europe
Yvert et Tellier, Tome 3, 1ʳᵉ partie
(à : Allemagne)
  I   MECKLENB. FREIMARKE SCHWERIN (1856-
      1867)
      MECKLENB SCHILERIN (1856-1867)
  m schilling, schillinge

□ **Mecklembourg-Strelitz**
Mecklenburg-Strelitz (E)
1864
Europe
Yvert et Tellier, Tome 3, 1ʳᵉ partie
(à : Allemagne)
  I   MECKLENB. STRELITZ (1864)
  m silb. cr.

◆ MECKLENB. FREIMARKE SCHWERIN ➔
  Mecklembourg-Schwerin

◆ MECKLENB SCHILERIN ➔ Mecklembourg-
  Schwerin

◆ MECKLENB. STRELITZ ➔ Mecklembourg-Strelitz

⌑ *Mecklenburg-Schwerin (E)* ➔ Mecklembourg-Schwerin

⌑ *Mecklenburg-Strelitz (E)* ➔ Mecklembourg-Strelitz

⌑ *Mecklenburg-Vorpommern (E)* ➔ Mecklembourg-
  Poméranie

◆ MECKLENBURG VORPOMMERN ➔
  Mecklembourg-Poméranie

◆ MEDELLIN ➔ Medellin

☐ **Medellin**
Colombia: Medellin (E)
1889-1913
Amérique du Sud
Yvert et Tellier, Tome 5, 2ᵉ partie
(à : Colombie)
  I CORREOS URBANOS DE MEDELLIN (1903-1909)
     MEDELLIN (1909-1913)
     PROVISIONAL MEDELLIN (1889)
  s HABILITADO MEDELLIN (Colombie : 1904)
  m centavos, cent, peso

◆ *Medemblik* ➜ Pays-Bas (postes locales)

◆ MEDIO REAL ➜ Dominicaine

◆ M.E.F. ➜ Moyen-Orient

⊙ mehalek ➜ Éthiopie

❖ MEISSEN DEUTSCHE POST ➜ Allemagne Orientale (zone soviétique d'occupation : postes locales)

❖ MEJICO ➜ Mexique

◆ MELAKA MALAYSIA ➜ Malacca (état fédéré de Malaysia)

❖ MELAYU ➜ Malaisie

❖ MELAYU JOHORE ➜ Johore

❖ MELAYU NEGRI SEMBILAN ➜ Negri Sembilan

◆ *Melilla* ➜ Espagne (émissions nationalistes)

☐ **Melilla (expédition militaire)**
1893-1894
Afrique
Yvert et Tellier, Tome 6, 2ᵘ partie
  I ESPAÑA CORREOS MELILLA EJERCITO (1893-1894)
     ESPAÑA CORREOS MELILLA ESCUADRA (1893-1894)

◆ MELILLA VIVA ESPAÑA 17-7-1936 ➜ Espagne (émissions nationalistes : Melilla)

◆ *Melitopol* ➜ Zemstvos

◆ MEMEL ➜ Memel (administration française)

☐ **Memel (administration française)**
Memel: French administration (E)
1920-1922
Europe
Yvert et Tellier, Tome 2, 1ʳᵉ partie
  s MEMEL (Allemagne, France : 1920-1922)
     MEMEL-GEBIET (Allemagne, France : 1920-1922)
     MEMELGEBIET (Allemagne, France : 1920-1922)
  m pfennig, mark

☐ **Memel (occupation lituanienne)**
Memel: Lithuanian occupation (E)
1923
Europe
Yvert et Tellier, Tome 4, 1ʳᵉ partie
  I PASTO ZENKLAS TARNYBINIS (1923)
  s KLAIPEDA (Lituanie : 1923)
     KLAIPEDA (MEMEL) (Lituanie : 1923)
     KLAIPEDA MEMEL (Lituanie : 1923)
  m mark, markiu, markès, m, cent, centu, litas

🗋 *Memel: French administration (E)* ➜ Memel (administration française)

◆ MEMELGEBIET ➜ Memel (administration française)

◆ MEMEL-GEBIET ➜ Memel (administration française)

🗋 *Memel: Lithuanian occupation (E)* ➜ Memel (occupation lituanienne)

◆ MEMENTO AVDERE SEMPER ➜ Zone de Fiume et de la Kupa

◆ MEMPHIS TENN ➜ États Confédérés d'Amérique (émissions des Maîtres de postes : Memphis, Tennessee)

◆ MENANT & CO EXPRESS POST ➜ États-Unis d'Amérique (postes locales et privées) : *Nouvelle Orléans (Louisiane)*

◆ MENELIK II ETHIOPIAE IMP. REX ➜ Éthiopie

⊙ menge ➜ Mongolie

◆ *Menorca (Minorque)* ➜ Espagne (émissions nationalistes)

❖ MEQUINES ➜ Maroc (postes locales)

❖ MERAN. HILFS-POST 1918 ➜ Merano

☐ **Merano**
1918
Europe
  I B. RURBES MERAN HILFSPOST 1918 (1918)
     BESTEURBES MERAN. HILFS-POST 1918 (1918)
  m heller

◆ MERCANTILE LIBRARY DELIVERY STAMP ➜ États-Unis d'Amérique (postes locales et privées) : *New York*

☐ **Merida**
Mexico: provisional issues of Merida (E)
1916
Amérique du Nord
  s 25 (Mexique : 1916)

◆ MERIDA 450 ANNIVERSARIO MEXICO 1992 ➜ Mexique

❖ MERIDIONALE ➜ Somalie italienne

◆ MERKUR FRANKO HOTOVE ZAPLACENO ➜ Tchécoslovaquie

◆ MERRY CHRISTMAS ➜ Grande-Bretagne (postes de Noël)

◆ MERRY XMAS SCOUT POST ➜ Grande-Bretagne (postes de Noël)

◆ MESSAGE CARD (*carte postale*) ➜ États-Unis d'Amérique

- MESSENKOPES UNION SQUARE POST OFFICE ➔ États-Unis d'Amérique (postes locales et privées) : *New York*

🏵 *Mesopotamia (E)* ➔ Irak

⊙ metalik ➔ Crète (bureau russe de Rethymno)

⊙ METALLIK (grec) ➔ Crète (bureau russe de Rethymno)

- METELIN ➔ Levant (bureaux russes)

- METROPOLITAN ERRAND & CARRIER EXPRESS COMPANY ➔ États-Unis d'Amérique (postes locales et privées) : *New York*

- METROPOLITAN P. O. AMERICAN BIBLE HOUSE N. Y. ➔ États-Unis d'Amérique (postes locales et privées) : *New York*

- METROPOLITAN P. O. EXPRESS TO MAIL ➔ États-Unis d'Amérique (postes locales et privées) : *New York*

- METROPOLITAN POST OFFICE BIBLE HOUSE NEW YORK ➔ États-Unis d'Amérique (postes locales et privées) : *New York*

◆ *Metz (poste privée)* ➔ Allemagne (postes locales ou privées)

- METZ VOM EMPFÄNGER ZAHLBAR A PERCEVOIR DU DESTINATAIRE ➔ Allemagne (postes locales ou privées : Metz)

❖ MEXICANO ➔ Mexique

- MEXICO ➔ Mexique

🏵 *Mexico: provisional issues (E)* ➔ Campeche, Chiapas, Chihuahua, Cuautla, Cuernavaca, Guadalajara, Merida, Tlacotalpan

■ **Mexique**
Mexico (E)
1856-auj.
Amérique du Nord
Yvert et Tellier, Tome 6, 2ᵉ partie
　l ADMINISTRACION LOCAL DE CORREOS CERRADO Y SELLADO POR LA OFICINA (1885-1897)
　AEREO MEXICO (1965-auj.)
　ANOS 20 DE LA POLITICA DE POBLACION EN MEXICO (1994)
　ARTE Y CIENCIA DE MEXICO (1971-1980)
　CAMARA NACIONAL DE COMERCIO DE LA CIUDAD DE MEXICO (1975)
　CERRADO Y SELLADO (1885-1897)
　CORREO AEREO MEXICO (1922-1961)
　CORREOS ESTADO LIBRE Y SOBERANO DE OAXACA (1915)
　CORREOS ESTADO LIBRE Y SOBERANO DE SONORA (1913-1914)
　CORREOS MEJICO (1856-1864)
　CORREOS MEXICO (1864-auj.)
　CORREOS PORTE DE MAR (1875)
　CORREOS SONORA MEXICO (1914-1915)
　DIA MUNDIAL DE LA SALUO MEXICO (1986)
　EIERCITO RENOVADOR (1931)
　ESTADOS UNIDOS MEXICANOS (1981)
　FALTA DE PORTE (1892)

　GRAN PREMIO DE MEXICO (1991)
　LA PARTERA TRADICIONAL EN MEXICO (1992)
　MERIDA 450 ANNIVERSARIO MEXICO 1992 (1992)
　MEXICO (1868-auj.)
　PETROLEOS MEXICANOS (1978)
　PORTE DE MAR (1875)
　PRIMERA BIENAL INTERNACIONAL DEL CARTEL EN MEXICO (1990)
　SERVICIO POSTAL MEXICANO (1884-1905, 1992)
　SP MEXICANO (1916)
　m real, reales, centavos, cent, cents, peso, pesos, cts, cvs, c, $, N$
　➯ Merida

◆ *Mexique* ➔ voir aussi : Campeche, Chiapas, Chihuahua, Cuautla, Cuernavaca, Guadalajara, Merida, Tlacotalpan

- M. F. JOHNSON P. M. TELLICO PLAINS TENN. ➔ États Confédérés d'Amérique (émissions des Maîtres de postes : Tellico Plains, Tennessee)

❖ MIASTA PRSEDBORZA ➔ Pologne (postes locales)

❖ MIASTO SOSNOWIEC ➔ Silésie (Haute : poste locale de Sosnowiec)

- MICANOPY, FLA. ➔ États Confédérés d'Amérique (émissions des Maîtres de postes : Micanopy, Floride)

❖ MICRONESIA ➔ Micronésie

■ **Micronésie**
Micronesia (Federated States of) (E)
1984-auj.
Océanie
Yvert et Tellier, Tome 6, 2ᵉ partie
　l FEDERATED STATES OF MICRONESIA (1984-auj.)
　m c, $

🏵 *Middle Congo (E)* ➔ Congo (colonie française)

- MID-SUFFOLK LIGHT RAILWAY ➔ Grande-Bretagne (compagnies privées de chemins de fer : Mid-Suffolk)

❖ MIEN NAM VIET NAM ➔ Sud-Vietnam (Front de libération du)

❖ MIEN NAM VIET NAM ➔ Sud-Vietnam (République du)

❖ MIKPODIAOOPAS (grec) ➔ Crète (poste des insurgés)

⊙ mil ➔ Jordanie, Palestine

⊙ milᵃ de peso ➔ Puerto Rico

- MILENARIO DE CASTILLA ➔ Espagne

⊙ milesima, milesimas ➔ Cuba, Fernando Poo, Philippines, Puerto Rico

⊙ milesimos ➔ Chili

◆ *Milford (Massachusetts)* ➔ États-Unis d'Amérique (postes locales et privées)

❖ MILITÄRPOST ➔ Bosnie Herzégovine

- MILITÄRPOST EILMARKE ➔ Bosnie Herzégovine

- MILITÄRPOST PORTOMARKE ➔ Bosnie Herzégovine

❖ MILITARY POSTAGE ➔ Italie (occupation interalliée)
◆ MILITARY TELEGRAPHS ➔ Grande-Bretagne
◆ MILIT. POST-PORTOMARKE ➔ Bosnie Herzégovine
❖ MILIT. VERWALTUNG MONTENEGRO ➔ Autriche-
Hongrie (occupation à Monténégro)
◉ mill, mills ➔ Alexandrie, Cyrénaïque (occupation
britannique)
◆ *Millbury (Massachusetts)* ➔ États-Unis d'Amérique
(émissions des Maîtres de postes)
◆ MILLEDGEVILLE GA. ➔ États Confédérés
d'Amérique (émissions des Maîtres de postes :
Milledgeville, Georgie)
◉ milliarde ➔ Allemagne
◉ milliarden ➔ Allemagne
◉ milliard p ➔ Hongrie
◉ millieme, milliemes ➔ Égypte, Palestine, Port-Saïd,
Soudan, Syrie (administration française)
◉ millième, millièmes ➔ Alexandrie, Jérusalem (bureau
consulaire français), Port-Saïd
◉ millièmes ➔ Alexandrie
◆ MILLIÈMES ➔ Port-Saïd
◆ MILLIÈME(S) A PERCEVOIR ➔ Alexandrie
◉ million ➔ Wurtemberg
◉ millió p ➔ Hongrie
◉ mills ➔ Égypte, Libye, Soudan
◆ *Millville (New Jersey)* ➔ États-Unis d'Amérique
(postes locales et privées)
◉ mil pengö ➔ Hongrie
◉ mils ➔ Chypre, Jordanie, Palestine (autorité
palestinienne), Transjordanie
◉ mils de eⁿ ➔ Espagne
◉ mils de escⁿ ➔ Espagne
◉ mils de escudo ➔ Espagne
◉ mils de peso ➔ Philippines, Puerto Rico
◆ MILY ADMN ➔ Birmanie (administration militaire)
❖ MINISTERIO DE MARINA ➔ Chili
◆ *Minorque (Menorca)* ➔ Espagne (émissions
nationalistes)
❖ MINUTES ➔ France
❖ MIQUELON ➔ Saint-Pierre et Miquelon
❖ MIR ➔ Kosovo
❖ MIRDITIËS ➔ Albanie
◆ *Mirnyj (base de)* ➔ Territoire Antarctique
◉ mk ➔ Aland, Dantzig, Eupen et Malmédy, Finlande,
Héligoland, Lituanie centrale, Pologne
◆ M. KIR. POSTATAKAREKPENZTAR ➔ Hongrie
◉ Mm ➔ Port-Saïd
◉ mms ➔ Soudan
◉ Mᴺ ➔ Corée (royaume, empire)
◉ MO ➔ Touva
◆ MOBILE ➔ États Confédérés d'Amérique (émissions
des Maîtres de postes : Mobile, Alabama)
◆ MOBILE ORDNUNGSTRUPPE ÖSTERREICHISCHE
FREIHEITSFRONT ➔ Autriche
◆ MOÇAMBIQUE ➔ Mozambique
◆ MOÇAMBIQUE PORTUGAL ➔ Mozambique
🖰 *Modena (E)* ➔ Modène
◆ MODENA PERIODICI FRANCHI ➔ Modène

□ **Modène**
Modena (E)
1852-1859
Europe
Yvert et Tellier, Tome 3, 2ᵉ partie
(à : *Italie*)
l MODENA PERIODICI FRANCHI (1859-1860)
PERIODICI FRANCHI REGGIO (1859-1860)
POSTE ESTENSI (1852)
PROVINCIE MODONESI (1859)
R. POSTE STAMPATI FRANCHI MODENA
(1859-1860)
STATI ESTENSI GAZZETTE ESTERE (1853)
TASSA GAZZETTE (1857-1859)
m c, cent, cen, lira

❖ MODONESI ➔ Modène
◆ MOGADOR AGADIR ➔ Maroc (postes locales)
◆ MOGADOR A MAROC ➔ Maroc (postes locales)
◆ MOGADOR MARRAKECH ➔ Maroc (postes locales)
❖ MOGGIO ➔ Autriche-Hongrie (occupation en Italie)
🖰 *Moheli (E)* ➔ Mohéli
◆ MOHÉLI ➔ Mohéli

□ **Mohéli**
Moheli (E)
1906-1912
Afrique
Yvert et Tellier, Tome 2, 1ʳᵉ partie
l MOHÉLI (1906-1912)
m c, f

❖ MOLA ➔ Espagne (émissions nationalistes : Santa
Cruz de Teneriffe)
❖ MOLA CAUDILLO DEL NORTE ➔ Espagne
(émissions nationalistes : Bilbao)

■ **Moldavie**
Moldova (E)
1991-auj.
Europe
Yvert et Tellier, Tome 4, 1ʳᵉ partie
l MOLDOVA (1992-auj.)
POSTA MOLDOVA (1991)
s MOLDOVA (Russie : 1992)
Тирасполь 30-VI 92 (Russie : 1992) : *ville de
Tiraspol*
m c, k, l, lei, bani, b

◆ MOLDOVA ➔ Moldavie
◆ *Molodeznaïa (base de)* ➔ Territoire Antarctique

□ **Moluques du Sud**
South Moluccas (E)
1950-1954
Asie
Émission non admise par l'U.P.U.
l REPUBLIK MALUKU SELATAN (1950-1954)
s LUCHTPOST (1950)
POS UDARA (1950)
m h, k, r, rupiah, s, sen

- ◆ MONACO ➜ Monaco

- ■ **Monaco**
  1885-auj.
  Europe
  Yvert et Tellier, Tome 1 bis
  l **MONACO** (1943-auj.)
  MONTE-CARLO (1956-1962)
  PRINCIPAUTÉ DE MONACO (1885-1957)
  m c, f, fr, €

- ◆ *Mondragon* ➜ Espagne (émissions nationalistes)
- ◆ MONGOLIA ➜ Mongolie
- ◆ MONGOLIA МОНГОЛ ШУУДАН (cyrillique) ➜ Mongolie
- ◆ MONGOLIA POSTAGE ➜ Mongolie

- ■ **Mongolie**
  ★ *Mongolia (E)*
  1924-auj.
  Asie
  Yvert et Tellier, Tome 6, 2ᵉ partie
  l ВННА УЛСЫН ШУУДАН (1956)
  МОНГОЛ УЛСЫН ШУУДАН (1956-1958)
  МОНГОЛ ШУУДАН MONGOLIA (1960-1991)
  МОНГОЛ ШУДАН (1945-1965)
  МОНГОЛ ШУУДАН (1945-1965)
  ШУУДАН (1953-1959)
  MONGOL POST (2000-auj.)
  MONGOLIA МОНГОЛ ШУУДАН (1960-1991)
  MONGOLIA (1926-1999)
  MONGOLIA POSTAGE (1926-1999)
  THE SIXTH CONFERENCE OF THE
  MINISTERS OF SOCIALIST COUNTRIES 1965
  (1965)
  s POSTAG (1925-1931)
  POSTAGE (1925-1931)
  m cent, dollarmung, mung, menge, T, tug, tuhrik,
  МӨНГӨ

- ◆ MONGTSEU ➜ Mong-Tzeu
- ◆ MONG-TSEU ➜ Mong-Tzeu
- ◆ MONGTZE ➜ Mong-Tzeu

- □ **Mong-Tzeu**
  French Offices in China: Mongtseu (E)
  1903-1919
  Asie
  Yvert et Tellier, Tome 2, 1ʳᵉ partie
  s MONG-TSEU (Indochine : 1903-1919)
  MONGTSEU (Indochine : 1903-1919)
  MONGTZE (Indochine : 1903-1919)
  m c, cents, fr

- ◆ MONNAIE SELDJLMIDE ➜ Iran
- ◆ MONROVIA REGISTERED ➜ Libéria
- ◆ MONT ATHOS ➜ Levant (bureaux russes)
- ◆ MONTE CASSINO ➜ Pologne (exil)
- ❖ MONTE CASSINO ➜ Pologne (corps polonais)
- ◆ MONTE-CARLO ➜ Monaco
- ◆ MONTENEGRO ➜ Autriche-Hongrie (occupation à Monténégro)

- ❖ MONTENEGRO ➜ Monténégro (occupation allemande), Monténégro (occupation italienne)
- ₱ *Montenegro (E)* ➜ Monténégro
- ₱ *Montenegro: Austrian occupation (E)* ➜ Autriche-Hongrie (occupation à Monténégro)
- ₱ *Montenegro: German occupation (E)* ➜ Monténégro (occupation allemande)
- ₱ *Montenegro: Italian occupation (E)* ➜ Monténégro (occupation italienne)

- □ **Monténégro**
  Montenegro (E)
  1874-1943
  Europe
  Yvert et Tellier, Tome 3, 2ᵉ partie
  l ЦРНА ГОРА (1896)
  ПАРА (1906)
  ПОШТА ЦРНЕГОРЕ (1910)
  КРАГЬ ЦРНАГОРА (1913)
  ПОШТЕ ЦР. ГОРЕ (1895-1902)
  БИЪЕГА ПОШТЕ ЦР. ГОРЕ (1874-1907)
  ПОРТОМАРКА (1913)
  ПОШТЕЦРНЕГОРЕ (1910)
  s CONSTITUTION УСТАВ (1905-1906)
  m НОВЧ, ХЕЛЕР, ХЕЛЕРА, ПАРА, ПАРЕ,
  КРУНА, ПЕРПЕРА, ПЕРПЕР
  ⇨ Monténégro (timbres d'exil)

- □ **Monténégro (occupation allemande)**
  Montenegro: German occupation (E)
  1943-1944
  Europe
  s CRVENI KRST MONTENEGRO (Monténégro
  [occupation italienne] : 1944)
  DEUTSCHE MILITAER-VERWALTUNG
  MONTENEGRO (Yougoslavie : 1943)
  FLÜCHLINGSHILFE MONTENEGRO
  (Yougoslavie : 1944)
  NATIONALER VERWALTUNGSAUSSCHUSS
  10.XI.1943 (Monténégro [occupation italienne] :
  1943)
  m Lire, RM

- □ **Monténégro (occupation italienne)**
  Montenegro: Italian occupation (E)
  1941-1943
  Europe
  Yvert et Tellier, Tome 3, 2ᵉ partie
  l ЦРНА ГОРА (1941-1943)
  s ЦРНА ГОРА (Italie : 1941-1943)
  GOVERNATORATO DEL MONTENEGRO
  VALORE IN LIRE (Yougoslavie : 1941)
  MONTENEGRO ЦРНА ГОРА (Yougoslavie :
  1941)
  m ЋЕНТ, ЛИРЕ, lire
  ⇨ Monténégro (occupation allemande)

- ◆ MONTÉNÉGRO (SERVICE DES POSTES EN FRANCE) ➜ Monténégro (timbres d'exil)

□ **Monténégro (timbres d'exil)**
Montenegro: issued in exile (E)
1916
Europe
Yvert et Tellier, Tome 3, 2ᵉ partie
  I MONTÉNÉGRO (SERVICE DES POSTES EN
    FRANCE) (1916)
    S.P. DU M. BORDEAUX (1916)
  s СЛОБОДНА ЦРНА ГОРА (Monténégro : 1916)
    S.P. DU M. BORDEAUX (France : 1916)
  m c, f

* MONTENEGRO ЦРНА ГОРА (cyrillique) →
  Monténégro (occupation italienne)
* MONTEVIDEO CORREO → Uruguay
* MONTEVIDEO R → Uruguay
* MONTGOMERY. ALA → États Confédérés
  d'Amérique (émissions des Maîtres de postes :
  Montgomery, Alabama)
* MONTSERRAT → Montserrat

■ **Montserrat**
1876-auj.
Amérique Centrale
Yvert et Tellier, Tome 6, 2ᵉ partie
  I **MONTSERRAT** (1876-auj.)
  s MONTSERRAT (Antigua : 1876)
  m penny, pence, shilling, shillings, d, c, cent, cents, $

* MOODY'S PENNY DISPATCH CHICAGO → États-
  Unis d'Amérique (postes locales et privées) : *Chicago*
❖ MOOSE JAW TO WINNIPEG AUGUST 17, 1928
  MOOSE JAW FLYING CLUB LTD → Canada
* MOQUEA → Moquegua

□ **Moquegua**
Peru: provisional issues of Moquegua (E)
1882-1885
Amérique du Sud
Yvert et Tellier, Tome 7, 1ʳᵉ partie
(à : *Pérou*)
  s MOQUEA (Pérou : 1885)
    MOQUE. GUA. (Arequipa, Pérou : 1882-1885)
    T (Arequipa, Pérou : 1885)

* MOQUE. GUA. → Moquegua
❖ MORAVA → Bohème et Moravie
♦ *Morchansk* → Zemstvos
* MORDAVIA POSTAGE → Russie (postes locales de
  l'ex-U.R.S.S. : République de Mordvinie)
❖ MORDOVIA → Russie (postes locales de l'ex-
  U.R.S.S. : République de Mordvinie)
♦ *Mordvinie (République de)* → Russie (postes locales de
  l'ex-U.R.S.S.)
🏵 *Morocco (E)* → Maroc
* MOROCCO → Maroc anglais (tous les bureaux <1918,
  zone espagnole)
* MOROCCO AGENCIES → Maroc anglais (tous les
  bureaux <1918, zone espagnole)
* MOROCCO AGENCIES → Maroc anglais (tous les
  bureaux)

* MOROCCO AGENCIES CENTIMES → Maroc
  anglais (zone française)
* MOROCCO AGENCIES CENTIMOS → Maroc
  anglais (tous les bureaux <1918, zone espagnole)
* MOROCCO AGENCIES FRANCS → Maroc anglais
  (zone française)
* MOROCCO AGENCIES PESETAS → Maroc anglais
  (tous les bureaux <1918, zone espagnole)
🏵 *Morocco: local issues (E)* → Maroc (postes locales)
🏵 *Morocco: Northern Zone (E)* → Maroc (zone nord ex-
  espagnole)
🏵 *Morocco: Cherifian issues (E)* → Maroc (postes
  chérifiennes)

□ **Morvi**
Morvi: Native Feudatory State (E)
1931-1938
Asie
Yvert et Tellier, Tome 5, 3ᵉ partie
(à : *États princiers de l'Inde*)
  I MORVI STATE POSTAGE (1931-1938)
  m pics, annas

* MORVI STATE POSTAGE → Morvi
❖ MOSCARDO → Espagne (émissions nationalistes :
  Santa Cruz de Tenerife)
* MOSERBODEN ZELL A SEE → Autriche (postes
  locales ou privées) : *Zell Am See*
* « mosquée, palmier et caractères arabes » → Maroc
  (postes chérifiennes)
♦ *Mossoul* → Irak
❖ MOUNTAINOUS KARABAKH → Haut-Karabakh
  (république)
❖ MOUTAWAKILITE KINGDOM OF YEMEN →
  Yémen
❖ MOVIL → Espagne
❖ MOVIL-FDO POO 1896 → Fernando Poo
* MOYEN CONGO → Congo (colonie française)

□ **Moyen-Orient**
British Offices in Africa: Middle East Forces (E)
1942-1947
Afrique
Yvert et Tellier, Tome 6, 2ᵉ partie
  s M.E.F. (Grande-Bretagne : 1942-1947)

■ **Mozambique**
1877-auj.
Afrique
Yvert et Tellier, Tome 6, 2ᵉ partie
l COLONIA DE MOÇAMBIQUE (1942)
CORREIO MOÇAMBIQUE (1916-1953)
CORREIOS MOÇAMBIQUE (1916-1953)
CORREIOS DA COLONIA DE MOÇAMBIQUE
(1916-1953)
IV CONGRESSO DO TUR SMO AFRICANO
LOURENÇO MARQUES (1952)
MOÇAMBIQUE (1877-auj.)
MOÇAMBIQUE PORTUGAL (1877-1912)
PORTEADO MOÇAMBIQUE (1904-1918)
PORTUGAL MOÇAMBIQUE (1893-1931)
PORTUGAL COLONIA DE MOÇAMBIQUE
(1893-1931)
PROVINCIA DE MOÇAMBIQUE (1886-1974)
SOCIEDADE HUMANITARIA CRUZ DE
ORIENTE DA PROVINCIA DE MOÇAMBIQUE
(1923-1925)
s REPUBLICA MOÇAMBIQUE (Afrique
portugaise : 1913)
REPUBLICA PORTUGUESA MOÇAMBIQUE
(Afrique portugaise : 1913-1974)
m reis, c, centavos, $, esc, ct, mt
⇨ Inhambane, Lorenzo-Marquès, Mozambique
(compagnie de), Nyassa, Timor

□ **Mozambique (compagnie de)**
Mozambique Company (E)
1892-1940
Afrique
Yvert et Tellier, Tome 6, 2ᵉ partie
l COMPANHIA DE MOÇAMBIQUE (1894-1940)
s COMPᴬ DE MOÇAMBIQUE (Mozambique :
1892-1895)
m centavo, centavos, cent, c, escudo, escudos, reis, r

℞ *Mozambique Company (E)* ➜ Mozambique (compagnie
de)
◆ MQE ➜ Martinique
◆ MSLR ➜ Grande-Bretagne (compagnies privées de
chemins de fer : Mid-Suffolk)
⊙ mt ➜ Mozambique
◆ M.T.D.T.G.P. MIEN NAM VIET NAM ➜ Sud-
Vietnam (Front de libération du)
◆ MT LEBANON ➜ États Confédérés d'Amérique
(émissions des Maîtres de postes : Mt Lebanon,
Tennesse)
❖ MUKALLA ➜ Qu'Aiti (Hadramaout)
❖ MÜLHAUSER STADTBRIEFVERKEHR GELD &
PACKET-BEFÖRDERUNG ➜ Allemagne (postes
locales ou privées : Mulhouse)
⬧ *Mulhouse (poste locale)* ➜ Allemagne (postes locales
ou privées)
❖ MULTADA ➜ Chili
❖ MUNCHEN ➜ Bavière
⊙ mung ➜ Mongolie
◆ MUNICIPIO DI UDINE ➜ Udine

◆ MUSCAT & OMAN ➜ Mascate, Oman, Dubaï et Qatar
◆ MUTAWAKELITE KINGDOM OF YEMEN ➜
Yémen
◆ MUTUAL UNION TELEGRAPH COMPANY ➜
États-Unis d'Amérique (compagnies privées de
télégraphe) : *Mutual Union Telegraph Company*
◆ M.V.I.R. ➜ Roumanie (occupation allemande)
❖ M. W. MEARIS. ➜ États-Unis d'Amérique (postes
locales et privées) : *Baltimore*
❖ MYANMAR ➜ Birmanie

□ **Mytilène**
Mytilene (E)
1912
Europe
Yvert et Tellier, Tome 3, 1ʳᵉ partie
(à : Grèce)
s ΕΛΛΗΝΙΧΗ ΚΑΤΟΧΗ ΜΥΤΙΛΗΝΗΖ (Turquie :
1912)
m ΛΕΠΤΑ, ΔΡΑΧΜΗ, ΔΙΔΡΑΧΜΟΝ

◆ M. Z. K 5.- ➜ Autriche (postes locales ou privées) :
Vienne
⊙ n ➜ Nigeria, Zambie
⊙ n$ ➜ Namibie, Uruguay
⊙ N$ ➜ Mexique
◆ NABHA ➜ Nabha

□ **Nabha**
*Nabha: Convention State of the British Empire in
India (E)*
1885-1945
Asie
Yvert et Tellier, Tome 6, 2ᵉ partie
s NABHA (Inde anglaise : 1942-1945)
NABHA SERVICE (Inde anglaise : 1942-1944)
NABHA STATE (Inde anglaise : 1887-1945)

◆ NABHA SERVICE ➜ Nabha
◆ NABHA STATE ➜ Nabha
◆ NACHPORTO PRIVATPOST ➜ Allemagne (postes
locales ou privées : Strasbourg)
◆ NACHZALUNGS-MARKE D.D.S.G. ➜ Compagnie
Danubienne de Navigation à Vapeur
◆ NACIONES UNIDAS ➜ Nations Unies (Genève)
◆ NACIONES UNIDAS ➜ Nations Unies (New York)
◆ NAGALAND ➜ Nagaland

□ **Nagaland**
1970
Asie
Émission non admise par l'U.P.U.
l NAGALAND
m c

⬧ *Nagelberg* ➜ Autriche (postes locales ou privées)
❖ NAGORNO KARABAKH ➜ Haut-Karabakh
(république)
⬧ *Nagyvarad* ➜ Transylvanie
⬧ *Nahodka (Port de)* ➜ Russie (postes locales de l'ex-
U.R.S.S.)
◆ NAMIBIA ➜ Namibie

■ **Namibie**
Namibia (E)
1990-auj.
Afrique
Yvert et Tellier, Tome 6, 2ᵉ partie
  l NAMIBIA (1990-auj.)
  m c, n$

□ **Nandgame**
＊ *Nandgaon: Native Feudatory State (E)*
1892-1894
Asie
Yvert et Tellier, Tome 5, 3ᵉ partie
(à : *États princiers de l'Inde*)
  l FEUDATORY STATE RAJ NANDGAM CP
     (1892)
  ß M.B.D. (1894)
  m anna, annas

꙰ *Nandgaon (E)* ➔ Nandgame
❖ NANG PILIPINAS ➔ Philippines (occupation
  japonaise)

□ **Nanumaga**
Tuvalu: Nanumaga (E)
1984-1987
Océanie
Yvert et Tellier, Tome 7, 2ᵉ partie
(à : *Tuvalu*)
  l NANUMAGA-TUVALU (1984-1987)
  m c, $

◆ NANUMAGA-TUVALU ➔ Nanumaga

□ **Nanuméa**
Tuvalu: Nanumea (E)
1984-1987
Océanie
Yvert et Tellier, Tome 7, 2ᵉ partie
(à : *Tuvalu*)
  l NANUMEA-TUVALU (1984-1987)
  m c, $

◆ NANUMEA-TUVALU ➔ Nanuméa
⊙ napa (cyrillique) ➔ Yougoslavie
◆ *Naples* ➔ Royaume des deux Siciles
❖ NAPOLETANA ➔ Royaume des deux Siciles
◆ NARODNIE NOVINY FRANKO ZAPLATENE ➔
  Tchécoslovaquie
◆ NARODNI POLITIKA FRANKO HOTOVE
  ZAPLACENO ➔ Tchécoslovaquie
◆ NARODNI POLITIKA GRATIS ➔ Tchécoslovaquie
❖ NARODNI VLADY ➔ Tchécoslovaquie
❖ NARSE ➔ Iran
◆ NASHVILLE ➔ États Confédérés d'Amérique
  (émissions des Maîtres de postes : Nashville, Tennesse)
◆ NASHVILLE TENN ➔ États Confédérés d'Amérique
  (émissions des Maîtres de postes : Nashville, Tennesse)
◆ NASKARK NARODOWY ➔ Pologne (postes
  locales) : *Wloclawek*
◆ NA SLASK 2 M. ➔ Lituanie centrale

◆ NATAL ➔ Natal

□ **Natal**
1857-1908
Afrique
Yvert et Tellier, Tome 6, 2ᵉ partie
  l NATAL (1857-1908)
     NATAL POSTAGE (1874-1908)
     NATAL REVENUE (1874-1908)
     NATAL TELEGRAPHS (1874-1908)
  m penny, pence, shilling
  ⇨ Zoulouland

◆ NATAL POSTAGE ➔ Natal
◆ NATAL REVENUE ➔ Natal
◆ NATAL REVENUE ZULULAND ➔ Zoulouland
◆ NATAL TELEGRAPHS ➔ Natal
❖ NATIONALE FLUGSPENDE HERISAUER
  FLUGTAG 1913 II. SCHWEIZ FLUGPOST ➔ Suisse
❖ NATIONAL PARK ➔ Japon
◆ NATIONAL TELEPHONE COMPANY LIMITED ➔
  Grande-Bretagne
◆ NATIONALER VERWALTUNGSAUSSCHUSS
  10.XI.1943 ➔ Monténégro (occupation allemande)
❖ NATIONALVERSAMMLUNG ➔ Allemagne
◆ NATIONS UNIES ➔ Nations Unies (Genève), Nations
  Unies (New York)

■ **Nations Unies (Genève)**
United Nations: Offices in Geneva (E)
1951-auj.
Europe
Yvert et Tellier, Tome 1 bis
  l ADMINISTRATION POSTALE DES NATIONS
     UNIES (2001)
     NACIONES UNIDAS (1951-auj.)
     NATIONS UNIES (1951-auj.)
     ONU (2000-auj.)
     UNITED NATIONS (1951-auj.)
     UNPA 50 (2001)
  m f.s.

■ **Nations Unies (New York)**
United Nations: Offices in New York (E)
1951-auj.
Amérique du Nord
Yvert et Tellier, Tome 1 bis
  l **NACIONES UNIDAS** (1951-auj.)
     NATIONS UNIES (1951-auj.)
     UN (2000-auj.)
     U.N. (2000-auj.)
     UNITED NATIONS (1951-auj.)
     UNITED NATIONS POSTAL
     ADMINISTRATION (2001)
     UNPA 50 (2001)
  m c, $

■ **Nations Unies (Vienne)**
United Nations: Offices in Vienna (E)
1979-auj.
Europe
Yvert et Tellier, Tome 1 bis
  l   POSTVERWALTUNG DER VEREINTE
     NATIONEN (2001)
     UN (2000-auj.)
     UNPA 50 (2001)
     VEREINTE NATIONEN (1979-auj.)
  m s., €

℗ *Native Feudatory States (E)* ➜ États Princiers de
l'Inde, Alwar, Bamra, Barwani, Bhopal, Bhore, Bijawar,
Bundi, Busssahir, Cachemire, Charkhari, Cochin,
Datia, Dhar, Faridkot, Haiderabad, Idar, Holkar, Jaipur,
Jasdan, Jhalawar, Jhind, Kishengarh, Las Bela, Morvi,
Nandgame, Nowanuggur, Orcha, Pountch, Rajasthan,
Rajpeepla, Sirmoor, Soruth, Travancore, Travancore-
Cochin, Wadhwan
 ◆ NAURU ➜ Nauru

■ **Nauru**
1916-auj.
Océanie
Yvert et Tellier, Tome 6, 2ᵉ partie
  l   **NAURU** (1924-auj.)
     REPUBLIC OF NAURU (1968-1978)
  s   REPUBLIC OF NAURU (1968)
     NAURU (Grande-Bretagne : 1916-1923)
  m penny, pence, shilling, shillings, d, $, c

 ◆ NAVARRA 1936 ¡VIVA ESPAÑA! ➜ Espagne (
   émissions nationalistes : Pamplona [Pampelune])
 ❖ NAVEGACION AEREA ➜ Colombie
 ☉ nave paise ➜ Kuwait
 ❖ NAVY ➜ États-Unis d'Amérique
 ❖ NAWAB SHAH JAHAN BEGAM ➜ Bhopal
 ❖ NAWAB SULTAN JAHAN BEGAM ➜ Bhopal
 ◆ NAYAPINON ΕΛΛΑΣ (grec) ➜ Grèce
 ☉ naye paise ➜ Qatar
 ☉ nc ➜ Ghana
 ◆ NCE ➜ Nouvelle-Calédonie
 ◆ N.C.E. ➜ Nouvelle-Calédonie
 ◆ N.-C.E. ➜ Nouvelle-Calédonie
 ☉ NCzS ➜ Brésil
 ◆ N. D. H. ➜ Italie (occupation croate)
 ◆ N. D. HRVATSKA ➜ Croatie, Croatie (timbres d'exil),
   Italie (occupation croate)
 ◆ NED. ANTILLEN ➜ Antilles néerlandaises
 ◆ NED DE INDIE ➜ Inde néerlandaise
 ◆ NEDERLAND ➜ Pays-Bas
 ❖ NEDERLAND-ENGELAND ➜ Pays-Bas (postes
   locales : *Amsterdam*)
 ◆ NEDERLANDSCHE POSTERIJEN ➜ Pays-Bas
 ◆ NEDERLANDSCH INDIE ➜ Inde néerlandaise
 ◆ NEDERLANDSE ANTILLEN ➜ Antilles
   néerlandaises
 ◆ NEDERLANDS NIEUW –GUINEA ➜ Nouvelle
   Guinée Néerlandaise

 ◆ NEDERLAND STADSPOST APELDOORN ➜ Pays-
   Bas (postes locales : *Apeldoorn*)
 ◆ NEDERLAND SURINAME ➜ Surinam
 ◆ NEDERL INDIE ➜ Inde néerlandaise
 ◆ NEDERL-INDIË ➜ Inde néerlandaise
 ◆ NED.- INDIE ➜ Inde néerlandaise
 ◆ NED. INDIE POST ZEGEL ➜ Inde néerlandaise
 ❖ NEDJDE ➜ Arabie Saoudite

☐ **Nedjed**
 * **1925-1932**
Asie
Yvert et Tellier, Tome 5, 1ʳᵉ partie
(à : *Arabie Saoudite*)
  m garch, guerche

 ◆ NED. NIEUW –GUINEA ➜ Nouvelle Guinée
   Néerlandaise
 ◆ NEGERI SEMBILAN MALAYSIA ➜ Negri Sembilan
 ◆ NEGRI SEMBILAN ➜ Negri Sembilan

☐ **Negri Sembilan**
*Malaya: Negri Sembilan + Malaysia: Negri
Sembilan (E)*
1891-1961 ; 1965-1986
Asie
Yvert et Tellier, Tome 6, 2ᵉ partie
(à : *Malaysia*)
  l   MALAYA (*armoiries*) (1949-1955)
     MALAYA NEGRI SEMBILAN (1935-1957)
     MALAYSIA NEGERI SEMBILAN (1965-1984)
     N. SEMBILAN (1891-1902)
     NEGERI SEMBILAN MALAYSIA (1986)
     NEGRI SEMBILAN (1891)
     PERSEKUTUAN TANAH MELAYU NEGRI
     SEMBILAN (1961)
  s   NEGRI SEMBILAN (Malacca [établissements des
     détroits de Malacca et Singapour] : 1891)
  m c, $, cent, cents, sen
  ⇨ Malaisie, Negri Sembilan (occupation japonaise)

☐ **Negri Sembilan (occupation japonaise)**
 * *Malaya Negri Sembilan: Japanese occupation (E)*
1942
Asie
Yvert et Tellier, Tome 6, 2ᵉ partie
(à : *Malaysia*)
  s   DAI NIPPON 2602 MALAYA (Negri Sembilan :
     1942)
     EP *(au milieu de caractères asiatiques)* (Negri
     Sembilan : 1942)
     CTS. *(avec caractères asiatiques)* (Negri
     Sembilan : 1942)
  m cts

℗ *Negri Sembilan: Japanese occupation (E)* ➜ Negri
Sembilan (occupation japonaise)
 ❖ NEJD ➜ Arabie Saoudite
 ❖ NEMZETI KORMÀNY SZEGED 1919 ➜ Szeged
 ◆ NENE VALLEY RAILWAY ➜ Grande-Bretagne
   (compagnies privées de chemins de fer : Nene-Valley)

- NEPAL → Népal
- *Nepal (E)* → Népal, Népal (protéctorat indien)

■ **Népal**
Nepal (E)
1949-auj.
Asie
Yvert et Tellier, Tome 6, 2ᵉ partie
 l **NEPAL** (1961-auj.)
   NEPAL POSTAGE (1961-auj.)
 m p, paisa, r, pice

□ **Népal (protectorat indien)**
* *Nepal (E)*
1881-1946
Asie
Yvert et Tellier, Tome 5, 3ᵉ partie
(à : *États princiers de l'Inde*)

- NEPAL POSTAGE → Népal
- NEPKÔZTARSASAG → Hongrie
- NEPRIKLAUSOMA LIETUVA 1941 VI 23 → Lituanie (occupation allemande)
- *Netherlands (E)* → Pays-Bas
- *Netherlands Antilles (E)* → Antilles néerlandaises, Curaçao
- *Netherlands Indies (E)* → Inde néerlandaise
- *Netherlands Indies: Indonesian Republic (E)* → Inde néerlandaise (république indonésienne)
- *Netherlands Indies: Japanese occupation (E)* → Inde néerlandaise (occupation japonaise)
- *Netherlands: local issues (E)* → Pays-Bas (postes locales)
- *Netherlands New Guinea (E)* → Nouvelle Guinée néerlandaise
- neu grosch → Saxe (royaume)
- neu groschen → Saxe (royaume)
- NEU GUINEA → Nouvelle Guinée (colonie allemande)
- NEUGUINEA → Nouvelle Guinée (colonie allemande)
- NEVIS → Nevis
- NEVIS → Saint-Christophe

■ **Nevis**
1861-auj.
Amérique Centrale
Yvert et Tellier, Tome 6, 2ᵉ partie
 l **NEVIS** (1861-auj.)
 m penny, pence, shilling, $, c, cents
 ⇨ Saint-Christophe

- NEVIS-ANGUILLA → Saint-Christophe
- *Newark (New Jersey)* → États-Unis d'Amérique (postes locales et privées)
- *New Britain (E)* → Nouvelle Guinée (occupation britannique, administration australienne)
- NEW BRUNSWICK POSTAGE → Nouveau Brunswick
- *New Caledonia (E)* → Nouvelle-Calédonie

- NEWFOUNDLAND → Terre-Neuve
- NEWFOUNDLAND POSTAGE → Terre-Neuve
- *New Greece (E)* → Grèce
- NEW GUINEA → Papouasie
- *New Guinea (E)* → Nouvelle Guinée (occupation britannique, administration australienne)
- NEW HEBRIDES → Nouvelles-Hébrides
- *New Hebrides: British and French issues (E)* → Nouvelles-Hébrides
- NEW HEBRIDES CONDOMINIUM → Nouvelles-Hébrides
- *New Hebrides: local issues (E)* → Nouvelles-Hébrides (postes locales)
- NEW ORLEANS → États Confédérés d'Amérique (émissions des Maîtres de postes : Nouvelle Orléans, Louisiane)
- *New Republic (E)* → Nouvelle République d'Afrique du Sud
- *New Smyrna (Floride)* → États Confédérés d'Amérique (émissions des Maîtres de postes : New Smyrna, Floride)
- NEW SOUTH WACE POSTAGE → Nouvelle-Galles du Sud
- NEW SOUTH WAEES POSTAGE → Nouvelle-Galles du Sud
- NEW SOUTH WALE POSTAGE → Nouvelle-Galles du Sud
- NEW SOUTH WALES → Nouvelle-Galles du Sud
- NEW SOUTH WALES POSTAGE → Nouvelle-Galles du Sud
- NEW SOUTH WALLS POSTAGE → Nouvelle-Galles du Sud
- *New York* → États-Unis d'Amérique (émissions des Maîtres de postes), États-Unis d'Amérique (postes locales et privées)
- *New York City and Suburban Printing Telegraph Company* → États-Unis d'Amérique (compagnies privées de télégraphe)
- NEW-YORK CITY EXPRESS POST → États-Unis d'Amérique (postes locales et privées) : *New York*
- NEW ZEALAND → Nouvelle-Zélande
- *New Zealand (E)* → Nouvelle-Zélande
- NEW ZEALAND POSTAGE → Nouvelle-Zélande
- NEW ZEALAND POSTAGE & REVENUE → Nouvelle-Zélande
- *New Zealand: private post (E)* → Nouvelle-Zélande (poste privée)
- NEW ZEALAND ROSS DEPENDENCY → Ross (terre de)
- *New Zealand: Ross Dependency (E)* → Ross (terre de)
- NEW ZEALAND STAMP DUTY → Nouvelle-Zélande
- NEZAVISNA DRZAVA HRVATSKA → Croatie, Croatie (timbres d'exil)
- NEZ. DRZ. HRVATSKA → Croatie, Croatie (timbres d'exil)
- N. F. → Afrique orientale allemande (occupation britannique)
- Nfa → Érythrée
- NICARAGUA → Nicaragua

■ **Nicaragua**
1862-auj.
Amérique Centrale
Yvert et Tellier, Tome 6, 2ᵉ partie
  l CORREOS DE NICARAGUA (1890-1947)
      ESTADO DE NICARAGUA (1921)
      NICARAGUA (1869-auj.)
      NICARAGUA CONFIA EN EL TRIUNFO DE
      LA DEMOCRACIA VICTORIA (1943)
      PORTE NICARAGUA (1862)
      REPUBLICA DE NICARAGUA (1892-1941)
      UNION POSTAL UNIVERSAL REPUBLICA DE
      NICARAGUA (1882-1897)
  m centavo, centavos, cs, cts, cent, cvos, cordoba,
      cordobas, centavo de cordoba, centavos de
      cordoba, c, ct
  ⇨ Bluefield, Cabo

◆ *Nicaragua* ➔ Bluefield, Cabo
✦ NICARAGUA CONFIA EN EL TRIUNFO DE LA
  DEMOCRACIA VICTORIA ➔ Nicaragua
𝔓 *Nicaragua: Cabo Gracias A Dios (E)* ➔ Cabo
𝔓 *Nicaragua: Province of Zelaya (E)* ➔ Bluefield
◆ *Nicaria* ➔ Icarie
✦ NIEUWE REPUBLIEK ZUID-AFRIKA ➔ Nouvelle
  République d'Afrique du Sud
✦ NIEUW –GUINEA ➔ Nouvelle Guinée Néerlandaise
✦ NIGER ➔ Niger, Niger (colonie française)

■ **Niger**
Niger (Republic of the) (E)
1959-auj.
Afrique
Yvert et Tellier, Tome 2, 2ᵉ partie
  l NIGER (1999)
      RÉPUBLIQUE DU NIGER (1959-auj.)
  m f

□ **Niger (colonie française)**
Niger: French Colony (E)
1921-1944
Afrique
Yvert et Tellier, Tome 2, 1ʳᵉ partie
  l NIGER (1926-1944)
  s TERRITOIRE DU NIGER (Haut-Sénégal et
      Niger : 1921-1926)
  m c, f, fr

𝔓 *Niger: French Colony (E)* ➔ Niger (colonie française)
𝔓 *Niger (Republic of the) (E)* ➔ Niger
✦ NIGER COAST ➔ Côte du Niger
✦ NIGER COAST PROTECTORATE ➔ Côte du Niger
✦ NIGERIA ➔ Nigeria

■ **Nigeria**
1914-auj.
Afrique
Yvert et Tellier, Tome 6, 2ᵉ partie
  l **NIGERIA** (1914-auj.)
  m d, s, k, £, n
  ⇨ Biafra, Cameroun britannique

◆ *Nigeria* ➔ voir aussi : Biafra

□ **Nigeria du Nord**
Northern Nigeria (E)
1900-1912
Afrique
Yvert et Tellier, Tome 6, 2ᵉ partie
  l NORTHERN NIGERIA (1900-1912)
  m d, s, £

□ **Nigeria du Sud**
Southern Nigeria (E)
1901-1912
Afrique
Yvert et Tellier, Tome 6, 2ᵉ partie
  l SOUTHERN NIGERIA (1901-1912)
  m d, penny, pence, s, shilling, shillings, pound

◆ *Nigeria du Sud* ➔ voir aussi : Côte du Niger, Lagos,
  Nigeria, Nigeria du Nord
◆ *Nijmegen* ➔ Pays-Bas (postes locales)
◆ *Nijni-Taguil (Ville de)* ➔ Russie (postes locales de l'ex-
  U.R.S.S.)

□ **Nikolaievsk sur l'Amour**
★ *Siberia + Far Eastern Republic: Nikolaievsk
Issue (E)*
1921-1922
Asie
Yvert et Tellier, Tome 4, 2ᵉ partie
(à : *Sibérie et Extrême-Orient*)
  s Н на А П. В. П. (Russie : 1921)
      П З К (Vladivostok : 1922)
      П. В. П. 26 V 1921-1922 (Vladivostok : 1922)
      Приам Земскій Край (Vladivostok, Russie,
      Omsk : 1922)
  m КОП

◆ *Nikolsk* ➔ Zemstvos
✦ NIPPON ➔ Japon
❖ NIPPON 2602 ➔ Kedah (occupation japonaise),
  Pahang (occupation japonaise)
❖ NIPPON 2602 MALAYA ➔ Malacca (occupation
  japonaise), Negri Sembilan (occupation japonaise),
  Perak (occupation japonaise), Selangor (occupation
  japonaise), Trengganu (occupation japonaise)
❖ NIPPON 2602 PENANG ➔ Penang (occupation
  japonaise)
❖ NIPPON YUBIN ➔ Perak (occupation japonaise)
✦ NISIRO ➔ Nisiro

□ **Nisiro**
*Italian offices in the Dodecanese Islands: issued
in Nisiro (E)*
1912-1932
Europe
Yvert et Tellier, Tome 3, 1ʳᵉ partie
(à : *Égée (îles de la mer)*)
  s NISIRO (Italie : 1930-1932)
      NISIROS (Italie : 1912-1922)

✦ NISIROS ➔ Nisiro

◆ NIUAFO'OU ➔ Niuafo'ou

■ **Niuafo'ou**
Tonga: Niuafo'ou (E)
1983-auj.
Océanie
Yvert et Tellier, Tome 7, 2ᵉ partie
(à : *Tonga*)
  l KINGDOM OF TONGA NIUAFO'OU TIN CAN
  ISLAND (1983)
  NIUAFO'OU (1983-auj.)
  NIUAFO'OU KINGDOM OF TONGA (1983)
  NIUAFO'OU TIN CAN ISLAND (1983-1984)
  m s, t$, $

◆ NIUAFO'OU KINGDOM OF TONGA ➔ Niuafo'ou
◆ NIUAFO'OU TIN CAN ISLAND ➔ Niuafo'ou
◆ NIUE ➔ Niue

■ **Niue**
1902-auj.
Océanie
Yvert et Tellier, Tome 6, 2ᵉ partie
  l COOK ISLANDS NIUE (1932-1945)
  COOK- NIUE ISLANDS (1941)
  NIUE-COOK ISLANDS (1932-1945)
  NIUE (1920-auj.)
  s NIUE (Nouvelle-Zélande : 1902-1967)
  m peni, pene, sileni, penny, pence, shilling, shillings,
  c, d, $

◆ NIUE – COOK ISLANDS ➔ Niue
◆ NIUE TAHA PENI ➔ Niue

☐ **Niutao**
Tuvalu: Niutao (F)
1984-1987
Océanie
Yvert et Tellier, Tome 7, 2ᵉ partie
(à : *Tuvalu*)
  l NIUTAO-TUVALU (1984-1987)
  m c, $

◆ NIUTAO-TUVALU ➔ Niutao
❖ NIZAM'S GOVERNMENT ➔ Haiderabad
❖ NIZAM'S SILVER JUBILEE ➔ Haiderabad
⊙ nk ➔ Zaïre
⊙ nkz ➔ Angola
⊙ nlg ➔ Pays-Bas
◆ N. M. S.'S POST ➔ Norvège (postes locales : *mission
  norvégienne au Madagascar*)
◆ NO HAY ESTAMPILLAS ➔ Colombie
◆ NO HAY ESTAMPILLAS PAGO ... TUMACO ➔
  Tumaco
◆ NO HAY ESTAMPILLAS VALE 5 CENTAVOS EL
  AGENTE POSTAL ➔ Rio-Hacha
◆ *Nolinsk* ➔ Zemstvos
❖ NOMOS 6022 (grec) ➔ Grèce
◆ NOODUITGIFTE INTERPOST NEDERLAND-
  ENGELAND ➔ Pays-Bas (postes locales : *Amsterdam*)
◆ NORD-DEUTSCHE-POST. ➔ Allemagne du Nord
  (confédération)

◆ NORDDEUTSCHER BUNDES TELEGRAPHIE ➔
  Allemagne du Nord (confédération)
◆ NORDDEUTSCHER POSTBEZIRK ➔ Allemagne du
  Nord (confédération)
◆ NORD-DEUTSCHER POSTBEZIRK ➔ Allemagne du
  Nord (confédération)
◆ NORDDEUTSCHER POSTBEZIRK
  STADTPOSTBRIEF HAMBURG ➔ Allemagne du
  Nord (bureau)
◆ NORDDEUTSCHER WECHSELSTEMPEL ➔
  Allemagne du Nord (confédération)
❖ NORDFRANKREICH ➔ France

☐ **Nord-Ouest Pacifique**
North West Pacific Islands (E)
1915-1923
Océanie
Yvert et Tellier, Tome 6, 2ᵉ partie
  s N. W. PACIFIC ISLANDS (Australie : 1915-1923)

◆ NOREG ➔ Norvège

■ **Norfolk**
Norfolk Island (E)
1947-auj.
Océanie
Yvert et Tellier, Tome 6, 2ᵉ partie
  l **NORFOLK ISLAND** (1947-auj.)
  m d, s, c

◆ NORFOLK ISLAND ➔ Norfolk
◆ NORGE ➔ Norvège
◆ NORTH AMERICAN TELEGRAPH COMPANY
  COMPLIMENTARY FRANK ➔ États-Unis
  d'Amérique (compagnies privées de télégraphe) : *North
  American Telegraph Company*
◆ NORTH BORNEO ➔ Bornéo du Nord
🏳 *North Borneo (E)* ➔ Bornéo du Nord, Bornéo du Nord
  (administration militaire)
❖ NORTH BORNEO BRITISH PROTECTORATE ➔
  Bornéo du Nord
🏳 *North Borneo: Japanese occupation (E)* ➔ Bornéo du
  Nord (occupation japonaise)
🏳 *North China (E)* ➔ Chine du nord
🏳 *Northeast China (E)* ➔ Chine du nord-est
🏳 *North Epirus (E)* ➔ Albanie (occupation grecque)
🏳 *North Ingermanland (E)* ➔ Ingrie
◆ NORTHERN AIR SERVICE LIMITED
  HAILEYBURY, ONT. SPECIAL AIR DELLIVERY ➔
  Canada
🏳 *Northern Ireland (E)* ➔ Grande-Bretagne
◆ NORTHERN MUTUAL TELEGRAPH ➔ États-Unis
  d'Amérique (compagnies privées de télégraphe) :
  Northern Mutual Telegraph Company
◆ NORTHERN NEW YORK TELEGRAPH CO. ➔
  États-Unis d'Amérique (compagnies privées de
  télégraphe) : *Northern New York Telegraph Company*
◆ NORTHERN NIGERIA ➔ Nigeria du Nord
◆ NORTHERN RHODESIA ➔ Rhodésie du Nord
🏳 *North German Confederation (E)* ➔ Allemagne du
  Nord (bureau), Allemagne du Nord (confédération)
🏳 *North Korea (E)* ➔ Corée du Nord

꒰ *North Viet Nam (E)* ➔ Vietnam du Nord
꒰ *Northwest China (E)* ➔ Chine du nord-ouest
꒰ *North West Pacific Islands (E)* ➔ Nord-Ouest Pacifique
꒰ *North Yorkshire Moors Railway Company (E)* ➔
  Grande-Bretagne (compagnies privées de chemins de
  fer : North Yorkshire Moors)

■ **Norvège**
  Norway (E)
  1855-auj.
  Europe
  Yvert et Tellier, Tome 3, 2ᵉ partie
  l   ALT FOR NORGE (1947)
      FRIMAERKE (1855-1867)
      NOREG (1977-auj.)
      NORGE (1855-auj.)
      O. S. (1952-1953)
      OFF. SAK (1955-1982)
      OFFENTLIG SAK (1933-1934)
      SOM UBERSÖRGET AABNET AF POST-
      DEPARTMENTET (1872-1888)
      SOM UINDLÖST AABNET AF POST-
      DEPARTMENTET (1872-1885)
      TJENESTEFRIMERKE (1926)
  m kr, kron, krone, skilling, skill, ØRE

□ **Norvège (postes locales)**
  Norway: local issues (E)
  1865-1913 ; 1937
  Europe
  l   N. M. S.'S POST (1894-1895) : *mission*
      norvégienne au Madagascar
      Ö Y E N BYPOST-FRIMAERKE AALESUND
      THRONDHJEMS BY POST (1865-1913)
      THRONDHJEMS BY POST BRAEKSTADT &
      CO (1870-1913)
  l   BOUVET OYA (Norvège : 1934) : *Île de Bouvet*
  m öre, sk, v., e. v.

꒰ *Norway (E)* ➔ Norvège
꒰ *Norway: local issues (E)* ➔ Norvège (postes locales)
꒰ *Nossi-Be (E)* ➔ Nossi-Bé
♦ NOSSI-BÉ ➔ Nossi-Bé

□ **Nossi-Bé**
  Nossi-Be (E)
  1889-1894
  Afrique
  Yvert et Tellier, Tome 2, 1ʳᵉ partie
  l   NOSSI-BÉ (1894)
  s   15 (Colonies françaises : 1889)
      25 (Colonies françaises : 1889)
      5 (Colonies françaises : 1889)
      5C (Colonies françaises : 1889)
      NOSSI-BÉ (Colonies françaises : 1891-1893)
      NSB (Colonies françaises : 1890)
  m c, f

♦ NOTOPFER 2 BERLIN STEUERMARKE
  ➔ Allemagne bizone (zone anglo-américaine
  d'occupation)

♦ NOTPOST LINZ-WIEN ➔ Autriche (postes locales ou
  privées) : *Linz*

□ **Nouveau Brunswick**
  Canadian Provinces: New Brunswick (E)
  1851-1861
  Amérique du Nord
  Yvert et Tellier, Tome 6, 2ᵉ partie
  l   NEW BRUNSWICK POSTAGE (1851-1861)
  m pence, cent, cents

♦ NOUVELLE-CALÉDONIE ➔ Nouvelle-Calédonie

■ **Nouvelle-Calédonie**
  New Caledonia (E)
  1859-auj.
  Océanie
  Yvert et Tellier, Tome 2, 1ʳᵉ partie
  l   NOUVELLE-CALÉDONIE ET DÉPENDANCES
      (1892-1988)
      NOUVELLE-CALÉDONIE (1988-auj.)
  s   CINQUANTENAIRE 24 SEPTEMBRE 1853
      1903 (Colonies françaises : 1903)
      N.C.E. (Colonies françaises : 1881-1902)
      N.-C.E. (Colonies françaises : 1881-1902)
  m c, f
  ⇨ Nouvelles-Hébrides, Wallis et Futuna

♦ NOUVELLE-CALÉDONIE ET DÉPENDANCES ➔
  Nouvelle-Calédonie

□ **Nouvelle Écosse**
  Canadian Provinces: Nova Scotia (E)
  1851-1860
  Amérique du Nord
  Yvert et Tellier, Tome 6, 2ᵉ partie
  l   NOVA SCOTIA (1851-1860)
  m penny, pence, shilling, cent, cents

□ **Nouvelle-Galles du Sud**
  New South Wales (E)
  1850-1907
  Océanie
  Yvert et Tellier, Tome 6, 2ᵉ partie
  l   AUST SICILLUM NOV CAMB (1850)
      ELECTRIC TELEGRAPHS N. S. WALES (1871)
      N. S. W., N. S. W. POSTAGE (1891-1897)
      N. S. WALES (1871)
      NEW SOUTH WALES (1851-1907)
      NEW SOUTH WACE POSTAGE (1851)
      NEW SOUTH WAEES POSTAGE (1851)
      NEW SOUTH WALE POSTAGE (1851)
      NEW SOUTH WALES POSTAGE (1851-1907)
      NEW SOUTH WALLS POSTAGE (1851)
      POSTAGE W AUST SICILLUM NOV CAMB
      (1850)
  s   OS NSW (Australie : 1913-1927)
  m penny, pence, shilling, shilling, d

☐ **Nouvelle Guinée (colonie allemande)**
German New Guinea (E)
1896-1916
Océanie
Yvert et Tellier, Tome 6, 2ᵉ partie
l   DEUTSCH NEU GUINEA (1900-1916)
    DEUTSCH NEUGUINEA (1914-1916)
s   DEUTSCH NEU GUINEA (Allemagne : 1896)
m   pfennig, mark
⇨   Nouvelle Guinée (occupation britannique,
    administration australienne)

☐ **Nouvelle Guinée (occupation britannique,
administration australienne)**
New Britain + New Guinea (E)
1914-1915 ; 1925-1939
Océanie
Yvert et Tellier, Tome 6, 2ᵉ partie
l   FRIEDRICH WILHELMSHAFEN (1915)
    HERBERTSHOHE (1915)
    KÄWIENG (1915)
    KIETA (1915)
    MANUS (1915)
    RABAUL (1915)
    TERRITORY OF NEW GUINEA (1925-1939)
s   G.R.I. (Marshall : 1914)
    G.R.I. (Nouvelle Guinée [colonie allemande] :
    1915)
m   d, s, penny, pence, £

☐ **Nouvelle Guinée Néerlandaise**
Netherlands New Guinea (E)
1950-1962
Océanie
Yvert et Tellier, Tome 6, 2ᵒ partie
l   NED. NIEUW -GUINEA (1954-1962)
    NEDERLANDS NIEUW –GUINEA (1954-1962)
    NIEUW -GUINEA (1950-1953)
m   c, ct, gulden, cent, gld
⇨   Nouvelle Guinée Néerlandaise (administration des
    Nations Unies)

☐ **Nouvelle Guinée Néerlandaise (administration
des Nations Unies)**
*West Irian: United Nations Temporary Executive
Authority (E)*
1962
Océanie
Yvert et Tellier, Tome 6, 2ᵉ partie
s   UNTEA (Nouvelle Guinée Néerlandaise : 1962)

◆ *Nouvelle Guinée Néerlandaise* ➜ voir aussi : Indonésie
(territoire de l'ex-Nouvelle-Guinée néerlandaise)

◆ *Nouvelle Orléans (Louisiane)* ➜ États Confédérés
d'Amérique (émissions des Maîtres de postes), États-
Unis d'Amérique (postes locales et privées)

☐ **Nouvelle République d'Afrique du Sud**
New Republic (E)
1886-1887
Afrique
Yvert et Tellier, Tome 6, 2ᵉ partie
l   NIEUWE REPUBLIEK ZUID-AFRIKA (1886-
    1887)
m   d, s

• NOUVELLES HÉBRIDES ➜ Nouvelles-Hébrides

☐ **Nouvelles-Hébrides**
New Hebrides: British and French issues (E)
1908-1979
Océanie
Yvert et Tellier, Tome 2, 1ʳᵉ partie
l   CONDOMINIUM DES NOUVELLES
    HÉBRIDES (1953-1979)
    NEW HEBRIDES (1908-1963)
    NEW HEBRIDES CONDOMINIUM (1908-1963)
    NOUVELLES HÉBRIDES (1908-1979)
    NOUVELLES HÉBRIDES CONDOMINIUM
    (1908-1979)
s   NEW HEBRIDES CONDOMINIUM (Fidji :
    1908-1911)
    NOUVELLES HÉBRIDES (Nouvelle-Calédonie :
    1908)
    NOUVELLES HÉBRIDES CONDOMINIUM
    (Nouvelle-Calédonie : 1910-1920)
m   d, s, c, centimes or, francs or, c or, fnh

• NOUVELLES HÉBRIDES CONDOMINIUM ➜
Nouvelles-Hébrides

☐ **Nouvelles-Hébrides (postes locales)**
New Hebrides: local issues (E)
1897-1900
Océanie
l   INTERISLAND POSTAGE THE AUSTRALIAN
    NEW HEBRIDES COMPANY LIMITED PORT
    VILA (1897-1900)
    NOUVELLES HÉBRIDES SYNDICAT
    FRANÇAIS POSTE LOCALE (1903)
m   fr, penny, pence

• NOUVELLES HÉBRIDES SYNDICAT FRANÇAIS
POSTE LOCALE ➜ Nouvelles-Hébrides (postes
locales)

■ **Nouvelle-Zélande**
New Zealand (E)
1855-auj.
Océanie
Yvert et Tellier, Tome 6, 2ᵉ partie
l **AOTEAROA NEW ZEALAND** (1999-auj.)
DOMINION OF NEW ZEALAND (1900-1909)
NEW ZEALAND (1855-auj.)
NEW ZEALAND POSTAGE (1855-1953)
NEW ZEALAND POSTAGE & REVENUE
(1855-1953)
NEW ZEALAND STAMP DUTY (1882-1967)
N POST OFFICE Z (1903)
N Z GOVERNMENT LIFE INSURANCE
DEPARTMENT (1891-1981)
N. Z. GOVERNMENT LIFE INSURANCE
OFFICE (1891-1981)
N. Z. POSTAGE DUE (1900)
NZ POST OFFICE (1903)
N. Z. TREASURY FREE (1887)
ON PUBLIC TRUST OFFICE BUSINESS FREE
(1891)
POSTAGE FREE (1887)
POST OFFICE NZ (1903)
SECURES IMMEDIATE DELIVERY AT A
SPECIAL DELIVERY OFFICE (1903)
m penny, pence, pound, pounds, shilling, shillings, d,
dollars, c, $
⇨ Aitutaki, Cook, Édouard VII (terre d'), Niue,
Penrhyn, Rarotonga, Samoa, Victoria (terre de)

◆ *Nouvelle-Zélande* ➔ voir aussi : Édouard VII (terre d'),
Ross (terre de), Territoire Antarctique Néo-Zélandais,
Victoria (terre de)

■ **Nouvelle-Zélande (poste privée)**
New Zealand: private post (E)
1870-1908
Océanie
l GREAT BARRIER ISLAND SPECIAL POST
(1870-1908)
s MAROTIRI PIGEONGRAM (1870-1904)
m shilling, shillings

◆ *Novaia Ladoga* ➔ Zemstvos

◆ NOVA SCOTIA ➔ Nouvelle Écosse

❖ NOVE SLOVO BANSKA BYSTRICA ➔
Tchécoslovaquie

◆ *Novgorod* ➔ Zemstvos

◆ NOVINOVE VYPLATNE ZAPLATENE PRIAMO
NOVE SLOVO BANSKA BYSTRICA ➔
Tchécoslovaquie

◆ *Novolazarevskaïa (base de)* ➔ Territoire Antarctique

◆ *Novomoskovsk* ➔ Zemstvos

◆ *Novoouzensk* ➔ Zemstvos

◆ *Novorjev* ➔ Zemstvos

□ **Nowanuggur**
＊ *Nowanuggur: Native Feudatory State (E)*
1877-1893
Asie
Yvert et Tellier, Tome 5, 3ᵉ partie
(à : *États princiers de l'Inde*)

☉ np ➔ Abou Dhabi, Ajman, Arabie du Sud-Est, Bahrain,
Dubaï, Fujeira, Ghana; Inde, Khor Fakkan, Kuwait,
Qatar, Ras al Khaima, Sharjah, Um al Qiwain
◆ NP ➔ Mascate, Oman, Dubaï et Qatar
☉ n.p. ➔ Qatar
◆ N POST OFFICE Z ➔ Nouvelle-Zélande
◆ NR BULGARIA ➔ Bulgarie
◆ N. R. INDONESIA ➔ Inde néerlandaise (république
indonésienne)
◆ NSB ➔ Nossi-Bé
◆ N. SEMBILAN ➔ Negri Sembilan
◆ N. S. W. ➔ Nouvelle-Galles du Sud
◆ N. S. WALES ➔ Nouvelle-Galles du Sud
◆ N. S. W. POSTAGE ➔ Nouvelle-Galles du Sud
☉ nu ➔ Bhoutan
❖ NUEVA GRANADA ➔ Colombie

□ **Nui**
Tuvalu: Nui (E)
1984-1988
Océanie
Yvert et Tellier, Tome 7, 2ᵉ partie
(à : *Tuvalu*)
l NUI-TUVALU (1984-1988)
m c, $

◆ NUI-TUVALU ➔ Nui

□ **Nukufetau**
Tuvalu: Nukufetau (E)
1984-1987
Océanie
Yvert et Tellier, Tome 7, 2ᵉ partie
(à : *Tuvalu*)
l NUKUFETAU-TUVALU (1984-1987)
m c, $

◆ NUKUFETAU-TUVALU ➔ Nukufetau

□ **Nukulaelae**
Tuvalu: Nukulaelae (E)
1984-1987
Océanie
Yvert et Tellier, Tome 7, 2ᵉ partie
(à : *Tuvalu*)
l NUKULAELAE-TUVALU (1984-1987)
m c, $

◆ NUKULAELAE-TUVALU ➔ Nukulaelae
❖ NUNAAT ➔ Groenland
❖ NUNÂT GRØNLAND ➔ Groenland

OCÉANIE

■ **Nunavut**
1999-auj.
Amérique du Nord
l   CANADA NUNAVUT (1999-auj.)
   NUNAVUT CANADA (1999-auj.)

◆ NUNAVUT CANADA ➔ Nunavut
❖ NURNBERG ➔ Bavière
◆ NUSSDORF FREI ÖFB ➔ Autriche
◆ NVR RAILWAY ➔ Grande-Bretagne (compagnies privées de chemins de fer : Nene-Valley)
◆ N. W. PACIFIC ISLANDS ➔ Nord-Ouest Pacifique
◆ NYASALAND ➔ Nyassaland
❖ NYASALAND ➔ Rhodésie-Nyassaland
◆ NYASALAND PROTECTORATE ➔ Nyassaland
◆ NYASSA ➔ Nyassa

☐ **Nyassa**
1898-1925
Afrique
Yvert et Tellier, Tome 6, 2ᵉ partie
l   COMPANHIA DO NYASSA (1921-1924)
   NYASSA (1901-1921)
   REPUBLICA NYASSA (1911-1919)
s   NYASSA (Mozambique : 1898-1925)
m   reis, centavo, centavos, escudo, escudos

☐ **Nyassaland**
Nyasaland Protectorate (E)
1908-1964
Afrique
Yvert et Tellier, Tome 6, 2ᵉ partie
l   NYASALAND (1908-1964)
   NYASALAND PROTECTORATE (1908-1964)
m   d, shilling, shillings, £
⇨ Afrique orientale allemande (occupation britannique)

◆ NYMR RAILWAY LETTER ➔ Grande-Bretagne (compagnies privées de chemins de fer : North Yorkshire Moors)
◆ NYUGATMAGYARORSZAGI FELKELÖK 1921 "A" ZONA ➔ Hongrie occidentale
◆ NYUGATMAGYARORSZAG NEPE NEM NEM SOHA! ➔ Hongrie occidentale
◆ NYUGAT-MAGYARORSZAG ORSZVÉ WESTUNGARN ORGLAND ➔ Hongrie occidentale
⊙ nz ➔ Congo (république démocratique), Zaïre
◆ N Z GOVERNMENT LIFE INSURANCE DEPARTMENT ➔ Nouvelle-Zélande
◆ N. Z. GOVERNMENT LIFE INSURANCE OFFICE ➔ Nouvelle-Zélande
◆ N. Z. POSTAGE DUE ➔ Nouvelle-Zélande
◆ NZ POST OFFICE ➔ Nouvelle-Zélande
◆ N. Z. TREASURY FREE ➔ Nouvelle-Zélande
◆ Ö ➔ Autriche
◆ *Oakway (Caroline du Sud)* ➔ États Confédérés d'Amérique (émissions des Maîtres de postes : Oakway, Caroline du Sud)
❖ OAXACA ➔ Mexique

◆ OBER SCHLESIEN GORNY SLASK ➔ Silésie (Haute)
◆ OBOCK ➔ Obock

☐ **Obock**
1892-1894
Afrique
Yvert et Tellier, Tome 2, 1ʳᵉ partie
l   OBOCK (1892-1894)
s   OBOCK (Colonies françaises : 1892-1894)
m   c, f
⇨ Côte des Somalis

❖ OB. OST ➔ Lituanie (occupation allemande)
❖ OB. OST ➔ Russie (occupation allemande)
◆ OCEAN PENNY POSTAGE PAID ➔ États-Unis d'Amérique (postes locales et privées) : Californie
❖ OCCUPATION BELGE. DUITSCH OOST AFRIKA BELGISCHE BEZETTING. ➔ Ruanda-Urundi
❖ OCCUPATION FRANÇAISE ➔ Cameroun (colonie française)
◆ OCCUPATION FRANÇAISE ➔ Hongrie (occupation française)
◆ OCCUPATION FRANÇAISE DU CAMEROUN ➔ Cameroun (colonie française)
◆ OCCUPATION MILITAIRE FRANÇAISE CILICIE ➔ Cilicie
◆ OCCUPATION TOGO ANGLO-FRENCH ➔ Togo (occupation militaire, mandat français)
◆ OCCUPAZIONE ITALIANA CASTELROSSO ➔ Castellorizo (occupation et colonie italienne)
❖ OCCUPAZIONE MILITARE ITALIANA ISOLE CEFALONIA E ITACA ➔ Ioniennes (Îles) (occupation italienne)
◆ OCCUSSI-AMBENO ➔ Occussi-Ambeno (Sultanat d')

■ **Occussi-Ambeno (Sultanat d')**
Sultanate of Occussi-Ambeno (E)
1968-auj.
Asie
Émission non admise par l'U.P.U.
l   FERIPAEGA (1990)
   OCCUSSI-AMBENO (1968-auj.)
   PROVINCE OF FERIPAEGA (1984)
   SULTANATE OF OCCUSSI-AMBENO TARANTAR PROVINCE (1968)
   SULTANATE OF OCCUSSI-AMBENO PROVINCE OF QUATAIR (1968-1980)
m   c, cents, $

◆ OCÉANIE ➔ Océanie

□ **Océanie**
French Polynesia (E)
1892-1956
Océanie
Yvert et Tellier, Tome 2, 1ʳᵉ partie
I ÉTABLISSEMENTS DE L'OCÉANIE (1931-1956)
   ÉTABLISSEMENTS FRANÇAIS DE L'OCÉANIE (1931-1956)
   ÉTABᵀˢ FRÇAIS DE L'OCÉANIE (1931-1956)
   ÉTABᵀˢ FRᶜᴬᴵˢ D'OCÉANIE (1931-1956)
   Éᵀˢ FRANÇAIS DE L'OCÉANIE (1931-1956)
   OCÉANIE (1939-1944)
m c, f
⇨ Tahiti

■ **Océan Indien**
British Indian Ocean Territory (E)
1968-auj.
Afrique
Yvert et Tellier, Tome 7, 1ʳᵉ partie
I **BRITISH INDIAN OCEAN TERRITORY** (1968-auj.)
s B.I.O.T. (Seychelles : 1968)
m c, r, rs, p, £

◆ *Océan Pacifique (Compagnie de l')* ➜ Pérou
❖ OCEAN TERRITORY ➜ Océan Indien
◆ *Och* ➜ Kirghiztan
❖ OCUPATIE ROMANA 1919 ➜ Debreczen
◆ ODENSE BYPOST ➜ Danemark
◆ ODESA ➜ Odessa (Levant bureaux polonais)

□ **Odessa (Levant bureaux polonais)**
Polish offices in Turkish Empire: issued in Odessa (E)
1919
Europe
Yvert et Tellier, Tome 4, 1ʳᵉ partie
(à : *Levant [bureaux polonais]*)
s ODESA (Pologne : 1919)

□ **Odessa (Ukraine)**
* *Ukraine: issued in Odessa (E)*
1919
Europe
Yvert et Tellier, Tome 4, 2ᵉ partie
(à : *Ukraine*)
s * (Russie : 1919)

◆ *Odessa* ➜ voir aussi : Zemstvos
◆ OESTERREICH ➜ Autriche
◆ OESTERR. POST ➜ Autriche
❖ OESTERR. POST ➜ Levant (bureaux autrichiens)
❖ OEST. TELEGRAPHEN-MARKE ➜ Autriche
◆ O. F. CASTELLORIZO ➜ Castellorizo (colonie française)
◆ OFFENTLIG SAK ➜ Norvège

◆ OFFICE DES POSTES ET TÉLECOMMUNICATIONS CF ➜ Afrique Occidentale
◆ OFFICIALLY SEALED IN THE RETURNED OFFICE LONDON ➜ Grande-Bretagne
◆ OFFICIAL S.W.A. ➜ Sud-Ouest Africain
◆ OFFISIEEL S.W.A. ➜ Sud-Ouest Africain
◆ OFF. SAK ➜ Norvège
❖ OFICIAL ➜ Espagne
◆ OFICIAL B ➜ Bluefield
◆ O.H. OFFICIAL ➜ Grande-Bretagne
◆ OIL RIVERS PROTECTORATE ➜ Côte du Niger
◆ OKCA (cyrillique) ➜ Russie (Armée du Nord)
◆ *Okhansk* ➜ Zemstvos

□ **Oldenbourg**
Oldenburg (E)
1852-1867
Europe
Yvert et Tellier, Tome 3, 1ʳᵉ partie
(à : *Allemagne*)
I OLDENBURG (1852-1867)
m thaler, groschen, gr, silb. gr.

◆ OLDENBURG ➜ Oldenbourg
◆ *Olsztyn* ➜ Allenstein
❖ OLSZTYN ALLENSTEIN ➜ Allenstein
◆ OLTHOF'S STADSPOSTSERVICE ALMELO ➜ Pays-Bas (postes locales : *Almelo*)
◆ OLTRE GIUBA ➜ Outre-Djouba
❖ OLYMPIADE 1920 ANVERS-ANTWERPEN ➜ Belgique
◆ OLYMPIC GAMES 1948 ➜ Grande-Bretagne
▥ *Oman (Muscat) (E)* ➜ Mascate
▥ *Oman (Muscat and Oman) (E)* ➜ Mascate, Oman, Dubaï et Qatar
▥ *Oman (Sultanate of) (E)* ➜ Oman
❖ OMAN ➜ Mascate, Oman, Dubaï et Qatar

■ **Oman**
Oman (Sultanate of) (E)
1971-auj.
Asie
Yvert et Tellier, Tome 7, 1ʳᵉ partie
I STATE OF OMAN (1971)
   SULTANATE OF OMAN (1971-auj.)
s SULTANATE OF OMAN (Mascate, Oman, Dubaï et Qatar : 1971)
m b, baiza, baisa

◆ O. M. F. CILICIE ➜ Cilicie
◆ O. M. F. SYRIE ➜ Ain-Tab, Syrie (administration française)

☐ **Omsk**
* *Far Eastern Republic: Omsk Issue (E)*
1919
Asie
Yvert et Tellier, Tome 4, 2ᵉ partie
(à : *Sibérie et Extrême-Orient*)
s рубль (Russie : 1919)
35 (Russie : 1919)
70 (Russie : 1919)
m рубль
⇨ Nikolaievsk sur l'Amour, Vladivostok

* ONE ANNA ➔ Jasdan
* ONE ANNA ➔ Travancore-Cochin
* ONE ANNA SERVICE ➔ Travancore-Cochin
* ONE 1 CENT (*carte postale avec portrait de Jefferson*) ➔ États-Unis d'Amérique
* ONE CENT DESPATCH ➔ États-Unis d'Amérique (postes locales et privées) : *Baltimore*
● O. N. F. CASTELLORIZO ➔ Castellorizo (colonie française)
* O.N.M.I. ➔ Zone de Fiume et de la Kupa
* ON PUBLIC TRUST OFFICE BUSINESS FREE ➔ Nouvelle-Zélande
* ONU ➔ Nations Unies (Genève)
⊙ onza, onzas ➔ Espagne
❖ ONZE OOST ➔ Curaçao
❖ OPAKHS (grec) ➔ Thrace
❖ OPERACOES CONTRA O PARAGUAY ➔ Brésil
● *Opotchka* ➔ Zemstvos
● *Uradea (Nagyvárad)* ➔ Transylvanie

☐ **Orange**
Orange River Colony (E)
1868-1905
Afrique
Yvert et Tellier, Tome 7, 1ʳᵉ partie
l COMMANDO BRIEF. O.V.S. FRANKO (1900)
IN DIENST O.V.S. R.D.M. (1900)
ORANJE STAAT (1868-1900)
ORANGE RIVER COLONY (1900-1905)
ORANJE VRIJ STAAT (1886-1888)
ORANJE VRY STAAT (1882)
s ORANGE RIVER COLONY (Cap de Bonne Espérance : 1900-1905)
E.R.I. (1902)
V.R.I. (1900)
m penny, pence, schillᵍˢ, shilling, shillings, d

* ORANGE RIVER COLONY ➔ Orange
* ORANJE STAAT ➔ Orange
* ORANJE VRIJ STAAT ➔ Orange
* ORANJE VRY STAAT ➔ Orange
● *Orcades du Sud* ➔ Falkland (dépendances)

☐ **Orcha**
Orchha: Native Feudatory State (E)
1900-1943
Asie
Yvert et Tellier, Tome 5, 3ᵉ partie
(à : *États princiers de l'Inde*)
l ORCHA POSTAGE (1900-1943)
ORCHHA STATE (1900-1943)
m annas, a, Rᵉ

* ORCHA POSTAGE ➔ Orcha
* ORCHHA STATE ➔ Orcha
❖ ORDEN 9 NOVBRE 1936 ➔ Espagne (émissions nationalistes : Burgos)
❖ ORDINARI INTERNO ➔ Italie
● *Ordre souverain de Malte* ➔ Malte (Ordre souverain de)
⊙ ore (ØRE) ➔ Danemark, Norvège
⊙ ore (øre) ➔ Schleswig-Holstein
⊙ öre ➔ Norvège (postes locales), Suède
● *Orense* ➔ Espagne (émissions nationalistes)
❖ ORGLAND ➔ Hongrie occidentale
● *Orgueiev* ➔ Zemstvos
❖ ORKNEYS DEPENDENCY ➔ Falkland (dépendances : Orcades du Sud)
❖ ORLÉANS ET DU LOIRET TAXE D'ACHEMINEMENT ➔ France
⊙ oro ➔ Argentine (poste locale : Terre de Feu)
* ORO DEL PERU ➔ Pérou
❖ ORO PASTAS ➔ Lituanie
* ORTS POST ➔ Suisse
* ORTSPOSTMARKE AMPEZZO ➔ Autriche-Hongrie (occupation en Italie)
* ORTSPOSTMARKE AURONZO ➔ Autriche-Hongrie (occupation en Italie)
* ORTSPOSTMARKE CIVIDALE ➔ Autriche-Hongrie (occupation en Italie)
* ORTSPOSTMARKE CODROIPO ➔ Autriche-Hongrie (occupation en Italie)
* ORTSPOSTMARKE GEMONA ➔ Autriche-Hongrie (occupation en Italie)
* ORTSPOSTMARKE LATISANA ➔ Autriche-Hongrie (occupation en Italie)
* ORTSPOSTMARKE LONGARONE ➔ Autriche-Hongrie (occupation en Italie)
* ORTSPOSTMARKE MANIAGO ➔ Autriche-Hongrie (occupation en Italie)
* ORTSPOSTMARKE MOGGIO ➔ Autriche-Hongrie (occupation en Italie)
* ORTSPOSTMARKE PALMANOVA ➔ Autriche-Hongrie (occupation en Italie)
* ORTSPOSTMARKE PIEVE DI CADORE ➔ Autriche-Hongrie (occupation en Italie)
* ORTSPOSTMARKE ST. DANIELA D. FR. ➔ Autriche-Hongrie (occupation en Italie)
* ORTSPOSTMARKE ST. GIORGIO DI NO. ➔ Autriche-Hongrie (occupation en Italie)
* ORTSPOSTMARKE ST. PIETRO AL NAT. ➔ Autriche-Hongrie (occupation en Italie)
* ORTSPOSTMARKE SPILIMBERGO ➔ Autriche-Hongrie (occupation en Italie)

- ORTSPOSTMARKE TARCENTO ➔ Autriche-Hongrie (occupation en Italie)
- ORTSPOSTMARKE TOLMEZZO ➔ Autriche-Hongrie (occupation en Italie)
- ORTSPOSTMARKE UDINE ➔ Autriche-Hongrie (occupation en Italie)
- ORTS POST POSTE LOCALE ➔ Suisse
- O. S. ➔ Norvège
- *Osa* ➔ Zemstvos
- OS NSW ➔ Nouvelle-Galles du Sud
- OSSETIA POSTAGE ➔ Russie (postes locales de l'ex-U.R.S.S. : République d'Ossétie du Nord)
- *Ossétie du Nord (République d')* ➔ Russie (postes locales de l'ex-U.R.S.S.)
- *Ossétie du Sud (République d')* ➔ Russie (postes locales de l'ex-U.R.S.S.)
- *Ostachkov* ➔ Zemstvos
- OSTAFRIKA ➔ Afrique orientale allemande (colonie allemande)
- *Oster* ➔ Zemstvos
- ÖSTERR ➔ Autriche
- ÖSTERREICH ➔ Autriche
- ÖSTERREICHISCHE POST ➔ Autriche
- ÖSTERREICH WIEDER FREI ➔ Autriche
- ÖSTERREICH WIEDER FREI 5. 5. 1945 ➔ Autriche
- OSTLAND ➔ Russie (occupation allemande)
- ØSTRIGERLEJR 1946 TARP/ESBJERG PORTOFRIT I DANMARK ➔ Autriche (postes locales ou privées) : *Camp de prisonniers de Tarp (Danemark)*
- *Ostrogojsk* ➔ Zemstvos
- *Ostrov* ➔ Zemstvos
- OSTTIROL ➔ Autriche (postes locales ou privées) : *Tirol Oriental*
- OTTOMAN ➔ Turquie
- OTTOMANES ➔ Turquie
- OTTOMAN ROUMÉLIE ORIENTALE ➔ Roumélie Orientale
- OTVERENIE SLOVENSKEHO SNEMU 18.1 1939 300 H ➔ Slovaquie

□ **Oubangui**
Ubangi-Shari (E)
1915-1933
Afrique
Yvert et Tellier, Tome 2, 1re partie
l   OUBANGUI-CHARI (1930)
s   AFRIQUE EQUATORIALE FRANÇAISE
OUBANGUI-CHARI (Congo [colonie française] : 1924-1933)
OUBANGUI CHARI (Congo [colonie française] : 1922-1933)
OUBANGUI-CHARI (Congo [colonie française] : 1922-1933)
OUBANGUI-CHARI A. E. F. (France : 1928)
OUBANGUI-CHARI-TCHAD (Congo [colonie française] : 1915-1922)
m   c, f, fr

- *Oubangui* ➔ voir aussi : Gabon
- OUBANGUI-CHARI ➔ Oubangui
- OUBANGUI CHARI ➔ Oubangui

- OUBANGUI-CHARI A. E. F. ➔ Oubangui
- OUBANGUI-CHARI-TCHAD ➔ Oubangui
- *Oudmourtie (République d')* ➔ Russie (postes locales de l'ex-U.R.S.S.)
- OUGANDA ➔ Kenya et Ouganda

■ **Ouganda**
Uganda (E)
1895-auj.
Afrique
Yvert et Tellier, Tome 7, 1re partie
l   TELEGRAPH UGANDA RAILWAY (1902-1908)
U G (1895)
UGANDA (1902-auj.)
UGANDA PROTECTORATE (1897-1898)
UGANDA RAILWAY TELEGRAPH (1902-1908)
s   UGANDA (Afrique orientale britannique : 1902)
m   anna, annas, rupee, rupees, c, sh, shs

- *Oural (Région)* ➔ Russie (postes locales de l'ex-U.R.S.S.)
- *Ourjoum* ➔ Zemstvos
- « ours » ➔ Ukraine
- *Oustioujna* ➔ Zemstvos
- *Oustsyssolsk* ➔ Zemstvos

□ **Outre-Djouba**
Oltre Giuba (E)
1925-1926
Afrique
Yvert et Tellier, Tome 7, 1re partie
l   COMMISSARIATO GEN^LE DELL OLTRE GIUBA (1926)
ISTITUTO COLONIALE ITALIANO OLTRE GIUBA (1926)
OLTRE GIUBA (1925-1926)
s   OLTRE GIUBA (Italie : 1925-1926)
m   cent, lira, lire

- OUTREMER ➔ Colonies françaises

■ **Ouzbékistan**
Uzbekistan (E)
1992-auj.
Asie
Yvert et Tellier, Tome 4, 2e partie
l   УЗБЕКИСТОН UZBEKISTAN (1992-auj.)
O'ZBEKISTON (1999-auj.)
m   t, cym

- *Ouzbékistan* ➔ Russie (postes locales de l'ex-U.R.S.S.)
- OVERBESTVREISE KJØBENHAVN ➔ Danemark
- OVERTON & C°. LETTER EXPRESS ➔ États-Unis d'Amérique (postes locales et privées) : *Boston, New York*
- O.V.S. R.D.M. ➔ Orange
- O.V.S. FRANKO ➔ Orange
- Ö Y E N BYPOST-FRIMAERKE AALESUND ➔ Norvège (postes locales)
- Oyru ➔ Féroé
- OZ. 1 R^L ➔ Pérou
- OZ. 2 R^LS ➔ Pérou

- O'ZBEKISTON → Ouzbékistan
- ❖ OZEMIJE → Trieste (Zone B Yougoslave)
- ☉ p (cyrillique) → Azerbaïdjan, Biélorussie, Russie
- ☉ p → Afghanistan, Alaouites, Alexandrette (administration française), Alexandrette (administration turque), Antarctique britannique, Arabie Saoudite, Ascension, Aurigny, Bangladesh, Bardsey, Birmanie, Botswana, Brechou, Canaries (Îles), Davaar, Égypte, Été (Îles de l'), Eynhallow, Falkland, Falkland (dépendances), Finlande, Ghana, Gibraltar, Grand Liban, Grunay, Guernesey, Guinée-Bissau, Inde, Irlande, Jersey, Jersey (occupation allemande), Jethou, Khor Fakkan, Lattaquié, Levant (bureaux français), Liban, Lundy, Man, Népal, Océan Indien, Pabay, Pakistan, Philippines, Russie (Armées du Sud), Sainte-Hélène, Sharjah, Soudan, Staffa, Syrie (administration française), Syrie (état indépendant), Grande-Bretagne (compagnies privées de chemins de fer), Tchita, Thomond, Thrace, Tristan da Cunha
- ✦ P *(accompagné d'un croissant et d'une étoile)* → Perak
- ✦ P → Autriche (postes locales ou privées) : *Graz*
- ✦ P. → Russie (Armées du Sud)
- ✦ P. 1 P. → Tchita
- ✦ P. 1 P. → Vladivostok
- ✦ P. 10 P. → Tchita
- ✦ P. 5 P. → Tchita
- ☉ pa → Albanie, Guinée espagnole, Roumélie Orientale
- ✦ PABAY → Pabay

■ **Pabay**
1962-auj.
Europe
Émission non admise par l'U.P.U.
  I PABAY (1962)
     ISLE OF PABAY (1962-auj.)
  m d, £, p

- ❖ PACCHI IN CONCESSIONE → Italie
- ✦ PACCHI POSTALI → Italie, Somalie Italienne
- ❖ PACCHI POSTALI → Saint-Marin
- ❖ PACCHI POSTALI E LETTERE RACCOMANDATE → Italie
- ✦ PACCHI POSTALI ORDINARI INTERNO → Italie
- ✦ PACCHI SUL BOLLETTINO → Italie
- ❖ PACIFIC ISLANDS → Nord-Ouest Pacifique
- ✦ PACIFIC MUTUAL TELEGRAPH COMPANY COMMUTATION → États-Unis d'Amérique (compagnies privées de télégraphe) : *Pacific Mutual Telegraph Company*
- ✦ PACIFIC POSTAL TELEGRAPH-CABLE CO. → États-Unis d'Amérique (compagnies privées de télégraphe) : *Pacific Postal Telegraph-Cable Company*
- ✦ PACKENMARKE WENDEN → Wenden
- ❖ PACKET COMPANY → Saint-Thomas-La-Guaira
- ✦ PACKHOI → Pakhoi
- ✦ PADANIA → Italie (état fédéral)
- ✦ PADANIA STATO FEDERALE → Italie (état fédéral)
- ✦ PAGO $ 0.05 AGENTE POSTAL MANUAL E. JIMENEZ → Tumaco
- ✦ PAHANG → Pahang

□ **Pahang**
Malaya: Pahang + Malaysia: Pahang (E)
1890-1962 ; 1965-1986
Asie
Yvert et Tellier, Tome 6, 2e partie
(à : *Malaysia***)**
  I MALAYA (*sultan Abou Bakar*) (1950-1955)
     MALAYA PAHANG (1935-1961)
     MALAYSIA PAHANG (1965-1985)
     PAHANG MALAYSIA (1978-1986)
  s PAHANG (Malacca [établissements des détroits de Malacca et Singapour], Perak : 1890-1899)
  m c, cents, $
  ⇨ Pahang (occupation japonaise)

□ **Pahang (occupation japonaise)**
★ *Malaya Pahang: Japanese occupation (E)*
1942
Asie
Yvert et Tellier, Tome 6, 2e partie
(à : *Malaysia***)**
  s CTS. *(avec caractères asiatiques)* (Pahang : 1942)
     DAI NIPPON 2602 (Pahang : 1942)
     FP *(au milieu de caractères asiatiques)* (Pahang : 1942)
  m cts

- ✦ PAHANG MALAYSIA → Pahang
- ⊬ *Pahang: Japanese occupation (E)* → Pahang (occupation japonaise)
- ✦ PAID → États Confédérés d'Amérique (émissions des Maîtres de postes : Greenwood, Virginie ; Aberdeen, Missouri)
- ✦ PAID 10 → États Confédérés d'Amérique (émissions des Maîtres de postes : Savannah, Georgie ; Sumter, Caroline du Sud ; Tullahoma, Tennessee ; Valdosta, Georgie ; Walterborough, Caroline du Sud ; Washington, Georgie)
- ✦ PAID 5 → États Confédérés d'Amérique (émissions des Maîtres de postes : Augusta, Georgia ; Canton, Missouri ; Carolina City, Caroline du Nord ; Colaparchee, Georgie ; Demopolis, Alabama ; Emory, Virginie ; Bridgeville, Alabama ; Galveston, Texas ; Georgetown, Caroline du Sud ; Hillsboro, Caroline du Nord ; Savannah, Georgie ; Selma, Alabama ; Statesville, Caroline du Nord ; Sumter, Caroline du Sud ; Thomasville, Goergie ; Tuscaloosa, Alabama ; Unionville, Caroline du Sud ; Winnsborough, Caroline du Sud ; Wytheville, Virginie)
- ✦ PAID 5 CENTS → États-Unis d'Amérique (émissions des Maîtres de postes : Boscaven, New-Hampshire)
- ✦ PAID 5 CENTS → États Confédérés d'Amérique (émissions des Maîtres de postes : Christianburg, Virginie ; Kingston, Georgie ; Jackson, Missouri)
- ✦ PAID 5CTS → États Confédérés d'Amérique (émissions des Maîtres de postes : Liberty, Virginie ; Salem, Virginie)
- ✦ PAID 5 R. H.. CLASS P.M → États Confédérés d'Amérique (émissions des Maîtres de postes : Lynchburg, Virginie)

- ◆ PAID 5 T.WELSH. ➔ États Confédérés d'Amérique (émissions des Maîtres de postes : Montgomery, Alabama)
- ◆ PAID 5 W T A ➔ États Confédérés d'Amérique (émissions des Maîtres de postes : Jacksonville, Alabama)
- ◆ PAID A.D.HALL ➔ États Confédérés d'Amérique (émissions des Maîtres de postes : Gainesville, Alabama)
- ◆ PAID H ➔ États Confédérés d'Amérique (émissions des Maîtres de postes : Pensacola, Floride)
- ⊙ paisa ➔ Népal, Pakistan
- ◆ PAITA ➔ Paita

☐ **Paita**
Peru: provisional issues of Paita (E)
1884
Amérique du Sud
Yvert et Tellier, Tome 7, 1ʳᵉ partie
(à : *Pérou*)
  s   PAITA (Pérou : 1884)

☐ **Pakhoi**
French Offices in China: Pakhoi (E)
1903-1919
Asie
Yvert et Tellier, Tome 2, 1ʳᵉ partie
  s   PACKHOI (Indochine : 1903-1919)
      PAK-HOI (Indochine : 1903-1919)
  m   c, f, fr

- ◆ PAK-HOI ➔ Pakhoi
- ◆ PAKISTAN ➔ Pakistan

■ **Pakistan**
1947-auj.
Asie
Yvert et Tellier, Tome 7, 1ʳᵉ partie
  l   ISLAMIC REPUBLIC OF PAKISTAN (1956)
      PAKISTAN (1947-auj.)
      PAKISTAN POSTAGE (1948-1957)
      SCINDE DISTRICT DAWK 1852-1952
      CENTENARY 1ˢᵀ POSTAGE STAMP (1952)
      SERVICE (1951)
      SERVICE POSTAGE (1980)
  s   PAKISTAN (Inde anglaise : 1947)
  ⇨ Bangladesh
  m   a, as, aˢ, ps, r, anna, annas, pies, paisa, rs, p, re

- ◆ *Pakistan* ➔ voir aussi : Bahawalpur, Las Bela, Cachemire
- 𝔅 *Pakistan: Bahawalpur (E)* ➔ Bahawalpur
- ◆ PAKISTAN POSTAGE ➔ Pakistan
- ◆ PAKKE-PORTO ➔ Groenland
- ◆ PAKKET EN STREEK POSTDIENST W.F.K. ➔ Pays-Bas (postes locales : *Grootebroek*)
- ◆ PAKKET EN STREEKPOSTDIENST WEST-FRIESE KOERIERSDIENST ➔ Pays-Bas (postes locales : *Grootebroek*)
- ◆ PALAIS DE DARIUS ➔ Iran
- ◆ PALAU ➔ Palau

■ **Palau**
1983-auj.
Océanie
Yvert et Tellier, Tome 7, 1ʳᵉ partie
  l   PALAU (1983-auj.)
      REPUBLIC OF PALAU (1983-auj.)
  m   c, $

- ◆ *Palencia* ➔ Espagne (émissions nationalistes)
- ◆ PALESTINE ➔ Palestine, Palestine (occupation égyptienne), Palestine (occupation transjordanienne)

☐ **Palestine**
1918-1945
Asie
Yvert et Tellier, Tome 7, 1ʳᵉ partie
  l   E. E. F. (1918-1928)
      PALESTINE (1920-1945)
  m   piastre, milieme, milliemes, mil
  ⇨ Transjordanie

■ **Palestine (autorité palestinienne)**
Palestinian Authority (E)
1994-auj.
Asie
Yvert et Tellier, Tome 7, 1ʳᵉ partie
  l   PALESTINIAN AUTHORITY (1994-auj.)
      THE PALESTINIAN AUTHORITY (1994-auj.)
  m   mils, fils

☐ **Palestine (occupation égyptienne)**
Egypt: occupation stamps (E)
1948-1967
Asie
Yvert et Tellier, Tome 7, 1ʳᵉ partie
  l   PALESTINE (1959-1967)
  s   PALESTINE (Égypte : 1948-1959)

☐ **Palestine (occupation transjordanienne)**
Jordan: occupation stamps for use in Palestine (E)
1948-1949
Asie
Yvert et Tellier, Tome 7, 1ʳᵉ partie
  s   PALESTINE (Transjordanie : 1948-1949)

- ❖ PALESTINIAN AUTHORITY ➔ Palestine (autorité palestinienne)
- ◆ PALESTINIAN RESISTANCE RESISTANCE PALESTINIENNE AL-FATEH ➔ Fatah
- ❖ PALISSY ➔ France
- ◆ *Palma de Mallorca (Palma de Majorque)* ➔ Espagne (émissions nationalistes)
- ❖ PALMANOVA ➔ Autriche-Hongrie (occupation en Italie)
- ◆ *Pampelune (Pamplona)* ➔ Espagne (émissions nationalistes)
- ◆ *Pamplona (Pampelune)* ➔ Espagne (émissions nationalistes)
- ◆ PANAMA ➔ Panama-République

☐ **Panama-Canal**
Canal Zone (E)
1904-1978
Amérique Centrale
Yvert et Tellier, Tome 7, 1ʳᵉ partie
  l CANAL ZONE (1968-1978)
     CANAL ZONE GOVERNMENT (1908)
     CANAL ZONE POSTAGE (1928-1962)
     THE PANAMA CANAL (1917)
  s CANAL ZONE (Panama-République, États-Unis
     d'Amérique, Panama-Colombie : 1904-1926)
     CANAL ZONE PANAMA (Panama-République,
     États-Unis d'Amérique, Panama-Colombie :
     1904-1926)
  m cts, cent, cents, c

◆ PANAMA COLOMBIA ➔ Panama-Colombie

☐ **Panama-Colombie**
Panama: issues of the Colombian State of
Panama (E)
1878-1903
Amérique Centrale
Yvert et Tellier, Tome 7, 1ʳᵉ partie
  l COLOMBIA ANTILLAS PACIFICO (1887-1902)
     CORREOS DE PANAMA (1878)
     DEPARTMENTO DE PANAMA (1892)
     ESTADOS UNIDOS DE COLOMBIA CORREOS
     DE PANAMA (1878)
     PANAMA COLOMBIA (1887)
     REPUBLICA DE COLOMBIA DEPARTMENTO
     DE PANAMA (1892)
  s A. R. COLON COLOMBIA (1897-1903)
     AR (1901-1902)
     R (1897)
     R COLON (1897)
     T COLON (1903)
  m centavo, centavos, cents
  ⇨ Panama-Canal, Panama-République

◆ PANAMA CORREOS ➔ Panama-république

⌐ *Panama: issues of the Colombian State of Panama (E)*
  ➔ Panama-Colombie

⌐ *Panama: issues of the Republic (E)* ➔ Panama-République

■ **Panama-République**
Panama: issues of the Republic (E)
1903-auj.
Amérique Centrale
Yvert et Tellier, Tome 7, 1ʳᵉ partie
  l **CORREOS PANAMA** (1956-auj.)
     PANAMA CORREOS (1957-auj.)
     R DE PANAMA (1905-1979)
     REP. DE PANAMA (1903-1979)
     REPUBLICA DE PANAMA (1903-1979)
  s 8 CTS (Panama-Colombie : 1906)
     A. R. (1917)
     A. R. COLON (1904)
     R (1904)
     A. R. COLON PANAMA (1905)

     PANAMA (Panama-Colombie, Colombie : 1903-
     1904)
     R COLON (1905)
     R DE PANAMA (Panama-Colombie, Colombie :
     1903-1904)
     REPUBLICA DE PANAMA (Panama-Colombie,
     Colombie : 1903-1904)
  m b, balboa, balboas, c, centesimo, centesimos,
     centesimo de Balboa, centesimos de Balboa, ct, cts
  ⇨ Panama-Canal

◆ PANEVEZYS ➔ Lituanie (occupation allemande)

◆ *paon* ➔ Birmanie (Dominion britannique)

❖ PAOSITRA ➔ Madagascar

◆ *Papendrecht* ➔ Pays-Bas (postes locales)

☐ **Papouasie**
Papua New Guinea: British New Guinea (E)
1901-1941
Océanie
Yvert et Tellier, Tome 7, 1ʳᵉ partie
  l BRITISH NEW GUINEA (1901-1908)
     PAPUA (1907-1941)
  s PAPUA (1907-1908)
  m d, penny, pence, shilling, shillings

■ **Papouasie et Nouvelle-Guinée**
Papua and New Guinea (E)
1952-auj.
Océanie
Yvert et Tellier, Tome 7, 1ʳᵉ partie
  l PAPUA & NEW GUINEA (1952-1971)
     PAPUA AND NEW GUINEA (1952-1971)
     PAPUA NEW GUINEA (1972-auj.)
  m d, s, £, c, t, k

◆ PAPUA ➔ Papouasie

◆ PAPUA AND NEW GUINEA ➔ Papouasie et
Nouvelle-Guinée

◆ PAPUA NEW GUINEA ➔ Papouasie et Nouvelle-
Guinée

◆ PAPUA & NEW GUINEA ➔ Papouasie et Nouvelle-
Guinée

❖ PAQE . MIR ➔ Kosovo

❖ PAQUETE PTO CABELLO SAN TOMAS ➔ Saint-
Thomas-La-Guaira

⊙ par ➔ Roumanie

⊙ para ➔ Albanie, Carinthie, Égypte, Levant (bureaux
allemands), Levant (bureaux autrichiens), Levant
(bureaux italiens), Levant (bureaux russes), Thrace,
Trieste (Zone B Yougoslave), Turquie (Anatolie),
Yougoslavie

◆ PARA ➔ Égypte, Levant (bureaux allemands), Levant
(bureaux autrichiens), Levant (bureaux italiens), Levant
(bureaux russes)

◆ PARAGUAY ➔ Paraguay

■ Paraguay
1870-auj.
Amérique du Sud
Yvert et Tellier, Tome 7, 1ʳᵉ partie
   l CORLEOS PARAGUAY (1921)
      CORREO DEL PARAGUAY (1929-1964)
      CORREO PARAGUAYO (1960)
      CORREO AEREO DEL PARAGUAY (1961-
      1964)
      CORREOS DEL PARAGUAY (1921-1976)
      PARAGUAY (1882-auj.)
      PARAGUAY CORREOS (1941-auj.)
      REPUBLICA DEL PARAGUAY (1870-1959)
   s C (1922-1936) : *service intérieur*
  m real, reales, centavo, centavos, peso fuerte, peso,
      pesos, ctvs, centimo, centimos, g, cs, gs, $,
      guarani, guaranies

- PARAGUAY CORREOS ➔ Paraguay
- ⊙ parale ➔ Roumanie
- ⊙ paras ➔ Bulgarie du Sud, Chypre, Cilicie, Levant
  (bureaux anglais), Levant (bureaux français), Roumélie
  Orientale, Thessalie, Turquie, Turquie (Anatolie),
  Turquie (Entreprise Lianos et Cⁱᵉ)
- PARAS ➔ Levant (bureaux anglais), Thessalie,
  Turquie, Turquie (Anatolie)
- PAR AVION BATIMENT DE LIGNE RICHELIEU ➔
  France
- PARC NATIONAL D'ASO ➔ Japon
- PARC NATIONAL DE DAISEN ➔ Japon
- PARC NATIONAL DE DAITON ➔ Japon
- PARC NATIONAL DE DAIZETSUZAN ➔ Japon
- PARC NATIONAL DE KIRISHIMA ➔ Japon
- PARC NATIONAL DE NIITAKA-ABISAN ➔ Japon
- PARC NATIONAL DE NIKKO ➔ Japon
- PARC NATIONAL DE SETONAIKAI ➔ Japon
- PARC NATIONAL DE TUGITAKA-TAROKO ➔
  Japon
- ❖ PARIS ➔ France
- ❖ PARLAMENTO A CERVANTES ➔ Espagne
- ❖ PARM ➔ Parme
- ꝑ *Parma (E)* ➔ Parme
- ❖ PARMA PIAC ECC. ➔ Parme

□ Parme
Parma (E)
1852-1859
Europe
Yvert et Tellier, Tome 3, 2ᵉ partie
(à : *Italie*)
   l DUC. DI PARMA PIAC ECC. (1857-1859)
      FRANCO POSTE BOLLO (1859)
      GAZZETTE ESTERE PARMA (1853)
      GAZZETTE ESTERE PIACENZA (1853)
      STATI PARM (1852-1854)
      STATI PARMENSI (1859)
  m centes, cent, centesimi

- ❖ PARMENSI ➔ Parme
- PARTICULIERE POSTBEZORGING APELDOORN
  ➔ Pays-Bas (postes locales : *Apeldoorn*)

- PARTICULIERE POSTDIENST DORDRECHT ➔
  Pays-Bas (postes locales : *Dordrecht*)
- PARTICULIERE POSTDIENST LAMBURG ➔ Pays-
  Bas (postes locales : *Sittard*)
- PARTICULIERE POSTDIENST MAASTRICHT ➔
  Pays-Bas (postes locales : *Maastricht*)
- PARTICULIERE POSTDIENST NIJMEGEN ➔ Pays-
  Bas (postes locales : *Nijmegen*)
- PASCO ➔ Pasco

□ Pasco
Peru: provisional issues of Pasco (E)
1884
Amérique du Sud
Yvert et Tellier, Tome 7, 1ʳᵉ partie
(à : *Pérou*)
   s PASCO (Pérou : 1884)

- ❖ PASCUA ➔ Chili
- PASTAS LIETUVA ➔ Lituanie
- ❖ PASTO ZENKLAS ➔ Lituanie
- PASTO ZENKLAS TARNYBINIS ➔ Memel
  (occupation lituanienne)
- ❖ PASTS ➔ Lettonie
- ⊙ pataca, patacas ➔ Macao
- PATIALA ➔ Patiala

□ Patiala
*Patiala: Convention State of the British Empire in
India (E)*
1884-1945
Asie
Yvert et Tellier, Tome 7, 1ʳᵉ partie
   s PATIALA (Inde anglaise : 1944)
      PATIALA SERVICE (Inde anglaise : 1944-1945)
      PATIALA STATE (Inde anglaise : 1892-1945)
      PUTTIALLA STATE (Inde anglaise : 1884-1885)

- PATIALA SERVICE ➔ Patiala
- PATIALA STATE ➔ Patiala
- PATMO ➔ Patmo

□ Patmo
*Italian offices in the Dodecanese Islands: issued
in Patmo (E)*
1912-1932
Europe
Yvert et Tellier, Tome 3, 1ʳᵉ partie
(à : *Égée (îles de la mer)*)
   s PATMO (Italie : 1930-1932)
      PATMOS (Italie : 1912-1922)

- PATMOS ➔ Patmo
- ❖ PATRIA REY CATALUNA ➔ Espagne (Insurrection
  Carliste)
- ❖ PATRIA REY ESPAÑA ➔ Espagne (Insurrection
  Carliste)
- ❖ PATRIA Y REY 1936 ➔ Espagne (émissions
  nationalistes :Saint-Sébastien)
- PATRICIA AIRWAYS EXPLORATION CANADA ➔
  Canada

* PAUSALOVANA POTRAVNI DAN ➜
  Tchécoslovaquie
◆ *Pavlograd* ➜ Zemstvos
❖ PAY ➜ Grande-Bretagne
❖ PAYER ➜ Belgique

■ **Pays-Bas**
Netherlands (E)
1852-auj.
Europe
Yvert et Tellier, Tome 3, 2ᵉ partie
I   1824-1924 2 CENT (1924)
    1898-1923…CENT (1923)
    1898-1923…CT (1923)
    KOMNKRILIK DER NEDERLANDEN (1916)
    NEDERLAND (1867-auj.)
    NEDERLANDSCHE POSTERIJEN (1884)
    PORT BETAALD PTT POST (2000-auj.)
    POSTBEWIJS NEDERLANDSCHE
    POSTERIJEN (1884)
    POST ZEGEL (1852-1864)
    REGIO POST (poste ferroviaire : 1996-1998)
    PTT POST PORT BETAALD (2000-auj.)
    TE BETALEN PORT (1871-1958)
m cent, c, ct, €, eur, gulden, gl, gld, nlg
⇨ Inde néerlandaise, Surinam

■ **Pays-Bas (postes locales)**
Netherlands: local issues (E)
1896-auj.
Europe
I   11ᴱ SCHEEPVAARTDAG STADSPOST (1986) :
    Delfzijl
    1970 IN NEDERLAND DAG VAN DE
    POSTZEGEL (1970) : *Arnhem*
    700 JAAR GEMEENTEZIEKENHUIS
    STADSPOST (1985) : *Dordrecht*
    ALMELO STADSPOST (1969) : *Almelo*
    AMSTERDAMSCHE BESTELDIENST (1896) :
    Amsterdam
    BETAALZEGEL PESIE'S STADSPOST
    ALKMAAR (1970-1978) : *Den Helder*
    BETAALZEGEL PESIE'S STADSPOST
    BEVERWIJK (1970-1978) : *Den Helder*
    BETAALZEGEL PESIE'S STADSPOST DEN
    HELDER (1970-1978) : *Den Helder*
    BETAALZEGEL PESIE'S STADSPOST
    LANDSMEER (1969) : *Landsmeer*
    BETAALZEGEL PESIE'S STADSPOST
    LANDSMEER (1970-1978) : *Den Helder*
    BETAALZEGEL PESIE'S STADSPOST
    PURMEREND (1970-1978) : *Den Helder*
    BETAALZEGEL PESIE'S STADSPOST
    SCHAGEN (1969-1978) : *Den Helder, Schagen*
    BETAALZEGEL PESIE'S STADSPOST
    VOLENDAM (1970-1978) : *Den Helder*
    BETAALZEGEL PESIE'S STADSPOST
    ZAANDAM (1970-1978) : *Den Helder*
    CENTRUMPOST DEN HELDER (1970) : *Den
    Helder*

CORRECT EXPRESS (1983-1989) : *Delfzijl*
DE STADSPOST (1986) : *Maastricht, Sittard*
DON BOSCO 1815-1886 (1987) : *Hertogenbosch*
DRUNEN STADSPOST LANGSTRAAT (1985) :
Langstraat
ELFSTEDENTOCHT 21 FEBRUARI 1985
STADSPOST (1985) : *Haarlem, Leeuwarden*
ER IS MEER DAN VOORHEENAAN DE PTT
TE VOLDOEN … NEDERLAND (1972) :
Leeuwarden
GILDESTAD NIJMEGEN NEDERLAND
(1977) : *Nijmegen*
GIOTTO STADSPOST (1986) : *Gravenhage*
GRAVENHAGE STADS (1985) : *Gravenhage*
HENGELO (O.) STADSPOST (1969) : *Hengelo*
HESSLING STADSPOST HAARLEM (1969) :
Haarlem
INTERPOST (1988) : *Beverwijk, Sittard*
KERST-EN NIEUWJAARSZEGEL
'85 UITGAVE PARTICULIERE
STADSPOSTDIENSTEN (1986) : *Hilversum,
Purmerend, Schagen, Valkenswaard*
KOMEET HALLEY STADSPOST (1986) :
Gravenhage
KOMEET WEST STADSPOST (1986) :
Gravenhage
LEEUWARDEN STADSPOST (1969) :
Leeuwarden
LONDON URCHINPOST (1971) : *Amsterdam*
NEDERLAND STADSPOST APELDOORN
(1970-1989) : *Apeldoorn*
NOODUITGIFTE INTERPOST NEDERLAND-
ENGELAND (1971) : *Amsterdam*
OLTHOF'S STADSPOSTSERVICE ALMELO
(1984) : *Almelo*
PAKKET EN STREEK POSTDIENST W.F.K.
(1984) : *Grootebroek*
PAKKET EN STREEKPOSTDIENST WEST-
FRIESE KOERIERSDIENST (1985-1987) :
Grootebroek
PARTICULIERE POSTBEZORGING
APELDOORN (1985) : *Apeldoorn*
PARTICULIERE POSTDIENST DORDRECHT
(1986) : *Dordrecht*
PARTICULIERE POSTDIENST LAMBURG
(1986) : *Sittard*
PARTICULIERE POSTDIENST MAASTRICHT
(1986) : *Maastricht*
PARTICULIERE POSTDIENST NIJMEGEN
(1984) : *Nijmegen*
PESIE STADSPOST DEN HELDER 1969
(1969) : *Den Helder*
POSTDIENST COMBINATIE (1987) : *Rotterdam*
POSTNED (1985)
P. P. A. 40 JAAR NEDERLAND VRIJ 5-MEI-
1985 (1985) : *Amsterdam*
P P M (*avec étoile*) (1989) : *Maastricht*
POSTORGANISATIE NEDERLAND (1987) :
Amsterdam
PROVINCIEPOST FRIESLAND

LEEUWARDEN (1970-1971) : *Leeuwarden*
RIDDERZAAL STADSPOST (1988) :
Gravenhage
SAIL FOR AMSTERDAM '85 16 AUGUSTUS
STADSPOST (1985) : *Haarlem*
SAMENWERKENDE PARTICULIERE
STADSPOSTEN NOORD-HOLLAND (1988) :
Beverwijk
SKÛTSJESILEN 1945-1985 STADSPOST
(1985) : *Leeuwarden*
STADPOST HAARLEM (1982-1983) : *Haarlem*
STAD/REGIOPOST WEST-FRIESLAND FA.
HERLING STRUDHORST (1989) : *West-*
Friesland
STADS EN STREEK POST (1988) : *Bergen Op*
Zoom
STADS INTERPOST (1987) : *Schagen*
STADS INTERPOST BEZORG SERVICE DIE
MINDER KOST. (1987) : *Schagen*
STADSPOST *(avec courreurs)* (1987) : *Apeldoorn*
STADSPOST *(avec courreurs de marathon)*
(1985) : *Rotterdam*
STADSPOST *(avec patineurs)* (1986) :
Leeuwarden
STADSPOST *(avec randonneurs)* (1987) :
Nijmegen
STADSPOST *(et cigogne)* (1989) : *Hertogenbosch*
STADSPOST 100 (1985) : *Eindhoven*
STADSPOST 100 CT *(et tulipes)* (1985) :
Haarlem
STADSPOST 115 (1985) : *Eindhoven*
STADSPOST 115 C *(et vielle voiure)* (1985) :
Eindhoven
STADSPOST 115 *(et patineurs)* (1986) :
Eindhoven
STADSPOST 35 CT (1985) : *Coevorden*
STADSPOST 35 CT (1985-1986) : *Emmen*
STADSPOST 40 (1988) : *Alkmaar*
STADSPOST 40 (1988) : *Beverwijk*
STADSPOST 40 CT (1988) : *Emmen*
STADSPOST 45 (1988) : *Beverwijk*
STADSPOST 45 C *(et vielle voiure)* (1985) :
Eindhoven
STADSPOST 45 CT (1985) : *Capelle a/d Ijssel*
STADSPOST 45 *(et patineurs)* (1986) : *Eindhoven*
STADSPOST 55 *(et patineurs)* (1986) : *Eindhoven*
STADSPOST 55 CT *(et tulipes)* (1985) : *Haarlem*
STADSPOST 80 (1985) : *Eindhoven*
STADSPOST 80 C *(et vielle voiure)* (1985) :
Eindhoven
STADSPOST 80 CT *(et tulipes)* (1985) : *Haarlem*
STADSPOST AJAX WONG AMSTERDAM
(1971) : *Amsterdam*
STADSPOST ALMELO (1985-1987) : *Almelo*
STADSPOST AMNESTY INTERNATIONAL
(1986) : *Eindhoven*
STADSPOST AMSTERDAM (1970-1985) :
Amsterdam
STADSPOST AMSTERDAM URCHINPOST
LONDON (1971) : *Amsterdam*

STADSPOST APELDOORN (1970-1989) :
Apeldoorn
STADSPOST APPINGEDAM (1970) :
Appingedam
STADSPOST ARNHEM (1970-1988) : *Arnhem*
STADSPOST BERGEN OP ZOOM (1984-1988) :
Op Zoom
STADSPOST BEVERWIJK (1970-1971) :
Beverwijk
STADSPOST BREDA (1984) : *Breda*
STADSPOST DE BILT/BILTHOVEN (1970) : *De*
Bilt / Bilthoven
STADSPOST DELFZIJL (1985) : *Delfzijl*
STADSPOST DEN HELDER (1970-1987) : *Den*
Helder
Bergen STADSPOST DEVENTER (1987-1988) :
Deventer
STADSPOSTDIENST HENGELO (1984) :
Hengelo
STADSPOST DOETINCHEM (1987-1988) :
Doetinchem
STADSPOST DORDRECHT (1983-1987) :
Dordrecht
STADSPOST DORDT IN STOOM (1985) :
Dordrecht
STADSPOST EINDHOVEN (1983-1984) :
Eindhoven
STADSPOST EMMEN 1989 (1989) : *Emmen*
STADSPOSTEN HELDEN-MAASBREE (1986-
1987) : *Helden-Maasbree*
STADSPOSTEN HORST-SEVENUM (1986-
1987) : *Horst-Sevenum*
STADSPOSTEN NOORD-HOLLAND
UTRECHT (1986)
STADSPOST ENSCHEDE (1970-1984) :
Enschede
STADSPOST EPE (1987-1988) : *Epe*
STADSPOST GRONINGEN (1970-1987) :
Groningen
STADSPOST HAARLEM (1987-1988) :
Beverwijk
STADSPOST HAARLEM (1970-1989) : *Haarlem*
STADSPOST HAARLEMMERMEER (1985) :
Haarlemmermeer
STADSPOST HARDERWIJK (1987) : *Harderwijk*
STADSPOST HARLINGEN (1970) : *Harlingen*
STADSPOST HELMOND (1984-1986) : *Helmond*
STADSPOST HERTOGENBOSCH (1983) :
Hertogenbosch
STADSPOST HILVERSUM (1983-1987) :
Hilversum
STADSPOST HOOGEVEEN (1985-1986) :
Hoogeveen
STADSPOST KAMPEN (1989) : *Kampen*
STADSPOST LEEUWARDEN (1970-1985) :
Leeuwarden
STADSPOST LEIDEN (1985) : *Leiden*
STADSPOST L.V.P.S. (1984)
STADSPOST MEDEMBLIK OLYMPISCH
ZEILCENTRUM 1992 (1986-1987) : *Medemblik*

STADSPOST NIJMEGEN (1985-1987) :
Nijmegen
STADSPOST PAPENDRECHT (1970) :
Papendrecht
STADSPOST PURMEREND (1983-1988) :
Purmerend
STADSPOST ROOSENDAAL (1988) : *Breda,*
Roosendaal
STADSPOST ROTTERDAM (1984-1986) :
Rotterdam
STADSPOST SPIJKENISSE (1984-1986) :
Spijkenisse
STADS POSTUNIE LE FACTEUR GROUPE
(1989)
STADSPOST UTRECHT (1969-1984) : *Utrecht*
STADSPOST VLAARDINGEN-SCHIEDAM
(1983-1985) : *Vlaardingen-Schiedam*
STADSPOST ZAANSTAD (1986) : *Haarlem*
STADS REGIO POST (1987-1988) : *Den Helder*
STEUNT ARTIS (1970) : *Amsterdam*
STREEKPOST BOXTEL (1988) : *Boxtel*
STREEKPOST DE BARONIE BREDA (1986-
1988) : *Breda*
STREEKPOST ETTEN-LEUR (1986) : *Etten-Leur*
STREEKPOST GOUDA (1984-1986) : *Gouda*
URCHINPOST (1971) : *Amsterdam*
UITGAVE PARTICULIERE
STADSPOSTDIENSTEN (1986) : *Beverwijk*
VDV GOOI-POST (1984) : *Bussum*
VOORNE STADSPOST (1984) : *Voorne*
VREDESPALEIS STADSPOST (1988) :
Gravenhage
WAALWIJK STADS BOXTEL (1988) : *Boxtel*
WAALWIJK STADSPOST LANGSTRAAT
(1986) : *Langstraat*
WK BANDSTOTEN (1986) : *Haarlem*
s 40 (Pays-Bas . 1989) : *Grave-Ravenstein*
40 STADSPOST (*Maastricht* : 1989) : *Grave-*
Ravenstein
MAASLAND POST (*Maastricht* : 1989) : *Grave-*
Ravenstein
STADSPOST 40 (*Maastricht* : 1989) : *Grave-*
Ravenstein
m cent, c, ct, gld

- ◆ P.C.O.C.P. (cyrillique) ➜ Russie
- ◆ PCOCP (cyrillique) ➜ Russie
- ◆ PD/10 ➜ Saint-Pierre et Miquelon
- ◆ PD/15 ➜ Saint-Pierre et Miquelon
- ◆ PD/5 ➜ Saint-Pierre et Miquelon
- ◆ PDR YEMEN ➜ Yémen du Sud
- ◆ P E ➜ Égypte
- ◆ PEACE . PAQE . MIR ➜ Kosovo
- ◆ PECHINO ➜ Chine (bureaux italiens)
- ⊙ pen ➜ Finlande
- ◆ PEN ➜ Finlande

☐ **Penang**
Malaya: Penang + Malaysia: Penang (E)
1948-1960 ; 1065-1986
Asie
Yvert et Tellier, Tome 6, 2ᵉ partie
(à : *Malaysia*)
I MALAYA PENANG (1948-1960)
MALAYSIA PULAU PINANG (1965-1985)
PULAU PINANG MALAYSIA (1986)
m c, cent, cents, \$

☐ **Penang (occupation japonaise)**
* *Malaya Penang: Japanese occupation (E)*
1942
Asie
Yvert et Tellier, Tome 6, 2ᵉ partie
(à : *Malaysia*)
s * (2 *caractères asiatiques dans un ovale*) (Malacca
[établissements des détroits de Malacca et
Singapour] : 1942)
DAI NIPPON 2602 PENANG (Malacca
[établissements des détroits de Malacca et
Singapour] : 1942)

🏚 *Penang: Japanese occupation (E)* ➜ Penang
(occupation japonaise)
❖ PENCE. P.M RHEATOWN TENN ➜ États Confédérés
d'Amérique (émissions des Maîtres de postes :
Rheatown, Tennessee)
⊙ pence sterling ➜ Canada
⊙ pene ➜ Aitutaki, Niue, Rarotonga
⊙ pengö ➜ Hongrie
⊙ peni ➜ Niue, Penrhyn
⊙ penni ➜ Estonie, Finlande
⊙ pennia ➜ Finlande
🏚 penny, pence ➜ Afrique centrale britannique, Afrique
du Sud (compagnie britannique de l'), Afrique du Sud
(Union de l'), Aitutaki, Antigua, Australie, Australie
du Sud, Australie occidentale, Bahamas, Barbade,
Bechuanaland (colonie britannique), Bechuanaland
(protectorat britannique), Bermudes, Canada, Cap
de Bonne-Espérance (colonie britannique), Cap
de Bonne-Espérance (guerre anglo-boer), Ceylan,
Chypre, Colombie britannique, Cook, Côte du Niger,
Côte de l'Or, Dominique, Falkland, Fidji, Gambie,
Gibraltar, Gilbert & Ellice, Grande-Bretagne, Grenade,
Héligoland, Herm, Honduras britannique, Jamaïque,
Lagos, Lundy, Madagascar (poste britannique),
Malte, Maurice, Montserrat, Natal, Nauru, Nevis,
Nigeria du Sud, Niue, Nouveau Brunswick, Nouvelle
Écosse, Nouvelle Guinée (occupation britannique,
administration australienne), Nouvelle-Galles du
Sud, Nouvelles-Hébrides (postes locales), Nouvelle-
Zélande, Orange, Papouasie, Penrhyn, Prince Édouard,
Queensland, Rarotonga, Rhodésie, Rhodésie-
Nyassaland, Saint-Christophe, Sainte-Hélène, Sainte-
Lucie, Saint-Vincent, Samoa, Sierra Leone, Stellaland,
Tasmanie, Terre-Neuve, Tobago, Tonga, Transvaal,
Trinité, Turks et Caïques, Victoria, Vierges, Zambie,
Zoulouland

❖ PENNY BLACK ➜ Sierra Leone

◆ PENNY EXPRESS COMPANY ➜ États-Unis d'Amérique (postes locales et privées)

◆ PENNY POST ➜ États-Unis d'Amérique

◆ PENNY POSTAGE PAID ➜ États-Unis d'Amérique (postes locales et privées) : *Californie*

■ **Penrhyn**
Penrhyn Island + Penrhyn Northern Cook Islands (E)
1902-1929 ; 1973-auj.
Océanie
Yvert et Tellier, Tome 7, 1ʳᵉ partie
I **PENRHYN NORTHERN COOK ISLANDS** (1974-auj.)
POSTAGE PENRHYN (1920-1929)
s PENRHYN ISLAND (Nouvelle-Zélande : 1902-1918)
PENRHYN NORTHERN (Cook : 1973)
m peni, toru pene, tahi silingi, penny, pence, shilling, c, $

◆ PENRHYN ISLAND ➜ Penrhyn

◆ PENRHYN NORTHERN ➜ Penrhyn

◆ PENRHYN NORTHERN COOK ISLANDS ➜ Penrhyn

◆ *Pensacola (Floride)* ➜ États Confédérés d'Amérique (émissions des Maîtres de postes : Pensacola, Floride)

◆ *Penza* ➜ Zemstvos

◆ PEOPLE'S DEMOCRATIC REPUBLIC OF YEMEN ➜ Yémen du Sud

🏳 *People's Republic of Benin (E)* ➜ Bénin

🏳 *People's Republic of China (E)* ➜ Chine

🏳 *People's Republic of China: Central China (E)* ➜ Chine centrale

🏳 *People's Republic of China: East China (E)* ➜ Chine orientale

🏳 *People's Republic of China: North China (E)* ➜ Chine du nord

🏳 *People's Republic of China: Northeast China (E)* ➜ Chine du nord-est

🏳 *People's Republic of China: Northwest China (E)* ➜ Chine du nord-ouest

🏳 *People's Republic of China: South China (E)* ➜ Chine du sud

🏳 *People's Republic of China: Southwest China (E)* ➜ Chine du sud-ouest

🏳 *People's Republic of Congo (E)* ➜ Congo

◆ PEOPLE'S REPUBLIC OF SOUTHERN YEMEN ➜ Yémen du Sud

◆ PEOYMNHS (grec) ➜ Crète (bureau russe de Rethymno)

◆ PERAK ➜ Perak

☐ **Perak**
Malaya: Perak + Malaysia: Perak (E)
1878-1961 ; 1965-1986
Asie
Yvert et Tellier, Tome 6, 2ᵉ partie
(à : *Malaysia*)
I MALAYA (*sultan Yousouf Izzuddin*) (1950-1955)
MALAYA PERAK (1935-1961)
MALAYSIA PERAK (1963-1985)
PERAK (1890-1901)
PERAK MALAYSIA (1986)
s P *(accompagné d'un croissant et d'une étoile)* (Malacca [établissements des détroits de Malacca et Singapour] : 1878)
PERAK (Malacca [établissements des détroits de Malacca et Singapour] : 1880-1887)
P.G.S. (Malacca [établissements des détroits de Malacca et Singapour] : 1890)
m cent, cents, c, sen, $
⇨ Malaisie, Pahang, Perak (occupation japonaise)

☐ **Perak (occupation japonaise)**
★ *Malaya Perak: Japanese occupation (E)*
1942
Asie
Yvert et Tellier, Tome 6, 2ᵉ partie
(à : *Malaysia*)
s DAI NIPPON 2602 MALAYA (Perak : 1942)
DAI NIPPON YUBIN (Perak : 1942)
EP *(au milieu de caractères asiatiques)* (Perak : 1942)
m cents

🏳 *Perak: Japanese occupation (E)* ➜ Perak (occupation japonaise)

◆ PERAK MALAYSIA ➜ Perak

❖ PERCEVOIR ➜ Belgique, Colonies françaises, France

❖ PERCEVOIR T ➜ Éthiopie

◆ *Pereiaslav* ➜ Zemstvos

◆ *Pereslav* ➜ Zemstvos

◆ PERIODICI FRANCHI REGGIO ➜ Modène

❖ PERKOHESHME TE SHQIPENIES ➜ Albanie

☐ **Perlis**
Malaya: Perlis + Malaysia: Perlis (E)
1948-1962 ; 1965-1986
Asie
Yvert et Tellier, Tome 6, 2ᵉ partie
(à : *Malaysia*)
I MALAYA PERLIS (1948-1957)
MALAYSIA PERLIS (1965-1984)
PERLIS MALAYSIA (1986)
m c, $

◆ PERLIS MALAYSIA ➜ Perlis

◆ *Perm* ➜ Zemstvos

◆ PERNAU 8. VII 1941 ➜ Lettonie (occupation allemande)

■ **Pérou**
Peru (E)
1857-auj.
Amérique du Sud
Yvert et Tellier, Tome 7, 1ʳᵉ partie
 I CHORRILLOS LIMA CALLAO (1871)
    CORREOS DEL LIMA PERU (1904)
    CORREOS DEL PERU (1866-auj.)
    CORREOS PERU (1866-auj.)
    CORREOS PORTE FRANCO CORREOS (1858-1862)
    LIMA (1871)
    LIMA PERU (1930)
    ORO DEL PERU (1966-1968)
    PERU (1874-auj.)
    PERU AEREO (1938-1982)
    PERU CORREOS (1874-auj.)
    PERU DÉFICIT (1899)
    PORTE DE CONDUCCION (1896-1904)
    PORTE FRANCO CORREO LIMA (1871)
    PRO DESOCUPADOS PERU (1931-1934)
    PRO PLEBISCITO TACNA Y ARICA 1925 (1925)
    PRO TACNA Y ARICA (1926-1928)
    P. S. N. C. ½ OZ. 1 Rᴸ (1857)
    P. S. N. C. 1 OZ. 2 Rᴸˢ (1857)
    REPUBLICA DEL PERU (1938)
    REPUBLICA PERUANA (1921-1953)
    SERVICIO AEREO PERU (1935)
    TELEGRAFOS DEL PERU (1898)
    TELEGRAFOS NACIONAL (1876)
    UNION POSTAL UNIVERSAL PERU (1895-1907)
    DEFICIT (1874-1936)
 s DEFICIT (1874-1936)
 m rl, dinero, peseta, peso, centavo, centavos, Rⁱ, Rⁱˢ, sol, soles, c, cts, s, i, s/.
 ⟲ Ancachs, Arequipa, Ayacucho, Chachapoyas, Chala, Chiclayo, Cuzco, Huacho, Moquegua, Paita, Pasco, Pérou (occupation chilienne), Pisco, Piura, Puno, Yca

◆ *Pérou* ➜ voir aussi à : Ancachs, Apurimac, Arequipa, Ayacucho, Chachapoyas, Chala, Chiclayo, Cuzco, Huacho, Moquegua, Paita, Pasco, Pisco, Piura, Puno, Yca

■ **Pérou (occupation chilienne)**
Peru: Chilean occupation (E)
1881-1882
Amérique du Sud
 s « étoile, oiseau et couronne de lauriers » (Pérou : 1881-1882)
    UNION POSTAL UNIVERSAL PERU (Pérou : 1882)

❖ PERSANE ➜ Iran
❖ PERSE ➜ Iran
◆ *Perse* ➜ Iran
✦ PERSE À PERCEVOIR ➜ Iran
✦ PERSEKUTUAN TANAH MELAYU ➜ Malaisie

✦ PERSEKUTUAN TANAH MELAYU JOHORE ➜ Johore
✦ PERSEKUTUAN TANAH MELAYU NEGRI SEMBILAN ➜ Negri Sembilan
ꝑ *Peru (E)* ➜ Pérou
✦ PERU ➜ Pérou
✦ PERU 1883 1884 ➜ Arequipa
✦ PERU AEREO ➜ Pérou
✦ PERUANA ➜ Pérou
✦ PERU CORREOS ➜ Pérou
✦ PERU DÉFICIT ➜ Pérou
ꝑ *Peru: Chilean occupation (E)* ➜ Pérou (occupation chilienne)
ꝑ *Peru: provisional issues (E)* ➜ Ancachs, Apurimac, Arequipa, Ayacucho, Chala, Chachapoyas, Chiclayo, Cuzco, Huacho, Moquegua, Paita, Pasco, Pisco, Piura, Puno, Yca
⊙ pes ➜ Maroc (bureaux allemands)
⊙ pesa ➜ Afrique orientale allemande (colonie allemande)
✦ PESA ➜ Afrique orientale allemande (colonie allemande)
✦ PESETA ➜ Maroc (bureaux et protectorat français).
⊙ peseta ➜ Antilles espagnoles, Cuba, Elobey/Annobon & Corisco, Maroc (bureaux espagnols), Pérou
⊙ peseta, pesetas ➜ Espagne, Guinée espagnole, Maroc (bureaux et protectorat français), Maroc (postes locales), Rio de Oro
✦ PESETAS ➜ Maroc (bureaux et protectorat français),
⊙ pesetas ➜ Maroc anglais (tous les bureaux <1918/zone espagnole), Philippines, Puerto Rico
❖ PESIE'S STADSPOST ALKMAAR ➜ Pays-Bas (postes locales : *Den Helder*)
❖ PESIE'S STADSPOST BEVERWIJK ➜ Pays-Bas (postes locales : *Den Helder*)
❖ PESIE'S STADSPOST DEN HELDER ➜ Pays-Bas (postes locales : *Den Helder*)
❖ PESIE'S STADSPOST LANDSMEER ➜ Pays-Bas (postes locales : *Den Helder, Landsmeer*)
❖ PESIE'S STADSPOST PURMEREND ➜ Pays-Bas (postes locales : *Den Helder*)
❖ PESIE'S STADSPOST SCHAGEN ➜ Pays-Bas (postes locales : *Den Helder, Schagen*)
❖ PESIE'S STADSPOST VOLENDAM ➜ Pays-Bas (postes locales : *Den Helder*)
❖ PESIE'S STADSPOST ZAANDAM ➜ Pays-Bas (postes locales : *Den Helder*)
✦ PESIE STADSPOST DEN HELDER 1969 ➜ Pays-Bas (postes locales : *Den Helder*)
⊙ peso, pesos ➜ Antioquia, Argentine, Bolivar, Boyaca, Buenos Aires, Chili, Colombie, Cuba, Cucuta, Cundinamarca, Fernando Poo, Garzon, Guatemala, Honduras, Medellin, Mexique, Paraguay, Pérou, Philippines, Puerto Rico, Santander, Tolima, Uruguay
⊙ peso fuerte ➜ Paraguay
⊙ pesos ➜ Guinée-Bissau
✦ PETERSBURG VIRGINIA ➜ États Confédérés d'Amérique (émissions des Maîtres de postes : Petersburg, Virginie)
❖ PETITE ENTENTE ➜ Roumanie
✦ PETROLEOS MEXICANOS ➜ Mexique

* PETROSKOI РЕСПУБЛИКА КАРЕЛИЯ
ПОЧТА(cyrillique) → Russie (postes locales de l'ex-U.R.S.S. : République de Carélie)

◆ *Petrozavodsk* → Zemstvos

◉ pf → Allemagne (postes locales ou privées), Allemagne Orientale (zone soviétique d'occupation : émissions générales), Allemagne Orientale (zone soviétique d'occupation : postes locales), Bade, Bavière, Brunswick, Carolines, Chine (bureaux allemands), Eupen et Malmédy, Kiao-Tchéou, Marienwerder, Mecklembourg-Poméranie, Rhéno-Palatin (État), Sarre, Schleswig-Holstein, Silésie (Haute), Wurtemberg, Wurtemberg (occupation française)

❖ PF. → Kiao-Tchéou

❖ PFALZ → Rhéno-Palatin (État)

◉ pfennig → Afrique du Sud-Ouest (colonie allemande), Allemagne, Allemagne bizone (zone anglo-américaine d'occupation), Allemagne (postes locales ou privées), Allemagne Orientale (zone soviétique d'occupation : postes locales), Allemagne (zones Américaine, Anglaise et Soviétiques d'occupation - zones A.A.S.), Allenstein, Bavière, Cameroun allemand Carolines, Chemins de Fer de Bavière (Compagnie des), Chine (bureaux allemands), Héligoland, Kiao-Tchéou, Mariannes, Marshall, Mecklembourg-Poméranie, Memel (administration française), Nouvelle Guinée (colonie allemande), Samoa, Saxe Occidentale, Saxe (province), Togo (colonie allemande), Wurtemberg

◉ pfennige → Allemagne, Brunswick, Dantzig, Hanovre, Prusse, Saxe (royaume)

◉ pfenninge → Prusse

◉ pfg → Allemagne, Allemagne Orientale (zone soviétique d'occupation : postes locales), Chine (bureaux allemands), Estonie (occupation allemande), Kiao-Tchéou, Russie (occupation allemande)

* PFG → Estonie (occupation allemande)

❖ PFG. → Kiao-Tchéou

❖ PFLICHTIGE → Wurtemberg

◉ pg → Guinée-Bissau

* P.G.S. → Perak

◆ *Philadelphie* → États-Unis d'Amérique (postes locales et privées)

* PHILA. DESPATCH POST → États-Unis d'Amérique (postes locales et privées) : *Philadelphie*

❖ PHILIPPINE ISLANDS → Philippines

* PHILIPPINE ISLANDS UNITED STATES OF AMERICA → Philippines

* PHILIPPINES → Philippines

■ **Philippines**
Philippines: Spanish Dominion (1854-1898) + US Administration (1899-1935) + Commonwealth issues (1935-1946) + Republic (1946-) (E)
1854-auj.
Océanie
Yvert et Tellier, Tome 7, 1ʳᵉ partie

I BUREAU OF POSTS PHILIPPINE ISLANDS (1908-1913)
CORREOS 1 RL PLATA F (1863-1874)
CORREOS 1854 Y 55 FRANCO (1854-1874)
CORREOS 2 RL PLATA F (1863-1874)
CORREOS CENT Pᴼ Fᴱ (1864-1874)
CORREOS Cˢ DE Eᴼ (1870)
CORREOS INTERIOR FRANCO (1859-1874)
DERECHO JUDICIAL (1888-1889)
DERECHOS DE FIRMA (1881-1888)
FILIPᴬˢ IMPRESOS (1886-1896)
FILIPᴬˢ TELEGRAFOS (1892-1897)
FILIPINAS (1872-1899 ; 1965)
FILIPᴺᴬˢ (1898)
FRANCO CORREOS 1854 Y 55 (1854-1874)
IMPRESOS COBᴺᴼ REVOLUCIONARIO FILIPINAS (1899)
INDEPENDENCE OF THE PHILIPPINES (1946)
PHILIPPINE ISLANDS UNITED STATES OF AMERICA (1906-1936)
PHILIPPINES (1948-1962)
PHILIPPINES POSTAGE (1947-1962)
PILIPINAS (1962-auj.)
PILIPINAS KOREO (1962-auj.)
REPUBLIC OF THE PHILIPPINES (1947-1948, 1986)
TELEGRAFOS C DE PESO (1880-1888)
TELEGRAFOS PESO (1880-1888)
TELEGRAFOS PESOS (1880-1888)
TELEGRAFOS MILˢ DE PESO (1876-1882)
THE NEW REPUBLIC (1981)
UNITED STATES OF AMERICA COMMONWEALTH OF THE PHILIPPINES (1935-1945)
UNITED STATES OF AMERICA PHILIPPINE ISLANDS (1934-1935)

s HABILITADO POR LA NACION (Antilles espagnoles : 1869-1874)
PHILIPPINES (États-Unis d'Amérique : 1899-1904)

m cs, rl, pts, rl plata, cs de eo, cent pᵒ fᵉ, cents de peseta, cs de peseta, cs de peso, cs pta, cent de peso, cent de pesa, c de peso, pesetas, mils de peso, cms, cens, cmos, cento, rles, cent, milesima, milesimas, centavo, centavos, c, cvos, pesos, ctvs, s, p

⇨ Guam (poste locale), Mariannes, Philippines (occupation japonaise)

☐ **Philippines (occupation japonaise)**
* *Philippines: Japanese occupation (E)*
 1942-1945
 Océanie
 Yvert et Tellier, Tome 7, 1ʳᵉ partie
 l KALAYAAN NANG PILIPINAS (1943)
 PHILIPPINES POSTAGE PRODUCE AND
 PRESERVE FOOD FOR NEW PHILIPPINES
 (1942)
 PILIPINAS REPUBLIKA K. P. (1944)
 REPUBLIKA NG PILIPINAS (1944)
 REPUBLIKA NG PILIPINAS (K. P.) (1944)
 TT *(suivi de caractères asiatiques)* (1943)
 s 1-23-43 (Philippines : 1943)
 12-8-1942 5 (Philippines : 1942)
 3 CVOS 3 (Philippines : 1944)
 BAHA (1943)
 CONGRATULATIONS FALL OF BATAAN AND
 CORREGIDOR 1942 (Philippines : 1942)
 K. P. (Philippines : 1943-1944)
 LIMBAGAN 1593-1943 (Philippines : 1943)
 PILIPINAS REPUBLIKA K. P. (Philippines :
 1944)
 REPUBLIKA NG PILIPINAS (Philippines : 1944)
 REPUBLIKA NG PILIPINAS (K. P.)
 (Philippines : 1944)
 m cvos, c

▣ *Philippines: Japanese occupation (E)* ➜ Philippines
 (occupation japonaise)
* PHILIPPINES POSTAGE ➜ Philippines
* PHILIPPINES POSTAGE PRODUCE AND
 PRESERVE FOOD FOR NEW PHILIPPINES ➜
 Philippines (occupation japonaise)
⊙ pi ➜ Albanie, Levant (bureaux russes), Rouad,
 Roumélie Orientale
⊙ piast ➜ Levant (bureaux autrichiens)
* PIAST. ➜ Levant (bureaux autrichiens)
* PIAS100TRES ➜ Levant (bureaux russes)
* PIAS50TRES ➜ Levant (bureaux russes)
⊙ piaster ➜ Levant (bureaux allemands), Levant (bureaux
 autrichiens)
* PIASTER ➜ Levant (bureaux allemands), Levant
 (bureaux autrichiens)
⊙ piastra ➜ Bengasi (Cyrénaïque), Crète (bureau italien
 de la Canée)
* PIASTRA ➜ Crète (bureau italien de la Canée)
⊙ piastre ➜ Chypre, Éthiopie, Haïti, Levant (bureaux
 italiens), Palestine, Soudan, Syrie (administration
 française), Thrace
* PIASTRE ➜ Éthiopie, Levant (bureaux français),
 Levant (bureaux italiens), Thessalie, Turquie, Turquie
 (Anatolie)
⊙ piastre, piastres ➜ Ain-Tab, Alaouites, Bulgarie du
 Sud, Castellorizo (colonie française), Cavalle (bureau
 français), Cilicie, Crète (bureaux français), Dédéagh
 (bureau français), Égypte, Grand Liban, Lattaquié,
 Levant (bureaux anglais), Levant (bureaux français),
 Levant (bureaux russes), Roumélie Orientale, Syrie
 (administration française), Thessalie, Turquie, Turquie
 (Anatolie), Vathy, Vietnam (Empire)

* PIASTRES ➜ Levant (bureaux français), Levant
 (bureaux anglais), Levant (bureaux russes), Thessalie,
 Turquie, Turquie (Anatolie)
⊙ pice ➜ Azad Hind, Charkhari, États Princiers de l'Inde,
 Népal, Wadhwan
⊙ pies ➜ Bahawalpur, Birmanie (Dominion britannique),
 Bundi, Cochin, États Princiers de l'Inde, Inde anglaise,
 Morvi, Pakistan, Sirmoor, Soruth, Tibet, Travancore-
 Cochin
* PIES ➜ Tibet
❖ PIEVE DI CADORE ➜ Autriche-Hongrie (occupation
 en Italie)
❖ PIGEONGRAM ➜ Nouvelle-Zélande (poste privée)
* PILGRIM TERCENTENARY 1620-1920 ➜ États-Unis
 d'Amérique
* PILIPINAS ➜ Philippines
* PILIPINAS KOREO ➜ Philippines
* PILIPINAS REPUBLIKA K. P. ➜ Philippines
 (occupation japonaise)
❖ « PILSNER TAGBLATT » ➜ Tchécoslovaquie
* PINKNEY'S EXPRESS POST ➜ États-Unis
 d'Amérique (postes locales et privées) : *New York*
⊙ pingin, pingino ➜ Irlande
* PIPS DAILY MAIL GEO. ABRAHAMS ➜ États-Unis
 d'Amérique (postes locales et privées) : *New York*
♦ *Piriatin* ➜ Zemstvos
* PISCO ❱ Pisco

☐ **Pisco**
 Peru: provisional issues of Pisco (E)
 1884
 Amérique du Sud
 Yvert et Tellier, Tome 7, 1ʳᵉ partie
 (à : *Pérou*)
 s PISCO (Pérou : 1884)

* PISCOPÍ ➜ Piscopi

☐ **Piscopi**
 *Italian offices in the Dodecanese Islands: issued
 in Piscopi (E)*
 1912-1932
 Europe
 Yvert et Tellier, Tome 3, 1ʳᵉ partie
 (à : *Égée (îles de la mer)*)
 s PISCOPI (Italie : 1912-1932)

■ **Pitcairn**
 Pitcairn Islands (E)
 1940-auj.
 Océanie
 Yvert et Tellier, Tome 7, 1ʳᵉ partie
 l **PITCAIRN ISLANDS** (1940-auj.)
 WWW. PITCAIRN-ISLANDS.PN (2000)
 m d, c, $

* PITCAIRN ISLANDS ➜ Pitcairn
♦ *Pittsburgh (Pennsylvania)* ➜ États-Unis d'Amérique
 (postes locales et privées)
♦ *Pittsylvania Court House (Virginie)* ➜ États Confédérés
 d'Amérique (émissions des Maîtres de postes)

* PIURA ➜ Piura

☐ **Piura**
Peru: provisional issues of Piura (E)
1884
Amérique du Sud
Yvert et Tellier, Tome 7, 1ʳᵉ partie
(à : *Pérou*)
  s   PIURA (Pérou : 1884)
      PIURA VAPOR (Pérou : 1884)

* PIURA VAPOR ➜ Piura
* PLAN SUR DE VALENCIA ➜ Espagne
* PLATEBNI BOLETA ➜ Tchécoslovaquie
* PLAUEN ➜ Allemagne Orientale (zone soviétique d'occupation : postes locales)
* PLEASANT SHADE ➜ États Confédérés d'Amérique (émissions des Maîtres de postes : Pleasant Shade, Virginie)
❖ PLÉBISCIT ➜ Schleswig-Holstein
* PLÉBISCITE OLSZTYN ALLENSTEIN ➜ Allenstein
❖ PLEBISCITO TACNA Y ARICA 1925 ➜ Pérou
* PLEBISCIT SLESVIG ➜ Schleswig-Holstein
* PLESKAU ➜ Russie (occupation allemande)
* P. L. TEHERAN ➜ Iran
* POCCIN (cyrillique) ➜ Russie (Armée Wrangel)
❖ POCCIR (cyrillique) ➜ Russie (Armées du Sud)
* POCCIR ROSSIJA (cyrillique) ➜ Russie
* POCCNR (cyrillique) ➜ Russie
* POCCNR ROSSIJA (cyrillique) ➜ Russie
* P. O. CHARLESTON ➜ États Confédérés d'Amérique (émissions des Maîtres de postes : Charleston, Caroline du Sud)
* P. O. COLUMBIA S.C. ➜ États Confédérés d'Amérique (émissions des Maîtres de postes : Columbia, Caroline du Sud)
* POCZTA LITWY SRODKOWEJ DOPLATA ➜ Lituanie centrale
* POCZTA LOTNICZA MONTE CASSINO 1944-1954 ➜ Pologne (exil)
* POCZTA LOTNICZA POLSKA ➜ Pologne
❖ POCZTA MIASTA ZAWIERCIE ➜ Silésie (Haute : poste locale de Zawiercie)
* POCZTA OSIEDLI POLSKICH W ITALII ➜ Pologne (corps polonais)
* POCZTA POL. KORP. ➜ Pologne (corps polonais)
* POCZTA POLOWA 2 KORPUSU ANCONA ➜ Pologne (corps polonais)
* POCZTA POLOWA 2 KORPUSU BOLOGNA ➜ Pologne (corps polonais)
* POCZTA POLOWA 2 KORPUSU GENERALE ANDERS ➜ Pologne (corps polonais)
* POCZTA POLOWA 2 KORPUSU ITALIA ➜ Pologne (corps polonais)
* POCZTA POLOWA 2 KORPUSU MONTE CASSINO ➜ Pologne (corps polonais)
* POCZTA POLOWA 2 KORPUSU SOGGETTI ➜ Pologne (corps polonais)
* POCZTA POLSKA ➜ Pologne
* POCZTA POLSKA ➜ Pologne (exil)
* POCZTA POLSKA DOPLATA ➜ Pologne

* POCZTA POLSKA PORT GDANSK ➜ Dantzig (bureau polonais)
* POCZTA POLSKA W Z.S.S.R. ➜ Pologne (armées polonaises en U.R.S.S.)

☐ **Podolie**
★ *Ukraine: issued in Podolia (E)*
1919
Europe
Yvert et Tellier, Tome 4, 2ᵉ partie
(à : *Ukraine*)
  s   * (Russie : 1919)

◆ *Podolsk* ➜ Zemstvos
* POHJOIS INKERI ➜ Ingrie
❖ POKRAJINA ➜ Lubiana-Slovénie (occupation allemande)
🔲 *Pokutia (E)* ➜ Roumanie (occupation roumaine de la Galicie)
🔲 *Poland (E)* ➜ Pologne
🔲 *Poland: exile Government in Great Britain (E)* ➜ Pologne (exil)
🔲 *Poland: German occupation (E)* ➜ Pologne (occupation allemande)
🔲 *Poland: local issues (E)* ➜ Pologne (postes locales)
🔲 *Poland: Polish Army in Soviet Union (E)* ➜ Pologne (armées polonaises en U.R.S.S.)
🔲 *Poland: Polish offices abroad (E)* ➜ Dantzig (bureau polonais), Levant (bureaux polonais), Pologne (exil)
🔲 *Poland: Polish offices in Danzig (E)* ➜ Dantzig (bureau polonais)
❖ POLEN ➜ Pologne (occupation allemande)
❖ POLE DU NORD 1931 ➜ Russie
🔲 *Polish Corps in Russia (E)* ➜ Pologne (corps polonais)
🔲 *Polish offices in Turkish Empire (E)* ➜ Levant (bureaux polonais)
🔲 *Polish offices in Turkish Empire: issued in Odessa (E)* ➜ Odessa (Levant bureaux polonais)
* POL. KORP. ➜ Pologne (corps polonais)

■ **Pologne**
Poland (E)
1860-auj.
Europe
Yvert et Tellier, Tome 4, 1ʳᵉ partie
  l   AERO-TARG POZNAN 1921 (1921)
      K.O.M.W. (1915-1916)
      LEGIONISTOM POLSKIM (1916)
      POCZTA LOTNICZA POLSKA (1946-1959)
      POCZTA POLSKA DOPLATA (1919-1980)
      POLSKA (1945-auj.)
      POLSKA POCZTA LOTNICZA (1948-1952)
      ZA LOT KOP 10 (1860)
      POCZTA POLSKA (1919-1954)
  s   5 (Allemagne : 1919)
      10 (Allemagne : 1919)
      POCZTA POLSKA (Pologne [occupation allemande] : 1918)
      POCZTA POLSKA (Autriche : 1919)
      POCZTA POLSKA (Poste locale de Varsovie : 1918)

RZP. POLSKA (Autriche : 1919)
POLSKA POCZTA (Autriche, Autriche-Hongrie : 1919)
m hal., halerzy, h, f, fen, fenigow, mk, m, grosz, gr, groszy, zloty, zl, zt
⇨ Dantzig (bureau polonais), Levant (bureaux polonais), Lituanie du Sud (occupation polonaise), Odessa (Levant bureaux polonais), Pologne (occupation allemande), Silésie Orientale, Ukraine sub-carpathique

☐ **Pologne (armées polonaises en U.R.S.S.)**
Poland: Polish Army in Soviet Union (E)
1942
Europe
Yvert et Tellier, Tome 4, 1ʳᵉ partie
l POCZTA POLSKA W Z.S.S.R. (1942)
m KOP

☐ **Pologne (corps polonais)**
Polish Corps in Russia (E)
1918 ; 1946-1947
Europe
Yvert et Tellier, Tome 4, 1ᵐ partie
l POCZTA OSIEDLI POLSKICH W ITALII (1946)
POCZTA POLOWA 2 KORPUSU ANCONA (1946)
POCZTA POLOWA 2 KORPUSU BOLOGNA (1946)
POCZTA POLOWA 2 KORPUSU GENERALE ANDERS (1946)
POCZTA POLOWA 2 KORPUSU ITALIA (1946)
POCZTA POLOWA 2 KORPUSU MONTE CASSINO (1946)
POCZTA POLOWA 2 KORPUSU SOGGETTI (1946)
POLSKA 1ZT+2ZT (1944)
s POCZTA POL. KORP. (Russie : 1918)
POL. KORP. (Russie : 1918)
WARTOSC (1946)
m centow, gr, lir, lirew, liry, k, zt
⇨ Pologne (exil)

☐ **Pologne (exil)**
Poland: exile Government in Great Britain (E)
1941-1944 ; 1954
Europe
Yvert et Tellier, Tome 4, 1ʳᵉ partie
l POCZTA POLSKA (1941-1944)
POLSKA 1ZT+2ZT (1944)
s DZIESIECIOLECIE 1944-1954 (Pologne [corps polonais] : 1954)
MONTE CASSINO (1944)
POCZTA LOTNICZA MONTE CASSINO 1944-1954 (Pologne [corps polonais] : 1954)
m gr, zt

☐ **Pologne (occupation allemande)**
Poland: German occupation (E)
1915-1944
Europe
Yvert et Tellier, Tome 4, 1ʳᵉ partie
l DEUTSCHES REICH GENERAL GOUVERNEMENT (1941-1943)
GENERAL GOUVERNEMENT (1940-1941)
GROSSDEUTSCHES REICH GENERAL GOUVERNEMENT (1943-1944)
s DEUTSCHE POST OSTEN (Allemagne : 1939)
GENERAL GOUVERNEMENT (Pologne : 1940-1941)
GEN. GOUV. WARSCHAU (Allemagne : 1916-1917)
RUSSICH-POLEN (Allemagne : 1915)
m groschen, gr, zloty, zl
⇨ Pologne, Pologne (postes locales)

☐ **Pologne (postes locales)**
Poland: local issues (E)
1918
Europe
l RADA MIEJSKA MIASTA PRSEDBORZA (1918) : *Prsedborz*
STADTPOST LUBOML (1918) : *Luboml*
s NASKARK NARODOWY (Pologne [occupation allemande] : 1918) : *Wloclawek*
POLSKA (Pologne [occupation allemande] : 1918) : *Skierniewice*
m grosze, groszy, halerzy

♦ POLSKA ➔ Pologne, Pologne (postes locales) : *Skierniewice*
♦ POLSKA 1ZT+2ZT ➔ Pologne (exil)
♦ POLSKA POCZTA ➔ Pologne
♦ POLSKA POCZTA LOTNICZA ➔ Pologne

☐ **Poltava**
★ *Ukraine: issued in Poltava (E)*
1919
Europe
Yvert et Tellier, Tome 4, 2ᵉ partie
(à : *Ukraine*)
s * (Russie : 1919)

♦ *Poltava* ➔ voir aussi : Zemstvos
♦ POLYNÉSIE FRANÇAISE ➔ Polynésie Française

■ **Polynésie Française**
French Polynesia (E)
1958-auj.
Océanie
Yvert et Tellier, Tome 2, 1ʳᵉ partie
l POLYNÉSIE FRANÇAISE (1958-auj.)
m f

♦ POMEROY'S LETTER EXPRESS ➔ États-Unis d'Amérique (postes locales et privées) : *New York*
❖ POMXHNR 1916-1917 (cyrillique) ➔ Roumanie (occupation bulgare)

◆ PONTA DELGADA ➔ Ponta Delgada

☐ **Ponta Delgada**
1892-1905
Europe
Yvert et Tellier, Tome 3, 2ᵉ partie
(à : *Portugal*)
  I PONTA DELGADA (1892-1905)
  m reis

◆ *Pontevedra* ➔ Espagne (émissions nationalistes)
◆ PONY EXPRESS WELLS FARGO & CO. ➔ États-Unis d'Amérique (postes locales et privées)
❖ POO ➔ Fernando Poo
☉ poon ➔ Corée (royaume/empire)
⅌ *Poonch (E)* ➔ Pountch
◆ P. O. PAID 1 CENT ➔ États-Unis d'Amérique (postes locales et privées) : *Philadelphie*
◆ POPAYAN. FRANCA 10 CENTAVOS NO HAI ESTAMPILLAS. EL ADMOR. ➔ Cauca
◆ *Porkhov* ➔ Zemstvos
❖ PORT BETAALD ➔ Pays-Bas
◆ PORT BETAALD PTT POST ➔ Pays-Bas
◆ PORT CANTONAL ➔ Suisse
◆ PORTEADO ANGOLA ➔ Angola
◆ PORTEADO CABO VERDE RECEBER ➔ Cap-Vert
◆ PORTEADO CORREIO A RECEBER ➔ Portugal
◆ PORTEADO INDIA A RECEBER ➔ Inde portugaise
◆ PORTEADO MACAU ➔ Macao
◆ PORTEADO MOÇAMBIQUE ➔ Mozambique
◆ PORTEADO TIMOR ➔ Timor
◆ PORTE DE CONDUCCION ➔ Pérou
◆ PORTE DE MAR ➔ Mexique
◆ PORTE FRANCO CORREO LIMA ➔ Pérou
◆ PORTE NICARAGUA ➔ Nicaragua
◆ PORT GDANSKŃSK ➔ Dantzig (bureau polonais)
◆ PORT-LAGOS ➔ Port-Lagos

☐ **Port-Lagos**
French Offices in Turkish Empire: Port Lagos (E)
1893
Europe
Yvert et Tellier, Tome 2, 1ʳᵉ partie
  s PORT-LAGOS (France : 1893)
  m c, f

◆ *Portland (Maine)* ➔ États-Unis d'Amérique (postes locales et privées)
◆ *Port Lavaca (Texas)* ➔ États Confédérés d'Amérique (émissions des Maîtres de postes : Port Lavaca, Texas)
◆ PORTO ➔ Autriche, Autriche (postes locales ou privées) : *Graz, Steg, Tachau,* Temesvar (Timisiorra), Yougoslavie
❖ PORTO ➔ Groenland, Indonésie
◆ PORTO BAR BEZAHLT ➔ Tchécoslovaquie
❖ PORTOFRIT I DANMARK ➔ Autriche (postes locales ou privées) : *Camp de prisonniers de Tarp (Danemark)*
◆ PORTO GAZETEI ➔ Roumanie
◆ PORTO HÄRFÖR ERLAGT ➔ Suède
◆ PORTO HOTOVE ZAPLACENO ➔ Tchécoslovaquie
❖ PORTOMARKE ➔ Bosnie Herzégovine
❖ PORTO-MARKE ➔ Bade (Grand Duché)

◆ PORTO PFLICHTIGE ➔ Wurtemberg
◆ PORTO PLACENO HOTOVE ➔ Tchécoslovaquie
◆ PORTO RICO ➔ Puerto Rico
◆ PORTO SCRISOREI ➔ Roumanie
◆ PORTO ZAPLACENO ➔ Tchécoslovaquie
◆ PORT PAYÉ POSTE DE SUÈDE ➔ Suède
◆ PORT PAYÉ POSTE SUÈDE ➔ Suède
◆ PORT PAYÉ POST SUÈDE ➔ Suède
◆ PORTRAIT D'AVICENNE ➔ Iran
◆ PORT-SAÏD ➔ Port-Saïd

☐ **Port-Saïd**
French Offices in Egypt: Port Said (E)
1899-1928
Afrique
Yvert et Tellier, Tome 2, 1ʳᵉ partie
  l PORT-SAÏD (1902-1928)
  s PORT-SAÏD (France : 1899)
     MILLIÈMES (France : 1921)
  m millième, millièmes, Mm
  ⇨ Alexandrie

◆ PORTUGAL ➔ Portugal

■ **Portugal**
1853-auj.
Europe
Yvert et Tellier, Tome 3, 2ᵉ partie
  l ASSISTENCIA NACIONAL AOS TUBERCULOSOS PORTE FRANCO (1905)
     CORREIO (1853-1862)
     CORREIOS E TELEGRAPHOS (1882-1887)
     CRUZ VERMELHA PORTUGUESA (1926)
     CTT CORREIOS (1995-1996)
     EXPOSICÀO FILATELICA PORTUGUESA (1935)
     PORTEADO CORREIO A RECEBER (1904-1927)
     PORTUGAL (1941-auj.)
     REPUBLICA PORTUGUESA (1912-1936)
     REPUBLICA PORTUGUEZA (1913)
     SOCIEDADE DE GEOGRAPHIA DE LISBOA PORTE FRANCO (1905-1935)
     SOCIEDADE PORTUGUEZA DA CRUZ VERMELHA PORTE FRANCO (1889-1917)
  m reis, c, e, centavos, cos, ctvs, $, esc, €
  ⇨ Açores, Madère

◆ *Portugal* ➔ voir aussi : Açores, Angra, Funchal, Horta, Madère, Ponta Delgada
⅌ *Portugal: Azores (E)* ➔ Açores
◆ PORTUGAL COLONIA DE MOÇAMBIQUE ➔ Mozambique
◆ PORTUGAL CONGO ➔ Congo portugais
◆ PORTUGAL CORREIO S. THOME E PRINCIPE ➔ Saint-Thomas et Prince
◆ PORTUGAL INDIA ➔ Inde portugaise
◆ PORTUGAL LOURENÇO MARQUES ➔ Lorenzo-Marquès
◆ PORTUGAL MACAU ➔ Macao
⅌ *Portugal: Madeira (E)* ➔ Madère
◆ PORTUGAL MADEIRA ➔ Madère

- PORTUGAL MOÇAMBIQUE ➔ Mozambique
- PORTUGAL S. THOME E PRINCIPE ➔ Saint-Thomas et Prince
- PORTUGAL TIMOR ➔ Timor
- PORTUGAL ZAMBEZIA ➔ Zambézie
- ❖ PORTUGUESA ANGOLA ➔ Angola
- ❖ PORTUGUES ANGOLA ➔ Angola
- ❖ PORTUGUESA CABO VERDE ➔ Cap-Vert
- ❖ PORTUGUESA CONGO ➔ Congo portugais
- ❖ PORTUGUESA GUINÉ ➔ Guinée portugaise
- ❖ PORTUGUESA INDIA ➔ Inde portugaise
- ❖ PORTUGUESA MOÇAMBIQUE ➔ Mozambique
- ❖ PORTUGUESA S. TOMÉ E PRINCIPE ➔ Saint-Thomas et Prince
- ❖ PORTUGUESA TÉTE ➔ Tété
- ❖ PORTUGUESA TIMOR ➔ Timor
- ꝑ *Portuguese Africa (E)* ➔ Afrique portugaise
- ꝑ *Portuguese Colonies (E)* ➔ Colonies portugaises
- ꝑ *Portuguese Congo (E)* ➔ Congo portugais
- ꝑ *Portuguese Guinea (E)* ➔ Guinée portugaise
- ꝑ *Portuguese India (E)* ➔ Inde portugaise
- ❖ PORT VILA ➔ Nouvelles-Hébrides (postes locaux)
- POSESIONES ESPANOLAS DE AFRICA OCCIDENTAL ➔ Guinée espagnole
- POSESIONES ESPANOLAS DEL SAHARA OCCIDENTAL ➔ Sahara espagnol
- POST ➔ Saxe Orientale
- POST ПОЧТА ➔ Saxe Orientale
- POSTA AERA VATICANA ➔ Vatican (Cité du)
- POSTA AEREA CIRENAICA ➔ Cyrénaïque (colonie italienne)
- POSTA AEREA CROCIERA ZEPPELIN ISOLE ITALIANE 1933 DEL EGEO AXI ➔ Italie
- POSTA AEREA ITALIANA ➔ Italie
- ❖ POSTA AUSTR. ➔ Levant (bureaux autrichiens)
- POSTA CESKOSLOVENSKA ➔ Tchécoslovaquie
- POSTA CESKO-SLOVENSKA ➔ Tchécoslovaquie
- POSTA CESKOSLOVENSKA 1919 ➔ Tchécoslovaquie
- POSTA CESKOSLOVENSKA 1945 ➔ Tchécoslovaquie
- POSTA CESKOSLOVENSKE ARMADY SIBIRSKE ➔ Tchécoslovaquie (Légion en Sibérie)
- POSTA CESKYCH SKAUTU VE SLUZBACH NARODNI VLADY ➔ Tchécoslovaquie
- POSTA DI FIUME ➔ Fiume
- ❖ POSTA DI SICILIA ➔ Royaume des deux Siciles
- POSTA FIUME ➔ Fiume
- POSTAG ➔ Mongolie
- POSTAGE ➔ Grande-Bretagne, Mongolie
- POSTAGE AFGHAN ➔ Afghanistan
- POSTAGE AND INLAND REVENUE ➔ Grande-Bretagne
- POSTAGE AND REVENUE ➔ Grande-Bretagne, Kishengarh
- POSTAGE ANNA ➔ Haiderabad
- POSTAGE BRITISH CONSULAR MAIL ANTANANARIVO ➔ Madagascar (poste britannique)
- POSTAGE BRITISH VICE-CONSULATE ANTANANARIVO ➔ Madagascar (poste britannique)

- POSTAGE DUE ➔ Australie, Grande-Bretagne
- POSTAGE DUE RHODESIA ➔ Rhodésie du Sud
- POSTAGE FREE ➔ Nouvelle-Zélande
- POSTAGE H.E.H. THE NIZAM'S GOVERNMENT ➔ Haiderabad
- POSTAGE I. E. F. 'D' ➔ Irak
- POSTAGE ONE CENT. 1843 – McKINLEY – 1901 (*carte postale*) ➔ États-Unis d'Amérique
- POSTAGE PENRHYN ➔ Penrhyn
- POSTAGE PIES ➔ Haiderabad
- POSTAGE RB ➔ Haiderabad
- POSTAGE REVENUE ➔ Grande-Bretagne
- POSTAGE & REVENUE ➔ Grande-Bretagne
- POSTAGE & REVENUE LABUAN ➔ Labuan
- POSTAGES CORREOS ➔ Puerto Rico
- POSTAGE SIX ANNAS ➔ Inde anglaise
- POSTAGE TWO CENTS ➔ États Confédérés d'Amérique (émissions générales)
- POSTAGE W AUST SICILLUM NOV CAMB ➔ Nouvelle-Galles du Sud
- ❖ POSTA GRANA ➔ Royaume des deux Siciles
- ❖ POSTA GRANO ➔ Royaume des deux Siciles
- ❖ POSTALARI ➔ Alexandrette (administration turque), Turquie
- POSTAL CARD ➔ États-Unis d'Amérique
- POSTAL ENCOMBRANT ➔ France
- ❖ POSTALI ➔ Italie, Somalie Italienne
- POSTALI SULLA RICEVUTA ➔ Italie
- ❖ POSTAL MAJORATION ➔ France
- POSTAL TELEGRAPH ➔ États-Unis d'Amérique (compagnies privées de télégraphe) : *Postal Telegraph Company*
- POSTAL TELEGRAPH-CABLE COMPANY ➔ États-Unis d'Amérique (compagnies privées de télégraphe) : *Postal Telegraph Company*
- POSTAL TELEGRAPH CO ➔ États-Unis d'Amérique (compagnies privées de télégraphe) : *Postal Telegraph Company*
- POSTAL TELEGRAPH COMPANY ➔ États-Unis d'Amérique (compagnies privées de télégraphe) : *Postal Telegraph Company*
- POSTAL UNION CONGRESS LONDON 1929 ➔ Grande-Bretagne
- POSTA MOLDOVA ➔ Moldavie
- ❖ POSTA NAPOLETANA ➔ Royaume des deux Siciles
- ❖ POSTA PARTIGIANA ➔ Italie (comité de libération nationale)
- POSTA ROMÂNA ➔ Roumanie
- POSTA ROMANA CONSTANTINOPOL ➔ Levant (bureaux roumains)
- POSTA R.P. ROMINA ➔ Roumanie
- POSTA SHQIPTARE ➔ Albanie
- POSTAS LE HIOC ➔ Irlande
- POSTAS LE HIOC ➔ Irlande
- ❖ POSTATAKAREKPENZTAR ➔ Hongrie
- POSTA ThBA TOUVA (cyrillique) ➔ Touva
- POSTAT E QEVERIES SE PERKOHESHME TE SHQIPENIES ➔ Albanie
- POSTAT E QEVERRIES SE PERKOHESHME TE SHQIPENIES ➔ Albanie
- POSTAT SHQIPTARE ➔ Albanie

- POSTA VETËKEVERRIA E MIRDITIËS ➔ Albanie
- POSTBEWIJS NEDERLANDSCHE POSTERIJEN ➔ Pays-Bas
- ❖ POSTBEZIRK ➔ Allemagne du Nord (bureau)
- POSTCOLLI ➔ Belgique
- POSTCOLLI SPOORWEGEN ➔ Belgique
- POST COLLO ➔ Belgique
- POST CO. OF I. R. IRAN ➔ Iran
- ❖ POST-DEPARTMENTET ➔ Norvège
- POST DER STADT POCZTA MIASTA ZAWIERCIE ➔ Silésie (Haute : poste locale de Zawiercie)
- POSTDIENST COMBINATIE ➔ Pays-Bas (postes locales : *Rotterdam*)
- POSTE AÉRIEN ➔ Iran
- POSTE AÉRIENNE ➔ Iran
- POSTE BULGARE ➔ Bulgarie
- POSTE CIRENAICA ➔ Cyrénaïque (colonie italienne)
- POSTE COLONIALI ITALIANE ➔ Colonies Italiennes
- POSTE COLONIALI ITALIANE LIBIA ➔ Libye
- ❖ POSTE DE CAMPAGNE ➔ Belgique
- POSTE DE GENÈVE ➔ Suisse
- POSTE ESTENSI ➔ Modène
- POSTE ITALIANE ➔ Italie
- POSTE ITALIANE 3 FIERA CAMPIONARIA TRIPOLI ➔ Tripolitaine
- POSTE ITALIANE BENADIR ➔ Somalie italienne
- POSTE ITALIANE IV FIERA CAMPIONARIA I RASSEGNA INTERNAZIONALE TRIPOLI ➔ Tripolitaine
- POSTE ITALIANE LIBIA ➔ Libye
- POSTE ITALIANE SECUNDA FIERA CAMPIONARIA TRIPOLI ➔ Tripolitaine
- POSTE ITALIANE SOMALIA ➔ Somalie italienne
- POSTE ITALIANE V FIERA CAMPIONARIA II RASSEGNA INTERNAZIONALE TRIPOLI ➔ Tripolitaine
- POSTE LIBRE F.F.I. M.L.N. ➔ France
- POSTE LOCALE ➔ Suisse
- POSTE LOCALE PARAS ➔ Turquie (Entreprise Lianos et Cⁱᵉ)
- POSTE LOCALE SERVICE MIXTE ➔ Turquie (Entreprise Lianos et Cⁱᵉ)
- POSTE PAR AVION EN ORIENT ➔ Levant (bureaux français)
- POSTE PERSANE ➔ Iran
- ❖ POSTERIJEN ➔ Belgique, Pays-Bas
- POSTES ➔ France, Luxembourg
- POSTES 1319 ➔ Iran
- POSTES 812 ➔ Iran
- POSTES AFGHAN ➔ Afghanistan
- POSTES AFGHANES ➔ Afghanistan
- POSTES AFGHANISTAN ➔ Afghanistan
- POSTES CENT. ➔ Belgique
- POSTES CENTIME ➔ Belgique
- POSTES CENTIMES ➔ Alsace-Lorraine
- POSTES CENTˢ ➔ Belgique
- POSTES DE CORÉE ➔ Corée (royaume, empire)
- POSTES D'EGYPTE ➔ Égypte
- POSTES DE YEMEN ➔ Yémen
- POSTES DU ROYAUME DE YEMEN ➔ Yémen

- POSTES EGYPTIENNES ➔ Égypte
- POSTES ETHIOPIENNES ➔ Éthiopie
- POSTES FRANÇAISES GUYANE ➔ Guyane (colonie française)
- POSTES FRANÇAISES MADAGASCAR ➔ Madagascar (colonie française)
- POSTE SHQIPTARE ➔ Albanie
- POSTES IMPÉRIALES DE CORÉE ➔ Corée (royaume, empire)
- POSTES IRANIENNES ➔ Iran
- POSTES MAROCAINES DE TÉTOUAN À EL KSAR ➔ Maroc (postes locales)
- POSTE SOMALIA ➔ Somalie italienne
- POSTE SOMALIA ITALIANA ➔ Somalie italienne
- POSTES OTTOMANES ➔ Turquie
- POSTE SPÉCIALE F.F.I. M.L.N. ➔ France
- POSTES PERSANES ➔ Iran
- POSTES SERBES ➔ Serbie
- POSTES UN CENTIME ➔ Belgique
- POSTES UN FRANC ➔ Belgique
- POSTE TRIPOLITANIA ➔ Tripolitaine
- POSTE VATICANE ➔ Vatican (Cité du)
- ❖ POST FRIMAERKE ➔ Danemark
- ❖ POST FRM ➔ Danemark
- POSTGEBIET OB. OST ➔ Lituanie (occupation allemande), Russie (occupation allemande)
- POSTKHEDEUIE EGIZIANE ➔ Égypte
- ❖ POSTMARKE ➔ Bergedorf
- POSTMARKE ¼ GUTEGR. ➔ Brunswick
- POSTNED ➔ Pays-Bas (postes locales)
- POST OFFICE CANADA ➔ Canada
- POST OFFICE COLUMBIA S.C. ➔ États Confédérés d'Amérique (émissions des Maîtres de postes : Columbia, Caroline du Sud)
- POST OFFICE DEPᵀ ➔ États-Unis d'Amérique
- POST OFFICE DESPATCH ➔ États-Unis d'Amérique
- POST OFFICE FIVE CENTS ➔ États-Unis d'Amérique (émissions des Maîtres de postes : New-York)
- POST OFFICE NZ ➔ Nouvelle-Zélande
- POST OFFICE PAID 5. CTS. ➔ États-Unis d'Amérique (émissions des Maîtres de postes : Millbury, Massachusetts)
- POST OFFICE PROV. R.I. ➔ États-Unis d'Amérique (émissions des Maîtres de postes : Providence, Rhode Island)
- ❖ POST-OG TELEGRAFVAESENET ➔ Danemark
- POSTORGANISATIE NEDERLAND ➔ Pays-Bas (postes locales : *Amsterdam*)
- POST OSTEN ➔ Pologne (occupation allemande)
- ❖ POSTOVNE HOTOVE ZAPLACENO ➔ Tchécoslovaquie
- POSTOVNE PLACENO ➔ Tchécoslovaquie
- POSTOVNE ROVNOST ZAPLACENO ➔ Tchécoslovaquie
- POSTOVNE ZAPLACENO HOTOVE ➔ Tchécoslovaquie
- POSTOVNE ZAPLATENE ➔ Tchécoslovaquie
- POST & RECEIPT ➔ Haiderabad
- POSTPORTO BAR BEZAHLT ➔ Tchécoslovaquie

- POSTS OF CYRENAICA ➔ Cyrénaïque (occupation britannique)
- POST STAMP ➔ Haiderabad
- POSTTAXE ➔ Bavière
- POST & TELEGRAPH DP[T]. ➔ Siam
- POSTVAESENET ➔ Danemark
- POSTVAESENETS OVERBESTVREISE KJØBENHAVN ➔ Danemark
- POSTVEREIN ➔ Bade (Grand Duché)
- POSTVERKET ➔ Suède
- POSTVERWALTUNG DER VEREINTE NATIONEN ➔ Nations Unies (Vienne)
- POSTZEGEL ➔ Surinam
- POST ZEGEL ➔ Pays-Bas
- POST ZEGEL ➔ Inde néerlandaise, Stellaland
- POSTZEGEL KOLONIE CURAÇAO ➔ Curaçao
- POSTZEGEL KOLONIE SURINAME ➔ Surinam
- POSTZEGELS ➔ Surinam
- POSTZEGEL Z. AFR. REPUBLIEK ➔ Transvaal
- POS UDARA ➔ Moluques du Sud
- *Poudoj* ➔ Zemstvos
- poul, pouls ➔ Afghanistan
- pound ➔ Australie occidentale, Bechuanaland (colonie britannique), Bechuanaland (protectorat britannique), Chypre, Grande-Bretagne, Nigeria du Sud, Nouvelle-Zélande, Rarotonga, Sierra Leone, Soudan, Tobago, Victoria, Zoulouland
- pounds ➔ Afrique du Sud (compagnie britannique de l'), Grande-Bretagne, Nouvelle-Zélande, Victoria, Zoulouland

□ **Pountch**
* *Poonch: Native Feudatory State (E)*
1876-1888
Asie
Yvert et Tellier, Tome 5, 3e partie
(à : *États princiers de l'Inde*)

- POZNAN 1921 ➔ Pologne
- p.p. ➔ Turquie
- P.P. ➔ Maroc (bureaux et protectorat français), Suisse
- P. P. A. 40 JAAR NEDERLAND VRIJ 5-MEI-1985 ➔ Pays-Bas (postes locales : *Amsterdam*)
- P P M *(avec étoile)* ➔ Pays-Bas (postes locales : *Maastricht*)
- PRACE FRANKO HOTOVE ZAPLACENO ➔ Tchécoslovaquie
- PRAHA ➔ Tchécoslovaquie
- PRAL ➔ Ayacucho
- PRAVDA VITEZI CSR ➔ Tchécoslovaquie
- pre, pres ➔ Turquie
- PRESIDENTE DE LA REPUBLICA ➔ Honduras
- PREUSSEN ➔ Prusse
- PRICE'S CITY EXPRESS POST ➔ États-Unis d'Amérique (postes locales et privées) : *New York*
- PRICE'S POST OFFICE ➔ États-Unis d'Amérique (postes locales et privées) : *New York*
- PRIEST'S DESPATCH ➔ États-Unis d'Amérique (postes locales et privées) :
- *Prilouki* ➔ Zemstvos

- PRIMA ESPOSIZIONE FIERA CAMPIONARIA DI TRIPOLI POSTE ITALIANE ➔ Tripolitaine
- PRIMEIRO VOO COMMERCIAL ➔ Compagnie Condor
- PRIMERA BIENAL INTERNACIONAL DEL CARTEL EN MEXICO ➔ Mexique
- PRIMER AÑO TRIUNFAL CANARIAS ➔ Espagne (émissions nationalistes : Santa Cruz de Teneriffe)
- PRIMER CONGRESO POSTAL PANAMERICANO BUENOS AIRES AGOSTO DE 1921 ➔ Argentine
- PRIMORJE ➔ Istrie
- *Primorsk (Région de)* ➔ Russie (postes locales de l'ex-U.R.S.S.)

□ **Prince Édouard**
Canadian Provinces: Prince Edward Island (E)
1861-1872
Amérique du Nord
Yvert et Tellier, Tome 7, 1re partie
I PRINCE EDWARD ISLAND (1861-1872)
m penny, pence, d stg, d cy, cent, cents

- PRINCE EDWARD ISLAND ➔ Prince Édouard
- PRINCE OF WALES HOSPITAL FUND ➔ Grande-Bretagne
- PRINCIPALITY OF THOMOND ➔ Thomond
- PRINCIPAT D'ANDORRA ➔ Andorre (poste française)
- PRINCIPAT D'ANDORRA CORREUS ➔ Andorre (bureaux espagnols)
- PRINCIPAT D'ANDORRA CORREUS ESPANYOLS ➔ Andorre (bureaux espagnols)
- PRINCIPAUTÉ DE MONACO ➔ Monaco
- PRINCIPE ➔ Saint-Thomas et Prince
- prir ➔ Islande
- PRIVAT- BRIEFVERKEHR EXPÉD[ON] DE LETTRES PRIVÉE METZ ➔ Allemagne (postes locales et privées : Metz)
- PRIVAT-BRIEF-VERKEHR STRASSBURG ➔ Allemagne (postes locales et privées : Strasbourg)
- PRIVATE POST OFFICE 5 KEARNY ST, S. F. ➔ États-Unis d'Amérique (postes locales et privées) : *San Francisco*
- PRIVAT POST BEFORDERUNG AUF DEN KATSCHBERG OSTERREICH ➔ Autriche (postes locales ou privées) : *Katschberg*
- PRIVATPOST STRASSBURG ➔ Allemagne (postes locales et privées : Strasbourg)
- PRIVAT-STADTPOST STRASSBURG 27 JANUAR 1889 ➔ Allemagne (postes locales et privées : Strasbourg)
- PRIVAT-TELEGRAFEN-GESELLSCHAFT ➔ Autriche
- PRO DESOCUPADOS PERU ➔ Pérou
- *Progres (base de)* ➔ Territoire Antarctique Russe
- PRO MATERNITA E INFANZIA ➔ Zone de Fiume et de la Kupa
- PRO PLEBISCITO TACNA Y ARICA 1925 ➔ Pérou
- PRO TACNA Y ARICA ➔ Pérou

❖ PROTECTORADO ESPAÑOL ➔ Maroc (bureaux espagnols)

◆ PROTECTORADO ESPAÑOL EN MARRUECOS ➔ Maroc (bureaux espagnols)

◆ PROTECTORADO MARRUECOS ➔ Maroc (bureaux espagnols)

◆ PROTECTORAT DE LA CÔTE DES SOMALIS DJIBOUTI ➔ Côte des Somalis

◆ PROTECTORATE ➔ Bechuanaland (protectorat britannique)

❖ PROTECTORATE OIL RIVERS ➔ Côte du Niger

◆ PROTECTORAT FRANÇAIS ➔ Maroc (bureaux et protectorat français)

◆ PRO TUBERCOLOSOS POBRES ➔ Espagne

◆ PRO UNION IBEROAMERICANA ➔ Espagne

◆ PROVIDENCE DESPATCH ➔ États-Unis d'Amérique (postes locales et privées) : *Providence (Rhodes Island)*

◆ *Providence (Rhodes Island)* ➔ États-Unis d'Amérique (émissions des Maîtres de postes), États-Unis d'Amérique (postes locales et privées)

◆ PROVINCE OF FERIPAEGA ➔ Occussi-Ambeno (Sultanat d')

❖ PROVINCE OF QUATAIR ➔ Occussi-Ambeno (Sultanat d')

❖ PROVINCIA BUENOS AIRES ➔ Buenos Aires

◆ PROVINCIA DE ANGOLA ➔ Angola

◆ PROVINCIA DE CUCUTA ➔ Cucuta

◆ PROVINCIA DE MACAU ➔ Macao

◆ PROVINCIA DE MOÇAMBIQUE ➔ Mozambique

◆ PROVINCIAL DE ENTRE RIOS ➔ Entre-Rios

◆ PROVINCIE MODONESI ➔ Modène

◆ PROVINCIEPOST FRIESLAND LEEUWARDEN ➔ Pays-Bas (postes locales : *Leeuwarden*)

◆ PROVINZ LAIBACH ➔ Lubiana-Slovénie (occupation allemande)

◆ PROVINZ SACHSEN ➔ Saxe (province)

❖ PROVISIONAL GOVT OF FREE INDIA CHALO DELHI ➔ Azad Hind

◆ PROVISIONAL MEDELLIN ➔ Medellin

◆ PROVISORNI CESKOSLOVENSKO VLADA ➔ Tchécoslovaquie

◆ PROVISORNI CESKOSLOVENSKO VLADA PRAHA ➔ Tchécoslovaquie

◆ PROV. R.I. ➔ États-Unis d'Amérique (émissions des Maîtres de postes : Providence, Rhode Island)

☐ **Prusse**
Prussia (E)
1850-1867
Europe
Yvert et Tellier, Tome 3, 1ʳᵉ partie
(à : *Allemagne*)
l FREIMARKE (1850-1858)
   K. PR. TELEGRAPH MARKE (1864)
   PREUSSEN (1861-1867)
m pfennige, pfenninge, silbergr., silb. gr., kreuzer, groschen

🏳 *Prussia (E)* ➔ Prusse

⊙ ps ➔ Afghanistan, Bijawar, Birmanie, Birmanie (Dominion britannique), Bundi, États Princiers de l'Inde, Inde, Maroc (bureaux espagnols), Pakistan

◆ *Pskov* ➔ Zemstvos

◆ *Pskov (Ville de)* ➔ Russie (postes locales de l'ex-U.R.S.S.)

◆ P. S. N. C. ½ OZ. 1 Rᴸ ➔ Pérou

◆ P. S. N. C. 1 OZ. 2 Rᴸˢ ➔ Pérou

❖ PSR ➔ Lettonie

⊙ pt ➔ Soudan

⊙ p.t. ➔ Soudan

⊙ pta ➔ Afrique occidentale espagnole, Asturies et Léon, Maroc anglais (tous les bureaux <1918/zone espagnole),

⊙ pta, ptas ➔ Andorre (bureaux espagnols), Espagne (émissions nationalistes), Fernando Poo, La Agüera, Maroc (zone nord ex-espagnole), Rio Muni, Sahara espagnol

⊙ ptas ➔ Barcelone, Espagne, Guinée équatoriale, Ifni, Sahara occidental

⊙ ptas guineanas ➔ Guinée équatoriale

⊙ ptc, ptcs ➔ Macao

❖ PTO CABELLO PACKET ➔ Saint-Thomas-La-Guaira

❖ PTO CABELLO SAN TOMAS ➔ Saint-Thomas-La-Guaira

◆ Pᵀᴼ-RICO ➔ Puerto Rico

◆ Pᵀᴼ-RICO TELS ➔ Puerto Rico

⊙ pts ➔ Afrique occidentale espagnole, Canaries (Îles), Espagne, Espagne (émissions nationalistes), Fernando Poo, Guinée espagnole, Macao, Maroc (bureaux espagnols), Philippines

◆ PTT MAKEDONIJA ➔ Macédoine

◆ PTT POST PORT BETAALD ➔ Pays-Bas

◆ P.T.T RADIODIFFUSION ➔ France

◆ PUBLIC LETTER OFFICE ➔ États-Unis d'Amérique (postes locales et privées) : *San Francisco*

◆ PUBLISHERS' PAID STAMP W. F. & CO.'S EXPRESS ➔ États-Unis d'Amérique (postes locales et privées)

◆ PUERTO RICO ➔ Puerto Rico

☐ **Puerto Rico**
* *Puerto Rico: Spanish Dominion + US*
  Administration (E)
  1873-1900
  Amérique Centrale
  Yvert et Tellier, Tome 7, 1ʳᵉ partie
  l POSTAGES CORREOS (1898)
    Pᵀᴼ RICO TELˢ (1877-1881)
    Pᵀᴼ-RICO (1877-1900)
    PUERTO RICO (1900)
    PUERTO-RICO (1877-1900)
    TELEGRAFOS 1871 (1871)
    TELEGRAFOS 1872 (1872)
    TELEGRAFOS 1873 (1873)
    TELEGRAFOS 1874 (1874)
    TELEGRAFOS 1876 (1876)
    TELEGRAFOS 2 PESETAS (1875)
    TELEGRAFOS 4 PESETAS (1875)
  s PORTO RICO (États-Unis d'Amérique : 1899)
    PUERTO RICO (Cuba, États-Unis d'Amérique :
    1900)
  m cent peseta, cs de peseta, centavos de peso, milª de
    peso, mils de peso, milesima, pesetas

♦ PUERTO-RICO ➜ Puerto Rico

♠ *Puerto Rico* ➜ voir aussi : Coamo

🏠 *Puerto Rico: Coamo issue (E)* ➜ Coamo

⊙ puffin ➜ Lundy

⊙ pul ➜ Afghanistan

♦ PULAU PINANG MALAYSIA ➜ Penang

☐ **Puno**
  Peru: provisional issues of Puno (E)
  1882-1885
  Amérique du Sud
  Yvert et Tellier, Tome 7, 1ʳᵉ partie
  (à : *Pérou*)
  s PUNÔ 17 M (Arequipa, Pérou : 1882-1885)
    PUNÔ I-ABR (Arequipa, Pérou : 1882-1885)

♦ PUNÔ 17 M ➜ Puno

♦ PUNÔ I-ABR ➜ Puno

♦ PUOLUSTUSVOIMAT KENTTÄPOSTIA ➜ Finlande

♠ *Purmerend* ➜ Pays-Bas (postes locales)

⊙ puttan, puttans ➜ Cochin, États Princiers de l'Inde

♦ PUTTIALLA STATE ➜ Patiala

⊙ pyb (cyrillique) ➜ Russie, Russie (Armées du Sud)

♦ PYCCKAR (cyrillique) ➜ Levant (bureaux russes
  Armée Wrangel)

❖ PYCCKON APMIN (cyrillique) ➜ Levant (bureaux
  russes Armée Wrangel)

⊙ q ➜ Albanie, Azerbaïdjan, Guatemala,

❖ QABUS ➜ Iran

♦ QATAR ➜ Qatar

■ **Qatar**
  1957-auj.
  Asie
  Yvert et Tellier, Tome 7, 1ʳᵉ partie
  l QATAR POSTAGE (1961-1972)
    STATE OF QATAR (1972-auj.)
    QATAR (1961-1966)
  s QATAR (Grande-Bretagne : 1957-1960)
  m np, n.p., rupee, rupees, naye paise, dirham,
    dirhams, dh, ri, riyal, riyals

♦ QATAR POSTAGE ➜ Qatar

⊙ qd ➜ Albanie

❖ QEVERIES SE PERKOHESHME TE SHQIPENIES
  ➜ Albanie

♦ QEVERIJA DEMOK E SHQIPERIS ➜ Albanie

♦ QEVERIJA DEMOKRAT. E SHQIPERISE ➜ Albanie

♦ QEVERIJA DEMOKRATIKE E SHQIPNIS ➜ Albanie

⊙ qind ➜ Albanie

⊙ qindar ➜ Albanie

☾ qindarka ➜ Albanie

❖ QINDARKA ➜ Albanie

⊙ qintar ➜ Albanie

❖ QIWAIN ➜ Um al Qiwain

☐ **Qu'Aiti (Hadramaout)**
  Quaiti State of Shihr and Mukalla (E)
  1942-1968
  Asie
  Yvert et Tellier, Tome 5, 1ʳᵉ partie
  (à : *Aden, Arabie du Sud*)
  l ADEN QU'AITI STATE IN HADHRAMAUT
    (1955-1968)
    ADEN QU'AITI STATE OF SHIHR AND
    MUKALLA (1942-1953)
  m a, as, cts, sh, fils

❖ QU'AITI STATE IN HADHRAMAUT ➜ Qu'Aiti
  (Hadramaout)

❖ QU'AITI STATE OF SHIHR AND MUKALLA ➜
  Qu'Aiti (Hadramaout)

❖ QUATAIR ➜ Occussi-Ambeno (Sultanat d')

⊙ quattr ➜ Toscane

♦ QUEENSLAND ➜ Queensland

☐ **Queensland**
  1860-1911
  Océanie
  Yvert et Tellier, Tome 7, 1ʳᵉ partie
  l COMMONWEALTH QUEENSLAND (1903-
    1910)
    QUEENSLAND (1860-1911)
    QUEENSLAND POSTAGE (1866-auj.)
  m penny, pence, shilling, shillings

♦ QUEENSLAND POSTAGE ➜ Queensland

❖ QUEIPO ➜ Espagne (émissions nationalistes : Séville)

□ **Quelimane**
1913-1914
Afrique
Yvert et Tellier, Tome 7, 1ʳᵉ partie
  l   REPUBLICA PORTUGUESA QUELIMANE
      (1914)
  s   REPUBLICA QUELIMANE (Afrique portugaise,
      Macao, Timor : 1913)
  m c, e

⊙ quetzal ➜ Guatemala
⊙ quint ➜ Albanie
⊙ r ➜ Afrique du Sud (Union de l'), Afrique orientale
  britannique, Ajman, Arménie, Basoutoland,
  Bechuanaland (protectorat britannique), Birmanie,
  Birmanie (Dominion britannique), Botswana,
  Cambodge, Dhofar, Dubaï, Égypte, Espagne, Fujeira,
  Inde anglaise, Irak, Iran, Kampuchéa, Lesotho,
  Liechtenstein, Maldives, Maurice, Moluques du
  Sud, Mozambique (compagnie de), Népal, Océan
  Indien, Pakistan, Ras al Khaima, Russie (occupation
  britannique), Seychelles, Somaliland, Suisse,
  Swaziland, Tchécoslovaquie (Légion en Sibérie), Um al
  Qiwain, Vladivostok, Zil Eloigne Sesel
✦ R ➜ Iran, Jhind, Panama-République, Panama-
  Colombie
❖ R ➜ Réunion
✦ RABAUL ➜ Nouvelle Guinée (occupation britannique,
  administration australienne)
✦ RADA MIEJSKA MIASTA PRSEDBORZA ➜
  Pologne (postes locales)
❖ RADIODIFFUSION ➜ France
◉ *Radkersburg* ➜ Autriche (postes locales ou privées)
✦ RADKERSBURGS BEFREINUGSTAG 26. JULI 1920
  ➜ Autriche (postes locales ou privées) : *Radkersburg*
◉ *Railway Mail (E)* ➜ Chemins de Fer de Bavière
  (Compagnie des), Grande-Bretagne (compagnies
  privées de chemins de fer)
❖ RAILWAY TELEGRAPH ➜ Ouganda

□ **Rajasthan**
✶ *Rajasthan: Native Feudatory State (E)*
1948-1949
Asie
  l   RAJASTHAN (Jaipur : 1948)

✦ RAJASTHAN ➜ Rajasthan

□ **Rajpeepla**
✶ *Rajpeepla: Native Feudatory State (E)*
1880
Asie
Yvert et Tellier, Tome 5, 3ᵉ partie
(à : *États princiers de l'Inde*)

✦ RALEIGH N.C. ➜ États Confédérés d'Amérique
  (émissions des Maîtres de postes : Raleigh, Caroline du
  Nord)
✦ R. ALVAREZ SEREIX CARTERO PPAL.
  HONORARIO ➜ Espagne

✦ R. ALVAREZ SEREIX CARTERO HONORARIO
  MADRID ➜ Espagne
❖ RAPID TEL. CO. COLLECT ➜ États-Unis
  d'Amérique
❖ RAPID TEL. CO. TELEGRAM ➜ États-Unis
  d'Amérique
⊙ rappen ➜ Suisse
✦ R. ARGENTINA ➜ Argentine
✦ RAROTONGA ➜ Rarotonga

□ **Rarotonga**
1919-1931
Océanie
Yvert et Tellier, Tome 7, 1ʳᵉ partie
  l   RAROTONGA POSTAGE (1920-1931)
  s   RAROTONGA (Nouvelle-Zélande : 1919-1931)
  m pene, tiringi, penny, pence, shilling, pound

✦ RAROTONGA POSTAGE ➜ Rarotonga
✦ RAS AL KHAIMA ➜ Ras al Khaima

□ **Ras al Khaima**
1965-1972
Asie
Yvert et Tellier, Tome 5, 1ʳᵉ partie
(à : *Arabie du Sud-Est*)
  l   RAS AL KHAIMA (1965-1972)
  m np, r, dh

✦ RASEINIAI ➜ Lituanie (occupation allemande)
✦ RASEINIU APSKRICIO PASTO ZENKLAS ➜
  Lituanie
❖ RASSEGNA INTERNAZIONALE TRIPOLI ➜
  Tripolitaine
✦ RAVITAILLEMENT GÉNÉRAL ➜ France
✦ RAYON I ➜ Suisse
✦ RAYON II ➜ Suisse
✦ RAYON III ➜ Suisse
⊙ rbl ➜ Azerbaïdjan, Lettonie
⊙ rbs ➜ Danemark
✦ R COLON ➜ Panama-Colombie, Panama-République
✦ R. COMMISSARIATO CIVILE TERRITORI
  SLOVENI OCCUPATI LUBIANA ➜ Lubiana-
  Slovénie (occupation italienne)
⊙ rd$ ➜ Dominicaine
✦ R. DE C. GARZON ➜ Garzon
✦ R. DE COLOMBIA D. DE A. PROVISIONAL ➜
  Antioquia
✦ R DE PANAMA ➜ Panama-République
✦ R.D.-UPU ➜ Dominicaine
⊙ re ➜ Inde, Maurice, Pakistan
⊙ Re ➜ Bangladesh
⊙ Rᵉ ➜ Orcha
⊙ Rᴱ ➜ Corée (royaume, empire)
⊙ real, reales ➜ Chiapas, Costa Rica, Dominicaine,
  Équateur, Espagne, Espagne (insurrection Carliste),
  Guadalajara, Guatemala, Honduras, Inde portugaise,
  Mexique, Paraguay, Saint-Thomas-La-Guaira, Salvador,
  Uruguay, Venezuela
⊙ realˢ ➜ Espagne
✦ RECARGO ➜ Espagne
❖ RECEBER ➜ Cap-Vert, Inde portugaise, Portugal

- RECUEROG FEBRERO PRESIDENTE DE LA REPUBLICA ➔ Honduras
- RED LAKE PATRICIA AIRWAYS EXPLORATION CANADA ➔ Canada
- REDONDA ➔ Redonda

■ **Redonda**
1979-auj.
Amérique Centrale
Émission non admise par l'U.P.U.
 l **REDONDA** (1979-auj.)
 s REDONDA (Antigua : 1979)
 m c, $

- REED'S CITY DESPATCH POST ➔ États-Unis d'Amérique (postes locales et privées) : *San Francisco*
- REFERENDUM PER L'INDIPENDENZA DELLA PADANIA ➔ Italie (état fédéral)
- REFORESTE ➔ Guatemala
- ❖ REFUGEE YEAR 1959-1960 ➔ Formose
- REGATUL ROMANIEI ➔ Transylvanie
- RÉGENCE DE TUNIS ➔ Tunisie (protectorat français)
- REGENSBURG ➔ Bavière
- REGENSBURGER FLIEGERTAGE 11.-13.X.1912 ➔ Allemagne
- REGGENZA ITALIANA DEL CARNARO ➔ Fiume
- ❖ REGGENZA ITALIANA DEL CARNARO ➔ Arbe et Veglia
- REGIO POST ➔ Pays-Bas
- REGNO D'ITALIA ➔ Italie
- REGNO D'ITALIA COLONIA ERITREA ➔ Érythrée (colonie italienne)
- REGNO D'ITALIA TRENTINO ➔ Trentin
- REGNO D'ITALIA VENEZIA GIULIA ➔ Vénétie Julienne
- ❖ REG. POSTA AUSTR. ➔ Levant (bureaux autrichiens)
- ❖ REICH ➔ Allemagne
- ❖ REICH GENERAL GOUVERNEMENT ➔ Pologne (occupation allemande)
- ☺ reichsmark ➔ Allemagne, Dantzig
- REICHSPOST ➔ Allemagne
- ❖ REICHS-POST ➔ Allemagne
- ❖ REIMS ➔ France
- ☉ reis ➔ Açores, Afrique portugaise, Angola, Angra, Brésil, Cap-Vert, Compagnie Condor, Compagnie E.T.A., Compagnie Varig, Congo portugais, Funchal, Guinée portugaise, Horta, Inde portugaise, Inhambane, Lorenzo-Marquès, Macao, Madère, Mozambique, Mozambique (compagnie de), Nyassa, Ponta Delgada, Portugal, Saint-Thomas et Prince, Timor, Zambézie
- ❖ REMBOURSEMENT ➔ France
- ❖ RENOVADOR ➔ Mexique
- REP. DA BISSAU ➔ Guinée-Bissau
- REP. DA GUINE-BISSAU ➔ Guinée-Bissau
- REP. DE GUINEA ECUATORIAL ➔ Guinée équatoriale
- REP. DE HONDURAS ➔ Honduras
- REP. DE HONDURAS C. A. ➔ Honduras
- RÉP. DÉM. POP. LAO ➔ Laos
- REP. DE PANAMA ➔ Panama-République
- RÉP. DES COMORES ➔ Comores

- REP. DI S. MARINO ➔ Saint-Marin
- RÉP. FÉD. ISLAMIQUE DES COMORES ➔ Comores
- REPLY CARD (*carte postale*) ➔ États-Unis d'Amérique
- REPOBLIKA DEMOKRATIKA MALAGASY ➔ Madagascar
- REPOBLIKA MALAGASY ➔ Madagascar
- REPOBLIKAN'I MADAGASIKARA ➔ Madagascar
- REP. O. DEL URUGUAY ➔ Uruguay
- REPOEBLIK INDONESIA ➔ Inde néerlandaise (république indonésienne)
- REP. SAN MARINO ➔ Saint-Marin
- REP. SHQIPTARE ➔ Albanie
- REP. S. MARINO ➔ Saint-Marin
- REP. SOC. ITALIANA ➔ Italie (République Sociale)
- REP. SYRIENNE ➔ Syrie (état indépendant)
- REPUBBLICA E CANTONE DEL TICINO ➔ Suisse (poste locale)
- REPUBBLICA ITALIANA ➔ Italie
- REPUBBLICA SOCIALE ITALIANA ➔ Italie (République Sociale)
- REPUBBLICA SOCIALE ITALIANA BASE ATLANTICA ➔ France
- RÉPUB. DI S. MARINO ➔ Saint-Marin
- RÉPUB. FRANC. ➔ France
- REPUBLICA ➔ Espagne (émissions républicaines : Barcelone, Madrid, Tolosa)
- REPUBLICA (*avec bonnet républicain*) ➔ Espagne (émissions républicaines : Tolosa)
- REPUBLICA (*avec croix gammée*) ➔ Espagne (émissions républicaines : Tolosa)
- REPÚBLICA ➔ Espagne (émissions républicaines : Almeria, Valence)
- REPUBLICA ANGOLA ➔ Angola
- REPUBLICA ARGENTINA ➔ Argentine
- REPUBLICA BOLIVIANA ➔ Bolivie
- REPUBLICA CABO VERDE ➔ Cap-Vert
- REPUBLICA CONGO ➔ Congo portugais
- REPUBLICA DA GUINE-BISSAU ➔ Guinée-Bissau
- REPUBLICA DE CHILE ➔ Chili
- REPUBLICA DE COLOMBIA ➔ Colombie
- REPUBLICA DE COLOMBIA DEPARTMENTO DE PANAMA ➔ Panama-Colombie
- REPUBLICA DE COLOMBIA GOBIERNO PROVISIONAL ➔ Tumaco
- REPUBLICA DE COLOMBIA TUMACO ➔ Tumaco
- REPUBLICA DE COSTA RICA ➔ Costa Rica
- REPUBLICA DE CUBA ➔ Cuba
- REPUBLICA DE EL SALVADOR AMERICA CENTRAL ➔ Salvador
- REPUBLICA DE GUATEMALA ➔ Guatemala
- REPUBLICA DE GUINEA ECUATORIAL ➔ Guinée équatoriale
- REPUBLICA DE HONDURAS ➔ Honduras
- REPUBLICA DE HONDURAS C. A. ➔ Honduras
- REPUBLICA DE LA N. GRANADA GOBERMACION DEL CHOCO ➔ Cauca
- REPUBLICA DEL ECUADOR ➔ Équateur
- REPUBLICA DEL PARAGUAY ➔ Paraguay
- REPUBLICA DEL PERU ➔ Pérou
- REPUBLICA DEL SALVADOR ➔ Salvador

- REPUBLICA DEL URUGUAY ➜ Uruguay
- REPUBLICA DEL URUGUAY MONTEVIDEO ➜ Uruguay
- REPUBLICA DEMOCRATICA DE SAO TOMÉ E PRINCIPE ➜ Saint-Thomas et Prince
- REPUBLICA DEMOCRATICA DE S. TOMÉ E PRINCIPE ➜ Saint-Thomas et Prince
- REPUBLICA DE NICARAGUA ➜ Nicaragua
- REPUBLICA DE PANAMA ➜ Panama-République
- REPUBLICA DE VENEZUELA ➜ Venezuela
- REPUBLICA DI S. MARINO ➜ Saint-Marin
- REPUBLICA DO E.U. BRAZIL ➜ Brésil
- REPUBLICA DOMINICANA ➜ Dominicaine
- REPUBLICA ESPANOLA ➜ Espagne
- REPUBLICA ESPANOLA CORREO SUBMARINO ➜ Espagne
- REPUBLICA ESPAÑOLA TANGER ➜ Maroc (bureaux espagnols)
- REPUBLICA GUINÉ ➜ Guinée portugaise
- REPUBLICA HUNGARICA ➜ Hongrie
- REPUBLICA INHAMBANE ➜ Inhambane
- REPUBLICA LOURENÇO MARQUES ➜ Lorenzo-Marquès
- REPUBLIC ALTAI ➜ Russie (postes locales de l'ex-U.R.S.S. : République d'Altaï)
- REPUBLICA MAYOR C. AMERICA ESTADO DE EL SALVADOR ➜ Salvador
- REPUBLICA MAYOR DE CENTRO AMERICA ESTADO DE EL SALVADOR ➜ Salvador
- REPUBLICA MOÇAMBIQUE ➜ Mozambique
- REPUBLICA NYASSA ➜ Nyassa
- REPUBLICA ORIENTAL ➜ Uruguay
- REPUBLICA ORIENTAL DEL URUGUAY ➜ Uruguay
- REPUBLICA ORIENTAL URUGUAY ➜ Uruguay
- REPUBLICA PERUANA ➜ Pérou
- REPUBLICA POPULAR ANGOLA ➜ Angola
- REPUBLICA POPULARA ROMANA ➜ Roumanie
- REPUBLICA POPULARA ROMINA ➜ Roumanie
- REPUBLICA PORTUGUESA ➜ Portugal
- REPUBLICA PORTUGUESA ANGOLA ➜ Angola
- REPUBLICA PORTUGUESA CABO VERDE ➜ Cap-Vert
- REPUBLICA PORTUGUESA CONGO ➜ Congo portugais
- REPUBLICA PORTUGUESA GUINÉ ➜ Guinée portugaise
- REPUBLICA PORTUGUESA INDIA ➜ Inde portugaise
- REPUBLICA PORTUGUESA INHAMBANE ➜ Inhambane
- REPUBLICA PORTUGUESA LOURENÇO MARQUES ➜ Lorenzo-Marquès
- REPUBLICA PORTUGUESA MACAU ➜ Macao
- REPUBLICA PORTUGUESA MOÇAMBIQUE ➜ Mozambique
- REPUBLICA PORTUGUESA QUELIMANE ➜ Quelimane
- REPUBLICA PORTUGUESA S. TOMÉ E PRINCIPE ➜ Saint-Thomas et Prince
- REPUBLICA PORTUGUESA TÉTE ➜ Tété

- REPUBLICA PORTUGUESA TIMOR ➜ Timor
- REPUBLICA PORTUGUEZA ➜ Portugal
- REPUBLICA QUELIMANE ➜ Quelimane
- REPUBLICA SHQIPETARE ➜ Albanie
- REPUBLICA SOCIALE ITALIANA BASE ATLANTICA ➜ France
- REPUBLICA S. TOMÉ E PRINCIPE ➜ Saint-Thomas et Prince
- REPUBLICA TÉTE ➜ Tété
- REPUBLIC BURIATIA ➜ Russie (postes locales de l'ex-U.R.S.S. : République de Bouriatie)
- REPUBLIC CHECHENIA ➜ Tchétchénie
- REPUBLIC KALMYKIA ➜ Russie (postes locales de l'ex-U.R.S.S. : République de Kalmoukie)
- REPUBLIC KARAKALPAKIA ➜ Russie (postes locales de l'ex-U.R.S.S. : République de d'Ouzbékistan)
- REPUBLIC LIBERIA ➜ Libéria
- REPUBLIC MORDOVIA ➜ Russie (postes locales de l'ex-U.R.S.S. : République de Mordvinie)
- REPUBLIC OF BANGLADESH ➜ Bangladesh
- REPUBLIC OF BIAFRA ➜ Biafra
- REPUBLIC OF BOTSWANA ➜ Botswana
- REPUBLIC OF CAMEROON ➜ Cameroun
- REPUBLIC OF CHINA ➜ Chine, Formose
- ℗ *Republic of China: Manchuria (E)* ➜ Mandchourie (Chine)
- ℗ *Republic of China: Northeastern Provinces (E)* ➜ Chine du nord-est
- ℗ *Republic of China: occupation stamps – Shanghai and Nanking (E)* ➜ Shanghai et Nankin (occupation japonaise)
- REPUBLIC OF CHINA POSTAGE ➜ Chine
- ℗ *Republic of China: Sinkiang (E)* ➜ Singkiang
- ℗ *Republic of China: Szechuan Province (E)* ➜ Setchouen
- ℗ *Republic of China: Yunnan Province (E)* ➜ Yunnan
- REPUBLIC OF DAGESTAN ➜ Russie (postes locales de l'ex-U.R.S.S. : République du Daghestan)
- REPUBLIC OF INDIA ➜ Inde
- REPUBLIC OF IRAQ ➜ Irak
- REPUBLIC OF KENYA ➜ Kenya
- REPUBLIC OF KOREA ➜ Corée du Sud
- REPUBLIC OF LIBERIA ➜ Libéria
- REPUBLIC OF MACEDONIA ➜ Macédoine
- REPUBLIC OF MALAWI ➜ Malawi
- ℗ *Republic of Mali (E)* ➜ Mali
- REPUBLIC OF MALDIVES ➜ Maldives
- REPUBLIC OF MAURITIUS ➜ Maurice
- REPUBLIC OF MOUNTAINOUS KARABAKH ➜ Haut-Karabakh (république)
- REPUBLIC OF NAGORNO KARABAKH ➜ Haut-Karabakh (république)
- REPUBLIC OF NAURU ➜ Nauru
- ℗ *Republic of North Viet Nam (E)* ➜ Vietnam du Nord
- ℗ *Republic of South Viet Nam (E)* ➜ Sud-Vietnam (République du)
- REPUBLIC OF PALAU ➜ Palau
- REPUBLIC OF SEYCHELLES ➜ Seychelles
- REPUBLIC OF SIERRA LEONE ➜ Sierra Leone

- REPUBLIC OF SINGAPORE ➜ Singapour
- REPUBLIC OF SOUTH AFRICA ➜ Afrique du Sud (Union de l')
- REPUBLIC OF THE MALDIVE ISLANDS ➜ Maldives
- REPUBLIC OF THE PHILIPPINES ➜ Philippines
- REPUBLIC OF YEMEN ➜ Yémen (République)
- REPUBLIC TATARSTAN POSTAGE ➜ Russie (postes locales de l'ex-U.R.S.S. : Tatarstan [République Tatare])
- REPUBLIC UDMURTIA ➜ Russie (postes locales de l'ex-U.R.S.S. : République d'Oudmourtie)
- REPUBLIC YAKUTIA ➜ Russie (postes locales de l'ex-U.R.S.S. : République de Saha [Iakoutie])
- REPUBLIEK STELLALAND POST ZEGEL ➜ Stellaland
- REPUBLIEK VAN SUID-AFRIKA ➜ Afrique du Sud (Union de l')
- RÉPUBLIGUE DU TCHAD ➜ Tchad
- REPUBLIKA BOSNA I HERCEGOVINA ➜ Bosnie Herzégovine
- REPUBLIKA BULGARIA ➜ Bulgarie
- REPUBLIKA HRVATSKA ➜ Croatie
- REPUDLIKA HRVAT3KA PRO CROATIA ➜ Croatie (timbres d'exil)
- REPUBLIKA HUSSAR IRYSTOM ➜ Russie (postes locales de l'ex-U.R.S.S. : République d'Ossétie du Sud)
- REPUBLIKA NG PILIPINAS ➜ Philippines (occupation japonaise)
- REPUBLIKA NG PILIPINAS (K. P.) ➜ Philippines (occupation japonaise)
- REPUBLIKA POPULLORE E SHQIPERISE ➜ Albanie
- REPUBLIKA POPULLORE SOCIALISTE E SHQIPERISE ➜ Albanie
- REPUBLIKA SHQIPTARE ➜ Albanie
- REPUBLIK DEUTSCH-ÖSTERREICH ➜ Autriche (postes locales ou privées) : Knittelfeld
- REPUBLIK INDONESIA ➜ Inde néerlandaise (république indonésienne), Indonésie
- REPUBLIK INDONESIA I.B. ➜ Indonésie (territoire de l'ex-Nouvelle-Guinée néerlandaise)
- REPUBLIK INDONESIA IRIAN BARAT ➜ Indonésie (territoire de l'ex-Nouvelle-Guinée néerlandaise)
- REPUBLIK INDONESIA SERIKAT ➜ Indonésie
- REPUBLIK MALUKU SELATAN ➜ Moluques du Sud
- REPUBLIK ÖSTERREICH ➜ Autriche
- RÉPUBLIQUE ALGÉRIENNE ➜ Algérie
- REPUBLIQUE ARABE UNIE ➜ Syrie (état indépendant)
- REPUBLIQUE ARABE UNIE SYRIE ➜ Syrie (état indépendant)
- RÉPUBLIQUE AUTONOME DU TOGO ➜ Togo
- RÉPUBLIQUE CENTRAFRICAINE ➜ Centrafricaine
- RÉPUBLIQUE D'AZERBAIDJAN ➜ Azerbaïdjan
- RÉPUBLIQUE DE CÔTE D'IVOIRE ➜ Côte d'Ivoire
- RÉPUBLIQUE DE DJIBOUTI ➜ Djibouti
- RÉPUBLIQUE DE GUINÉE ➜ Guinée
- RÉPUBLIQUE D'ÉGYPTE ➜ Égypte
- RÉPUBLIQUE DE HAUTE-VOLTA ➜ Haute-Volta

- RÉPUBLIQUE DÉMOCRATIQUE DU CONGO ➜ Congo (belge, état indépendant, république, république démocratique), Congo (république démocratique)
- RÉPUBLIQUE DÉMOCRATIQUE DU CONGO (PRÉSIDENT J.C. MOBUTU) ➜ Zaïre
- RÉPUBLIQUE DÉMOCRATIQUE POPULAIRE LAO ➜ Laos
- RÉPUBLIQUE DES COMORES ➜ Comores
- RÉPUBLIQUE D'HAÏTI ➜ Haïti
- RÉPUBLIQUE DOMINICAINE ➜ Dominicaine
- RÉPUBLIQUE DU BÉNIN ➜ Bénin
- RÉPUBLIQUE DU BURUNDI ➜ Burundi
- RÉPUBLIQUE DU CAMEROUN ➜ Cameroun
- RÉPUBLIQUE DU CONGO ➜ Congo, Congo (belge, état indépendant, république, république démocratique)
- RÉPUBLIQUE DU DAHOMEY ➜ Dahomey
- RÉPUBLIQUE DU MALI ➜ Mali
- RÉPUBLIQUE DU NIGER ➜ Niger
- RÉPUBLIQUE DU SÉNÉGAL ➜ Sénégal
- RÉPUBLIQUE DU TCHAD ➜ Tchad
- RÉPUBLIQUE DU TOGO ➜ Togo
- RÉPUBLIQUE DU ZAÏRE ➜ Zaïre
- RÉPUBLIQUE FÉDÉRALE DU CAMEROUN ➜ Cameroun
- RÉPUBLIQUE FÉDÉRALE ISLAMIQUE DES COMORES ➜ Comores
- RÉPUBLIQUE FRANÇAISE ➜ France
- RÉPUBLIQUE FRANÇAISE CFA ➜ Réunion
- RÉPUBLIQUE FRANÇAISE LA POSTE ➜ France
- RÉPUBLIQUE FRANÇAISE MAYOTTE ➜ Mayotte
- RÉPUBLIQUE GABONAISE ➜ Gabon
- RÉPUBLIQUE GEORGIENNE ➜ Géorgie
- RÉPUBLIQUE ISLAMIQUE DE L'IRAN ➜ Iran
- RÉPUBLIQUE ISLAMIQUE DE MAURITANIE ➜ Mauritanie
- *République Juive* ➜ Russie (postes locales de l'ex-U.R.S.S.)
- RÉPUBLIQUE KHMÈRE ➜ Khmère
- RÉPUBLIQUE LIBANAISE ➜ Grand Liban, Liban
- RÉPUBLIQUE MALGACHE ➜ Madagascar
- RÉPUBLIQUE POPULAIRE DU BÉNIN ➜ Bénin
- RÉPUBLIQUE POPULAIRE DU CONGO ➜ Congo
- RÉPUBLIQUE POPULAIRE DU KAMPUCHÉA ➜ Kampuchéa
- RÉPUBLIQUE POPULAIRE RÉVOLUTIONNAIRE DE GUINÉE ➜ Guinée
- RÉPUBLIQUE RWANDAISE ➜ Rwanda
- RÉPUBLIQUE SYRIENNE ➜ Syrie (état indépendant), Syrie (république)
- RÉPUBLIQUE TOGOLAISE ➜ Togo
- RÉPUBLIQUE TUNISIENNE ➜ Tunisie
- RÉPUBLIQUE UNIE DU CAMEROUN ➜ Cameroun
- REPUB. SOCIALE ITALIANA ➜ Italie (République Sociale)
- REPU DU COUNANI POSTES LIBERTE 1893 ➜ Counani (République du)
- REPU. DU KATANGA POSTES LIBERTÉ ➜ Katanga
- RÉSEAU D'ÉTAT ➜ France
- RÉSISTANCE ➜ Levant (bureaux français)
- ❖ RESISTANCE PALESTINIENNE AL-FATEH ➜ Fatah
- *Rethymno* ➜ Crète (bureau russe de Rethymno)

꒐ *Rethymnon (E)* ➔ Crète (bureau russe de Rethymno)

❖ RETOURBRIEFE ➔ Bavière

◆ RETOURBRIEF. KGL. OBERAMT AUGSBURG ➔ Bavière

◆ RETOURBRIEF. KGL. OBERAMT BAMBERG ➔ Bavière

◆ RETOURBRIEF. KGL. OBERAMT MUNCHEN ➔ Bavière

◆ RETOURBRIEF. KGL. OBERAMT NURNBERG ➔ Bavière

◆ RETOURBRIEF. KGL. OBERAMT REGENSBURG ➔ Bavière

◆ RETOURBRIEF. KGL. OBERAMT SPEYER ➔ Bavière

◆ RETOURBRIEF. KGL. OBERAMT WURZBURG ➔ Bavière

❖ RETURNED OFFICE LONDON ➔ Grande-Bretagne

◆ RETYMNO ➔ Crète (bureau russe de Rethymno)

◆ RÉUNION ➔ Réunion

■ **Réunion**
Reunion (E)
1852-auj.
Afrique
Yvert et Tellier, Tome 2, 1ʳᵉ partie
l ÎLE DE LA RÉUNION (1852-1907)
REPUBLIQUE FRANÇAISE CFA (1971-1972)
RÉUNION (1891-1947)
RF POSTES CFA (1965)
s 2 (Colonies françaises : 1892)
2 ᶜ (Colonies françaises : 1893)
5 c. R (Colonies françaises : 1885-1886)
10 c. R (Colonies françaises : 1885-1886)
20 c. R (Colonies françaises : 1885-1886)
25 c. R (Colonies françaises : 1885-1886)
CFA (France : 1949-auj.)
RÉUNION (Colonies françaises : 1891-1947)
m c, centime, centimes, f, f cfa, fr, cfa

❖ REVENUE ➔ Grande-Bretagne

❖ REVOLUCIONARIO FILIPINAS ➔ Philippines

❖ REY CATALUNA ➔ Espagne (Insurrection Carliste)

❖ REY ESPAÑA ➔ Espagne (Insurrection Carliste)

◆ REZAICH MIHRAB DE LA MOSQUÉE ➔ Iran

⊙ rf ➔ Maldives

◆ RF ➔ France

◆ R.F ➔ France

◆ R.F. ➔ France

◆ RF POSTES ➔ France

◆ RF POSTES CFA ➔ Réunion

◆ R.F. V SAVERNE LIBRE ➔ France

◆ RH ➔ Haïti

◆ R.H. CHIFFRE TAXE ➔ Haïti

◆ RHEATOWN TENN ➔ États Confédérés d'Amérique (émissions des Maîtres de postes : Rheatown, Tennesee)

◆ RHEINLAND-PFALZ ➔ Rhéno-Palatin (État)

☐ **Rhéno-Palatin (État)**
Rhine Palatinate: French occupation (E)
1947-1949
Europe
Yvert et Tellier, Tome 2, 1ʳᵉ partie
(à : *Allemagne [occupation française]*)
l RHEINLAND-PFALZ (1947-1949)
m pf., d.pf., m., d.m.

꒐ *Rhine Palatinate: French occupation (E)* ➔ Rhéno-Palatin (État)

☐ **Rhodes**
Italian offices in the Dodecanese Islands: issued in Rhodes (E)
1912-1944
Europe
Yvert et Tellier, Tome 3, 1ʳᵉ partie
(à : *Égée (îles de la mer)*)
l RODI (1929-1944)
s RODI (Italie : 1912-1932)
WEIHNACHTEN 1944 (1944)
m cent, lira, lire, Lre, L

◆ RHODESIA ➔ Rhodésie, Rhodésie du Sud

◆ RHODESIA & NYASALAND ➔ Rhodésie-Nyassaland

◆ RHODESIA AND NYASALAND ➔ Rhodésie-Nyassaland

꒐ *Rhodesia: British South Africa (E)* ➔ Afrique du Sud (compagnie britannique de l'), Rhodésie

꒐ *Rhodesia: (Self-Governing State: 1965-1978) (E)* ➔ Rhodésie du Sud

☐ **Rhodésie**
Rhodesia: British South Africa (E)
1909-1922
Afrique
Yvert et Tellier, Tome 7, 1ʳᵉ partie
l BRITISH SOUTH AFRICA COMPANY RHODESIA (1910-1922)
s RHODESIA (Afrique du Sud [compagnie britannique de l'] : 1909)
m d, shillings, s, penny, pence

☐ **Rhodésie du Nord**
Northern Rhodesia (E)
1925-1963
Afrique
Yvert et Tellier, Tome 7, 1ʳᵉ partie
l NORTHERN RHODESIA (1925-1963)
m d, s

☐ **Rhodésie du Sud**
Southern Rhodesia (1924-1965) + Rhodesia
(Self-Governing State: 1965-1978) (E)
1924-1978
Afrique
Yvert et Tellier, Tome 7, 1ʳᵉ partie
l   RHODESIA (1965-1978)
     POSTAGE DUE RHODESIA (1965-1973)
     SOUTHERN RHODESIA (1924-1964)
s   SOUTHERN RHODESIA (Grande-Bretagne :
     1951-1952)
m   d, £, c, $

☐ **Rhodésie-Nyassaland**
Rhodesia and Nyasaland (E)
1954-1963
Afrique
Yvert et Tellier, Tome 7, 1ʳᵉ partie
l   RHODESIA & NYASALAND (1954-1963)
     RHODESIA AND NYASALAND (1954-1963)
m   d, penny, pence

◆ *Rhodésie* ➔ voir aussi : Zimbabwe
✦ R.H. OFFICIAL ➔ Grande-Bretagne
⊙ ri ➔ Afrique du Sud (Union de l'), Corée (royaume,
    empire), Qatar
◆ *Riajsk* ➔ Zemstvos
⊙ rial ➔ Iran, Mascate/Oman/Dubaï et Qatar
✦ RIAL + DINAR ➔ Iran
✦ RIAL + RIALS ➔ Iran
⊙ rials ➔ Iran, Yémen (République)
✦ RIALS ➔ Iran
✦ Rialᴄᴀʀ Sᴇᴀl ᴀᴅᴀᴄ ɴᴀ héiʀᴇᴀɴɴ 1922 ➔ Irlande
✦ RIAU ➔ Indonésie
◆ *Riazan* ➔ Zemstvos
❖ RICEVUTA ➔ Italie
❖ RICHELIEU ➔ France
✦ RICHMOND TEXAS ➔ États Confédérés d'Amérique
    (émissions des Maîtres de postes : Richmond, Texas)
◆ *Richmond (Virginia)* ➔ États-Unis d'Amérique (postes
    locales et privées)
✦ RICKETTS & HALL ONE CENT DISPATCH ➔
    États-Unis d'Amérique (postes locales et privées) :
    Baltimore
✦ RIDDERZAAL STADSPOST ➔ Pays-Bas (postes
    locales : *Gravenhage*)
⊙ riel, riels ➔ Kampuchéa
⊙ rigsbank-skilling ➔ Danemark
✦ R. I. IRAN ➔ Iran
❖ RIJEKA ➔ Istrie
✦ RIKICHU KAIGAN NATIONAL PARK ➔ Japon
⊙ riksdaler, rik sdaler ➔ Suède
⊙ rin ➔ Japon
✦ RINGGOLD GEORGIA ➔ États Confédérés
    d'Amérique (émissions des Maîtres de postes :
    Ringgold, Georgie)
❖ RIO DE LA PLATA ➔ Argentine

☐ **Rio de Oro**
1905-1922
Afrique
Yvert et Tellier, Tome 7, 1ʳᵉ partie
l   COLONIA DE RIO DE ORO (1905-1921)
s   RIO DE ORO HABILITADO PARA CORREOS
     (1908)
m   centimo, centimos, peseta, pesetas, cens, cs, cents,
     co
     ⇨ Cap Juby, La Agüera

◆ *Rio de Oro* ➔ voir aussi : Sahara Espagnol
✦ RIO DE ORO HABILITADO PARA CORREOS ➔
    Rio de Oro

☐ **Rio-Hacha**
Colombia: Rio-Hacha (E)
1901
Amérique du Sud
Yvert et Tellier, Tome 5, 2ᵉ partie
(à : *Colombie*)
l   NO HAY ESTAMPILLAS VALE 5 CENTAVOS
     EL AGENTE POSTAL (1901)
m   centavos

☐ **Rio Muni**
1960-1968
Afrique
Yvert et Tellier, Tome 7, 1ʳᵉ partie
l   ESPANA RIO MUNI (1962-1968)
     RIO MUNI CORREOS, RIO MUNI ESPANA
     (1960-1968)
m   cts, pta, ptas

✦ RIO MUNI CORREOS ➔ Rio Muni
✦ RIO MUNI ESPANA ➔ Rio Muni
✦ RIS ➔ Indonésie
❖ RIVER COLONY ➔ Orange
⊙ riyal, riyals ➔ Ajman, Arabie Saoudite, Qatar
✦ RIZEH ➔ Levant (bureaux russes)
◆ *Rjev* ➔ Zemstvos
⊙ rl ➔ Espagne (insurrection Carliste), Pérou, Philippines
⊙ rˡ ➔ Espagne, Inde portugaise, Iran
⊙ Rˡ ➔ Pérou
⊙ rles ➔ Philippines
⊙ rl plata ➔ Philippines
✦ Rᴸ PLATA F ➔ Antilles espagnoles
⊙ Rᴸ plata F ➔ Antilles espagnoles
⊙ Rᴸ Pᵀᴬ F ➔ Antilles espagnoles
⊙ rls ➔ Iran
⊙ Rˡˢ ➔ Pérou
⊙ rm ➔ Allemagne, Malaysia, Monténégro (occupation
    allemande), Thuringe
⊙ R.M. ➔ Italie (occupation allemande)
⊙ Rᴺ ➔ Japon
✦ Rᴺ ➔ Japon
✦ R.O ➔ Roumélie Orientale
❖ ROANNE COURRIER COMMERCIAL ➔ France
❖ ROAVOAMENA ➔ Madagascar (poste britannique)
✦ ROBERTSPORT REGISTERED ➔ Libéria

◆ ROBISON & CO ONE CENT ➜ États-Unis
d'Amérique (postes locales et privées) : *New York*
◆ ROCHE'S CITY DISPATCH WILMINGTON, DEL.
➜ États-Unis d'Amérique (postes locales et privées) :
Wilmington (Delaware)
◆ *Rochester (New York)* ➜ États-Unis d'Amérique
(postes locales et privées)
◆ RODI ➜ Rhodes
◆ ROI ARDASHIR II ➜ Iran
◆ ROI NARSE ➜ Iran
❖ ROJA ESPANOLA ➜ Espagne
◆ ROKISKIS ➜ Lituanie (occupation allemande)
🏵 *Romagna (E)* ➜ Romagne

☐ **Romagne**
Romagna (E)
1859
Europe
Yvert et Tellier, Tome 3, 2ᵉ partie
(à : *Italie*)
l   FRANCO BOLLO POSTALE ROMAGNE (1859)
m bai

❖ ROMANA ➜ Roumanie
❖ ROMANA CONSTANTINOPOL ➜ Levant (bureaux
roumains)
◆ ROMANIA ➜ Roumanie
◆ ROMÂNIA ➜ Roumanie
🏵 *Romania (E)* ➜ Roumanie
🏵 *Romania: Austrian occupation (E)* ➜ Autriche-Hongrie
(occupation en Roumanie)
🏵 *Romania: Bulgarian occupation (E)* ➜ Roumanie
(occupation bulgare)
🏵 *Romania: German occupation (E)* ➜ Roumanie
(occupation allemande), Roumanie (9ᵉ armée)
🏵 *Romanian offices in Turkish Empire (E)* ➜ Levant
(bureaux roumains)
◆ ROMANIA PETITE ENTENTE ➜ Roumanie
◆ ROMANIA POSTA ➜ Roumanie
◆ ROMANIA SERVICIUL TELEGRAFIC ➜ Roumanie
◆ ROMANIA TAXA DE PLATA ➜ Roumanie
◆ ROMANIA ZONA DE OCUPATIE 1919 ➜ Debreczen
❖ ROMANIEI ➜ Transylvanie
🏵 *Roman States (E)* ➜ Église (États Pontificaux)
❖ ROMINA ➜ Roumanie
◆ *Roosendaal* ➜ Pays-Bas (postes locales)

■ **Ross (terre de)**
New Zealand: Ross Dependency (E)
1957-auj.
Océanie
Yvert et Tellier, Tome 6, 2ᵉ partie
(à : *Nouvelle-Zélande*)
l   NEW ZEALAND ROSS DEPENDENCY (1988)
ROSS DEPENDENCY (1957-auj.)
m d, c, $

◆ ROSS DEPENDENCY ➜ Ross (terre de)
❖ ROSSIJA ➜ Russie
◆ *Rostov* ➜ Zemstvos

◆ ROT & T ПЕРЕВОЗКА ТОВАРОВ В КИПР.
ГРЕЦИЮ. ТУРЦИЮ.(cyrillique) ➜ Russie (postes
locales de l'ex-U.R.S.S. : timbres pour Chypre, la Grèce
et la Turquie)
◆ *Rotterdam* ➜ Pays-Bas (postes locales)

☐ **Rouad**
Rouad, Ile (E)
1916-1920
Asie
Yvert et Tellier, Tome 2, 1ʳᵉ partie
s   ÎLE ROUAD (Levant [bureaux français] : 1916-
1920)
m c, pi

🏵 *Rouad, Ile (E)* ➜ Rouad
⊙ roub. ➜ Russie (postes locales de l'ex-U.R.S.S. :
Républiques de : Bouriatie, Carélie, Daghestan,
Georgie, Touva)
⊙ rouble ➜ Géorgie

■ **Roumanie**
Romania (E)
1858-auj.
Europe
Yvert et Tellier, Tome 4, 2ᵉ partie
l   ПОРТО СКРИСОРИ (1858)
SCЦTIT POSTA (1913)
FRANCO SCRISOREI (1862)
PORTO GAZETEI (1858-1932)
PORTO SCRISOREI (1858)
POSTA ROMÂNA (1865, 1964-auj.)
POSTA R.P. ROMINA (1954-1964)
REPUBLICA POPULARA ROMANA (1948-
1958)
REPUBLICA POPULARA ROMINA (1948-1958)
ROMANIA (1890-1947)
ROMÂNIA (1999-auj.)
ROMANIA PETITE ENTENTE (1937)
ROMANIA POSTA (1890-1947)
ROMANIA SERVICIUL TELEGRAFIC (1871)
ROMANIA TAXA DE PLATA (1911-1930)
R.P. ROMINA (1954-1964)
TAXA DE FACTAGIU POSTA ROMANA (1895-
1905)
TAXA DE PLATA POSTA ROMANA (1881-
1947)
m ПАР, ВАН, par, parale, b, bani, banu, l, lei, leu
⇨ Levant (bureaux roumains), Roumanie (9ᵉ armée)

◆ *Roumanie* ➜ voir aussi : Autriche-Hongrie (occupation
en Roumanie), Transylvanie

☐ **Roumanie (9ᵉ armée)**
Romania: German occupation (E)
1917-1918
Europe
Yvert et Tellier, Tome 4, 2ᵉ partie
s   GÜLTIG 9. ARMEE (Roumanie, Allemagne :
1917-1918)

☐ **Roumanie (occupation allemande)**
Romania: German occupation (E)
1917-1918
Europe
Yvert et Tellier, Tome 4, 2ᵉ partie
 s   M.V.I.R. (Allemagne : 1917)
     RUMÄNIEN (Allemagne : 1918)
 m   bani

☐ **Roumanie (occupation bulgare)**
Romania: Bulgarian occupation (E)
1917
Europe
Yvert et Tellier, Tome 4, 2ᵉ partie
 s   Пощавъ Ромжния 1916-1917 (Bulgarie : 1917)

☐ **Roumanie (occupation roumaine de la Galicie)**
Ukraine: Romanian occupation of Pokutia (E)
1919
Europe
Yvert et Tellier, Tome 4, 2ᵉ partie
 s   C.M.T (Autriche : 1919)
 m   h, k

◆ ROUMÉLIE ORIENTALE ➔ Roumélie Orientale

☐ **Roumélie Orientale**
Eastern Rumelia (E)
1880-1885
Europe
Yvert et Tellier, Tome 4, 1ʳᵉ partie
(à : *Bulgarie*)
 l   EMP. OTTOMAN ROUMÉLIE ORIENTALE
     (1881-1885)
 s   R.O (Turquie : 1880)
     ROUMÉLIE ORIENTALE (Turquie : 1880)
 m   pa, pi, paras, piastres
 ⇨   Bulgarie du Sud

⊙ roupies ➔ Inde (établissements français)

❖ ROVNOST ZAPLACENO ➔ Tchécoslovaquie

◆ ROYAL MAIL STEAM PACKET COMPANY ➔ Saint-Thomas-La Guaira

◆ ROYAL SIAMESE POSTAL DEPARTMENT ➔ Siam

❖ ROYAN ➔ France

◆ ROYAUME D'ÉGYPTE ➔ Égypte

◆ ROYAUME DE L'ARABIE SAOUDITE ➔ Arabie Saoudite

◆ ROYAUME DE L'ARABIE SOUDITE ➔ Arabie Saoudite

☐ **Royaume des deux Siciles**
Two Siciles (E)
1858-1861
Europe
Yvert et Tellier, Tome 3, 2ᵉ partie
(à : *Italie*)
 l   BOLLO DELLA POSTA DI SICILIA (1859)
     BOLLO DELLA POSTA NAPOLETANA (1858-1860)
     FRANCO POSTE BOLLO (1861)
     POSTA GRANA (1856-1857)
     POSTA GRANO (1856-1857)
 m   g, gr, gra, grano, grana, tornese, Tₑ

◆ ROYAUME DU BURUNDI ➔ Burundi

◆ ROYAUME DU CAMBODGE ➔ Cambodge

◆ ROYAUME DU LAOS ➔ Laos

◆ ROYAUME DU MAROC ➔ Maroc

⊙ rp ➔ Indonésie, Indonésie (territoire de l'ex-Nouvelle-Guinée néerlandaise), Liechtenstein, Maurice, Suisse

◆ RPBᶜᴬ DE GUATᴬ ➔ Guatemala

◆ R. P. E SHQIPERISE ➔ Albanie

⊙ rpf ➔ Allemagne, Dantzig, Italie (occupation allemande), Luxembourg (occupation allemande)

◆ RPF ➔ Luxembourg (occupation allemande)

◆ R. P. KAMPUCHÉA ➔ Kampuchéa

◆ R.P. ROMINA ➔ Roumanie

⊙ rph ➔ Indonésie

◆ R. POSTE STAMPATI FRANCHI MODENA ➔ Modène

⊙ rps ➔ Inde portugaise, Maurice

⊙ Rᴾˢ ➔ Inde anglaise

◆ R P S E SHQIPERISE ➔ Albanie

◆ R P SH FEDERATA DEMOKRATIKE MDERKOMBETARE E GRAVE ➔ Albanie

◆ R. P. SHQIPERISE ➔ Albanie

◆ R.R. POSTE COLONIALI ITALIANE ➔ Colonies Italiennes

◆ RR POSTE ITALIANE COMUNE DI CAMPIONE ➔ Campione

⊙ rs ➔ Abou Dhabi, Bangladesh, Birmanie (Dominion britannique), Brésil, Ceylan, Compagnie Condor, Compagnie Varig, Inde, Inde anglaise, Inde portugaise, Jaipur, Maurice, Océan Indien, Pakistan, Saint-Thomas et Prince, Seychelles, Sharjah

◆ RSA ➔ Afrique du Sud (Union de l')

◆ R. S. M. ➔ Saint-Marin

◆ R S MARINO PACCHI POSTALI ➔ Saint-Marin

◆ R. S. POST & TELEGRAPH DPT. ➔ Siam

◆ R. SYRIENNE ➔ Syrie (état indépendant)

🌢 *Ruanda* ➔ Rwanda

◆ RUANDA ➔ Ruanda-Urundi

◆ RUANDA URUNDI ➔ Ruanda-Urundi

◆ RUANDA-URUNDI ➔ Ruanda-Urundi

□ **Ruanda-Urundi**
German East Africa: Belgian Occupation (1916-1924) + Ruanda-Urundi (1924-1961) (E)
1916-1961
Afrique
Yvert et Tellier, Tome 7, 1ʳᵉ partie
  l   RUANDA-URUNDI (1931-1961)
  s   A. O. (Congo [belge] : 1918)
      KIGOMA (Congo [belge] : 1916-1922)
      RUANDA (Congo [belge] : 1916-1922)
      RUANDA-URUNDI (Congo [belge] : 1925)
      RUANDA URUNDI (Congo [belge] : 1924-1942)
      EST AFRICAIN ALLEMAND OCCUPATION
      BELGE. DUITSCH OOST AFRIKA BELGISCHE
      BEZETTING. (Congo [belge] : 1916-1922)
      URUNDI (Congo [belge] : 1916-1922)
  m   c, f, fr
  ⇨ Burundi

◆ *Ruanda-Urundi* ➔ voir aussi : Burundi, Rwanda
⊙ rub ➔ Lettonie
⊙ rubl ➔ Lettonie
⊙ rubli, rublis ➔ Lettonie
◆ RUMÄNIEN ➔ Roumanie (occupation allemande)
◆ *Rumburg* ➔ Tchécoslovaquie
⊙ rupee ➔ Bahawalpur, Bundi, Haiderabad, Jaipur, Mascate, Oman, Dubaï et Qatar
⊙ rupee, rupees ➔ Afrique orientale britannique, Bahrain, Inde anglaise, Kuwait, Maldives, Maurice, Ouganda, Qatar, Somaliland, Tibet, Zanzibar
◆ RUPEE, RUPEES ➔ Mascate/ Oman/ Dubaï et Qatar
◆ RUPEE, RUPEES ➔ Tibet
⊙ rupees ➔ Cachemire, Ceylan, États Princiers de l'Inde, Holkar, Irak, Kishengarh
⊙ rupeesn np ➔ Mascate/Oman/Dubaï et Qatar
⊙ rupiah ➔ Inde néerlandaise, Indonésie, Moluques du Sud
⊙ rupie ➔ Afrique orientale allemande (colonie allemande), Bamra, États Princiers de l'Inde
◆ *Ruskaïa (base de)* ➔ Territoire Antarctique
◆ RUSSEL POST OFFICE ➔ États-Unis d'Amérique (postes locales et privées) : *New York*
Ҏ *Russia (E)* ➔ Russie
Ҏ *Russia: Army of the North (E)* ➔ Russie (Armée du Nord)
Ҏ *Russia: Army of the Northwest (E)* ➔ Russie (armée du Nord-Ouest)
Ҏ *Russia: Finnish occupation (E)* ➔ Russie (occupation finlandaise)
Ҏ *Russia: German occupation (E)* ➔ Russie (occupation allemande)
Ҏ *Russia: local issues (E)* ➔ Zemstvos
Ҏ *Russia: local issues of the former Soviet Union (E)* ➔ Russie (postes locales de l'ex-U.R.S.S.)
Ҏ *Russia: Mountain Republic (E)* ➔ Russie (république Montagnarde)
Ҏ *Russia: offices abroad (E)* ➔ Chine (bureaux russes), Levant (bureaux russes), Levant (bureaux russes Armée Wrangel)

Ҏ *Russian offices in China (E)* ➔ Chine (bureaux russes), Chine (bureaux russes : émission de Kharbine)
Ҏ *Russian offices in Turkish Empire (E)* ➔ Levant (bureaux russes) , Levant (bureaux russes Armée Wrangel)
Ҏ *Russian offices in Turkish Empire: Wrangel issues (E)* ➔ Levant (bureaux russes Armée Wrangel)
Ҏ *Russia: Wenden (Livonia) (E)* ➔ Wenden
◆ RUSSICH-POLEN ➔ Pologne (occupation allemande)

■ **Russie**
Russia (E)
1857-auj.
Europe, Asie
Yvert et Tellier, Tome 4, 2ᵉ partie
  l   АВИОПОЧТА С.С.С.Р. (1923-1979)
      ГЕРБОВАЯ МАРКА (timbre fiscal)
      ГОЛОДАЮЩИМ (1921-1922)
      ГОЛОДАЮЩИМ ПОВОЛЖЬЯ (1921)
      МАРКА ГОРОД ПОЧТЫ (1863)
      ПОЧТОВАЯ МАРКА (1857-1917)
      ПОЧТОВАЯ МАРКА ПОМОЩЬ
      ТЕЛЕГРАФЪ (1866)
      URSS-POLE DU NORD 1931 (1931)
      РОССИЯ (1992-auj.)
      РОССИЯ ROSSIJA (1992-auj.)
      РОССІЯ (1922)
      РОССІЯ ROSSIJA (1992-auj.)
      РСФСР (1922-1923)
      Р.С.Ф.С.Р. (1922-1923)
      Р.С.Ф.С.Р. ПОЧТА
      Р.С.Ф.С.Р. ПОЧТА ЮГОВОСТОК ПОМОГИ
      СССР (1923-1991)
      С.С.С.Р. (1923-1991)
      СССРПОЧТА (1923-1991)
      ЮГО-ВОСТОК ГОЛОДАЮЩИМ
      ПОЧТОВАЯ Р.С.Ф.С.Р. МАРКА (1921-1922)
  m   коп, КОПБЕКЪ, рубль, рубля, руб, коп, р, k, t
  ⇨ Arménie, Caucase, Chine (bureaux russes : émission de Kharbine), Chine (bureaux russes), Ekaterinoslav, Estonie (occupation allemande), Finlande, Kazakhstan, Kharkov, Kherson, Kiev, Kirghiztan, Lettonie, Lettonie (occupation allemande), Levant (bureaux russes Armée Wrangel), Levant (bureaux russes), Lituanie (occupation allemande), Lituanie du Sud, Moldavie, Nikolaievsk sur l'Amour, Odessa (Ukraine), Omsk, Podolie, Pologne (corps polonais), Poltava, Russie (Armée Wrangel), Russie (Armées de l'Ouest), Russie (Armées du Nord-Ouest), Russie (Armées du Sud), Russie (occupation allemande), Russie (occupation britannique), Russie (postes locales de l'ex-U.R.S.S.), Russie (république Montagnarde), Tadjikistan, Tchécoslovaquie (Légion en Sibérie), Tcheliabinsk, Tchernigov, Tchita, , Territoire Antarctique Russe, Ukraine, Vladivostok

Russie ➔ voir aussi : Caucase, Chine (bureaux russes), Tiflis, Touva, Wenden, Zemstvos

☐ **Russie (Armée du Nord)**
Russia: Army of the North (E)
1919
Europe
Yvert et Tellier, Tome 4, 2ᵉ partie
 l РОССІЯ СѢВ. АРМІЯ (1919)
   ОКСА (1919)
 m коп

☐ **Russie (Armée du Nord-Ouest)**
* *Russia: Army of the Northwest (E)*
1919
Europe
Yvert et Tellier, Tome 4, 2ᵉ partie
 s СѢВ. ЗАП. Армія (Russie : 1919)

☐ **Russie (Armées de l'Ouest)**
* *Latvia: Russian occupation (E)*
1919
Europe
Yvert et Tellier, Tome 4, 2ᵉ partie
 l АСОБНЫ АТРАД Б.Н.Р. (1919, non émis)
   РУССКАЯ ПОЧТА (1919, non émis)
 s « croix orthodoxe » (Lettonie, Russie : 1919)
   З. А. (avec croix orthodoxe) (Lettonie : 1919)
   LP (Russie : 1919)

☐ **Russie (Armées du Sud)**
* *South Russia (E)*
1919-1920
Europe
Yvert et Tellier, Tome 4, 2ᵉ partie
 l ЕДИНАЯ РОССІЯ (1919)
   ЃРМАКЪ (1919)
   КРЫМСКПГО КРАЕВОГО
   ПРАВИТЕЛЬСТВА (1919)
   СБЕРЕГАТЕЛЬНАЯ МАРКА (1920)
 s КОП, (Russie : 1919)
   25 (Russie : 1919)
   50 (Russie : 1919)
   70 (Russie : 1919)
   70 КОП. (Russie : 1919)
   K. (Russie : 1919)
   P. (Russie : 1919)
   рубля (Russie : 1919-1920)
   рублей (Russie : 1919-1920)
 m р, рубля, рублей, КОП, РУБ, КОПБИКА,
   КОПБЕКЪ
 ⇨ Levant (bureaux russes Armée Wrangel)

☐ **Russie (Armée Wrangel)**
* *South Russia (E)*
1920-1921
Europe
Yvert et Tellier, Tome 4, 2ᵉ partie
 s 60 (Russie : 1918)
   35 КОП. (Russie : 1919)
   ПЯТЬ РУБЛЕЙ (Russie : 1920)
   ЮГЪ РОССІИ рублей (Russie : 1920)

☐ **Russie (occupation allemande)**
Russia: German occupation (E)
1916-1943
Europe
Yvert et Tellier, Tome 4, 2ᵉ partie
 s КОНТРОЛЬНЫЙ ЗНАКЪ (Allemagne : 1918)
   LIBAU (Allemagne : 1919)
   OSTLAND (Allemagne : 1941-1943)
   PLESKAU (Russie : 1941)
   POSTGEBIET OB. OST (Allemagne : 1916-1918)
   UKRAINE (Allemagne : 1941-1943)
 m pfg, ПФ

☐ **Russie (occupation britannique)**
Batum (E)
1919-1920
Europe
Yvert et Tellier, Tome 4, 2ᵉ partie
 l БАТУМСКАЯ ПОЧТА (1919)
 s БАТУМ. ОБ. (Russie : 1919-1920)
   БАТУМЪ BRITISH OCCUPATION ОБЛ
   (Russie : 1919-1920)
   БАТУМ ОБЛ BRITISH OCCUPATION (Russie :
   1919-1920)
   BRITISH OCCUPATION (1919-1920)
 m коп, руб, p, r

☐ **Russie (occupation finlandaise)**
Russia: Finnish occupation (E)
1919
Europe
Yvert et Tellier, Tome 4, 2ᵉ partie
 s AUNUS (Finlande : 1919)

☐ **Russie (postes locales de l'ex-U.R.S.S.)**
Russia: local issues of the former Soviet
Union (E)
1991-1998
Europe, Asie
Émissions non admises par l'U.P.U.
 note : la plupart des émissions ci-dessous sont
   purement fantaisistes
 l АПЬСНЫ (1994) : *République d'Abkhazie*
   АБХАЗИЯ (1995) : *République d'Abkhazie*
   БУРЯТИЯ BURIATIA (1994) : *République de*
   Bouriatie
   САХА-ЯКУТИЯ SAKHA-JAKUTIA (1995) :
   République de Saha (Iakoutie)
   РЕСПУБЛИКА БУРЯТИЯ (1994) : *République*
   de Bouriatie
   Республика Дагистан (1995) : *République du*
   Daghestan
   BATUM (1994) : *Ville de Batoum*
   DAGESTAN REPUBLIC (1998) : *République du*
   Daghestan
   HUSSAR IRYSTOM (1994) : *République*
   d'Ossétie du Sud
   INGUSHETIA ИНГУШЕТИЯ (1995) :
   République d'Ingouchie

JEWISH REPUBLIC (1998) : *République Juive*
KALMYKIA REPUBLIC (1995) : *République de Kalmoukie*
KARJALA КАРЕЛИЯ (1994) : *République de Carélie*
KOMI REPUBLIC (1998) : *République des Komis*
REPUBLIC OF DAGESTAN (1998) : *République du Daghestan*
REPUBLIC KALMYKIA (1995) : *République de Kalmoukie*
REPUBLIC KARAKALPAKIA (1995) : *République d'Ouzbékistan*
REPUBLIC MORDOVIA (1995) : *République de Mordvinie*
REPUBLIC UDMURTIA (1994) : *République d'Oudmourtie*
REPUBLIC YAKUTIA (1995) : *République de Saha (Iakoutie)*
REPUBLIKA HUSSAR IRYSTOM (1994) : *République d'Ossétie du Sud*
s Барнаулу 264 года (Russie : 1994) : *Ville de Barnaul*
БАШКОРТОСТАН (Russie : 1993) : *République de Bachkirie*
БАШКОРТОСТАН ПОЧТА 1997 (Russie : 1997) : *République de Bachkirie*
БЕЛЕБЕЙ (Russie : 1994) : *Ville de Belebej (République de Bachkirie)*
БУРЯТИЯ (Russie : 1993) : *République de Bouriatie*
В. И. Ленин 123 Ульяновск (Russie : 1993) : *Région d'Uljanovsk*
ВИРОБИДЖАН (Russie : 1993) : *République Juive*
ВИРОБИДЖАН ПОЧТА (Russie : 1993) : *République Juive*
ВИРОБИДЖАН TELAPHILA '93 (Russie : 1993) : *République Juive*
г. Екатеринбург (Russie : 1993) : *Ville d'Ekaterinbourg (Région Centre-Oural)*
г. Екатеринбург EKATERINBURG (Russie : 1993) : *Ville d'Ekaterinbourg (Région Centre-Oural)*
г. КАРАЧАЕВСК (Russie : 1993) : *République de Karatchaevie-Tcherkessie*
г. Нижний Тагил Почта Ср. Урал (Russie : 1993) : *Ville de Nijni-Taguil*
Дагистанская ССР ПОЧТОВАЯ МАРКА (Russie : 1993) : *République du Daghestan*
ДАЛЬНИЙ ВОСТОК РОССИЯ (Russie : 1993) : *Extrême Orient*
Д В РОССИЯ (Russie : 1993) : *Extrême Orient*
ЕВРЕЙСКАЯ РЕСПУБЛИКА (Russie : 1993) : *République Juive*
КАЛМЫКИЯ ПОЧТА (Russie : 1993) : *République de Kalmoukie*
КАМЧАТКА (Russie : 1993) : *Région de Kamtchatka*
Карачаево-Черкесия (Russie : 1993) : *République de Karatchaevie-Tcherkessie*

КАРАЧАЕВО-ЧЕРКЕССКАЯ РЕСПУБЛИКА (Russie : 1993) : *République de Karatchaevie-Tcherkessie*
КОМИ (Russie : 1995) : *République des Komis*
Красноярск РОССИЯ ПОЧТА 1993 (Russie : 1993) : *Ville de Krasnojarsk*
КУРИЛЬСКИЕ ОСТРОВА (Russie : 1992) : *Îles Kouriles*
Лен. обл. (Russie : 1993) : *Région de Saint-Petersbourg*
МОРДОВИЯ (Russie : 1993) : *République de Mordvinie*
НАХОДКА Свободная экономическая зона 1933-1993 Почтовый сбор оплачен (Russie : 1993) : *Port de Nahodka*
О. ВРАНГЕЛЯ (Russie : 1992) : *Île Vrangel*
О. ДИКСОН (Russie : 1992) : *Île Dikson*
О. КОЛГУЕВ (Russie : 1992) : *Île Kolguev*
О. САХАЛИН (Russie : 1993) : *Île Sakhaline*
ОСТРОВ ПАРАМУШИР ПОЧТА РОССИИ (Russie : 1992) : *Îles Kouriles*
ПОЧТА ЕВРЕЙСКАЯ реслубика 1995 (Russie : 1995) : *République Juive*
ПОЧТА ИНГУШЕТИЯ (Russie : 1993) : *République d'Ingouchie*
ПОЧТА К..К РОССИЯ (Russie : 1993) : *Ville de Belgorod*
ПОЧТА МАРИЙЭЛ (Russie : 1993) : *République des Mariis*
ПРИМОРСКИЙ КРАЙ (Russie : 1992) : *Région de Primorsk*
ПСКОВ 1095 ЛЕТ (Russie : 1993) : *Ville de Pskov*
РЕСПУБЛИКА АДЫГЕЯ ПОЧТОВ ОПЛАТА (Russie : 1993) : *République d'Adyguéie*
Республика Алтай (Russie : 1994) : *République d'Altaï*
РЕСПУБЛИКА КАРЕЛИЯ ПОЧТА (Russie : 1993) : *République de Carélie*
РЕСПУБЛИКА МОРДОВИЯ (Russie : 1993) : *République de Mordvinie*
РЕСПУБЛИКА САХЭ г. АЛДАН Местая почта (Russie : 1992) : *République de Saha (Iakoutie)*
РОССИЯ (Russie : 1994) : *République d'Altaï*
Санкт-Петербург (Russie : 1993) : *Ville de Saint-Petersbourg*
СПБ (Russie : 1993) : *Ville de Saint-Petersbourg*
Татарстан (Russie : 1993) : *Tatarstan (République Tatare)*
ТАТАРСТАН (Russie : 1993) : *Tatarstan (République Tatare)*
ТАТАРСТАН г. БУГУЛЬМА ОДИН РУБЛЬ (Russie : 1993) : *Tatarstan (République Tatare)*
ТБЛ (Russie : 1993) : *Ville de Tobolsk*
ТОМСК (Russie : 1993) : *Ville de Tomsk*
ТЫВА (Russie : 1994) : *République de Touva*
Ульяновск (Russie : 1994) : *Région d'Uljanovsk*
УРАЛ (Russie : 1994) : *Région Oural*
УФА (Russie : 1994) : *Ville d'Ufa (République de*

Bachkirie)
ХАБАРОВСКИЙ КРАЙ Почта (Russie : 1994) :
Région de Habarovsk
Э. А. О. ТУРА (Russie : 1993) : *Région autonome*
d'Evenkia (ville de Tura)
ХАКАСИЯ (Russie : 1993) : *République de*
Khakassie
ЯКУТИЯ ПОЧТА (Russie : 1992) : *République de*
Saha (Iakoutie)
ARTSAKH STEPANAKERT (Russie : 1991) :
Région du Haut-Karabakh
ADIGEY (Russie : 1993) : *République d'Adyguéie*
ADIGEY POSTAGE (Russie : 1993) : *République*
d'Adyguéie
BURIATIJA POSTAGE (Russie : 1992) :
République de Bouriatie
CAXA (Russie : 1992) : *République de Saha*
(Iakoutie)
CHUVASHIA REPUBLIC (Russie : 1993) :
République de Tchouvachie
DAGESTAN (Russie : 1993) : *République du*
Dâghestan
ISLAND OF SACHALIN (Russie : 1993) : *Île*
Sakhaline
JEWISH REPUBLIC (Russie : 1995) : *République*
Juive
KABARDINO-BALKAR (Russie : 1993) :
République de Kabardino-Balkharie
KARJALA (Russie : 1993) : *République de*
Carélie
KOMI (Russie : 1993-1995) : *République des*
Komis
KOMI SUKTUVKAR (Russie : 1993-1995) :
République des Komis
MORDAVIA POSTAGE (Russie : 1993) :
République de Mordvinie
OSSETIA POSTAGE (Russie : 1998) : *République*
d'Ossétie du Nord
PETROSKOI РЕСПУБЛИКА КАРЕЛИЯ
ПОЧТА (Russie : 1993) : *République de Carélie*
REPUBLIC ALTAI (Russie : 1994) : *République*
d'Altaï
REPUBLIC BURIATIA (Russie : 1992) :
République de Bouriatie
REPUBLIC TATARSTAN POSTAGE (Russie :
1993) : *Tatarstan (République Tatare)*
ROT & T ПЕРЕВОЗКА ТОВАРОВ В КИПР.
ГРЕЦИЮ. ТУРЦИЮ. (Russie : 1993) : *Timbres*
pour Chypre, la Grèce et la Turquie
SUKTUVKAR KOMI (Russie : 1993) :
République des Komis
TOUVA POSTAGE (Russie : 1994) : *République*
de Touva
UDMURTIA (Russie : 1994) : *République*
d'Oudmourtie
m руб, р., roub, k

☐ **Russie (république Montagnarde)**
Russia: Mountain Republic (E)
1921
Europe
Yvert et Tellier, Tome 4, 2ᵉ partie
  s Г.С.С.Р. (Russie : 1921)

◆ *Russie du Sud* ➔ Russie (Armées du Sud)
◆ *Ruthénie* ➔ Ukraine sub-carpathique
✦ RUTHERFORDTON N.C. ➔ États Confédérés
  d'Amérique (émissions des Maîtres de postes :
  Rutherfordton, Caroline du Nord)
✦ RWANDA ➔ Rwanda

■ **Rwanda**
1962-auj.
Afrique
Yvert et Tellier, Tome 7, 1ʳᵉ partie
  I RÉPUBLIQUE RWANDAISE (1962-1983)
    RWANDA (1976-auj.)
  m c, f, fr, frw

❖ RWANDAISE ➔ Rwanda

☐ **Ryu-Kyu**
✱ *Ryukyu Islands (E)*
1948-1972
Asie
Yvert et Tellier, Tome 7, 1ʳᵉ partie
  I RYUKYUS (1950-1951)
    RYUKYUS POSTAGE (1950-1951)
    SEN (1948)
    YEN (1948-1961, 1972)
  m sen, yen, c

ℶ *Ryukyu Islands (E)* ➔ Ryu-Kyu
✦ RYUKYUS ➔ Ryu-Kyu
✦ RYUKYUS POSTAGE ➔ Ryu-Kyu
✦ RZP. POLSKA ➔ Pologne
☉ s ➔ Afrique centrale britannique, Antigua, Arequipa,
  Autriche, Barbade, Biafra, Caïmanes (Îles), Cameroun
  allemand, Congo (belge, *état* indépendant, république,
  république démocratique), Côte de l'Or, Danemark,
  Équateur, Gambie, Inde néerlandaise (république
  indonésienne), Indonésie (territoire de l'ex-Nouvelle-
  Guinée néerlandaise), Jamaïque, Kenya et Ouganda,
  Lesotho, Malawi, Marshall, Moluques du Sud,
  Nations Unies (Genève), Nations Unies (Vienne),
  Nigeria, Nigeria du Nord, Nigeria du Sud, Niuafo'ou,
  Norfolk, Nouvelle Guinée (occupation britannique,
  administration australienne), Nouvelle République
  d'Afrique du Sud, Nouvelles-Hébrides, Papouasie
  et Nouvelle-Guinée, Pérou, Philippines, Rhodésie,
  Rhodésie du Nord, Sierra Leone, Soudan, Swaziland,
  Tokelau, Tonga, Vierges, Zaïre
✦ S *(accompagné d'un croissant et d'une étoile)* ➔
  Selangor
☽ s/. ➔ Pérou
✦ SA ➔ Arabie Saoudite
✦ SAAR ➔ Sarre
✦ SAAR DEUTSCHES REICH ➔ Allemagne
✦ SAARGEBIET ➔ Sarre

* SAARLAND ➜ Sarre
* SAARLUFTPOST ➜ Sarre
* SAARPOST ➜ Sarre
* SABAH ➜ Sabah

☐ **Sabah**
Malaysia: Sabah (E)
1964-1986
Asie
Yvert et Tellier, Tome 6, 2ᵉ partie
(à : *Malaysia*)
  l   MALAYSIA SABAH (1965-1985)
      SABAH MALAYSIA (1986)
  s   SABAH (Bornéo du Nord : 1964)
  m c

◆ *Sabah* ➜ voir aussi : Bornéo du Nord
* SABAH MALAYSIA ➜ Sabah
◆ *S.A.B.E.* ➜ Italie (*poste privée S.A.B.E.*)
❖ SACHALIN ➜ Russie (postes locales de l'ex-U.R.S.S. : Île Sakhaline)
❖ SACHSEN ➜ Saxe Orientale, Saxe (province)
* SACHSEN ➜ Saxe (royaume)
* SAFFI ➜ Maroc (postes locales)
* SAFFI MARRAKECH ➜ Maroc (postes locales)
◆ *Saha (Iakoutie, République de)* ➜ Russie (postes locales de l'ex-U.R.S.S.)
* SAHARA ➜ Sahara espagnol

☐ **Sahara espagnol**
Spanish Sahara (E)
1924-1976
Afrique
Yvert et Tellier, Tome 7, 1ʳᵉ partie
  l   ESPAÑA CORREOS SAHARA (1961-1973)
      ESPAÑA SAHARA CORREOS (1961-1973)
      POSESIONES ESPANOLAS DEL SAHARA
      OCCIDENTAL (1924)
      SAHARA ESPAÑA (1961-1976)
      SAHARA ESPAÑA CORREOS (1961-1976)
      SAHARA ESPAÑOL (1943-1961)
      SAHARA ESPAÑOL CORREOS (1943-1961)
  s   SAHARA (Espagne : 1929)
      SAHARA ESPAÑOL (Espagne : 1926-1941)
  m cents, cts, pta, ptas

◆ *Sahara espagnol* ➜ voir aussi : Cap Juby, Maroc, Mauritanie, Rio de Oro, Sahara occidental
* SAHARA ESPAÑA ➜ Sahara espagnol
* SAHARA ESPAÑA CORREOS ➜ Sahara espagnol
* SAHARA ESPAÑOL ➜ Sahara espagnol
* SAHARA ESPAÑOL CORREOS ➜ Sahara espagnol

■ **Sahara occidental**
Western Sahara (E)
1992-auj.
Afrique
Émission non admise par l'U.P.U.
  l   SAHARA OCC. R.A.S.D. (1992-auj.)
  m ptas

◆ *Sahara occidental* ➜ voir aussi : La Agüera

* SAHARA OCCIDENTAL LA AGUERA ➜ La Agüera
* SAHARA OCCIDENTAL LA AGÜERA ➜ La Agüera
* SAHARA OCC. R.A.S.D. ➜ Sahara occidental
◆ *Sahraouie (République Arabe démocratique)* ➜ Sahara occidental
❖ SAÏD ➜ Port-Saïd
* SAIKAI NATIONAL PARK ➜ Japon
* SAIL FOR AMSTERDAM '85 16 AUGUSTUS STADSPOST ➜ Pays-Bas (postes locales : *Haarlem*)

■ **Saint-Christophe**
St. Christopher (1870-1888) + St. Kitts-Nevis (1903-1980) + St. Kitts (since 1980) (E)
1870-auj.
Amérique Centrale
Yvert et Tellier, Tome 7, 1ʳᵉ partie
  l   SAINT CHRISTOPHER (1870-1888)
      SAINT CHRISTOPHER AND NEVIS (1935-1937)
      SAINT CHRISTOPHER-NEVIS-ANGUILLA (1952-1980)
      ST CHRISTOPHER-NEVIS-ANGUILLA (1952-1980)
      SAINT CHRISTOPHER POSTAGE (1870-1888)
      ST KITTS (1980-auj.)
      ST. KITTS (1980-auj.)
      ST KITTS-NEVIS (1903-1951)
      ST KITTS-NEVIS-ANGUILLA (1967-1971)
  s   SAINT CHRISTOPHER (Nevis : 1883)
  m penny, pence, shilling, d, c, cents, $
  ⇨ Anguilla

* SAINT CHRISTOPHER ➜ Saint-Christophe
* SAINT CHRISTOPHER AND NEVIS ➜ Saint-Christophe
* SAINT CHRISTOPHER-NEVIS-ANGUILLA ➜ Saint-Christophe
* SAINT CHRISTOPHER POSTAGE ➜ Saint-Christophe
❖ SAINT-DIZIER ET DE LA HAUTE MARNE ➜ France

■ **Sainte-Hélène**
St. Helena (E)
1856-auj.
Afrique
Yvert et Tellier, Tome 7, 1ʳᵉ partie
  l   **ST HELENA** (1856-auj.)
  m penny, pence, shilling, d, p, £
  ⇨ Ascension, Tristan da Cunha

■ **Sainte-Lucie**
St. Lucia (E)
1860-auj.
Amérique Centrale
Yvert et Tellier, Tome 7, 1ʳᵉ partie
  l   **SAINT LUCIA** (1979-auj.)
      ST LUCIA (1860-1978)
  m penny, pence, d, shilling, shillings, cent, cents, $, c, cts

☐ **Sainte-Marie de Madagascar**
Ste.-Marie de Madagascar (E)
1894
Afrique
Yvert et Tellier, Tome 2, 1ʳᵉ partie
l Sᵀᴱ MARIE DE MADAGASCAR (1894)
m c, f

☐ **Saint-Kilda**
St. Kilda (E)
1968-1973
Europe
Émission non admise par l'U.P.U.
l ST KILDA (1968-1973)

◆ SAINT LOUIS ➔ États-Unis d'Amérique (émissions des Maîtres de postes : Saint Louis)
◆ *Saint Louis* ➔ États-Unis d'Amérique (postes locales et privées)
◆ SAINT LUCIA ➔ Sainte-Lucie

■ **Saint-Marin**
San Marino (F)
1877-auj.
Europe
Yvert et Tellier, Tome 3, 2ᵉ partie
l BOLLO POSTALE (1894)
RFP DI S. MARINO (1877-1971)
REP. SAN MARINO (1877-1971)
REP. S. MARINO (1877-1971)
REPUB. DI S. MARINO (1877-1971)
REPUBLICA DI S. MARINO (1877-1971)
R S MARINO PACCHI POSTALI (1928-1972)
S. MARINO (1974)
SAN MARINO (1964-auj.)
s REP. DI S. MARINO (Italie : 1924)
R. S. M. (Italie : 1949-1951)
m cent., centesimi, cᵐⁱ, c, lira, lire, l, €

❖ SAINT-NAZAIRE FRONT ATLANTIQUE ➔ France
◆ *Saint-Petersbourg (Région de)* ➔ Russie (postes locales de l'ex-U.R.S.S.)
◆ *Saint-Petersbourg (Ville de)* ➔ Russie (postes locales de l'ex-U.R.S.S.)
◆ SAINT-PIERRE ET MIQUELON ➔ Saint-Pierre et Miquelon

■ **Saint-Pierre et Miquelon**
St. Pierre & Miquelon (E)
1885-auj.
Amérique du Nord
Yvert et Tellier, Tome 2, 1ʳᵉ partie
l PD/10 (1886)
PD/15 (1886)
PD/5 (1886)
SAINT-PIERRE ET MIQUELON (1891-auj.)
s SAINT-PIERRE ET MIQUELON (France : 1925-1927)
SPM (Colonies françaises : 1885-1891)
ST-PIERRE M-ON (Colonies françaises : 1891-1892)
m c, f, cent, €

◆ *Saint-Sébastien* ➔ Espagne (émissions nationalistes)

■ **Saint-Thomas et Prince**
St. Thomas and Prince Islands (E)
1869-auj.
Afrique
Yvert et Tellier, Tome 7, 1ʳᵉ partie
l PORTUGAL S. THOME E PRINCIPE (1893-1934)
PORTUGAL CORREIO S. THOME E PRINCIPE (1893-1934)
REPUBLICA DEMOCRATICA DE S. TOMÉ E PRINCIPE (1975-1976)
REPUBLICA DEMOCRATICA DE SAO TOMÉ E PRINCIPE (1975-1976)
REPUBLICA PORTUGUESA S. TOMÉ E PRINCIPE (1914-1973)
SAO TOMÉ E PRINCIPE (1977)
S. THOME E PRINCIPE (1869-1914)
S. THOME E PRINCIPE PORTUGAL (1869-1914)
S. TOMÉ (1938-auj.)
S. TOMÉ E PRINCIPE (1938-auj.)
ULTRAMAR PORTUGES S. TOMÉ E PRINCIPE (1953)
s REPUBLICA S. TOMÉ E PRINCIPE (Afrique portugaise, Maçao, Timor : 1913)
m reis, rs, c, e, centavos, $, db, centimos dbs

☐ **Saint-Thomas-La-Guaira**
1864-1875
Amérique Centrale, Amérique du Sud
Yvert et Tellier, Tome 7, 1ʳᵉ partie
l HAMBOURG AMERICAN PACKET COMPANY WEST INDIA LINE PRIVATE POSTAGE STAMP (1875)
LA GUAIRA PAQUETE Pᵀᴼ CABELLO SAN TOMAS (1869)
ROYAL MAIL STEAM PACKET COMPANY (1875)
SAN TOMAS LA GUAIRA (1864)
ST THOMAS LA GUAIRA Pᵀᴼ CABELLO PACKET (1864-1870)
m centavo, centavos, real, reales, cents

■ **Saint-Vincent**
St. Vincent (E)
1861-auj.
Amérique Centrale
Yvert et Tellier, Tome 7, 1ʳᵉ partie
l ST VINCENT (1861-1995)
ST VINCENT FORT DUVERNETTE (1984)
ST VINCENT & THE GRENADINES (1983-auj.)
ST VINCENT WEST INDIES (1861-1995)
m penny, pence, shilling, shillings, d, cent, cents, c, $, £
⇨ Saint-Vincent (Îles Grenadines)

■ **Saint-Vincent (Îles Grenadines)**
St. Vincent Grenadines (E)
1973-auj.
Amérique Centrale
Yvert et Tellier, Tome 7, 1ʳᵉ partie
l   **GRENADINES OF ST. VINCENT** (1973-auj.)
    THE GRENADINES OF ST. VINCENT (1974-1979)
s   GRENADINES OF (Saint-Vincent : 1974)
m   c, $
    ⇨ Béquia, Union Island

◆ *Saint-Vincnt (Îles Grenadines)* ➔ voir aussi : Béquia, Union Island

❖ SAK ➔ Norvège

◆ S. A. K. ➔ Arabie Saoudite

❖ SAKHA-JAKUTIA ➔ Russie (postes locales de l'ex-U.R.S.S. : République de Saha [Iakoutie])

◆ *Sakhaline (Île)* ➔ Russie (postes locales de l'ex-U.R.S.S.)

◆ *Salamanca (Salamanque)* ➔ Espagne (émssions nationalistes)

◆ SALAMANCA ¡VIVA ESPAÑA! JULIO 1936 ➔ Espagne (émssions nationalistes : Salamanca [Salamanque])

◆ *Salamanque (Salamanca)* ➔ Espagne (émssions nationalistes)

◆ SALEM N. C. ➔ États Confédérés d'Amérique (émissions des Maîtres de postes : Salem, Caroline du Nord)

◆ *Salem (Virginie)* ➔ États Confédérés d'Amérique (émissions des Maîtres de postes : Salem, Virginie)

◆ SALISBURY N. C. ➔ États Confédérés d'Amérique (émissions des Maîtres de postes : Salisbury, Caroline du Nord)

◆ SALITRE ➔ Chili

■ **Salomon**
Solomon Islands (E)
1907-auj.
Océanie
Yvert et Tellier, Tome 7, 1ʳᵉ partie
l   BR. SOLOMON ISLANDS (1969)
    BRITISH SOLOMON IS (1974)
    BRITISH SOLOMON ISLANDS (1913-1975)
    BRITISH SOLOMON ISLANDS PROTECTORATE (1907-1911)
    SOLOMON ISLANDS (1975-auj.)
m   d, c, cent, cents, $

◆ SALONICCO ➔ Levant (bureaux italiens)

🕮 *Salonika (E)* ➔ Levant (bureaux italiens)

◆ SALONIQUE ➔ Levant (bureaux russes)

◆ SALUDO A FRANCO 18 DE JULIO 1936-37 CADIZ ¡¡ARRIBA ESPAÑA!! ➔ Espagne (émissions nationalistes : Cadix)

◆ SALUDO A FRANCO 29 OCTUBRE CAIDOS POR ESPAÑA ¡PRESENTES! ARRIBA ESPAÑA ➔ Espagne (émissions nationalistes : Saragosse)

◆ SALUDO A FRANCO 29 OCTUBRE HEROES DE BELCHITE ¡PRESENTES! ARRIBA ESPAÑA ➔ Espagne (émissions nationalistes : Saragosse)

◆ SALUDO A FRANCO 29 OCTUBRE HEROES DE MONTE-ARAGON ¡PRESENTES! ARRIBA ESPAÑA ➔ Espagne (émissions nationalistes : Saragosse)

◆ SALUDO A FRANCO 29 OCTUBRE HEROES DE SARRION ¡PRESENTES! ARRIBA ESPAÑA ➔ Espagne (émissions nationalistes : Saragosse)

◆ SALUDO A FRANCO ¡ARRIBA ESPAÑA! 26-8-37 SANTANDER ➔ Espagne (émissions nationalistes : Santander)

❖ SALUO MEXICO ➔ Mexique

◆ SALVADOR ➔ Salvador

■ **Salvador**
El Salvador (E)
1867-auj.
Amérique Centrale
Yvert et Tellier, Tome 7, 1ʳᵉ partie
l   CENTRO AMERICA ESTADO DE EL SALVADOR (1921)
    CONTRA SELLO (1874)
    CORREOS DE EL SALVADOR (1896-auj.)
    CORREOS DE EL SALVADOR CA (1896-1983)
    CORREOS DE EL SALVADOR AMERICA CENTRAL (1896-1983)
    CORREOS DE EL SALVADOR CENTROAMERICA (1896-1983)
    CORREOS DEL SALVADOR (1867-1896)
    CORREOS EL SALVADOR (1912-1924)
    CORREOS ESTADO DE EL SALVADOR (1899-1905)
    EL SALVADOR CAMPEON (1977)
    EL SALVADOR (1924-1982)
    EL SALVADOR CA (1924-1982)
    FARDOS POSTAGES (1895)
    REPUBLICA DEL SALVADOR (1879-1902, 1983)
    REPUBLICA DE EL SALVADOR AMERICA CENTRAL (1879-1902, 1983)
    REPUBLICA MAYOR C. AMERICA ESTADO DE EL SALVADOR (1897-1900)
    REPUBLICA MAYOR DE CENTRO AMERICA ESTADO DE EL SALVADOR (1897-1900)
    SALVADOR (1895-1905)
    SERVICIO POSTAL DEL SALVADOR (1887-1892)
    TELEGRAFOS DEL SALVADOR (1882)
    TIMBRE DE INSTRUCCION PRIMARIA 1900 (1900-1904)
    TIMBRE PARA CABLE-GRAMAS (1896)
    TIMBRE PARA TELEGRAMAS (1896)
m   real, reales, c, centavo, centavos, colon, cts

❖ SALVADOR OUELPO DE LLANO ➔ Espagne (émissions nationalistes : Malaga)

◆ *Salzbourg* ➔ Autriche (postes locales ou privées)

❖ SALZBURG 29. MAI 1921 ➔ Autriche (postes locales ou privées) : *Salzbourg*

- SALZBURGER VOLKS-ABSTIMMUNG ➔ Autriche (postes locales ou privées) : *Salzbourg*
- *Samara* ➔ Zemstvos
- SAMENWERKENDE PARTICULIERE STADSPOSTEN NOORD-HOLLAND ➔ Pays-Bas (postes locales : *Beverwijk*)
- SAMOA ➔ Samoa

□ **Samoa**
1877-auj.
Océanie
Yvert et Tellier, Tome 7, 1ʳᵉ partie
  I SAMOA (1900-1925, 1981-auj.)
     SAMOA I SISIFO (1958-1981)
     SAMOA I SISIFO WESTERN SAMOA (1958-1981)
     SAMOA POST (1877-1935)
     SAMOA POSTAGE (1877-1935)
     WESTERN SAMOA (1935-1955)
  s G.R.I. (1914)
     SAMOA (Allemagne, Nouvelle-Zélande : 1900-1925)
     WESTERN SAMOA (Nouvelle-Zélande . 1935-1955)
  m penny, pence, shilling, shillings, d, pfennig, mark, sene, s, $

- SAMOA I SISIFO ➔ Samoa
- SAMOA I SISIFO WESTERN SAMOA ➔ Samoa
- SAMOA POST ➔ Samoa
- SAMOA POSTAGE ➔ Samoa
- SAMORZAD WARWISZKI ➔ Lituanie du Sud (occupation polonaise)

□ **Samos**
1912-1915
Europe
Yvert et Tellier, Tome 3, 1ʳᵉ partie
(à : *Grèce*)
     ΠΡΟΣΩΡΙΝΟΝ ΤΑΧΥΔΡΟΜΕΙΟΝ ΣΑΜΟΥ (1912-1913)
     ΣΑΜΟΥ (1912-1915)
  m ΛΕΠΤΟΝ, ΛΕΠΤΑ, ΔΡΑΧΜΗ, ΔΡΑΧΜΙ

- SAMOY (grec) ➔ Samos
- SAN ANTONIO TEX. ➔ États Confédérés d'Amérique (émissions des Maîtres de postes : San Antonio, Texas)
- SANDA ➔ Sanda

□ **Sanda**
Europe
Émission non admise par l'U.P.U.
  I SANDA

- SANDJAK D'ALEXANDRETTE ➔ Alexandrette (administration française)
- SANDWICH IS ➔ Falkland (dépendances : Géorgie du Sud et Iles Sandwich du Sud)
- *San Francisco* ➔ États-Unis d'Amérique (postes locales et privées)
- *San Juan Despi* ➔ Espagne (émssions nationalistes)
- SAN MARINO ➔ Saint-Marin

- SAN SEBASTIAN ➔ Espagne (émissions nationalistes :Saint-Sébastien)
- sant ➔ Alexandrette (administration turque), Lettonie
- *Santa Cruz de Teneriffe* ➔ Espagne (émissions nationalistes)
- *Santa Maria de Albarracin* ➔ Espagne (émissions nationalistes)
- SANTA MARIA DE ALBARRACIN ¡VIVA ESPAÑA! JULIO 1936 ➔ Espagne (émissions nationalistes : Santa Maria de Albarracin)
- *Santander* ➔ Espagne (émissions nationalistes)
- SANTANDER ➔ Cucuta
- SANTANDER ➔ Espagne (émissions nationalistes : Santander)

□ **Santander**
Colombia: Santander (E)
1884-1907
Amérique du Sud
Yvert et Tellier, Tome 5, 2ᵉ partie
(à : *Colombie*)
  I DEPARTAMENTO DE SANTANDER (1887-1907)
     DEPᵀᴼ DE SANTANDER (1887-1907)
     ESTADO SOBERANO DE SANTANDER (1884-1887)
     E. E. DE SANTANDER (1884-1887)
  m centavos, pesos

- SANTIAGO ➔ Chili
- santimi ➔ Lettonie
- santims ➔ Lettonie
- santimu ➔ Lettonie
- SANTO-FATIMA ➔ Colonies portugaises
- SAN TOMAS ➔ Saint-Thomas-La-Guaira
- SAN TOMAS LA GUAIRA ➔ Saint-Thomas-La-Guaira
- Saorstát éireann 1922 ➔ Irlande
- SAO TOMÉ E PRINCIPE ➔ Saint-Thomas et Prince
- SAOUDITE ➔ Arabie Saoudite
- *Sapojok* ➔ Zemstvos
- S A R ➔ Syrie (état indépendant)
- *Saragosse* ➔ Espagne (émissions nationalistes)
- *Saransk* ➔ Zemstvos
- *Sarapoul* ➔ Zemstvos
- *Suratov* ➔ Zemstvos
- SARAWAK ➔ Sarawak

□ **Sarawak**
Sarawak (1869-1963) + Malaysia: Sarawak (1965-1986) (E)
1869-1986
Asie
Yvert et Tellier, Tome 6, 2ᵉ partie
(à : *Malaysia*)
  I MALAYSIA SARAWAK (1965-1985)
     SARAWAK (1869-1963)
     SARAWAK MALAYSIA (1986)
  m cent, cents, c, $
  ⇨ Sarawak (administration britannique), Sarawak (occupation japonaise)

☐ **Sarawak (administration britannique)**
Sarawak (E)
1945
Asie
Yvert et Tellier, Tome 6, 2ᵉ partie
  s B M A (Sarawak : 1945)

◆ SARAWAK MALAYSIA ➜ Sarawak

☐ **Sarawak (occupation japonaise)**
* *Sarawak: Japanese occupation (E)*
1942
Asie
  s *caractères asiatiques* (Sarawak : 1942)

🗗 *Sarawak: Japanese occupation (E)* ➜ Sarawak
  (occupation japonaise)

☐ **Sardaigne**
Sardinia (E)
1851-1863
Europe
Yvert et Tellier, Tome 3, 2ᵉ partie
(à : *Italie*)
  l FRANCO POSTE BOLLO (1851-1863)
     GIORNALI FRANCO BOLLO STAMPE (1861-
     1862)
  m c, centi

🗗 *Sardinia (E)* ➜ Sardaigne

☐ **Sark**
Guernsey-Sark (E)
1950-1971
Europe
Émission non admise par l'U.P.U.
  l COMMODORE CRUISES LTD. (1950)
     COMMODORE SHIPPING CO. LTD. (1954-
     1961)
     COMMODORE SHIPPING GUERNSEY-SARK
     (1961)
     GUERNSEY-SARK (1962-1971)
  m d

◆ SARKARI ➜ Soruth
◆ SARRE ➜ Sarre

☐ **Sarre**
Saar (E)
1920-1959
Europe
Yvert et Tellier, Tome 2, 1ʳᵉ partie
  l DEUTSCHE BUNDESPOST SAARLAND (1957-
     1959)
     SAAR (1947-1956)
     SAARLAND (1957-1959)
     SAARGEBIET (1921-1934)
     SAARLUFTPOST (1948)
     SAARPOST (1947-1956)
  s SAARGEBIET (Allemagne : 1920-1921)
     SARRE (Allemagne, Bavière : 1920)
  m c, f, fr, franken, cent, pf, m, mark

◆ SASENO ➜ Saseno

☐ **Saseno**
1923
Europe
Yvert et Tellier, Tome 3, 2ᵉ partie
  s SASENO (Italie : 1923)

❖ SASKATCHEVAN AERIAL MAIL ESTEVAN
  WINNIPEG 1ˢᵀ OCTOBER 1924 ➜ Canada
◉ satang, satangs ➜ Siam
◆ SAUDI ARABIA ➜ Arabie Saoudite
◆ SAUDI ARABIA KINGDOM ➜ Arabie Saoudite
❖ SAUMUR SERVICE POSTAL ROUTIER AVION
  POSTAL MILITAIRE ➜ France
◆ SAURASHTRA ➜ Soruth
◆ SAURASHTRA POSTAGE ➜ Soruth
🔶 *Savannah (Georgie)* ➜ États Confédérés d'Amérique
  (émissions des Maîtres de postes : Savannah, Georgie)
❖ SAVERNE LIBRE ➜ France

☐ **Saxe Occidentale**
West Saxony (E)
1945-1946
Europe
Yvert et Tellier, Tome 3, 1ʳᵉ partie
(à : Allemagne Orientale [zone soviétique
d'occupation : émissions régionales])
  l DEUTSCHE POST PFENNIG DEUTSCHE
     POST (1945)
     GEGEN VOLKSMAT VOLKSSOLIDARITÄT
     DEUTSCHE POST (1946)
     LEIPZIG DEUTSCHE POST (1946)
     LEIPZIGER MESSE MM DEUTSCHE POST
     (1945)
  l pfennig

☐ **Saxe Orientale**
East Saxony (E)
1945
Europe
Yvert et Tellier, Tome 3, 1ʳᵉ partie
(à : Allemagne Orientale [zone soviétique
d'occupation : émissions régionales])
  l DEUTSCHE POST BUNDESLAND SACHSEN
     (1946)
     POST (1945)
     POST ПОЧТА (1945)

☐ **Saxe (province)**
Saxony Province (E)
1945
Europe
Yvert et Tellier, Tome 3, 1ʳᵉ partie
(à : Allemagne Orientale [zone soviétique
d'occupation : émissions régionales])
  l BODENREFORM PROVINZ SACHSEN (1945)
     PROVINZ SACHSEN (1945)
  m pfennig

□ **Saxe (royaume)**
Saxony (E)
1850-1867
Europe
Yvert et Tellier, Tome 3, 1ʳᵉ partie
(à : *Allemagne*)
　l　SACHSEN (1850-1867)
　m　pfennige, neu grosch, neu groschen

Ȼ *Saxony (E)* ➔ Saxe (royaume)
Ȼ *Saxony (East) (E)* ➔ Saxe Orientale
Ȼ *Saxony Province (E)* ➔ Saxe (province)
Ȼ *Saxony (West) (E)* ➔ Saxe occidentale
◆ S.C.A.D.T.A. ➔ Colombie
◆ SCARPANTO ➔ Scarpanto

□ **Scarpanto**
Italian offices in the Dodecanese Islands: issued in Scarpanto (E)
1912-1932
Europe
Yvert et Tellier, Tome 3, 1ʳᵉ partie
(à : *Égée (îles de la mer)*)
　s　SCARPANTO (Italie : 1912-1932)

◆ S.C.A.T.A. ➔ Colombie
◢ *Schagen* ➔ Pays-Bas (postes locales)
❖ SCHEEPVAARTDAG STADSPOST ➔ Pays-Bas (postes locales : *Delfzijl*)
❖ SCHEERENBECK ➔ Allemagne (postes locales ou privées : Hambourg, service de messagerie)
❖ SCHILERIN ➔ Mecklembourg-Schwerin
❖ SCHILLER ➔ Thuringe
⊙ schilling ➔ Autriche, Bergedorf, Hambourg, Héligoland, Lubeck, Mecklembourg-Schwerin, Schleswig-Holstein
⊙ schillinge ➔ Bergedorf, Mecklembourg-Schwerin
◢ *Schleswig* ➔ Schleswig-Holstein
◆ SCHLESWIG-HOLSTEIN ➔ Schleswig-Holstein

□ **Schleswig-Holstein**
Schleswig (E)
1850-1920
Europe
Yvert et Tellier, Tome 3, 1ʳᵉ partie
(à : *Allemagne*)
　l　HERZOCTH HOLSTEIN (1865)
　　　HERZOCTHUM HOLSTEIN (1865)
　　　HERZOCTH. SCHLESWIG (1864-1867)
　　　HRZGL POST FRMRK (1864)
　　　H.R.Z.G.L. POST F.R.M. (1864)
　　　PLEBISCIT SLESVIG (1920)
　　　SCHLESWIG-HOLSTEIN (1865-1866)
　　　S H POST SCHILLING (1850)
　　　SLESVIG PLEBISCIT (1920)
　m　schilling, pf, mark, Sgr, øre, kronen

◢ *Schlusselbourg* ➔ Zemstvos
◆ SCHWEIZERISCHE NATIONALE FLUGSPENDE HERISAUER FLUGTAG 1913 II. SCHWEIZ FLUGPOST ➔ Suisse
❖ SCHWERIN ➔ Mecklembourg-Schwerin

⊙ scillinge ➔ Irlande
◆ SCINDE DISTRICT DAWK ➔ Inde anglaise
◆ SCINDE DISTRICT DAWK 1852-1952 CENTENARY 1ˢᵀ POSTAGE STAMP ➔ Pakistan
❖ SCOTIA ➔ Nouvelle Écosse
❖ SCOTLAND ➔ Été (Îles de l')
❖ SCOTLAND ➔ Grunay
Ȼ *Scotland (E)* ➔ Grande-Bretagne
◆ SCOTT BASE ANTARCTICA ➔ Territoire Antarctique Néo-Zélandais
◆ SCOUT DISTRICTS ➔ Grande-Bretagne (postes de Noël)
◆ SCOUT FELLOWSHIP ➔ Grande-Bretagne (postes de Noël)
◆ SCOUT GROUP ➔ Grande-Bretagne (postes de Noël)
◆ SCOUT MAIL ➔ Grande-Bretagne (postes de Noël)
◆ SCOUT POST ➔ Grande-Bretagne (postes de Noël)
❖ SCOUTING ➔ Tonga
◆ SCOUTS ➔ Grande-Bretagne (postes de Noël)
❖ SCRISOREI ➔ Roumanie
⊙ scudi ➔ Malte (Ordre souverain de)
⊙ scudo ➔ Église (États Pontificaux), Malte (Ordre souverain de)
◆ SCUTARI DI ALBANIA ➔ Levant (bureaux italiens)
◆ SCUTIT POSTA (cyrillique) ➔ Roumanie
◆ SCUTIT POSTA (cyrillique) ➔ Roumanie
⊙ sd ➔ Soudan
❖ Sealanac na héineann 1922 ➔ Irlande
◆ SEALAND ➔ Sealand

□ **Sealand**
1969-
Europe
Émission non admise par l'U.P.U.
　l　SEALAND (1969-)
　m　c

◆ SEASONS GREETINGS ➔ Grande-Bretagne (postes de Noël)
❖ SEBASTIAN ➔ Espagne (émissions nationalistes : Saint-Sébastien)
◢ *Sébastopol* ➔ Russie (Armée Wrangel)
◆ SECUNDA FIERA CAMPIONARIA TRIPOLI POSTE ITALIANE ➔ Tripolitaine
◆ SECURES IMMEDIATE DELIVERY AT A SPECIAL DELIVERY OFFICE ➔ Nouvelle-Zélande

■ **Sedang (Royaume de, poste locale)**
Sedang: local issue of the Kingdom of (E)
1888-auj.
Asie
Émission non admise par l'U.P.U.
　l　DEH SEDANG (1888-auj.)
　s　DAI NIPPON YUBIN 2408 SEDANG (1941) : *occupation japonaise*
　　　FREEDOM FROM FRUMIOUS NIPPON 1946 (1946)
　m　$, m, math

❖ SEFRO ➔ Maroc (postes locales)
◆ SEGÉLY-BÉLYEG ➔ Debreczen

- ◆ SEGNA TASSA ➜ Italie
- ◆ SEGNATASSE ➜ Italie
- ❖ SEGNATASSE ➜ Somalie italienne
- ◆ SEGNATASSE VAGLIA ➜ Italie
- ❖ SEGOVIA ➜ Espagne (émissions nationalistes : Ségovie)
- ◆ *Ségovie* ➜ Espagne (émissions nationalistes)
- ❖ SEIYUN ➜ Kathiri (Seyun)
- ◆ SELANGOR ➜ Selangor

☐ **Selangor**
Malaya: Selangor + Malaysia: Selangor (E)
1882-1962 ; 1965-1986
Asie
Yvert et Tellier, Tome 6, 2ᵉ partie
(à : *Malaysia*)
  l MALAYA *(mosquée du palais de Klang)* (1935-1941)
     MALAYA *(Suleiman Shah)* (1935-1941)
     MALAYA *(Sultan Hisamuddin-Alam Shah)* (1949-1955)
     MALAYA SELANGOR (1941-1962)
     MALAYSIA SELANGOR (1965-1985)
     MALAYSIA SELANGOR DARULEHSAN (1985)
     SELANGOR MALAYSIA (1986)
     SELANGOR (1891-1901)
  s S *(accompagné d'un croissant et d'une étoile)* (Malacca [établissements des détroits de Malacca et Singapour] : 1882)
     SELANGOR (Malacca [établissements des détroits de Malacca et Singapour] : 1882-1891)
  m cent, cents, c, $
  ⇨ Selangor (occupation japonaise)

☐ **Selangor (occupation japonaise)**
* *Malaya Selangor: Japanese occupation (E)*
1942
Asie
Yvert et Tellier, Tome 6, 2ᵉ partie
(à : *Malaysia*)
  s DAI NIPPON 2602 MALAYA (Selangor : 1942)
     EP *(au milieu de caractères asiatiques)* (Selangor : 1942)
     CTS. *(avec caractères asiatiques)* (Selangor : 1942)
  m cts, $

- ◆ SELANGOR EXHIBITION DAI NIPPON 2602 MALAYA ➜ Malacca (occupation japonaise)
- ◆ SELANGOR MALAYSIA ➜ Selangor
- ℗ *Selangor: Japanese occupation (E)* ➜ Selangor (occupation japonaise)
- ❖ SELATAN ➜ Moluques du Sud
- ❖ SELDJLMIDE ➜ Iran
- ❖ SELLADO ➜ Mexique
- ◆ SELLO 10° 25 C. DE PESO ➜ Fernando Poo
- ◆ SELLO 10° Aˢ 1896 Y 97 25 C. DE PESO ➜ Fernando Poo
- ◆ *Selma (Alabama)* ➜ États Confédérés d'Amérique (émissions des Maîtres de postes : Selma, Alabama)

- ❖ SELO COLONIAS ➜ Timor
- ❖ SEMBILAN ➜ Negri Sembilan
- ❖ SEMPER ➜ Zone de Fiume et de la Kupa
- ⊙ sen ➜ Brunei, Inde néerlandaise, Inde néerlandaise (république indonésienne), Indonésie, Indonésie (territoire de l'ex-Nouvelle-Guinée néerlandaise), Japon, Malaisie, Malaysia, Moluques du Sud, Negri Sembilan, Ryu-Kyu
- ◆ SEN ➜ Japon
- ◆ SEN ➜ Ryu-Kyu
- ⊙ sene ➜ Samoa
- ℗ *Senegal: French Colony (E)* ➜ Sénégal (colonie française)
- ℗ *Senegal: Republic (E)* ➜ Sénégal
- ◆ SÉNÉGAL ➜ Sénégal
- ◆ SÉNÉGAL ➜ Sénégal (colonie française)

■ **Sénégal**
Senegal: Republic (E)
1960-auj.
Afrique
Yvert et Tellier, Tome 2, 2ᵉ partie
  l RÉPUBLIQUE DU SÉNÉGAL (1960-1976)
     SÉNÉGAL (1976-auj.)
  m f

☐ **Sénégal (colonie française)**
Senegal: French Colony (E)
1887-1944
Afrique
Yvert et Tellier, Tome 2, 1ʳᵉ partie
  l SÉNÉGAL (1914-1944)
     SÉNÉGAL ET DÉPENDANCES (1892-1912)
  s 5 (Colonies françaises : 1887)
     10 (Colonies françaises : 1887)
     15 (Colonies françaises : 1887)
     SÉNÉGAL (Colonies françaises : 1892)
  m c, f, fr
  ⇨ France

- ◆ SÉNÉGAL ET DÉPENDANCES ➜ Sénégal (colonie française)
- ❖ SÉNÉGAL-NIGER ➜ Haut-Sénégal et Niger
- ℗ *Senegambia & Niger (E)* ➜ Sénégambie et Niger
- ◆ SÉNÉGAMBIE ET NIGER ➜ Sénégambie et Niger

☐ **Sénégambie et Niger**
Senegambia & Niger (E)
1903
Afrique
Yvert et Tellier, Tome 2, 1ʳᵉ partie
  l SÉNÉGAMBIE ET NIGER (1903)
  m c, f

- ⊙ seniti ➜ Tonga
- ⊙ senti ➜ Estonie
- ❖ SERBES ➜ Serbie
- ℗ *Serbia (E)* ➜ Serbie
- ℗ *Serbia: Austrian occupation (E)* ➜ Autriche-Hongrie (occupation en Serbie)

ӿ *Serbia: German occupation (E)* → Serbie (occupation allemande)

ӿ *Serbia-Krajina: Republic (E)* → Serbie-Krajina (République de)

ӿ *Serbia: Republic of (E)* → Serbie (République de)

☐ **Serbie**
Serbia (E)
1866-1920
Europe
Yvert et Tellier, Tome 3, 2ᵉ partie
l ПОШТА ПАРА (1869-1872)
ПОРТО МАРКА (1895-1919)
СРБИJА (1881-1918)
СРПСКА КРАГЪ ПОШТА (1911-1914)
КРАЉЕВИНА СРБИJА (1904-1920)
КЊ. СРП ПОШТА (1873)
К. С. ПОШТА (1866-1868)
К. СРБСКА ПОШТА (1866-1868)
s POSTES SERBES (France : 1917)
m ПАРА, ПАРЕ, ДИН, ДИНАР

☐ **Serbie (occupation allemande)**
Serbia: German occupation (E)
1941-1944
Europe
Yvert et Tellier, Tome 3, 2ᵉ partie
l СРБИJА ДИНАРА (1941-1942)
СРБИJА (1941-1944)
s СРБИJА (Yougoslavie : 1942)
SERBIEN (Yougoslavie : 1941)
SERBIEN СРБИJА (Yougoslavie : 1941)
m ДИНАРА, ДИН, din
⇨ Yougoslavie

☐ **Serbie (République de)**
Serbia: Republic of (E)
1992-1999
Europe
Yvert et Tellier, Tome 3, 1ʳᵉ partie
(à : ***Bosnie Herzégovine***)
l РЕСПУБЛИКА СРПСКА (1993-1999)
s РЕСПУБЛИКА СРПСКА (Yougoslavie : 1992-1993)
m km, ДИН

☐ **Serbie-Krajina (République de)**
Serbia-Krajina: Republic (E)
1993-1997
Europe
Émission non admise par l'U.P.U.
l РЕСПУБЛИКА СРПСКА КРАЙНА (1993-1996)
s 888 (Yougoslavie : 1993)

◆ *Serbie* → voir aussi : Autriche-Hongrie (occupation en Serbie), Banat-Bacska, Baranya, Temesvar (Timisiorra)

✦ SERBIEN → Autriche-Hongrie (occupation en Serbie)

✦ SERBIEN → Serbie (occupation allemande)

✦ SERBIEN СРБИJА (cyrillique) → Serbie (occupation allemande)

❖ SERIKAT → Indonésie

✦ SERVICE → Pakistan

✦ SERVICE DE COURRIERS FEZ SEFRO → Maroc (postes locales)

✦ SERVICE DE POSTES TANGER EL KSAR → Maroc (postes locales)

❖ SERVICE DES POSTES EN FRANCE → Monténégro (timbres d'exil)

✦ SERVICE EIGHT ANNAS → Inde anglaise

✦ SERVICE FOUR ANNAS → Inde anglaise

✦ SERVICE POSTAGE → Pakistan

❖ SERVICE POSTAL SUEDE ETRANGER → Suède

✦ SERVICE TWO ANNAS → Inde anglaise

✦ SERVICIO AEREO CONDOR → Compagnie Condor

✦ SERVICIO AEREO PERU → Pérou

✦ SERVICIO BOLIVARIANO DE TRANSPORTES AEREOS → Colombie

✦ SERVICIO DE CORREOS MARRUECOS → Maroc (postes locales)

✦ SERVICIO DE LA ADMINISTRACION PRINCIPAL DE CORREOS DE VALPARAISO → Chili

✦ SERVICIO DE TRANSPORTES AEREOS EN COLOMBIA → Colombie

✦ SERVICIO POSTAL AEREO DE COLOMBIA → Colombie

✦ SERVICIO POSTAL DEL SALVADOR → Salvador

✦ SERVICIO POSTAL MEXICANO → Mexique

✦ SERVIÇO POSTAL INDIA PORT → Inde portugaise

❖ SERVICIO PUBLICO DE TELEGRAFOS → Espagne

✦ SERVIZIO COMMISSIONI → Italie

❖ SERVIZIO POSTALE AUTORIZZATO DALLO STATO → Italie (République Sociale : *poste privée Coralit*)

❖ SESEL → Zil Eloigne Sesel

☐ **Setchouen**
* *Republic of China: Szechuan Province (E)*
1933-1949
Asie
Yvert et Tellier, Tome 5, 2ᵉ partie
(à : ***Chine***)
s *caractères asiatiques* (Chine : 1933-1934)

❖ SETTLEMENTS → Malacca (établissements des détroits de Malacca et Singapour)

✦ SEVILLA → Espagne (émissions nationalistes : Séville)

✦ SEVILLA BARCELONA → Espagne

✦ SEVILLA-BARCELONA EXPOSICION Gᴿᴬᴸ ESPAÑOLA → Espagne

✦ SEVILLA «VIVA ESPAÑA» JULIO 1936 → Espagne (émissions nationalistes : Séville)

◆ *Séville* → Espagne (émissions nationalistes)

✦ SEYCHELLES → Seychelles

■ **Seychelles**
Seychelles (E)
1890-auj.
Afrique
Yvert et Tellier, Tome 7, 2ᵉ partie
  I REPUBLIC OF SEYCHELLES (1977)
     SEYCHELLES (1938-auj.)
     SEYCHELLES POSTAGE (1890-1912)
     SEYCHELLES POSTAGE REVENUE (1917-1928)
  m r, cents, c, rs
  ⇨ Océan Indien

◆ *Seychelles* ➔ voir aussi : Zil Eloigne Sesel
🏳 *Seychelles: Zil Elwannyen Sesel (E)* ➔ Zil Eloigne Sesel
◆ SEYCHELLES POSTAGE ➔ Seychelles
◆ SEYCHELLES POSTAGE REVENUE ➔ Seychelles
⊙ sgr ➔ Bavière
⊙ Sgr ➔ Brême, Schleswig-Holstein
⊙ sh ➔ Aden, Érythrée (occupation britannique), Héligoland, Ouganda, Qu'Aiti (Hadramaout), Somalie italienne (occupation britannique), Zanzibar
❖ SHADE ➔ États Confédérés d'Amérique (émissions des Maîtres de postes : Pleasant Shade, Virginie)
❖ SHAH JAHAN BEGAM ➔ Bhopal

□ **Shanghai**
1865-1896
Asie
Yvert et Tellier, Tome 7, 2ᵉ partie
  I SHANGHAI L. P. O. (1865-1889)
     SHANGHAI LOCAL POST (1890-1893)
     SHANGHAI MUNICIPALITY (1893-1896)
  m candareen, candareens, cent, cents, cand, cands, cash, ct, cts

🏳 *Shanghai and Nanking (E)* ➔ Shanghai et Nankin (occupation japonaise)
◆ SHANGHAI CHINA ➔ Chine (bureaux des États-Unis)

□ **Shanghai et Nankin (occupation japonaise)**
✶ *Republic of China: occupation stamps – Shanghai and Nanking (E)*
1943-1945
Asie
Yvert et Tellier, Tome 5, 2ᵉ partie
(à : *Chine*)
  s *caractères asiatiques* (Chine : 1943)
  ⇨ Chine du nord (occupation japonaise)

◆ SHANGHAI LOCAL POST ➔ Shanghai
◆ SHANGHAI L. P. O. ➔ Shanghai
◆ SHANGHAI MUNICIPALITY ➔ Shanghai
◆ *Shansi* ➔ Chine du Nord (occupation japonaise)
◆ *Shantung* ➔ Chine du Nord (occupation japonaise)
◆ SHAPUR I ET VALÉRIEN ➔ Iran
◆ SHARJAH ➔ Sharjah

□ **Sharjah**
Sharjah & Dependencies (E)
1963-1972
Asie
Yvert et Tellier, Tome 5, 1ʳᵉ partie
(à : *Arabie du Sud-Est*)
  I GOVERNMENT OF SHARJAH AND ITS DEPENDENCIES (1965)
     SHARJAH (1965-1972)
     SHARJAH & DEPENDENCIES (1963-1972)
  m p, np, rs, dh
  ⇨ Khor Fakkan

◆ SHARJAH & DEPENDENCIES ➔ Sharjah
❖ SHESHUAN ➔ Maroc (postes locales)
❖ SHETLANDS DEPENDENCY ➔ Falkland (dépendances : Shetlands du Sud)
◆ *Shetlands du Sud* ➔ Falkland (dépendances)
❖ SHIHR AND MUKALLA ➔ Qu'Aiti (Hadramaout)
◆ SHIKOTSU-TOYA NATIONAL PARK ➔ Japon
⊙ shilᵍˢ ➔ Afrique centrale britannique
⊙ shillᵍˢ ➔ Orange
⊙ shillinco ➔ Grande-Bretagne
⊙ shilling ➔ Aitutaki, Antigua, Australie, Australie du Sud, Australie occidentale, Bahamas, Barbade, Bermudes, Cap de Bonne-Espérance (colonie britannique), Ceylan, Cook, Côte de l'Or, Côte du Niger, Dominique, Gambie, Grande-Bretagne, Honduras britannique, Maurice, Natal, Nevis, Nouvelle Écosse, Nouvelle-Galles du Sud, Penrhyn, Rarotonga, Saint-Christophe, Sainte-Hélène, Stellaland, Tasmanie, Terre-Neuve, Tonga
⊙ shilling, shillings ➔ Afrique du Sud (compagnie britannique de l'), Jamaïque, Lagos, Leeward, Malte, Montserrat, Nauru, Nigeria du Sud, Niue, Nouvelle-Zélande, Nouvelle-Zélande (poste privée), Nyassaland, Orange, Papouasie, Queensland, Saint-Vincent, Sainte-Lucie, Samoa, Sierra Leone, Somaliland, Tanganyika, Tobago, Tokelau, Transvaal, Trinité, Turks et Caïques, Victoria, Vierges, Zoulouland
⊙ shillings ➔ Afrique centrale britannique, Érythrée (occupation britannique), Falkland, Fidji, Grenade, Rhodésie
◆ S H POST SCHILLING ➔ Schleswig-Holstein
◆ SHQIPËNIA ➔ Albanie
◆ SHQIPËNIA E LIRE ➔ Albanie
❖ SHQIPENIES ➔ Albanie
◆ SHQIPERIA ➔ Albanie
◆ SHQIPERIE KORÇÉ VETQVERITARE ➔ Albanie
◆ SHQIPERIJA ➔ Albanie
❖ SHQIPERIS ➔ Albanie
❖ SHQIPERISE ➔ Albanie
❖ SHQIPETARE ➔ Albanie
◆ SHQIPNI ➔ Albanie
❖ SHQIPNIJA ➔ Albanie
◆ SHQIPNIS ➔ Albanie
❖ SHQIPTARE ➔ Albanie
◆ SHQYPNIS ➔ Albanie
◆ SHRI LANKA ➔ Sri Lanka
⊙ shs ➔ Ouganda
◆ SHS HRVATSKA ➔ Yougoslavie

⊙ sh so ➜ Somalie
⊙ sh. so. ➜ Somalie
◆ SHUNA ➜ Shuna

☐ **Shuna**
Europe
Émission non admise par l'U.P.U.
 l SHUNA

◆ SIAM ➜ Siam
◆ SIAM ➜ Thaïlande

☐ **Siam**
* *Thailand (E)*
1883-1939
Asie
Yvert et Tellier, Tome 7, 2ᵉ partie
 l R. S. POST & TELEGRAPH DPT. (1920)
 ROYAL SIAMESE POSTAL DEPARTMENT
 (1905)
 SIAM (1906-1939)
 SIAM POSTAGE (1887-1905)
 SIAM POSTAGE & REVENUE (1887-1905)
 m att, atts, tical, ticals, satang, satangs, stg, baht, ten,
 st

❖ SIAMESE POSTAL DEPARTMENT ➜ Siam
◆ SIAM POSTAGE ➜ Siam
◆ SIAM POSTAGE & REVENUE ➜ Siam
🏵 *Siberia (E)* ➜ Nikolaievsk sur l'Amour
◆ *Sibérie et Extrême-Orient* ➜ Blagoviechtchensk,
 Nikolaievsk sur l'Amour, Omsk, Tcheliabinsk, Tchita,
 Vladivostok
❖ SIBIRSKE ➜ Tchécoslovaquie (Légion en Sibérie)
◆ *Sicile* ➜ Royaume des deux Siciles
❖ SICILIA ➜ Royaume des deux Siciles
❖ SICILLUM NOV CAMB ➜ Nouvelle-Galles du Sud
❖ SIEGE ➜ Cap de Bonne-Espérance (guerre anglo-boer)
◆ SIEGE OF MAFEKING ➜ Cap de Bonne-Espérance
 (guerre anglo-boer)
◆ SIERRA LEONE ➜ Sierra Leone

■ **Sierra Leone**
1859-auj.
Afrique
Yvert et Tellier, Tome 7, 2ᵉ partie
 l 150ᵀᴴ ANNIVERSARY OF THE PENNY BLACK
 (1990)
 REPUBLIC OF SIERRA LEONE (1972-1980)
 SIERRA LEONE (1861-auj.)
 S L (1990)
 m penny, pence, shilling, shillings, d, pound, s, c, le,
 leone, leones

⊙ silb. cr. ➜ Mecklembourg-Strelitz
⊙ silbergr. ➜ Prusse
⊙ silbergros ➜ Luxembourg
⊙ silb. gr. ➜ Brunswick, Oldenbourg, Prusse
⊙ silb. grosch ➜ Tour et Taxis
⊙ silb. groschen ➜ Hanovre
⊙ silbr. Pf. ➜ Brunswick
⊙ sileni ➜ Niue

☐ **Silésie (Haute)**
Upper Silesia (E)
1916 (postes locales) ; 1920-1922
Europe
Yvert et Tellier, Tome 4, 2ᵉ partie
 l COMMISSION DE GOUVERNEMENT HAUTE
 SILÉSIE (1920-1922)
 OBER SCHLESIEN GORNY SLASK (1920-
 1922)
 POST DER STADT POCZTA MIASTA
 ZAWIERCIE (poste locale de Zawiercie : 1916)
 STADT MIASTO SOSNOWICE (poste locale de
 Sosnowiec : 1916)
 STADT SOSNOWICE MIASTO SOSNOWIEC
 (poste locale de Sosnowiec : 1916)
 s C.G.H.S. (Allemagne : 1920)
 CI.H.S. (Allemagne : 1920)
 m kop, fen, pf, m, mark

☐ **Silésie Orientale**
Eastern Silesia (E)
1920
Europe
Yvert et Tellier, Tome 4, 2ᵉ partie
 s SO 1920, S. O. 1920 (Tchécoslovaquie, Pologne :
 1920)

☐ **Silésie Orientale (Haute)**
Upper Silesia: private issue (E)
1921
Europe
 l GORNY SLASK (poste des insurgés :1921)
 m f

⊙ silver coin ➜ Chypre
◆ SILVER JUBILEE ➜ Grande-Bretagne
◆ SILVER JUBILEE 1910-1935 ➜ Grande-Bretagne
◆ SILVER WEDDING ➜ Grande-Bretagne
◆ *Simferopol* ➜ Zemstvos
◆ SIMI ➜ Simi

☐ **Simi**
Italian offices in the Dodecanese Islands: issued in Simi (E)
1912-1932
Europe
Yvert et Tellier, Tome 3, 1ʳᵉ partie
(à : *Égée (îles de la mer)*)
 s SIMI (Italie : 1912-1932)

◆ *Sinaloa* ➜ Mexique
◆ SINGAPORE ➜ Singapour
◆ SINGAPORE MALAYA ➜ Singapour

■ **Singapour**
Singapore (E)
1948-auj.
Asie
Yvert et Tellier, Tome 7, 2ᵉ partie
  l BUILD A VIGOROUS SINGAPORE (1967)
    MALAYA SINGAPORE (1948-1952)
    REPUBLIC OF SINGAPORE (1966)
    SINGAPORE (1962-auj.)
    SINGAPORE MALAYA (1955)
    STATE OF SINGAPORE (1959-1963)
  m c, cent, cents, $

□ **Singkiang**
★ *Republic of China: Sinkiang (E)*
1915-1949
Asie
Yvert et Tellier, Tome 5, 2ᵉ partie
(à : *Chine*)
  s *caractères asiatiques* (Chine : 1915-1949)

Ꝑ *Sinkiang (E)* ➜ Singkiang

□ **Sirmoor**
Sirmoor: Native Feudatory State (E)
1879-1899
Asie
Yvert et Tellier, Tome 5, 3ᵉ partie
(à : *États princiers de l'Inde*)
  l SIRMOOR POSTAGE AND INLAND
    REVENUE (1879-1899)
    SIRMOOR STATE POSTAGE STAMP (1879-1899)
  m pies, annas

• SIRMOOR POSTAGE AND INLAND REVENUE ➜ Sirmoor
• SIRMOOR STATE POSTAGE STAMP ➜ Sirmoor
❖ SISIFO ➜ Samoa
⊙ sit ➜ Slovénie
◉ *Sittard* ➜ Pays-Bas (postes locales)
• SIX CENTS (*enveloppe avec portrait de Washington*) ➜ États-Unis d'Amérique
❖ SIXTH CONFERENCE OF THE MINISTERS OF SOCIALIST COUNTRIES 1965 ➜ Mongolie
⊙ sk ➜ Danemark, Islande, Lituanie, Norvège (postes locales)
⊙ Sk ➜ Slovaquie
⊙ skat ➜ Lituanie
⊙ skatiku ➜ Lituanie, Lituanie du Sud, Lituanie du Sud (occupation polonaise)
❖ SKATIKU ➜ Lituanie du Sud
❖ SKAUTU VE SLUZBACH NARODNI VLADY ➜ Tchécoslovaquie
⊙ skill ➜ Norvège, Suède
⊙ skill. bᵒᵒ ➜ Suède
⊙ skilling ➜ Norvège
◉ *Skopin* ➜ Zemstvos
• SKÛTSJESILEN 1945-1985 STADSPOST ➜ Pays-Bas (postes locales : *Leeuwarden*)
• S L ➜ Sierra Leone

❖ SLASK 2 M. ➜ Lituanie centrale
⊙ sld ➜ Levant (bureaux autrichiens)
• SLD ➜ Levant (bureaux autrichiens)
• SLESVIG PLEBISCIT ➜ Schleswig-Holstein
• SLOBODNA DRZAVA HRVATSKA ➜ Croatie (timbres d'exil)
❖ SLOBODNI TERITORIJ TRSTA ➜ Trieste (Zone B Yougoslave)
Ꝑ *Slovakia (E)* ➜ Slovaquie

■ **Slovaquie**
Slovakia (E)
1939-1945 ; 1993-auj.
Europe
Yvert et Tellier, Tome 4, 2ᵉ partie
  l CESKO-SLOVENSKO SLOVENSKA POSTA (1939)
    SLOVENSKA POSTA (1939)
    SLOVENSKO (1939-auj.)
  s OTVERENIE SLOVENSKEHO SNEMU 18.1 1939 300 H (Tchécoslovaquie : 1939)
    SLOVENSKY STÁT 1939 (Tchécoslovaquie : 1939)
  m h, halierov, koruna, koruny, k, ks, Sk

❖ SLOVENACA ➜ Yougoslavie
Ꝑ *Slovenia (E)* ➜ Slovénie, Yougoslavie

■ **Slovénie**
Slovenia (E)
1991-auj.
Europe
Yvert et Tellier, Tome 3, 2ᵉ partie
  l **SLOVENIJA** (1991-auj.)
  m sit

• SLOVENIJA ➜ Slovénie
❖ SLOVENI OCCUPATI LUBIANA ➜ Lubiana-Slovénie (occupation italienne)
❖ SLOVENO ➜ Istrie
• SLOVENSKA POSTA ➜ Slovaquie
• CESKO-SLOVENSKO SLOVENSKA POSTA ➜ Slovaquie
• SLOVENSKA POSTA ➜ Tchécoslovaquie
❖ SLOVENSKEHO SNEMU ➜ Slovaquie
• SLOVENSKO ➜ Slovaquie
❖ SLOVENSKO PRIMORJE ➜ Istrie
• SLOVENSKY STÁT 1939 ➜ Slovaquie
❖ SLUZBACH NARODNI VLADY ➜ Tchécoslovaquie
• S. MARINO ➜ Saint-Marin
• SMIRNE ➜ Levant (bureaux italiens)
◉ *Smolensk* ➜ Zemstvos
❖ SMYPNH (grec) ➜ Turquie (Smyrne)
◉ *Smyrne* ➜ Turquie (Smyrne)
Ꝑ *Smyrna (E)* ➜ Levant (bureaux italiens)
• SMYRNE ➜ Levant (bureaux russes)
⊙ SN ➜ Japon
• SN ➜ Japon
• SNCF ➜ France

- SNOWDON MOUNTAIN RAILWAY ➔ Grande-Bretagne (compagnies privées de chemins de fer : Snowdon)
- ⊙ so ➔ Somalie, Somalie italienne
- SO 1920 ➔ Silésie Orientale
- S. O. 1920 ➔ Silésie Orientale

☐ **Soay**
1965-1967
Europe
Émission non admise par l'U.P.U.
  l   ISLE OF SOAY (1965-1967)

- ❖ SOBERANO DE ANTIOQUIA ➔ Antioquia
- ❖ SOBRANTE ➔ Espagne
- SOBREPORTE ➔ Colombie
- SOBRETASA AEREA ➔ Colombie
- SOCIALIST PEOPLE'S LYBIAN ARAB JAMAHIRIYA ➔ Libye
- SOCIALIST REPUBLIC OF THE UNION OF BURMA ➔ Birmanie
- ⊡ *Socialist Republic of Viet Nam (E)* ➔ Vietnam (République Socialiste)
- SOCIEDAD COLOMBO ALEMANA DE TRANSPORTES AEREOS ➔ Colombie
- SOCIEDADE DE GEOGRAPHIA DE LISBOA PORTE FRANCO ➔ Portugal
- SOCIEDADE HUMANITARIA CRUZ DE ORIENTE DA PROVINCIA DE MOÇAMBIQUE ➔ Mozambique
- SOCIEDADE PORTUGUEZA DA CRUZ VERMELHA PORTE FRANCO ➔ Portugal
- SOCIÉTÉ NATIONALE DES CHEMINS DE FER FRANÇAIS ➔ France
- ❖ SOGGETTI ➔ Pologne (corps polonais)
- ⊙ sol ➔ Arequipa, Pérou
- ⊙ soldi ➔ Lombardo-Vénétie, Toscane
- SOLDI ➔ Lombardo-Vénétie
- ⊙ soldo ➔ Toscane
- ⊙ soles ➔ Pérou
- ♦ *Solikamsk* ➔ Zemstvos
- SOLOMON ISLANDS ➔ Salomon
- SOLOTHURNER FLUGPOST 1913 ➔ Suisse
- ⊙ somali ➔ Somalie italienne
- SOMALIA ➔ Somalie, Somalie italienne
- ⊡ *Somalia: Republic (E)* ➔ Somalie
- ⊡ *Somalia: Italian Somaliland (E)* ➔ Somalie italienne
- SOMALIA ITAL. ➔ Somalie italienne
- SOMALIA ITALIANA ➔ Somalie italienne
- SOMALIA ITALIANA MERIDIONALE ➔ Somalie italienne
- SOMALIA ITALIANA RR. POSTE COLONIALI ITALIANE ➔ Somalie italienne
- SOMALIA POSTA ➔ Somalie italienne
- SOMALIA POSTE ➔ Somalie italienne
- SOMALIA RR. POSTE COLONIALI ITALIANE ➔ Somalie italienne
- SOMALIA SEGNATASSE ➔ Somalie italienne
- SOMALI DEMOCRATIC REPUBLIC ➔ Somalie
- *Somali Coast (E)* ➔ Côte des Somalis

■ **Somalie**
Somalia: Republic (E)
1960-auj.
Afrique
Yvert et Tellier, Tome 7, 2ᵉ partie
  l   JAM. DIM. SOOMAALIYA (1974-1979)
     J. D. SOOMAALIYA (1975-1990)
     J. D. SOOMAALIYEED (1977-1995)
     J. SOOMAALIYA (1991-1995)
     JUM. DIM. SOMALIYA (1973-1974)
     SOMALIA (1960-1970, 1987)
     SOMALI DEMOCRATIC REPUBLIC (1970-1972)
     SOMALI REPUBLIC (1999-auj.)
     SOOMAALIYA (1996-1999)
  s   SOMALILAND INDEPENDENCE 26 JUNE 1960 (Somalie italienne : 1960)
  m so, sh so, sh. so.

☐ **Somalie italienne**
Somalia: Italian Somaliland (E)
1903-1960
Afrique
Yvert et Tellier, Tome 7, 2ᵉ partie
  l   BENADIR (1903-1926)
     PACCHI POSTALI (1950)
     POSTE ITALIANE BENADIR (1903-1926)
     POSTE ITALIANE SOMALIA (1932-1934)
     POSTE SOMALIA (1928-1954)
     POSTE SOMALIA ITALIANA (1928-1954)
     SOMALIA (1916-1955)
     SOMALIA ITAL. (1926)
     SOMALIA ITALIANA (1916-1955)
     SOMALIA ITALIANA MERIDIONALE (1916-1955)
     SOMALIA ITALIANA RR. POSTE COLONIALI ITALIANE (1934-1935)
     SOMALIA POSTA (1916-1955)
     SOMALIA POSTE (1916-1955)
     SOMALIA RR. POSTE COLONIALI ITALIANE (1934-1935)
     SOMALIA SEGNATASSE (1950)
  s   SOMALIA (Italie : 1923-1931)
     SOMALIA ITALIANA (Italie : 1909-1941)
     SOMALIA ITALIANA MERIDIONALE (Italie : 1906-1908)
  m anna, besa, centesimo, centesimi, c, lira, lire, cent, somali, so
  ⇨ Érythrée (colonie italienne), Somalie

☐ **Somalie italienne (occupation britannique)**
British Offices in Africa: East Africa Forces for use in Somalia (E)
1943-1950
Afrique
Yvert et Tellier, Tome 7, 2ᵘ partie
  s   B. A. SOMALIA (Grande-Bretagne : 1950)
     B. M. A. SOMALIA (Grande-Bretagne : 1948)
     E.A.F. (Grande-Bretagne : 1943-1946)
  m cents, sh, cts

☐ **Somaliland**
Somaliland protectorate (E)
1903-1960
Afrique
Yvert et Tellier, Tome 7, 2ᵉ partie
l   SOMALILAND PROTECTORATE (1904-1960)
s   BRITISH SOMALILAND (Inde anglaise : 1903)
m   rupee, rupees, a, r, anna, annas, cents, shilling,
     shillings

♦ SOMALILAND INDEPENDENCE 26 JUNE 1960 ➔
  Somalie

♦ SOMALILAND PROTECTORATE ➔ Somaliland

♦ SOMALI REPUBLIC ➔ Somalie

❖ SOMALIS ➔ Côte des Somalis

♦ SOM UBERSÖRGET AABNET AF POST-
  DEPARTMENTET ➔ Norvège

♦ SOM UINDLÖST AABNET AF POST-
  DEPARTMENTET ➔ Norvège

❖ SONORA ➔ Mexique

♦ SOOMAALIYA ➔ Somalie

❖ SOOMAALIYEED ➔ Somalie

❖ SOPRON 1956 OKT. 22 ➔ Hongrie (émission locale
  de Sopron)

⬤ *Soroki* ➔ Zemstvos

☐ **Soruth**
★ *Soruth: Native Feudatory State (E)*
1864-1949
Asie
Yvert et Tellier, Tome 5, 3ᵉ partie
(à : *États princiers de l'Inde*)
l   SAURASHTRA (1929-1949)
     SAURASHTRA POSTAGE (1929-1949)
     SORUTH POSTAGE (1878-1915)
     SOURASHTRA POSTAGE (1923-1929)
s   SARKARI (1929-1949)
m   anna of a boree, anna, pies

♦ SORUTH POSTAGE ➔ Soruth

❖ SOSNOWIEC ➔ Silésie (Haute : poste locale de
  Sosnowiec)

❖ SOSNOWICE ➔ Silésie (Haute : poste locale de
  Sosnowiec)

❖ SOT.HALLINTO ➔ Carélie orientale (occupation
  finlandaise)

♦ S.O.TRSTA V.U.J.A. ZRACNA P ➔ Trieste (Zone B
  Yougoslave)

♦ SOUDAN ➔ Soudan

■ **Soudan**
Sudan (E)
1897-auj.
Afrique
Yvert et Tellier, Tome 7, 2ᵉ partie
l   DEMOCRATIC REPUBLIC OF SUDAN (1973)
     D. R. SUDAN (1972-1984)
     SUDAN (1898-auj.)
     SUDAN AIRMAIL (1931-1950)
     SUDAN MILITARY TELEGRAPHS (1898-1901)
     SUDAN POSTAGE (1898-auj.)
     THE DEMOCRATIC REPUBLIC OF SUDAN
     (1969-1975)
s   SOUDAN (Egypte : 1897)
     SUDAN AIRMAIL (1931-1950)
m   millieme, milliemes, mills, piastre, piastres, pt,
     p.t., mms, l.s., sd, p, pound, dinars, d

☐ **Soudan (colonie française)**
French Sudan (E)
1894-1942
Afrique
Yvert et Tellier, Tome 2, 1ʳᵉ partie
l   SOUDAN FRANÇAIS (1894-1942)
s   SOUDAN Fᴬᴵˢ (Colonies françaises : 1894)
     SOUDAN FRANÇAIS (Haut-Sénégal et Niger :
     1921-1927)
m   c, f

♦ SOUDAN Fᴬᴵˢ ➔ Soudan (colonie française)
♦ SOUDAN FRANÇAIS ➔ Soudan (colonie française)
❖ SOUDITE ➔ Arabie Saoudite
⬤ *Soudja* ➔ Zemstvos
⬤ *Soumy* ➔ Zemstvos
♦ SOURASHTRA POSTAGE ➔ Soruth
♦ SOUTH AFRICA ➔ Afrique du Sud (Union de l')
▷ *South Africa: Bophuthatswana (E)* ➔ Bophuthatswana
▷ *South Africa: Ciskei (E)* ➔ Ciskei
❖ SOUTH AFRICA COMPANY ➔ Afrique du Sud
  (compagnie britannique de l')
❖ SOUTH AFRICA COMPANY RHODESIA ➔
  Rhodésie
▷ *South Africa: Transkei (E)* ➔ Transkei
▷ *South Africa: Venda (E)* ➔ Venda
❖ SOUTH AMERICA ➔ Guyane
♦ SOUTH ARABIA ➔ Arabie du Sud
▷ *South Arabia (E)* ➔ Arabie du Sud
♦ SOUTH AUSTRALIA ➔ Australie du Sud
▷ *South Bulgaria (E)* ➔ Bulgarie du Sud
♦ SOUTH CAROLINA ➔ États-Unis d'Amérique
▷ *South China (E)* ➔ Chine du sud
♦ SOUTHERN CONFEDERACY. DANVILLE VA.
  W.B. PAYNE, P.M. ➔ États Confédérés d'Amérique
  (émissions des Maîtres de postes : Danville, Virginie)
♦ SOUTHERN NIGERIA ➔ Nigeria du Sud
▷ *Southern Nigeria (E)* ➔ Nigeria du Sud
♦ SOUTHERN RHODESIA ➔ Rhodésie du Sud
▷ *Southern Rhodesia (E)* ➔ Rhodésie du Sud
❖ SOUTHERN YEMEN ➔ Yémen du Sud

- SOUTH GEORGIA ➔ Falkland (dépendances : Géorgie du Sud)
- *South Georgia (E)* ➔ Falkland (dépendances : Géorgie du Sud)
- SOUTH GEORGIA AND SOUTH SANDWICH IS ➔ Falkland (dépendances : Géorgie du Sud et Iles Sandwich du Sud)
- SOUTH GEORGIA AND SOUTH SANDWICH ISLANDS ➔ Falkland (dépendances : Géorgie du Sud et Iles Sandwich du Sud)
- SOUTH GEORGIA AND THE SOUTH SANDWICH IS ➔ Falkland (dépendances : Géorgie du Sud et Iles Sandwich du Sud)
- SOUTH GEORGIA AND THE SOUTH SANDWICH ISLANDS ➔ Falkland (dépendances : Géorgie du Sud et Iles Sandwich du Sud)
- SOUTH GEORGIA DEPENDENCY OF ➔ Falkland (dépendances : Géorgie du Sud)
- *South Kasai (E)* ➔ Sud-Kasaï
- *South Korea (E)* ➔ Corée du Sud
- *South Korea: North Korean occupation (E)* ➔ Corée du Sud (occupation par les forces nord coréennes)
- *South Lithuania (E)* ➔ Lituanie du Sud
- *South Lithuania: Polish occupation (E)* ➔ Lituanie du Sud (occupation polonaise)
- *South Moluccas (E)* ➔ Moluques du Sud
- SOUTH ORKNEYS DEPENDENCY OF ➔ Falkland (dépendances : Orcades du Sud)
- *South Russia (E)* ➔ Russie (Armées du Sud), Russie (Armée Wrangel)
- ❖ SOUTH SANDWICH IS ➔ Falkland (dépendances : Géorgie du Sud et Iles Sandwich du Sud)
- SOUTH SHETLANDS DEPENDENCY OF ➔ Falkland (dépendances : Shetlands du Sud)
- *South Viet Nam (E)* ➔ Vietnam du Sud
- *South Viet Nam: Liberation Front (E)* ➔ Sud-Vietnam (Front de libération du)
- ❖ SOUTH WACE POSTAGE ➔ Nouvelle-Galles du Sud
- ❖ SOUTH WAEES POSTAGE ➔ Nouvelle-Galles du Sud
- ❖ SOUTH WALE POSTAGE ➔ Nouvelle-Galles du Sud
- ❖ SOUTH WALES ➔ Nouvelle-Galles du Sud
- ❖ SOUTH WALES POSTAGE ➔ Nouvelle-Galles du Sud
- ❖ SOUTH WALLS POSTAGE ➔ Nouvelle-Galles du Sud
- SOUTH WEST AFRICA ➔ Sud-Ouest Africain
- *South West Africa (E)* ➔ Sud-Ouest Africain
- *Southwest China (E)* ➔ Chine du sud-ouest
- SOVEREIGN BIAFRA ➔ Biafra
- SOWJETISCHE BESATZUNGS ZONE ➔ Allemagne Orientale (zone soviétique d'occupation : émissions générales)
- SP ➔ Cauca
- *Spain (E)* ➔ Espagne
- *Spain: Carlist issues (E)* ➔ Espagne (insurrection Carliste)
- *Spain: issued by the Nationalist Forces (E)* ➔ Espagne (émissions nationalistes)
- *Spain: Revolutionary issues (E)* ➔ Espagne (émissions républicaines)

- *Spanish Guinea (E)* ➔ Guinée espagnole
- *Spanish Morocco (E)* ➔ Maroc (bureaux espagnols)
- *Spanish Sahara (E)* ➔ Sahara espagnol
- *Spanish West Africa (E)* ➔ Afrique occidentale espagnole
- SPARTA GEO. ➔ États Confédérés d'Amérique (émissions des Maîtres de postes : Sparta, Georgie)
- SPARTANBURG ➔ États Confédérés d'Amérique (émissions des Maîtres de postes : Spartanburg, Caroline du Sud)
- ♦ *Spassk* ➔ Zemstvos
- SPAULDING'S PENNY POST ➔ États-Unis d'Amérique (postes locales et privées) : *Buffalo (New York)*
- ❖ S. P. AUTORIZZATO DALLO STATO ➔ Italie (République Sociale : *poste privée Coralit*)
- ❖ S. P. AUTORIZZATO D. STATO ➔ Italie (République Sociale : *poste privée Coralit*)
- S.P. DU M. BORDEAUX ➔ Monténégro (timbres d'exil)
- SPECIAL AIR DELIVERY LAURENTIDE AIR SERVICE LIMITED ➔ Canada
- ❖ SPEYER ➔ Bavière
- ♦ *Spielfeld* ➔ Autriche (postes locales ou privées)
- ♦ *Spijkenisse* ➔ Pays-Bas (postes locales)
- ❖ SPILIMBERGO ➔ Autriche-Hongrie (occupation en Italie)
- SPM ➔ Saint-Pierre et Miquelon
- SP MEXICANO ➔ Mexique
- ❖ SPOORWEGEN ➔ Belgique
- SQUIER & CO'S CITY LETTER DISPATCH ➔ États-Unis d'Amérique (postes locales et privées) : *Saint Louis*
- ⊙ sr ➔ Arabie Saoudite
- ⊙ s.r. ➔ Arabie Saoudite
- SRBA HRVATA I SLOVENACA ➔ Yougoslavie
- SRI LANKA ➔ Sri Lanka

■ **Sri Lanka**
1972-auj.
Asie
Yvert et Tellier, Tome 7, 2e partie
 I SHRI LANKA (1992-1994)
     SRI LANKA (1972-auj.)
 m cents

- ♦ *Sri Lanka* ➔ voir aussi : Ceylan
- ❖ SRODKOWEJ ➔ Lituanie centrale
- ❖ SRODKOWA ➔ Lituanie centrale
- ❖ SRODKOWA LITWA POCZTA ➔ Lituanie centrale
- ⊙ st ➔ Bulgarie, Siam, Thaïlande
- ST ➔ Thaïlande
- ❖ STAAT ➔ Orange
- ❖ STAATSEISENB. ➔ Chemins de Fer de Bavière (Compagnie des)
- STADPOST HAARLEM ➔ Pays-Bas (postes locales : *Haarlem*)
- STAD/REGIOPOST WEST-FRIESLAND FA. HERLING STRUDHORST ➔ Pays-Bas (postes locales : *West-Friesland*)

- STADS EN STREEK POST ➜ Pays-Bas (postes locales : *Bergen Op Zoom*)
- STADS INTERPOST BEZORG SERVICE DIE MINDER KOST. ➜ Pays-Bas (postes locales : *Schagen*)
- STADSPOST *(avec courreurs)* ➜ Pays-Bas (postes locales : *Apeldoorn*)
- STADSPOST *(avec courreurs de marathon)* ➜ Pays-Bas (postes locales : *Rotterdam*)
- STADSPOST *(avec patineurs)* ➜ Pays-Bas (postes locales : *Leeuwarden*)
- STADSPOST *(avec randonneurs)* ➜ Pays-Bas (postes locales : *Nijmegen*)
- STADSPOST *(et cigogne)* ➜ Pays-Bas (postes locales : *Hertogenbosch*)
- STADSPOST 100 ➜ Pays-Bas (postes locales : *Eindhoven*)
- STADSPOST 100 CT *(et tulipes)* ➜ Pays-Bas (postes locales : *Haarlem*)
- STADSPOST 115 ➜ Pays-Bas (postes locales : *Eindhoven*)
- STADSPOST 115 C *(et vielle voiure)* ➜ Pays-Bas (postes locales : *Eindhoven*)
- STADSPOST 115 *(et patineurs)* ➜ Pays-Bas (postes locales : *Eindhoven*)
- STADSPOST 35 CT ➜ Pays-Bas (postes locales : *Coevorden, Emmen*)
- STADSPOST 40 ➜ Pays-Bas (postes locales : *Alkmaar, Beverwijk*)
- STADSPOST 40 *(en surcharge)* ➜ Pays-Bas (postes locales : *Grave-Ravenstein*)
- STADSPOST 40 CT ➜ Pays-Bas (postes locales : *Emmen*)
- STADSPOST 45 ➜ Pays-Bas (postes locales : *Beverwijk*)
- STADSPOST 45 C *(et vielle voiure)* ➜ Pays-Bas (postes locales : *Eindhoven*)
- STADSPOST 45 *(et patineurs)* ➜ Pays-Bas (postes locales : *Eindhoven*)
- STADSPOST 45 CT ➜ Pays-Bas (postes locales : *Capelle a/d Ijssel*)
- STADSPOST 55 *(et patineurs)* ➜ Pays-Bas (postes locales : *Eindhoven*)
- STADSPOST 55 CT *(et tulipes)* ➜ Pays-Bas (postes locales : *Haarlem*)
- STADSPOST 80 ➜ Pays-Bas (postes locales : *Eindhoven*)
- STADSPOST 80 C *(et vielle voiure)* ➜ Pays-Bas (postes locales : *Eindhoven*)
- STADSPOST 80 CT *(et tulipes)* ➜ Pays-Bas (postes locales : *Haarlem*)
- STADSPOST AJAX WONG AMSTERDAM ➜ Pays-Bas (postes locales : *Amsterdam*)
- STADSPOST ALMELO ➜ Pays-Bas (postes locales : *Almelo*)
- STADSPOST AMNESTY INTERNATIONAL ➜ Pays-Bas (postes locales : *Eindhoven*)
- STADSPOST AMSTERDAM ➜ Pays-Bas (postes locales : *Amsterdam*)
- STADSPOST AMSTERDAM URCHINPOST LONDON ➜ Pays-Bas (postes locales : *Amsterdam*)
- STADSPOST APELDOORN ➜ Pays-Bas (postes locales : *Apeldoorn*)
- STADSPOST APPINGEDAM ➜ Pays-Bas (postes locales : *Appingedam*)
- STADSPOST ARNHEM ➜ Pays-Bas (postes locales : *Arnhem*)
- STADSPOST BERGEN OP ZOOM ➜ Pays-Bas (postes locales : *Bergen Op Zoom*)
- STADSPOST BEVERWIJK ➜ Pays-Bas (postes locales : *Beverwijk*)
- STADSPOST BREDA ➜ Pays-Bas (postes locales : *Breda*)
- STADSPOST DE BILT/BILTHOVEN ➜ Pays-Bas (postes locales : *De Bilt / Bilthoven*)
- STADSPOST DELFZIJL ➜ Pays-Bas (postes locales : *Delfzijl*)
- STADSPOST DEN HELDER ➜ Pays-Bas (postes locales : *Den Helder*)
- STADSPOST DEVENTER ➜ Pays-Bas (postes locales : *Deventer*)
- STADSPOSTDIENST HENGELO ➜ Pays-Bas (postes locales : *Hengelo*)
- STADSPOST DOETINCHEM ➜ Pays-Bas (postes locales : *Doetinchem*)
- STADSPOST DORDRECHT ➜ Pays-Bas (postes locales : *Dordrecht*)
- STADSPOST DORDT IN STOOM ➜ Pays-Bas (postes locales : *Dordrecht*)
- STADSPOST EINDHOVEN ➜ Pays-Bas (postes locales : *Eindhoven*)
- STADSPOST EMMEN 1989 ➜ Pays-Bas (postes locales : *Emmen*)
- STADSPOSTEN HELDEN-MAASBREE ➜ Pays-Bas (postes locales : *Helden-Maasbree*)
- STADSPOSTEN HORST-SEVENUM ➜ Pays-Bas (postes locales : *Horst-Sevenum*)
- STADSPOSTEN NOORD-HOLLAND ➜ Pays-Bas (postes locales : *Beverwijk*)
- STADSPOSTEN NOORD-HOLLAND UTRECHT ➜ Pays-Bas (postes locales)
- STADSPOST ENSCHEDE ➜ Pays-Bas (postes locales : *Enschede*)
- STADSPOST EPE ➜ Pays-Bas (postes locales : *Epe*)
- STADSPOST GRONINGEN ➜ Pays-Bas (postes locales : *Groningen*)
- STADSPOST HAARLEM ➜ Pays-Bas (postes locales : *Beverwijk, Haarlem*)
- STADSPOST HAARLEMMERMEER ➜ Pays-Bas (postes locales : *Haarlemmermeer*)
- STADSPOST HARDERWIJK ➜ Pays-Bas (postes locales : *Harderwijk*)
- STADSPOST HARLINGEN ➜ Pays-Bas (postes locales : *Harlingen*)
- STADSPOST HELMOND ➜ Pays-Bas (postes locales : *Helmond*)
- STADSPOST HERTOGENBOSCH ➜ Pays-Bas (postes locales : *Hertogenbosch*)
- STADSPOST HILVERSUM ➜ Pays-Bas (postes locales : *Hilversum*)
- STADSPOST HOOGEVEEN ➜ Pays-Bas (postes locales : *Hoogeveen*)

- STADSPOST KAMPEN ➔ Pays-Bas (postes locales : *Kampen*)
- ❖ STADSPOST LANDSMEER ➔ Pays-Bas (postes locales : *Den Helder, Landsmeer*)
- STADSPOST LEEUWARDEN ➔ Pays-Bas (postes locales : *Leeuwarden*)
- STADSPOST LEIDEN ➔ Pays-Bas (postes locales : *Leiden*)
- STADSPOST L.V.P.S. ➔ Pays-Bas (postes locales)
- STADSPOST MEDEMBLIK OLYMPISCH ZEILCENTRUM 1992 ➔ Pays-Bas (postes locales : *Medemblik*)
- STADSPOST NIJMEGEN ➔ Pays-Bas (postes locales : *Nijmegen*)
- STADSPOST PAPENDRECHT ➔ Pays-Bas (postes locales : *Papendrecht*)
- STADSPOST PURMEREND ➔ Pays-Bas (postes locales : *Purmerend*)
- ❖ STADSPOST PURMEREND ➔ Pays-Bas (postes locales : *Den Helder*)
- STADSPOST ROOSENDAAL ➔ Pays-Bas (postes locales : *Breda, Roosendaal*)
- STADSPOST ROTTERDAM ➔ Pays-Bas (postes locales : *Rotterdam*)
- ❖ STADSPOST SCHAGEN ➔ Pays-Bas (postes locales : *Den Helder*)
- STADSPOST SPIJKENISSE ➔ Pays-Bas (postes locales : *Spijkenisse*)
- STADS POSTUNIE LE FACTEUR GROUPE ➔ Pays-Bas (postes locales)
- STADSPOST UTRECHT ➔ Pays-Bas (postes locales : *Utrecht*)
- STADSPOST VLAARDINGEN-SCHIEDAM ➔ Pays-Bas (postes locales : *Vlaardingen-Schiedam*)
- ❖ STADSPOST VOLENDAM ➔ Pays-Bas (postes locales : *Den Helder*)
- ❖ STADSPOST ZAANDAM ➔ Pays-Bas (postes locales : *Den Helder*)
- STADSPOST ZAANSTAD ➔ Pays-Bas (postes locales : *Haarlem*)
- STADS REGIO POST ➔ Pays-Bas (postes locales : *Den Helder*)
- STADT BERLIN ➔ Berlin (secteur soviétique)
- STADT-BRIEF BEFÖRDERUNG ➔ Allemagne (postes locales ou privées : Colmar)
- STADT-BRIEF BEFÖRDERUNG ➔ Allemagne (postes locales ou privées : Metz)
- ❖ STADT-BRIEF-PACKET BEFÖRDERUNG ➔ Allemagne (postes locales ou privées : Mulhouse)
- ❖ STADTBRIEFVERKEHR GELD & PACKET-BEFÖRDERUNG ➔ Allemagne (postes locales ou privées : Mulhouse)
- ❖ STADT LÜBBENAU ➔ Allemagne Orientale (zone soviétique d'occupation : postes locales)
- STADT MIASTO SOSNOWICE ➔ Silésie (Haute : poste locale de Sosnowiec)
- STADT-POST-BASEL ➔ Suisse
- ❖ STADTPOSTBRIEF HAMBURG ➔ Allemagne du Nord (bureau)
- STADT POST COLMAR ELSASS ➔ Allemagne (postes locales ou privées : Colmar)

- STADTPOST LUBOML ➔ Pologne (postes locales)
- STADT SOSNOWICE MIASTO SOSNOWIEC ➔ Silésie (Haute : poste locale de Sosnowiec)
- STAFFA ➔ Staffa

☐ **Staffa**
Europe
Émission non admise par l'U.P.U.
 l STAFFA
 m p

- STAMPALIA ➔ Stampalia

☐ **Stampalia**
Italian offices in the Dodecanese Islands: issued in Stampalia (E)
1912-1932
Europe
Yvert et Tellier, Tome 3, 1re partie
(à : *Égée (îles de la mer)*)
 s STAMPALIA (Italie : 1912-1932)

- ❖ STAMPATI FRANCHI MODENA ➔ Modène
- ⚫ STAMP DUTY ➔ Nouvelle-Zélande
- STAMP DUTY TASMANIA ➔ Tasmanie
- ❖ STÄMPEL. ➔ Autriche
- ❖ STÄMPEL. ➔ Lombardo-Vénétie
- STATE OF BAHRAIN ➔ Bahrain
- STAMP ➔ Tibet
- STAMP OFFICE ➔ Inde anglaise
- ⚫ *StaraiaRoussa* ➔ Zemstvos
- ⚫ *Starobielsk* ➔ Zemstvos
- STATEN ISLAND EXPRESS POST ➔ États-Unis d'Amérique (postes locales et privées) : *Staten Island (New York)*
- STATE OF KUWAIT ➔ Kuwait
- STATE OF NORTH BORNEO ➔ Bornéo du Nord
- STATE OF NORTH BORNEO BRITISH PROTECTORATE ➔ Bornéo du Nord
- STATE OF OMAN ➔ Oman
- STATE OF QATAR ➔ Qatar
- STATE OF SINGAPORE ➔ Singapour
- STATE OF TRAVANCORE-COCHIN ➔ Travancore-Cochin
- STATE OF UPPER YAFA SOUTH ARABIA ➔ Upper Yafa
- ❖ STATE SOUTH ARABIA ➔ Mahra
- ⚫ *Statesville (Caroline du Nord)* ➔ États Confédérés d'Amérique (émissions des Maîtres de postes : Statesville, Caroline du Nord)
- STATI ESTENSI GAZZETTE ESTERE ➔ Modène
- STATI PARM ➔ Parme
- STATI PARMENSI ➔ Parme
- ❖ STATNI POSTA ➔ Tchécoslovaquie
- ⚫ *Stavropol* ➔ Zemstvos
- 🏠 *St. Christopher (E)* ➔ Saint-Christophe
- ST CHRISTOPHER-NEVIS-ANGUILLA ➔ Saint-Christophe
- ❖ ST. DANIELA D. FR. ➔ Autriche-Hongrie (occupation en Italie)
- ❖ ST-DIÉ TAXE D'ACHEMINEMENT ➔ France

□ **Steep Holm**
1980-1988
Europe
Émission non admise par l'U.P.U.
   I   STEEP HOLM (1980-1988)

◆ STEEP HOLM ➔ Steep Holm
❖ S^TE FOY LA GRANDE ➔ France
◆ *Steg* ➔ Autriche (postes locales ou privées)
◆ STEINMEYER'S CITY POST ➔ États-Unis
   d'Amérique

□ **Stellaland**
1884
Afrique
Yvert et Tellier, Tome 7, 2e partie
   I   REPUBLIEK STELLALAND POST ZEGEL
         (1884)
   m penny, pence, shilling

◆ *Stellaland* ➔ voir aussi : Bechuanaland (colonie
   britannique), Bechuanaland (protectorat britannique)
❖ STELLALAND POST ZEGEL ➔ Stellaland
◆ S^TE MARIE DE MADAGASCAR ➔ Sainte-Marie de
   Madagascar
🕮 *Ste.-Marie de Madagascar (E)* ➔ Sainte-Marie de
   Madagascar
❖ STEMPEL ➔ Autriche
❖ STEMPEL ➔ Lombardo-Vénétie
❖ STEMPEL ZEITUNGS ➔ Autriche
❖ STEPANAKERT ➔ Russie (postes locales de l'ex-
   U.R.S.S. : Région du Haut-Karabakh)
❖ STEUERMARKE ➔ Allemagne bizone (zone anglo-
   américaine d'occupation)
◆ STEUNT ARTIS ➔ Pays-Bas (postes locales :
   Amsterdam)
◆ STEYR 'RECHTS' DER ENNS 9. 5. 1945 ➔ Autriche
⊙ stg ➔ Canada, Siam
◆ *St. Gilgen* ➔ Autriche (postes locales ou privées)
❖ ST. GIORGIO DI NO. ➔ Autriche-Hongrie
   (occupation en Italie)
◆ ST HELENA ➔ Sainte-Hélène
🕮 *St. Helena (E)* ➔ Sainte-Hélène
◆ S. THOME E PRINCIPE ➔ Saint-Thomas et Prince
◆ S. THOME E PRINCIPE PORTUGAL ➔ Saint-
   Thomas et Prince
◆ ST JOHN'S NEWFOUNDLAND ➔ Terre-Neuve
◆ ST KILDA ➔ Saint-Kilda
◆ ST. KITTS ➔ Saint-Christophe
🕮 *St. Kitts (E)* ➔ Saint-Christophe
◆ ST KITTS ➔ Saint-Christophe
◆ ST KITTS-NEVIS ➔ Saint-Christophe
◆ ST KITTS-NEVIS-ANGUILLA ➔ Saint-Christophe
🕮 *St. Kitts-Nevis (E)* ➔ Saint-Christophe
◆ ST. LOUIS CITY DELIVERY ➔ États-Unis
   d'Amérique (postes locales et privées) : *Saint Louis*
◆ ST LUCIA ➔ Sainte-Lucie
🕮 *St. Lucia (E)* ➔ Sainte-Lucie
❖ STOCKHOLM ➔ Suède
◆ S. TOMÉ ➔ Saint-Thomas et Prince

◆ S. TOMÉ E PRINCIPE ➔ Saint-Thomas et Prince
⊙ СТОТИНКИ (cyrillique) ➔ Bulgarie
🕮 *St. Pierre & Miquelon (E)* ➔ Saint-Pierre et Miquelon
◆ ST-PIERRE M-ON ➔ Saint-Pierre et Miquelon
❖ ST. PIETRO AL NAT. ➔ Autriche-Hongrie (occupation
   en Italie)
◆ STRAITS SETTLEMENTS ➔ Malacca
   (établissements des détroits de Malacca et Singapour)
🕮 *Straits Settlements (E)* ➔ Malacca (établissements
   des détroits de Malacca et Singapour), Malacca
   (administration militaire britannique)
🕮 *Straits Settlements: Japanese occupation (E)* ➔
   Malacca (occupation japonaise)
◆ STRAITS SETTLEMENTS POSTAGE ➔ Malacca
   (établissements des détroits de Malacca et Singapour)
❖ STRAORDINARIO PER LE POSTE ➔ Toscane
◆ *Strasbourg (poste privée)* ➔ Allemagne (postes locales
   et privées)
❖ STRASSBURG ➔ Allemagne (postes locales et
   privées : Strasbourg)
◆ STREEKPOST BOXTEL ➔ Pays-Bas (postes locales :
   Boxtel)
◆ STREEKPOST DE BARONIE BREDA ➔ Pays-Bas
   (postes locales : *Breda*)
◆ STREEKPOST ETTEN-LEUR ➔ Pays-Bas (postes
   locales : *Etten-Leur*)
◆ STREEKPOST GOUDA ➔ Pays-Bas (postes locales :
   Gouda)
❖ STRELITZ ➔ Mecklembourg-Strelitz
◆ STRINGER & MORTON'S CITY DESPATCH ➔
   États-Unis d'Amérique (postes locales et privées) :
   Baltimore
◆ *Strobl* ➔ Autriche (postes locales ou privées)
◆ STROMA ➔ Stroma

□ **Stroma**
Europe
Émission non admise par l'U.P.U.
   I   STROMA

❖ STT ➔ Trieste (Zone B Yougoslave)
🕮 *St. Thomas and Prince Islands (E)* ➔ Saint-Thomas et
   Prince
◆ ST THOMAS LA GUAIRA P^TO CABELLO PACKET
   ➔ Saint-Thomas-La-Guaira
◆ S.T.TRSTA VUJA ➔ Trieste (Zone B Yougoslave)
◆ STT VUJA ➔ Trieste (Zone B Yougoslave)
◆ STT-VUJA ➔ Trieste (Zone B Yougoslave)
◆ S.T.T. V.U.J.A. ➔ Trieste (Zone B Yougoslave)
◆ STT VUJNA ➔ Trieste (Zone B Yougoslave)
◆ ST VINCENT ➔ Saint-Vincent
❖ ST.VINCENT ➔ Béquia
🕮 *St. Vincent (E)* ➔ Saint-Vincent
◆ ST VINCENT FORT DUVERNETTE ➔ Saint-Vincent
🕮 *St. Vincent Grenadines (E)* ➔ Saint-Vincent (Îles
   Grenadines)
🕮 *St. Vincent Grenadines: Bequia (E)* ➔ Béquia
🕮 *St. Vincent Grenadines: Union Island (E)* ➔ Union
   Island

◆ ST VINCENT & THE GRENADINES → Saint-Vincent

◆ ST VINCENT WEST INDIES → Saint-Vincent

◆ SU *(accompagné d'un croissant et d'une étoile)* → Sungei Ujong

❖ SUAREZ → Diégo-Suarez

☉ sucre, sucres → Équateur

◆ SUDAN → Soudan

🄟 *Sudan (E)* → Soudan

◆ SUDAN AIRMAIL → Soudan

◆ SUDAN MILITARY TELEGRAPHS → Soudan

◆ SUDAN POSTAGE → Soudan

◆ SUDETENLAND → Tchécoslovaquie (occupation allemande des territoires des Sudètes)

☐ **Sud-Kasaï**
South Kasai (E)
1961
Afrique
Yvert et Tellier, Tome 5, 2ᵉ partie
(à . *Congo*)
Émission non admise par l'U.P.U.
  l ÉTAT AUTONOME DU SUD-KASAÏ (1961)
  s ÉTAT AUTONOME DU SUD-KASAÏ (Congo [belge, république] : 1961)
  m c, f

☐ **Sud-Ouest Africain**
South West Africa (E)
1923-1990
Afrique
Yvert et Tellier, Tome 7, 2ᵉ partie
  l SOUTH WEST AFRICA (1923-1972)
    SUIDWES AFRIKA (1926-1972)
    SWA (1927-1990)
    S. W. A. (1927-1952)
  s OFFICIAL S.W.A. (Afrique du Sud : 1929)
    OFFISIEEL S.W.A. (Afrique du Sud : 1929)
    SOUTH WEST AFRICA (Afrique du Sud, Transvaal : 1923-1927)
    SUIDWES AFRIKA (Afrique du Sud : 1926-1927)
    SWA (Afrique du Sud : 1941-1949)
    S. W. A. (Afrique du Sud : 1927-1939)
    ZUIDWEST AFRIKA (Afrique du Sud, Transvaal : 1923-1925)
    ZUID-WEST AFRIKA (Afrique du Sud, Transvaal : 1923-1925)
  m d, c

♦ *Sud-Ouest Africain* → voir aussi : Namibie

☐ **Sud-Vietnam (Front de libération du)**
South Viet Nam: Liberation Front (E)
1963-1976
Asie
Émission non admise par l'U.P.U.
  l M.T.D.T.G.P. MIEN NAM VIET NAM (1963-1974)

☐ **Sud-Vietnam (République du)**
Republic of South Viet Nam (E)
1975-1976
Asie
Yvert et Tellier, Tome 2, 2ᵉ partie
(à : *Vietnam*)
  l CONG-HOA MIEN NAM VIET NAM (1975-1976)
  m d, xu

❖ SÜDWESTAFRIKA → Afrique du Sud-Ouest (colonie allemande)

❖ SÜDWEST-AFRIKA → Afrique du Sud-Ouest (colonie allemande)

■ **Suède**
Sweden (E)
1855-auj.
Europe
Yvert et Tellier, Tome 3, 2ᵉ partie
  l AFTONBLADET TACK-POST (1991)
    BARNENS DAG 1912 SVERIGES FÖRSTA FLYGPOST (1912)
    CORRESPONDANCE DU SERVICE POSTAL SUEDE ETRANGER (1876)
    EXPRESSEN *(avec un cœur)* (1990)
    FRIMÄRKE FOR LOCALBREF. (1856-1862)
    FRIMÄRKE LOKALBREF (1856-1862)
    KONGL. SVENSKA POSTVERKET (1889)
    LÖSEN (1874)
    PORTO HÄRFÖR ERLAGT (1929)
    PORT PAYÉ POST SUÈDE (1994)
    PORT PAYÉ POSTE SUÈDE (1995-1996)
    PORT PAYÉ POSTE DE SUÈDE (1996)
    SVERIGE (1855-auj.)
    SVERIGE BREV (2000 auj.)
    TURIST PORTO (197-1998)
    VIII VÄRLDPOST KONGRESS STOCKHOLM (1924)
    VIII VÄRLDPOST-KONGRESSEN STOCKHOLM 1924 (1924)
  s FRIMÄRKE LANDSTORMEN (Suède : 1917-1919)
  m skill, skill. bᵒᵒ, öre, riksdaler, rik sdaler, krona, kronor, kr

❖ SUEZ → Canal de Suez

🄟 *Suez Canal Zone (E)* → Canal de Suez

◆ SUIDAFRIKA → Afrique du Sud (Union de l')

◆ SUID-AFRIKA → Afrique du Sud (Union de l')

◆ SUIDWES AFRIKA → Sud-Ouest Africain

■ **Suisse**
Switzerland (E)
1843-auj.
Europe
Yvert et Tellier, Tome 3, 2ᵉ partie
  l 1 *(au centre d'un rond entouré d'étoiles)* (1878-1880)
      2 *(au centre d'un rond entouré d'étoiles)* (1878-1880)
      3 *(au centre d'un rond entouré d'étoiles)* (1878-1897)
      5 *(au centre d'un rond entouré d'étoiles)* (1878-1880)
      10 *(au centre d'un rond entouré d'étoiles)* (1878-1909)
      20 *(au centre d'un rond entouré d'étoiles)* (1882-1909)
      50 *(au centre d'un rond entouré d'étoiles)* (1878-1909)
      100 *(au centre d'un rond entouré d'étoiles)* (1878-1909)
      500 *(au centre d'un rond entouré d'étoiles)* (1878-1897)
      BASEL (1845)
      BURGDORF BERN (1913)
      CANTON DE FRIBOURG LETTRE DE VOITURE (poste locale : 1908)
      CONFOEDERATIO HELVETICA (1939-1950)
      « croix blanche » (1849-1850)
      FLUGPOST LAUFEN 1913 (1913)
      FLUGTAG IN LIESTAL (1913)
      FRANCO (1854-1917)
      POSTE DE GENÈVE (1843-1849)
      HELVETIA (1862-auj.)
      JOURNÉE VALAISIENNE D'AVIATION SION 18 MAI 1913 (1913)
      JUBILÉ DE L'UNION POSTALE UNIVERSELLE (1900)
      LUGANO 1913 PRO AVIAZONE NAZIONALE (1913)
      ORTS POST (1850)
      ORTS POST POSTE LOCALE (1850)
      PORT CANTONAL (1843-1849)
      POSTE LOCALE (1849-1851)
      P.P. (1911-1921)
      RAYON I (1850-1852)
      RAYON II (1850-1852)
      RAYON III (1850-1852)
      REPUBBLICA E CANTONE DEL TICINO (poste locale)
      SCHWEIZERISCHE NATIONALE FLUGSPENDE HERISAUER FLUGTAG 1913
      II. SCHWEIZ FLUGPOST (1913)
      SOLOTHURNER FLUGPOST 1913 (1913)
      STADT-POST-BASEL (1845)
      TELEGRAPHIE (1868-1881)
      TELEGRAPHEN KP4 1939/40 (1939-1940)
      ZURICH CANTONAL TAXE (1843)
      ZURICH LOCAL TAXE (1843)
  m c, r, rappen, rp, centimes, centesimi, fr

◆ S. UJONG ➔ Sungei Ujong
◆ SUKTUVKAR KOMI ➔ Russie (postes locales de l'ex-U.R.S.S. : République des Komis)
◆ SULLIVAN'S DISPATCH POST ➔ États-Unis d'Amérique (postes locales et privées) : *Cincinnati*
◆ SULTANAT D'ANJOUAN ➔ Anjouan
◆ SULTANATE OF OCCUSSI-AMBENO PROVINCE OF QUATAIR ➔ Occussi-Ambeno (Sultanat d')
◆ SULTANATE OF OCCUSSI-AMBENO TARANTAR PROVINCE ➔ Occussi-Ambeno (Sultanat d')
◆ SULTANATE OF OMAN ➔ Oman
❖ SULTAN JAHAN BEGAM ➔ Bhopal
◆ SUMMER ISLES SCOTLAND ➔ été (Îles de l')
◉ *Sumter (Caroline du Sud)* ➔ États Confédérés d'Amérique (émissions des Maîtres de postes : Sumter, Caroline du Sud)
◆ SUNGEI UJONG ➔ Sungei Ujong

□ **Sungei Ujong**
Malaya: Sungei Ujong (E)
1880-1895
Asie
Yvert et Tellier, Tome 6, 2ᵉ partie
(à : *Malaysia*)
  l S. UJONG (1891-1895)
  s SU *(accompagné d'un croissant et d'une étoile)* (Malacca [établissements des détroits de Malacca et Singapour] : 1880-1883)
      SUNGEI UJONG (Malacca [établissements des détroits de Malacca et Singapour] : 1881-1888)
  m c, cent, cents

❖ SUOMI ➔ Finlande
◆ SUOMI FINLAND ➔ Finlande
◆ SUOMI KALEVALA ➔ Finlande
◉ *Supeh* ➔ Chine du Nord (occupation japonaise)
❖ SUR ➔ Arequipa
❖ SUR DE VALENCIA ➔ Espagne
◆ SURINAAMSE POSTZEGELS ➔ Surinam

■ **Surinam**
1873-auj.
Amérique du Sud
Yvert et Tellier, Tome 7, 2ᵉ partie
  l GROENE KRUIS SURINAME (1929)
      KOLONIE SURINAME POSTZEGEL (1904-1908)
      LUCHTPOST SURINAME (1930-1945)
      NEDERLAND SURINAME (1954)
      POSTZEGEL KOLONIE SURINAME (1904-1908)
      SURINAAMSE POSTZEGELS (1973)
      SURINAME (1873-auj.)
      SURINAME FRANKEER ZEGEL (1892)
      TE BETALEN PORT (1888-1950)
      WILHELMINA SURINAME (1938)
  s SURINAME (Pays-Bas : 1899)
  m ct, cent, gulden, c, f, gld

◆ SURINAME ➔ Surinam
◆ SURINAME FRANKEER ZEGEL ➔ Surinam
❖ SURINAME POSTZEGEL ➔ Surinam

❖ SVENSKA POSTVERKET ➔ Suède

◆ SVERIGE ➔ Suède

◆ SVERIGE BREV ➔ Suède

◆ SVERIGES FÖRSTA FLYGPOST ➔ Suède

❖ SVOBODNO TRZASKO OZEMIJE ➔ Trieste (Zone B Yougoslave)

◆ SWA ➔ Sud-Ouest Africain

◆ S. W. A. ➔ Sud-Ouest Africain

◆ SWARTS CITY DISPATCH POST ➔ États-Unis d'Amérique (postes locales et privées) : *New York*

◆ SWARTS FOR U.S. MAIL ONE CENT PRE-PAID ➔ États-Unis d'Amérique (postes locales et privées) : *New York*

◆ SWAZIELAND ➔ Swaziland

◆ SWAZILAND ➔ Swaziland

■ **Swaziland**
1889-auj.
Afrique
Yvert et Teller, Tome 7, 2⁰ partie
 I SWAZILAND (1946-auj.)
   SWAZILAND PROTECTORATE (1933-1951)
 s SWAZILAND (Afrique du Sud : 1946)
   SWAZIELAND (Transvaal : 1889-1892)
 m d, s, c, i, e

◆ *Swaziland* ➔ voir aussi : Transvaal

◆ SWAZILAND PROTECTORATE ➔ Swaziland

🕮 *Sweden (E)* ➔ Suède

🕮 *Switzerland (E)* ➔ Suisse

◆ SYBURI ➔ Malaisie (occupation thaïlandaise)

❖ SYNDICAT FRANÇAIS POSTE LOCALE ➔ Nouvelles-Hébrides (postes locales)

◆ SYNDICATO CONDOR ➔ Compagnie Condor

◆ SYRIA ➔ Syrie (état indépendant)

🕮 *Syria: independent Republic (E)* ➔ Syrie (état indépendant)

🕮 *Syria: French occupation and French Mandate (E)* ➔ Ain-Tab, Syrie (administration française)

🕮 *Syria: issues of the Arabian Government (E)* ➔ Syrie (Royaume de)

🕮 *Syria: military stamps (E)* ➔ Levant (bureaux français)

🕮 *Syria: United Arab Republic (E)* ➔ Syrie (état indépendant)

◆ SYRIAN A. R. ➔ Syrie (état indépendant)

◆ SYRIAN ARAB R. ➔ Syrie (état indépendant)

◆ SYRIAN ARAB REP. ➔ Syrie (état indépendant)

◆ SYRIAN ARAB REPUBLIC ➔ Syrie (état indépendant)

◆ SYRIE ➔ Syrie (administration française), Syrie (état indépendant)

☐ **Syrie (administration française)**
Syria: French occupation and French Mandate (E)
1919-1945
Asie
Yvert et Tellier, Tome 2, 1ʳᵉ partie
 I SYRIE (1925-1938)
   RÉPUBLIQUE SYRIENNE (1934-1945)
 s A.D. P. O. Z. O. (Turquie : 1923)
   O. M. F. SYRIE (France, Levant [bureaux français] : 1920-1923)
   SYRIE (France : 1924-1925)
   SYRIE GRAND LIBAN (France : 1923)
   T. E. O. (France, Levant [bureaux français] : 1919)
 m centiemes, centimes, milliemes, p, piastre, piastres
 ⇨ Alaouites, Alexandrette (administration française), Levant (bureaux français)

◆ *Syrie (administration française)* ➔ voir aussi : Ain-Tab

■ **Syrie (état indépendant)**
Syria: independent Republic + United Arab Republic (E)
1946-auj.
Asie
Yvert et Tellier, Tome 7, 2ᵉ partie
 I INTERNATIONAL YEAR OF PEACE 1987 (1986)
   REP. SYRIENNE (1947-1955)
   REPUBLIQUE ARABE UNIE (1958)
   REPUBLIQUE ARABE UNIE SYRIE (1958)
   RÉPUBLIQUE SYRIENNE (1947-1955)
   R. SYRIENNE (1947-1955)
   S A R (1963-1989)
   SYRIA (1984-auj.)
   SYRIAN A. R. (1976-1984)
   SYRIAN ARAB R. (1961-1984)
   SYRIAN ARAB REP. (1961-1984)
   SYRIAN ARAB REPUBLIC (1961-1984)
   SYRIE (1946-1958)
   THE UNITED ARAB REPUBLIC SYRIA (1958)
   UAR (1958-1961)
   U. A. R. (1958-1961)
 m p, j

☐ **Syrie (Royaume de)**
★ *Syria: issues of the Arabian Government (E)*
1920-1921
Asie
Yvert et Tellier, Tome 7, 2ᵉ partie
 I « 1920 et caractères arabes » (1920)
 s *caractères arabes* (Turquie : 1920)

◆ SYRIE GRAND LIBAN ➔ Syrie (administration française)

❖ SYRIENNE ➔ Syrie (état indépendant)

❖ SYTKOIN ITALIAS-ELLADOS-TOYPKIAS (grec) ➔ Grèce

◆ *Syzran* ➔ Zemstvos

🕮 *Szechuan Province (E)* ➔ Setchouen

☐ **Szeged**
Hungary: occupation stamps – Szeged issue (E)
1919
Europe
Yvert et Tellier, Tome 4, 1ʳᵉ partie
(à : *Hongrie*)
   s   MAGYAR NEMZETI KORMÀNY SZEGED
       1919 (Hongrie : 1919)

❖ SZEGED 1919 ➔ Szeged
☉ t ➔ Bangladesh, Botswana, Kirghiztan, Malawi,
     Mongolie, Ouzbékistan, Papouasie et Nouvelle-Guinée,
     Russie
◆ T ➔ Belgique, Cuzco, Dominicaine, Éthiopie, Huacho,
     Moquegua
◆ T ➔ Autriche (postes locales ou privées) : *Loosdorf,
     Strobl, Villach*
☉ t$ ➔ Niuafo'ou, Tonga
☉ ta ➔ Bangladesh
❖ TABLE TENNIS QUEEN ➔ Corée du Nord
◆ *Tachau* ➔ Autriche (postes locales ou privées)
❖ TACNA Y ARICA 1925 ➔ Pérou

■ **Tadjikistan**
1992-auj.
Asie
Yvert et Tellier, Tome 4, 2ᵉ partie
   I   ТОЧИКИСТОН TADZIKISTAN (1992-1999)
       ТОЧИКИСТОН TADJIKISTAN (1999-auj.)
       ТОЧИКИСТОН TAJIKISTAN (1999-auj.)
       TADJIKISTAN ТОЧИКИСТОН (1999-auj.)
       TAJIKISTAN ТОЧИКИСТОН (1999-auj.)
       TADZIKISTAN ТОЧИКИСТОН (1992-1999)
   s   ТОЧИКИСТОН (Russie : 1992)

◆ TADJIKISTAN ТОЧИКИСТОН (cyrillique) ➔
     Tadjikistan
◆ TADZIKISTAN ТОЧИКИСТОН (cyrillique) ➔
     Tadjikistan
◆ *Tafalla* ➔ Espagne (émissions nationalistes)
◆ TAG ➔ Guyane (colonie française)
◆ T. A. G. ➔ Guyane (colonie française)
◆ TAG DER BRIEFMARKE 1949 DEUTSCHE POST
     ➔ Allemagne Orientale (République Démocratique)
◆ TAG POSTE AÉRIENNE ➔ Guyane (colonie
     française)
❖ TAHA PENI ➔ Niue
☉ tahi silingi ➔ Penrhyn
◆ TAHITI ➔ Tahiti

☐ **Tahiti**
1882-1915
Océanie
Yvert et Tellier, Tome 2, 1ʳᵉ partie
   s   25 C (Colonies françaises : 1882)
       TAHITI (Colonies françaises, Océanie : 1882-
       1915)
   m   c, centimes, f

◆ *Taïwan* ➔ Formose
◆ TAJIKISTAN ТОЧИКИСТОН ➔ Tadjikistan
◆ TAKSE QINDARKA ➔ Albanie

◆ TALBOTTON GA ➔ États Confédérés d'Amérique
     (émissions des Maîtres de postes : Talbotton, Georgie)
◆ TALYLLYN➔ Grande-Bretagne (compagnies privées
     de chemins de fer : Talyllyn)
🕁 *Talyllyn Railway Company (E)* ➔ Grande-Bretagne
     (compagnies privées de chemins de fer : Talyllyn)
☉ tambala ➔ Malawi
◆ *Tambov* ➔ Zemstvos
❖ TANACS KÔZTARSASAG ➔ Hongrie
❖ TANAH MELAYU ➔ Malaisie
❖ TANAH MELAYU JOHORE ➔ Johore
❖ TANAH MELAYU NEGRI SEMBILAN ➔ Negri
     Sembilan
☉ tanga ➔ Inde portugaise
◆ TANGANYIKA ➔ Tanganyika

☐ **Tanganyika**
1922-1964
Afrique
Yvert et Tellier, Tome 7, 2ᵉ partie
   I   MANDATED TERRITORY OF TANGANYIKA
       (1926-1931)
       TANGANYIKA (1922-1961)
       UNITED REPUBLIC OF TANGANYIKA &
       ZANZIBAR (1964)
       YAMHURI YA TANGANYIKA (1962)
   m   cents, shilling, shillings, c

◆ *Tanganyika* ➔ voir aussi : Afrique orientale allemande,
     Est-Africain, Kenya et Ouganda, Tanzanie
🕁 *Tanganyika (E)* ➔ Afrique orientale allemande
     (occupation britannique), Tanganyika
◆ TANGANYIKA KENYA UGANDA ➔ Kenya et
     Ouganda
❖ TANGANYIKA & ZANZIBAR ➔ Tanganyika
☉ tangas ➔ Inde portugaise
◆ TANGER ➔ Maroc (bureaux espagnols), Maroc
     (bureaux et protectorat français)
◆ TANGER CORREO AEREO ➔ Maroc (bureaux
     espagnols)
◆ TANGER CORREO ESPAÑOL ➔ Maroc (bureaux
     espagnols)
◆ TANGER CORREO URGENTE ➔ Maroc (bureaux
     espagnols)
❖ TANGER EL KSAR ➔ Maroc (postes locales)
◆ TANGER-FEZ ➔ Maroc (postes locales)
◆ TANGER MOROCCO LARAICHE ➔ Maroc (postes
     locales)
◆ TANGIER ➔ Maroc anglais (Tanger)
🕁 *Tannu Tuva (E)* ➔ Touva
◆ TANZANIA ➔ Tanzanie
❖ TANZANIA ➔ Zanzibar
🕁 *Tanzania (E)* ➔ Tanzanie
◆ TANZANIA KENYA UGANDA ➔ Est-Africain
◆ TANZANIA UGANDA KENYA ➔ Est-Africain

- **Tanzanie**
  Tanzania (E)
  1965-auj.
  Afrique
  Yvert et Tellier, Tome 7, 2ᵉ partie
  l TANZANIA (1965-auj.)
  m c

- *Tanzanie* → voir aussi : Tanganyika, Zanzibar
- TAPIZZERIJI FJAMMINGI → Malte
- TARANTAR PROVINCE → Occussi-Ambeno (Sultanat d')
- TARBES 1968 TAXE D'ACHEMINEMENT → France
- TARCENTO → Autriche-Hongrie (occupation en Italie)
- tari → Malte (Ordre souverain de)
- TARNYBINIS → Memel (occupation lituanienne)
- *Tarp (Danemark)* → Autriche (postes locales ou privées) : *Camp de prisonniers de Tarp (Danemark)*
- TARP/ESBJERG PORTOFRIT I DANMARK → Autriche (postes locales ou privées) : *Camp de prisonniers de Tarp (Danemark)*
- TASMANIA → Tasmanie

- **Tasmanie**
  Tasmania (E)
  1853-1914
  Océanie
  Yvert et Tellier, Tome 7, 2ᵉ partie
  l STAMP DUTY TASMANIA (1880)
     TASMANIA (1858-1914)
     VAN DIEMENS LAND (1853-1857)
  m penny, pence, shilling, shilling, d

- TASSA GAZZETTE → Modène
- *Tatarstan (République Tatare)* → Russie (postes locales de l'ex-U.R.S.S.)
- tausend → Allemagne, Wurtemberg
- TAXA DE FACTAGIU POSTA ROMANA → Roumanie
- TAXA DE GUERRA → Afrique portugaise, Macao
- TAXA DE GUERRA → Guinée portugaise
- TAXA DE GUERRA 0:00:05,48 → Inde portugaise
- TAXA DE GUERRA 0:01:09,94 → Inde portugaise
- TAXA DE GUERRA 0:02:03,43 → Inde portugaise
- TAXA DE PLATA POSTA ROMANA → Roumanie
- TAXE À PERCEVOIR T → Éthiopie
- TAXE D'ACHEMINEMENT → France
- TAXIS → Tour et Taxis
- TAXYDPOMEION (grec) → Crète (bureau anglais d'Héraklion)
- TAXYDPOMEION Samoy (grec) → Samos
- TAXYP. SYTKOIN. ITALIAS-ELLADOS-TOYPKIAS (grec) → Grèce
- TBBA POSTA (cyrillique) → Touva
- TbiNbiH (cyrillique) → Kirghiztan
- Tᴮᴿᴱ MOVIL-Fᴰᴼ POO 1896 → Fernando Poo
- T.-C. → Travancore-Cochin
- TCHAD → Tchad (colonie française)

- **Tchad**
  Chad: Republic (E)
  1959-auj.
  Afrique
  Yvert et Tellier, Tome 2, 2ᵉ partie
  l RÉPUBLIGUE DU TCHAD (1977)
     RÉPUBLIQUE DU TCHAD (1959-auj.)
  m f

- **Tchad (colonie française)**
  Chad: French colony (E)
  1922-1933
  Afrique
  Yvert et Tellier, Tome 2, 1ʳᵉ partie
  s AFRIQUE ÉQUATORIALE FRANÇAISE
     TCHAD (Congo [colonie française] : 1924-1933)
     TCHAD (Congo [colonie française] : 1922-1933)
  m c, f

- **Tchécoslovaquie**
  Czechoslovakia (F)
  1918-1992
  Europe
  Yvert et Tellier, Tome 4, 2ᵉ partie
  l BAR BEZAHLT (1918-1945)
     BARFRANKO (1918)
     CESKOSLOVENSKO (1926-1992)
     CIN POSTOVNE ZAPLACENO (1945)
     DENNIK NASINEC OLOMOUC FRANKO
     HOTOVE ZAPLACENO (1918-1945)
     FRANCO HOTOVE PLACENO (1918)
     FRANKO BAR (1918-1945)
     FRANKO BAR BEZAHLT (1918-1945)
     FRANKO BAR BEZAHLT « PILSNER
     TAGBLATT » (1918-1945)
     FRANKO HOTOVE PLACENO (1918)
     FRANKO HOTOVE ZAPLACENO (1918-1945)
     FRANKO HOTOVE ZAPRAVENO CESKE
     SLOVO (1918-1945)
     HLASLIDU V. PROSTEJOVE POSTOVNE
     ZAPLACENO (1945)
     HOTOVE PLACENO (1918)
     MERKUR FRANKO HOTOVE ZAPLACENO
     (1918-1945)
     NARODNIE NOVINY FRANKO ZAPLATENE
     (1918-1945)
     NARODNI POLITIKA FRANKO HOTOVE
     ZAPLACENO (1918-1945)
     NARODNI POLITIKA GRATIS (1918-1945)
     NOVINOVE VYPLATNE ZAPLATENE
     PRIAMO NOVE SLOVO BANSKA BYSTRICA
     (1944)
     PORTO BAR BEZAHLT (1918)
     PORTO HOTOVE ZAPLACENO (1918-1945)
     PORTO PLACENO HOTOVE (1918)
     PORTO ZAPLACENO (1918)
     POSTA CESKOSLOVENSKA (1918-1925)
     POSTA CESKYCH SKAUTU VE SLUZBACH
     NARODNI VLADY (1918)

PAUSALOVANA POTRAVNI DAN (1924)
PLATEBNI BOLETA (1921)
POSTOVNE HOTOVE ZAPLACENO (1918-1945)
POSTOVNE PLACENO (1918-1945)
POSTOVNE ROVNOST ZAPLACENO (1945)
POSTOVNE ZAPLACENO HOTOVE (1918-1945)
POSTOVNE ZAPLATENE (1918)
POSTPORTO BAR BEZAHLT (1918)
PRACE FRANKO HOTOVE ZAPLACENO (1918-1945)
VERSAND GEBÜHR BAR BEZAHLT (1918)
ZEITUNGS GEBÜHR BAR BEZAHLT (1918-1945)
s 5. V. CESKO SLOVENSKO 1945 (Bohème et Moravie : 1945)
CESKO SLOVENSKA POSTA (Hongrie : 1918-1919)
CESKOSLOVENSKO STATNI POSTA (Autriche, Hongrie : 1918-1919)
CESKO SLOVENSKY STAT. (Autriche : 1918)
CESKOSLOVENSKA REPUBLIKA (Autriche : 1918)
CESKOSLOVENSKO STATNI POSTA PRAHA (Autriche : 1918)
CSL. POSTA (Allemagne : 1945)
CS POSTA (Bohème et Moravie : 1945)
CSR (Allemagne : 1945)
CSR 1945 (Bohème et Moravie : 1945)
C. S. R. 9. 5. 1945 USTI N. L. (Allemagne : 1945)
CSR NARODNI VYBOR RUMBURK (Allemagne : 1945)
« étoile juive » (Bohème et Moravie : 1945)
« lion à double queue » (Bohème et Moravie : 1945)
PAUSALOVANA POTRAVNI DAN (1925-1929)
POSTA CESKOSLOVENSKA 1919 (Autriche, Hongrie : 1919)
POSTA CESKOSLOVENSKA 1945 (Bohème et Moravie : 1945)
PRAVDA VITEZI CSR (Bohème et Moravie : 1945)
PROVISORNI CESKOSLOVENSKO VLADA (Autriche : 1918)
PROVISORNI CESKOSLOVENSKO VLADA PRAHA (Autriche : 1918)
SLOVENSKA POSTA (Hongrie : 1918-1919)
m haleru, h, k, korun, koruny, kc, kcs
⇨ Bohème et Moravie, Silésie Orientale, Slovaquie, Tchécoslovaquie (occupation allemande des territoires des Sudètes), Ukraine sub-carpathique

☐ **Tchécoslovaquie (Légion en Sibérie)**
Czechoslovak Legion Post (E)
1918-1920
Europe
Yvert et Tellier, Tome 4, 2ᵉ partie
l CESKOSLOVENSKE VOJSKO NA RUSI (1919-1920)
POSTA CESKOSLOVENSKE ARMADY SIBIRSKE (1919-1920)
VOJENSKA POSTA (1919-1920)
s ЧЕШСКЯ ПОЧТА (Russie : 1918-1920)
m R

☐ **Tchécoslovaquie (occupation allemande des territoires des Sudètes)**
Czechoslovakia: German occupation of the Sudetenland (E)
1938-1939
Europe
s 1 KC (Tchécoslovaquie : 1938)
1.20 (Tchécoslovaquie : 1938)
1.20 KC (Tchécoslovaquie : 1938)
2 KC (Tchécoslovaquie : 1938)
4.50 KC (Tchécoslovaquie : 1938)
50 H (Tchécoslovaquie : 1938)
KARLSBAD 1. X. 1938 (Tchécoslovaquie : 1938)
SUDETENLAND (Tchécoslovaquie : 1938)
WIR SIND FREI! (Tchécoslovaquie : 1938-1939)
m h, kc, haleru

☐ **Tcheliabinsk**
⋆ *Far Eastern Republic: Tcheliabinsk Issue (E)*
1921
Asie
Yvert et Tellier, Tome 4, 2ᵉ partie
(à : *Sibérie et Extrême-Orient*)
s 35 (Russie : 1921)
50 (Russie : 1921)
70 (Russie : 1921)

◆ *Tchembary* ➔ Zemstvos

❖ TCHÉOU-WAN ➔ Kouang-Tchéou

■ **Tchèque (République)**
Czech Republic (E)
1993-auj.
Europe
Yvert et Tellier, Tome 4, 2ᵉ partie
l CESKA REPUBLIKA (1993-auj.)
m kc

◆ *Tcherdyn* ➔ Zemstvos

◆ *Tcherepovetz* ➔ Zemstvos

◆ *Tcherkassy* ➔ Zemstvos

◆ *Tcherkessie (République de Karatchaevie-)* ➔ Russie (postes locales de l'ex-U.R.S.S.)

◆ *Tchern* ➔ Zemstvos

☐ **Tchernigov**
⋆ *Ukraine: issued in Tchernigov (E)*
1919
Europe
Yvert et Tellier, Tome 4, 2ᵉ partie
(à : *Ukraine*)
s * (Russie : 1919)

■ **Tchétchénie**
Chechenia (E)
1992-auj.
Asie
Émission non admise par l'U.P.U.
  l ЧЕЧЕНСКАЯ РЕСПУБЛИКА ПОЧТА (1992)
    CHECHENIA (1992-auj.)
  s 1874-1994 Чеченская Респ. Почта (Russie :
    1994)
    CHECHENIA (Russie : 1993)
    ISLAM REPUBLIC CHECHENIA (Russie : 1993)
    REPUBLIC CHECHENIA (Russie : 1993)

◆ *Tchistopol* ➔ Zemstvos

☐ **Tchita**
★ *Far Eastern Republic: Chita Issue (E)*
1919-1923
Asie
Yvert et Tellier, Tome 4, 2ᵉ partie
(à : *Sibérie et Extrême-Orient*)
  l ПОЧТОВАЯ МАРКА А В Р (1922)
  s 2P. 50 K. (Russie : 1919)
    P. 1 P. (Russie : 1919)
    P. 5 P. (Russie : 1919)
    P. 10 P. (Russie : 1919)
    Д. В. ЗОЛОТОМ (Russie . 1923)
  m p, k, КОП

◆ TCHONGKING ➔ Tch'ong-K'ing
◆ TCHONG-KING ➔ Tch'ong-K'ing
◆ TCH'ONG K'ING ➔ Tch'ong-K'ing

☐ **Tch'ong-K'ing**
French Offices in China: Tchongking (E)
1902-1919
Asie
Yvert et Tellier, Tome 2, 1ʳᵉ partie
  s TCHONGKING (Indochine Chine [bureaux
    français], colonies françaises : 1902-1919)
    TCHONG-KING (Indochine Chine [bureaux
    français], colonies françaises : 1902-1919)
    TCH'ONG K'ING (Indochine : 1906)
  m c, f

◆ *Tchouvachie (République de)* ➔ Russie (postes locales
  de l'ex-U.R.S.S.)
◆ T COLON ➔ Panama-Colombie
◆ T.C. POSTALARI ➔ Turquie
◆ T CRAWFORD PM ATHENS GA ➔ États Confédérés
  d'Amérique (émissions des Maîtres de postes : Athens,
  Georgie)
⊙ tcs ➔ Siam
⊙ T_E ➔ Royaume des deux Siciles
◆ TE BETALEN ➔ Belgique
◆ TE BETALEN PORT ➔ Curaçao, Inde néerlandaise,
  Pays-Bas, Surinam
◆ TEESE & CO. PENNY POST PHILAD'A ➔
  États-Unis d'Amérique (postes locales et privées) :
  Philadelphie
❖ TEHERAN ➔ Iran

❖ TELAPHILA '93 ➔ Russie (postes locales de l'ex-
  U.R.S.S. : République Juive)
❖ TELEGOS ➔ Espagne
❖ TELEGRAFEN-GESELLSCHAFT ➔ Autriche
❖ TELEGRAFICO ➔ Espagne
◆ TELEGRAFO NACIONAL ➔ Argentine
◆ TELEGRAFO PROVINCIAL ➔ Cordoba
◆ TELEGRAFOS ➔ Espagne
◆ TELEGRAFOS 1871 ➔ Puerto Rico
◆ TELEGRAFOS 1872 ➔ Puerto Rico
◆ TELEGRAFOS 1873 ➔ Puerto Rico
◆ TELEGRAFOS 1874 ➔ Puerto Rico
◆ TELEGRAFOS 1876 ➔ Puerto Rico
◆ TELEGRAFOS 2 PESETAS ➔ Puerto Rico
◆ TELEGRAFOS 4 PESETAS ➔ Puerto Rico
◆ TELEGRAFOS C DE PESO ➔ Philippines
◆ TELEGRAFOS COLOMBIANOS ➔ Colombie
◆ TELEGRAFOS DE CHILE ➔ Chili
◆ TELEGRAFOS DE VENEZUELA ➔ Venezuela
◆ TELEGRAFOS DEL ECUADOR ➔ Équateur
◆ TELEGRAFOS DEL PERU ➔ Pérou
◆ TELEGRAFOS DEL SALVADOR ➔ Salvador
◆ TELEGRAFOS MIL⁵ DE PESO ➔ Philippines
◆ TELEGRAFOS NACIONAL ➔ Pérou
◆ TELEGRAFOS NACIONALES ➔ Colombie
◆ TELEGRAFOS NACIONAL RECARCO A LAS
  DIRECCIONES INCOMPLETAS ➔ Uruguay
◆ TELEGRAFOS PESO ➔ Philippines
◆ TELEGRAFOS PESOS ➔ Philippines
◆ TELEGRAFOS PROVINCIA BUENOS AIRES ➔
  Buenos Aires
◆ TELEGRAFO TRASANDINO ➔ Argentine
◆ TELEGRAFO VILLADA MUNICIPAL ➔ Espagne
❖ TELEGRAFVAESENET ➔ Danemark
❖ TELEGRAMAS ➔ Salvador
◆ TELEGRAPH ➔ Bavière
◆ TELEGRAPH 1 ANNA ➔ Inde anglaise
◆ TELEGRAPH DEPARTMENT GOVERNMENT ➔
  Ceylan
◆ TELEGRAPH DESPATCH P.O. ➔ États-Unis
  d'Amérique (postes locales et privées) : *Philadelphie*
◆ TELEGRAPHEN KP4 1939/40 ➔ Suisse
❖ TELEGRAPHEN-MARKE ➔ Autriche
◆ TELEGRAPHES ➔ Belgique
◆ TELEGRAPHIE ➔ Suisse
◆ TELEGRAPHIE DES DEUTSCHEN REICHES ➔
  Allemagne
❖ TELEGRAPH MARKE ➔ Prusse
◆ TELEGRAPHO DO INTERIOR ➔ Brésil
◆ TELEGRAPHS ➔ Grande-Bretagne
❖ TELEGRAPHS N. S. WALES ➔ Nouvelle-Galles du
  Sud
◆ TELEGRAPHS ... SEN ➔ Japon
◆ TELEGRAPH TWO RUPEES ➔ Inde anglaise
◆ TELEGRAPH UGANDA RAILWAY ➔ Ouganda
❖ TELEGS ➔ Cuba, Espagne
❖ TELEPHONE COMPANY LIMITED ➔ Grande-
  Bretagne
◆ TELEPHONE TELEPHOON ➔ Belgique
❖ TELEPHOON ➔ Belgique
❖ TELES ➔ Cuba

- TELLICO PLAINS TENN. ➔ États Confédérés d'Amérique (émissions des Maîtres de postes : Tellico Plains, Tennessee)

❖ TELSIAI ➔ Lituanie (occupation allemande)

☐ **Temesvar (Timisiorra)**
Hungary: Romanian or Serbian occupation – Temesvar issue (E)
1919
Europe
Yvert et Tellier, Tome 4, 1ʳᵉ partie
(à : *Hongrie*)
  s 150 (Hongrie : 1919)
     30 (Hongrie : 1919)
     FILL (Hongrie : 1919)
     FILLER (Hongrie : 1919)
     K (Hongrie : 1919)
     KORONA (Hongrie : 1919)
     PORTO (Hongrie : 1919)
  m k, korona, fill, filler

- TEN CENTS (*enveloppe avec portrait de Washington*) ➔ États-Unis d'Amérique

❖ TENERIFE ➔ Espagne (émissions nationalistes : Santa Cruz de Teneriffe)

- T. E. O. ➔ Syrie (administration française)

- T. E. O. CILICIE ➔ Cilicie

- T. E. O. PARAS ➔ Cilicie

◆ *Terre d'Édouard VII* ➔ Édouard VII (terre d')

◆ *Terre de Graham* ➔ Falkland (dépendances)

◆ *Terre de Ross* ➔ Ross (terre de)

☐ **Terre-Neuve**
Canadian Provinces: Newfoundland (E)
1857-1947
Amérique du Nord
Yvert et Tellier, Tome 7, 2ᵉ partie
  l NEWFOUNDLAND (1866-1947)
     NEWFOUNDLAND POSTAGE (1866-1947)
     ST JOHN'S NEWFOUNDLAND (1857-1862)
  m penny, pence, shilling, cent, cents, cts, c, dollar, $

- TERRES AUSTRALES ET ANTARCTIQUES FRANÇAISES ➔ Terres Australes et Antarctiques françaises

■ **Terres Australes et Antarctiques françaises**
French Southern and Antarctic Territories (E)
1955-auj.
Antarctique
Yvert et Tellier, Tome 2, 1ʳᵉ partie
  l **TERRES AUSTRALES ET ANTARCTIQUES FRANÇAISES** (1956-auj.)
  s TERRES AUSTRALES ET ANTARCTIQUES FRANÇAISES (Madagascar [colonie française] : 1955)
  m c, f, €

■ **Territoire Antarctique Australien**
Australian Antarctic Territory (E)
1957-auj.
Antarctique
Yvert et Tellier, Tome 5, 1ʳᵉ partie
(à : *Australie*)
  l **AUSTRALIAN ANTARCTIC TERRITORY** (1957-auj.)
  m d, c, $

☐ **Territoire Antarctique Néo-Zélandais**
New Zealand Antarctic Territory (E)
1988-1994
Antarctique
  l SCOTT BASE ANTARCTICA (1988-1994)
  m $

☐ **Territoire Antarctique Russe**
Russian Antarctic Territory (E)
1992-
Antarctique
  l РОССИЯ. 40-я А.Э. БЕЛЛИНСГАУЗЕН (?) : *base de Belinsghausen*
     РОССИЯ. 40-я А.Э. ВОСТОК (?) : *base de Vostok*
     РОССИЯ. 40-я А.Э. ЛЕНИГАДСКАЯ (?) : *base de Leningradskaïa*
     РОССИЯ. 40-я А.Э. МИРНЫЙ (?) : *base de Mirnyj*
     РОССИЯ. 40я А.Э. МОЛОДЕЖНАЯ (?) : *base de Molodeznaïa*
     РОССИЯ. 40-я А.Э. НОВОЛАЗАРЕВСКАЯ (?) : *base de Novolazarevskaïa*
     РОССИЯ. 40-я А.Э. ПРОГРЕСС (?) : *base de Progres*
     РОССИЯ. 40-я А.Э. РУССКАЯ (?) : *base de Ruskaïa*
     KAPITAN KHLEBNIKOV ANTARCTICA 1992/93 (1992-1993) : *poste maritime*
  s РОССИЯ. 40-я А.Э. БЕЛЛИНСГАУЗЕН (Russie : 1992) : *base de Belinsghausen*
     РОССИЯ. 40-я А.Э. ВОСТОК (Russie : 1992) : *base de Vostok*
     РОССИЯ. 40-я А.Э. ЛЕНИГАДСКАЯ (Russie : 1992) : *base de Leningradskaïa*
     РОССИЯ. 40-я А.Э. МИРНЫЙ (Russie : 1992) : *base de Mirnyj*
     РОССИЯ. 40я А.Э. МОЛОДЕЖНАЯ (Russie : 1992) : *base de Molodeznaïa*
     РОССИЯ. 40-я А.Э. НОВОЛАЗАРЕВСКАЯ (Russie : 1992) : *base de Novolazarevskaïa*
     РОССИЯ. 40-я А.Э. ПРОГРЕСС (Russie : 1992) : *base de Progres*
     РОССИЯ. 40-я А.Э. РУССКАЯ (Russie : 1992) : *base de Ruskaïa*
  m $, F, РУБ

□ **Territoire Antarctique Ukrainien**
Ukrainian Antarctic Territory (E)
Antarctique
  l УКРАЇНА-96 Відкриття станції « Академік
    Вернадсбкий » (1996) : *base académique de
    Vernadskij*
    UKRAINIAN ANTARCTICA (1996)
  s УКРАЇНА-96 Відкриття станції « Академік
    Вернадсбкий » (Ukraine : 1996) : *base
    académique de Vernadskij*

- TERRITOIRE DE L'ININI → Inini
- TERRITOIRE DU FEZZAN → Fezzan
- TERRITOIRE DU NIGER → Niger (colonie française)
- TERRITOIRE FRANÇAIS DE AFARS ET DES ISSAS
  → Afars et Issas (Territoire des)
- TERRITOIRE MILITAIRE → Ghadamès
- TERRITOIRE MILITAIRE DU FEZZAN → Fezzan
- TERRITOIRE MILITAIRE FEZZAN- GHADAMÈS
  → Fezzan
- TERRITORIO DE IFNI → Ifni
- TERRITORIO DE IFNI ESPANA → Ifni
- TERRITORIO INSULAR CHILENO ISLA DE
  PASCUA → Chili
- TERRITORIO LIBERO DI TRIESTE → Trieste (Zone
  B Yougoslave)
- TERRITORIOS DEL AFRICA OCCIDENTAL
  ESPANOLA → Afrique occidentale espagnole
- TERRITORIOS ESPANOLES DEL AFRICA
  OCCIDENTAL CORREOS 1909 → Elobey, Annobon
  & Corisco
- TERRITORIOS ESPANOLES DEL AFRICA
  OCCIDENTAL HABILITADO PARA CORREOS →
  Guinée espagnole
- TERRITORIOS ESPANOLES DEL GOLFO DE
  GUINEA → Guinée espagnole
- TERRITORI SLOVENI OCCUPATI LUBIANA →
  Lubiana-Slovénie (occupation italienne)
- TERRITORY OF NEW GUINEA → Nouvelle Guinée
  (occupation britannique, administration australienne)
- TERRITORY OF TANGANYIKA → Tanganyika
- TERRS ESPANOLES DEL GOLFO DE GUINEA →
  Guinée espagnole
- *Teruel* → Espagne (émissions nationalistes)
- TERUEL HEROICA Y LEAL → Espagne (émissions
  nationalistes : Teruel)
- TERUEL LA HEROICA VIVA ESPAÑA 31-XII-37 →
  Espagne (émissions nationalistes : Teruel)
- TÉTE → Tété
- *Tete (E)* → Tété

□ **Tété**
Tete (E)
1913-1914
Afrique
Yvert et Tellier, Tome 7, 2ᵉ partie
  l REPUBLICA PORTUGUESA TÉTE (1914)
  s REPUBLICA TÉTE (Afrique portugaise, Macao,
    Timor : 1913)
  m c

- *Tété* → voir aussi : Zambézie, Mozambique
- *Tetiouchi* → Zemstvos
- TÉTOUAN À EL KSAR → Maroc (postes locales)
- TETOUAN MAROC CHECHOUAN → Maroc (postes
  locales)
- TETUAN → Maroc (bureaux espagnols)
- TETUAN SHESHUAN → Maroc (postes locales)
- TEXAS → États Confédérés d'Amérique (émissions
  des Maîtres de postes : Beaumont, Texas)
- tg → Inde portugaise
- THAI → Thaïlande
- THAILAND → Malaisie (occupation thaïlandaise),
  Thaïlande
- *Thailand (E)* → Thaïlande, Siam

■ **Thaïlande**
Thailand (E)
1940-auj.
Asie
Yvert et Tellier, Tome 7, 2ᵉ partie
  l BAHT (1941)
    SIAM (1947-1949)
    3T (1941)
    THAI (1943-1960)
    THAI POSTAGE (1943-1960)
    THAILAND (1940-auj.)
  m baht, st

- *Thaïlande* → voir aussi : Siam
- THAI POSTAGE → Thaïlande
- thaler → Hanovre, Oldenbourg
- thalers → Éthiopie
- THE AERO CLUB OF CANADA'S FIRST AERIAL
  SERVICE – PER ROYAL AIR FORCE AUGUST 1918
  → Canada
- THE AMERICAN LETTER MAIL CO. → États-
  Unis d'Amérique (postes locales et privées) : *Boston,
  Philadelphia*
- THE AUSTRALIAN NEW HEBRIDES COMPANY
  LIMITED PORT VILA → Nouvelles-Hébrides (postes
  locales)
- THE CITY & SUBURBAN TELEGRAPH → États-
  Unis d'Amérique (compagnies privées de télégraphe) :
  *New York City and Suburban Printing Telegraph
  Company*
- THE DEMOCRATIC REPUBLIC OF SUDAN →
  Soudan
- THE FIRST INTERNATIONAL AERIAL MAIL
  SERVICE AUGUST 1919 TORONTO NEW YORK
  AERO CLUB OF CANADA COMMEMORATIVE
  STAMP → Canada
- THE FIRST TORONTO TO HAMILTON AERIAL
  MAIL G.A.C. CARNIVAL MAY 1920 TORONTO
  HAMILTON GRAND ARMY OF CANADA
  MEMORIAL FUND STAMP → Canada
- THE FRIENDLY ISLANDS → Tonga
- THE GAMBIA → Gambie
- THE GILBERT ISLANDS → Gilbert
- THE GREAT SOCIALIST PEOPLE'S LYBIAN ARAB
  JAMAHIRIYA → Libye

- THE GRENADINES OF ST. VINCENT ➔ Saint-Vincent (Îles Grenadines)

- THE HASEMITE KINGDOM OF THE JORDAN ➔ Jordanie

- THE ISLAMIC REPUBLIC OF IRAN ➔ Iran

- THE LEDGER DISPATCH ➔ États-Unis d'Amérique (postes locales et privées) : *New York*

- THE MOUTAWAKILITE KINGDOM OF YEMEN ➔ Yémen

- THE MUTAWAKELITE KINGDOM OF YEMEN ➔ Yémen

- THE NEW REPUBLIC ➔ Philippines

- THE PALESTINIAN AUTHORITY ➔ Palestine (autorité palestinienne)

- THE PANAMA CANAL ➔ Panama-Canal

- THERESIENSTADT ➔ Bohème et Moravie

- THE QUEENS COMMEMORATION CHARITY PRINCE OF WALES HOSPITAL FUND ➔ Grande-Bretagne

- THE REPUBLIC OF CHINA ➔ Chine

- THE SIXTH CONFERENCE OF THE MINISTERS OF SOCIALIST COUNTRIES 1965 ➔ Mongolie

☐ **Thessalie**
Thessaly (E)
1898
Europe
Yvert et Tellier, Tome 3, 2ᵉ partie
l   PARAS (1898)
    PIASTRE (1898)
    PIASTRES (1898)
m   paras, piastre, piastres

◆ *Thessalonique* ➔ Levant (bureaux italiens)

꒯ *Thessaly (E)* ➔ Thessalie

- THE UNITED ARAB REPUBLIC SYRIA ➔ Syrie (état indépendant)

- THE WORLD UNITED AGAINST MALARIA ➔ Formose

❖ TH. LEFRENZ ➔ Allemagne (postes locales ou privées : Hambourg, service de messagerie)

- THOMASVILLE GA. ➔ États Confédérés d'Amérique (émissions des Maîtres de postes : Thomasville, Georgie)

❖ THOME E PRINCIPE ➔ Saint-Thomas et Prince

☐ **Thomond**
1961
Europe
Émission non admise par l'U.P.U.
l   PRINCIPALITY OF THOMOND (1961)
m   p

☐ **Thrace**
1913-1920
Europe
Yvert et Tellier, Tome 3, 2ᵉ partie
l   1913 *(et caractères arabes)* (1913)
s   ΔΙΟΙΚΗΣΙΣ ΔΥΤΙΚΗΣ ΟΡΑΚΗΣ (Grèce : 1920)
    ΔΙΟΙΧΗΣΙΖ ΔΥΤΙΧΗΖ ΘΡΑΧΗΖ (Grèce : 1920)
    ΔΙΟΙΧΗΣΙΖ ΘΡΑΧΗΖ (Grèce : 1920)
    ΕΛΛ. ΔΙΟΙ. ΓΚΙΟΥΜΟΥ ΛΤΖΙΝΑΣ (Turquie : 1913)
    'ΥπΑΤΗ 'ΑΡΜΟΣΤΕΙΑ ΘΡΑΧΗΕ (Grèce : 1920)
    THRACE INTERALLIÉE (Bulgarie : 1919-1920)
    THRACE OCCIDENTALE (Bulgarie : 1919-1920)
m   ΛΕΠΤΑ, p, ν, para, piastre, Λεπτα

- THRACE INTERALLIÉE ➔ Thrace

- THRACE OCCIDENTALE ➔ Thrace

- THREE CENTS *(enveloppe avec portrait de Washington)* ➔ États-Unis d'Amérique

- THRONDHJEMS BY POST ➔ Norvège (postes locales)

- THRONDHJEMS BY POST BRAEKSTADT & CO ➔ Norvège (postes locales)

- THULE ➔ Thulé

☐ **Thulé**
Thule (E)
1935-1936
Amérique du Nord
Yvert et Tellier, Tome 3, 1ʳᵉ partie
(à : *Groenland*)
l   THULE (1935-1936)
m   ØRE

☐ **Thuringe**
Thuringia (E)
1945-1956
Europe
Yvert et Tellier, Tome 3, 1ʳᵉ partie
(à : Allemagne Orientale [zone soviétique d'occupation : émissions régionales])
l   DEUTSCHES NATIONALTHEATER (1946)
    GOETHE (1946)
    LISZT (1946)
    SCHILLER (1946)
    THÜRINGEN (1945)
    WIELAND (1946)
m   rm

- THÜRINGEN ➔ Thuringe

꒯ *Thuringia (E)* ➔ Thuringe

꒯ *Thurn and Taxis (E)* ➔ Tour et Taxis

- THURN UND TAXIS ➔ Tour et Taxis

- TIBET ➔ Tibet

□ **Tibet**
* *Tibet + China: offices in Tibet (E)*
1911-1950
Asie
Yvert et Tellier, Tome 7, 2e partie
  l STAMP (1945)
     TIBET (1920-1934)
     TIBET POSTAGE (1912-1950)
  s ANNA (Chine : 1911)
     ANNAS (Chine : 1911)
     PIES (Chine : 1911)
     RUPEE (Chine : 1911)
     RUPEES (Chine : 1911)
  m pies, anna, annas, rupee, rupees

* TIBET POSTAGE → Tibet
⊙ tical, ticals → Siam

□ **Tiflis**
1857
Europe
Yvert et Tellier, Tome 4, 2e partie
(à : *Russie*)
  l ТИФЛИС ГОРОДС ПОЧТА (1857)
  m КОП

♦ *Tikhvin* → Zemstvos
* TIMBRE DE INSTRUCCION PRIMARIA 1900 → Salvador
* TIMBRE DEL ESTADO → Espagne
* TIMBRE IMPERIAL JOURNAUX → France
* TIMBRE MOVIL → Espagne
* TIMBRE PARA CABLE-GRAMAS → Salvador
* TIMBRE PARA TELEGRAMAS → Salvador
* TIMBRE POSTE → Maroc (bureaux et protectorat français)
❖ TIMBRE TAXE → Colonies françaises
* TIMOR → Timor

□ **Timor**
1885-1973
Océanie
Yvert et Tellier, Tome 7, 2e partie
  l CONTRIBUIÇAO INDUSTRIAL COLONIAS (1935)
     CORREIO DE TIMOR (1887-1934)
     CORREIO TIMOR (1887-1934)
     CORREIOS TIMOR PORTUGAL (1887-1934)
     PORTEADO TIMOR (1904-1913)
     PORTUGAL TIMOR (1893)
     REPUBLICA PORTUGUESA TIMOR (1914-1932, 1954-1973)
     TIMOR (1887-1973)
     TIMOR CORREIOS (1898-1913)
     TIMOR PORTUGAL (1893)
     TIMOR PORTUGUÉS (1948-1954)

  s ASSISTÊNCIA D. L. N°72 (Inde portugaise : 1936-1937)
     INSTRUÇAO D. L. N.° 7 DE 3 2-1934 (Inde portugaise : 1934-1935)
     TIMOR (Macao : 1885-1893)
     TIMOR (Mozambique : 1946)
  m reis, avo, avos, cents, $
  ⇨ Cap-Vert, Congo portugais, Guinée portugaise, Inhambane, Lorenzo-Marquès, Quelimane, Saint-Thomas et Prince, Tété

* TIMOR CORREIOS → Timor
* TIMOR PORTUGAL → Timor
* TIMOR PORTUGUÉS → Timor
❖ TIN CAN ISLAND → Niuafo'ou
♦ *Tiraspol* → Moldavie, Zemstvos
⊙ tiringi → Aitutaki, Rarotonga
* TIROL → Autriche
❖ TIROL → Autriche (postes locales ou privées) ; *Tirol*
* TIROLER NOTPOST 1923 T. G. B. → Autriche (postes locales ou privées) : *Tirol*
♦ *Tirol Oriental* → Autriche (postes locales ou privées)
* TJENESTEFRIMERKE → Norvège
* TJENESTE POST FRIMAERKE → Danemark
⊙ tk → Bangladesh
⊙ tl → Chypre (administration turque)

□ **Tlacotalpan**
Mexico: provisional issues of Tlacotalpan (F)
1856
Amérique du Nord
  l HABILITADO 1/2 (1856)

* T.L.TRIESTE V.U.J.A. P. AEREA → Trieste (Zone B Yougoslave)
* TOBAGO → Tobago
❖ TOBAGO → Trinité

□ **Tobago**
1879-1897
Amérique du Sud
Yvert et Tellier, Tome 7, 2e partie
  l TOBAGO (1879)
     TOBAGO POSTAGE (1879-1897)
  m penny, pence, shilling, shillings, pound, d

♦ *Tobago* → voir aussi : Trinité
* TOBAGO POSTAGE → Tobago
♦ *Tobolsk (Ville de)* → Russie (postes locales de l'ex-U.R.S.S.)
* TOGA → Tonga
* TOGO → Togo, Togo (colonie allemande), Togo (occupation militaire, mandat français)

TOGO

■ **Togo**
Togo: autonomous Republic (E)
1957-auj.
Afrique
Yvert et Tellier, Tome 2, 2ᵉ partie
l RÉPUBLIQUE AUTONOME DU TOGO (1957-1959)
   RÉPUBLIQUE DU TOGO (1960-auj.)
   RÉPUBLIQUE TOGOLAISE (1961-auj.)
   TOGO (1961)
m f

□ **Togo (colonie allemande)**
Togo: German Protectorate (E)
1897-1914
Afrique
Yvert et Tellier, Tome 7, 2ᵉ partie
l TOGO (1897-1914)
s TOGO (Allemagne : 1897)
m pfennig, mark
⇨ Togo (occupation militaire)

□ **Togo (occupation militaire, mandat français)**
Togo: British Protectorate + French occupation + French Mandate (E)
1914-1956
Afrique
Yvert et Tellier, Tome 2, 1ʳᵉ partie
l TOGO (1924-1956)
   TOGO RÉPUBLIQUE FRANÇAISE (1924-1956)
   TOGO RF (1924-1956)
s OCCUPATION TOGO ANGLO-FRENCH (Togo
   (colonie allemande) : 1914)
   TOGO (Dahomey [colonie française] : 1921-1925)
   TOGO ANGLO-FRENCH OCCUPATION (Togo
   [colonie allemande], Côte de l'Or : 1914-1916)
   TOGO OCCUPATION FRANCO-ANGLAISE
   (Togo [colonie allemande], Dahomey [colonie
   française] : 1914-1916)
m c, f

◆ TOGO ANGLO-FRENCH OCCUPATION ➔ Togo
(occupation militaire, mandat français)
🄿 *Togo: autonomous Republic (E)* ➔ Togo
🄿 *Togo: German Protectorate (E)* ➔ Togo (colonie
allemande)
🄿 *Togo: British Protectorate (E)* ➔ Togo (occupation
militaire, mandat français)
🄿 *Togo: French occupation (E)* ➔ Togo (occupation
militaire, mandat français)
🄿 *Togo: French Mandate (E)* ➔ Togo (occupation
militaire, mandat français)
◆ TOGO OCCUPATION FRANCO-ANGLAISE ➔ Togo
(occupation militaire, mandat français)
◆ TOGO RÉPUBLIQUE FRANÇAISE ➔ Togo
(occupation militaire, mandat français)
◆ TOGO RF ➔ Togo (occupation militaire, mandat
français)
◆ TOKELAU ➔ Tokelau

■ **Tokelau**
1948-auj.
Océanie
Yvert et Tellier, Tome 7, 2ᵉ partie
l **TOKELAU** (1977-auj.)
   TOKELAU ISLANDS (1948-1976)
m d, shilling, shillings, c, s, $

◆ TOKELAU ISLANDS ➔ Tokelau
◆ TOKYO 1964 ➔ Japon
◆ *Toledo (Tolède)* ➔ spagne (émissions nationalistes)

□ **Tolima**
Colombia: Tolima (E)
1870-1909
Amérique du Sud
Yvert et Tellier, Tome 5, 2ᵉ partie
(à : *Colombie*)
l CORREOS DEL Eᴼ Sᴼ DEL TOLIMA (1879-1886)
   CORREOS DEL ESTADO SOBERANO DEL
   TOLIMA (1879-1886)
   CORREOS DEL ESTADO DEL TOLIMA (1879-1886)
   DEPARTAMENTO DEL TOLIMA (1888-1909)
   EE. UU. DE C. E. S. DEL T. (1870)
   EE. UU. DE COLOMBIA E. S. DEL TOLIMA
   (1871)
   EE. UU. DE COLOMBIA ESTADO S. DEL
   TOLIMA (1871)
m cts, centavos, cents, peso

❖ TOLMEZZO ➔ Autriche-Hongrie (occupation en
Italie)
◆ *Tolosa* ➔ Espagne (émissions républicaines)
☉ toman, tomans ➔ Iran
◆ TOMBEAU DE CYRUS ➔ Iran
◆ *Tomsk (Ville de)* ➔ Russie (postes locales de l'ex-
U.R.S.S.)
◆ TONGA ➔ Tonga

■ **Tonga**
1886-auj.
Océanie
Yvert et Tellier, Tome 7, 2ᵉ partie
l **KINGDOM OF TONGA** (1999-auj.)
   TOGA (1897-1944, 1975)
   TONGA (1950-auj.)
   TONGAN SCOUTING (1973)
   TONGA POSTAGE (1886-1896)
   TONGA POSTAGE & REVENUE (1886-1896)
   TONGA THE FRIENDLY ISLANDS (1966-1984)
m penny, pence, shilling, d, s, seniti, t$

◆ *Tonga* ➔ voir aussi : Niuafo'ou
🄿 *Tonga: Niuafo'ou (E)* ➔ Niuafo'ou
❖ TONGA NIUAFO'OU TIN CAN ISLAND ➔
Niuafo'ou
◆ TONGAN SCOUTING ➔ Tonga
◆ TONGA POSTAGE ➔ Tonga
◆ TONGA POSTAGE & REVENUE ➔ Tonga
◆ TONGA THE FRIENDLY ISLANDS ➔ Tonga

- ❖ TOO LATE ➔ Victoria
- ✦ TO PAY ➔ Grande-Bretagne
- ⊙ tornese ➔ Royaume des deux Siciles
- ❖ TORONTO HAMILTON GRAND ARMY OF CANADA MEMORIAL FUND STAMP ➔ Canada
- ❖ TORONTO NEW YORK AERO CLUB OF CANADA COMMEMORATIVE STAMP ➔ Canada
- ◆ *Toropets* ➔ Zemstvos
- ⊙ toru pene ➔ Penrhyn

☐ **Toscane**
Tuscany (E)
1851-1860
Europe
Yvert et Tellier, Tome 3, 2ᵉ partie
(à : *Italie*)
l BOLLO STRAORDINARIO PER LE POSTE (1854)
FRANCOBOLLO POSTALE TOSCANO (1860)
FRANCOROLLO POSTALE TOSCANO (1851-1857)
m crazia, crazie, cent, centes, lire it., quattr, soldo, soldi

- ❖ TOSCANO ➔ Toscane
- ✦ TO THE POST OFFICE CARE OF THE "PENNY POST CO" ➔ États-Unis d'Amérique (postes locales et privées) : *Californie*
- ◆ *Totma* ➔ Zemstvos
- ◆ *Toula* ➔ Zemstvos
- ❖ TOUR DE GAZAN ➔ Iran

☐ **Tour et Taxis**
Thurn and Taxis (E)
1851-1867
Europe
Yvert et Tellier, Tome 3, 1ʳᵉ partie
(à : *Allemagne*)
l FREIMARKE KREUZER (1852-1867)
FREIMARKE SILB. GROSCH. (1851-1867)
THURN UND TAXIS (1851-1867)
m silb. grosch, kreuzer

- ✦ TOUVA ➔ Touva

☐ **Touva**
* *Tannu Tuva (E)*
1926-1944 ; 1994-1995
Asie
Yvert et Tellier, Tome 4, 2ᵉ partie
(à : *Russie*)
l ТЬВА (1932-1935)
ТЬВА POSTA (1932-1935)
РЕСПУБЛИКА ТЫВА (1994-1995)
МО (1926)
POSTA ТЬВА TOUVA (1932-1935)
TOUVA (1927)
TOUVA POSTAGE (1927)
TUVA (1994-1995)
m коп, k, tug, rub, РУБ

- ◆ *Touva (République de)* ➔ Russie (postes locales de l'ex-U.R.S.S.)
- ✦ TOUVA POSTAGE ➔ Touva
- ✦ TOWADA NATIONAL PARK ➔ Japon
- ❖ TOYPKIAS (grec) ➔ Grèce
- ✦ TRANSACCIONES SOCIALES BOLIVIA ➔ Bolivie
- � *Transcaucasian Federated Republics (E)* ➔ Caucase
- ✦ TRANSJORDAN ➔ Transjordanie

☐ **Transjordanie**
* *Jordan: British mandate (E)*
1920-1947
Asie
Yvert et Tellier, Tome 7, 2ᵉ partie
l TRANSJORDAN (1927-1947)
TRANSJORDAN POSTAGE (1927-1947)
s * (Hedjaz : 1923-1926)
* (Palestine : 1920-1925)
m lp, mils
⇨ Palestine (occupation transjordanienne)

- ◆ TRANSJORDAN POSTAGE ➔ Transjordanie
- ✦ TRANSKEI ➔ Transkei

☐ **Transkei**
South Africa: Transkei (E)
1976-1994
Afrique
Yvert et Tellier, Tome 5, 1ʳᵉ partie
(à : *Afrique du Sud*)
l TRANSKEI (1976-1994)
m c

- ❖ TRANSPORTES AEREOS ➔ Colombie
- ✦ TRANSPORTS AÉRIENS GUYANAIS ➔ Guyane (colonie française)

☐ **Transvaal**
1869-1909
Afrique
Yvert et Tellier, Tome 7, 2ᵉ partie
l POSTZEGEL Z. AFR. REPUBLIEK (1869-1901)
TRANSVAAL POSTAGE (1878-1907)
Z. AFR. REPUBLIEK (1869-1901)
ZEGELREGT ZUID AFRIKAANSCHE REPUBLIEK (1895)
ZUIDAFRIKAANSCHE REPUBLIEK (1895)
s C.S.A.R. (1905-1909)
E. R. I. (1901-1902)
TRANSVAAL TELEGRAPHS (1897-1901)
V. R. I. (1900-1902)
V. R. TRANSVAAL (1877)
m penny, pence, shilling, shillings, d
⇨ Bechuanaland (protectorat britannique), Sud-Ouest Africain, Swaziland

- ✦ TRANSVAAL POSTAGE ➔ Transvaal
- ✦ TRANSVAAL TELEGRAPHS ➔ Transvaal
- � *Transylvania (E)* ➔ Transylvanie

☐ **Transalvanie**
Hungary: Romanian occupation – Transylvania issue (E)
1919
Europe
Yvert et Tellier, Tome 4, 2ᵉ partie
(à : *Roumanie*)
  s   REGATUL ROMANIEI (Hongrie : 1919)
  m   bani, leu, lei

◆ TRASPORTO PACCHI IN CONCESSIONE ➔ Italie

☐ **Travancore**
Travancore: Native Feudatory State (E)
1888-1949
Asie
Yvert et Tellier, Tome 5, 3ᵉ partie
(à : *États princiers de l'Inde*)
  l   TRAVANCORE ANCHAL (1908-1946)
      TRAVANCORE ANCHEL (1888-1949)
  m   chuckram, chuckrams, cash, c
  ⇨ Travancore-Cochin

◆ TRAVANCORE ANCHAL ➔ Travancore

◆ TRAVANCORE ANCHEL ➔ Travancore

☐ **Travancore-Cochin**
Travancore-Cochin: Native Feudatory State (E)
1949-1950
Asie
Yvert et Tellier, Tome 5, 3ᵉ partie
(à : *États princiers de l'Inde*)
  l   STATE OF TRAVANCORE-COCHIN (1950)
  s   3 ANNAS (Travancore : 1949)
      3 ANNAS SERVICE (Travancore : 1949)
      6 ANNAS (Travancore : 1949)
      6 ANNAS SERVICE (Travancore : 1949)
      FOUR PIES (Travancore : 1949)
      FOUR PIES SERVICE (Travancore : 1949)
      HALF ANNA (Travancore : 1949)
      HALF ANNA SERVICE (Travancore : 1949)
      ONE ANNA (Travancore : 1949)
      ONE ANNA SERVICE (Travancore : 1949)
      TWO ANNAS (Travancore : 1949)
      TWO ANNAS SERVICE (Travancore : 1949)
      TWO PIES (Travancore : 1949)
      T.-C. (Cochin : 1950)
      U. S. T. C. (Cochin : 1950)
  m   annas, pies

◆ TREASURY DEPᵀ ➔ États-Unis d'Amérique

❖ TREASURY FREE ➔ Nouvelle-Zélande

◆ TREBISONDE ➔ Levant (bureaux russes)

◆ TREBIZONDE ➔ Levant (bureaux russes)

☐ **Trengganu**
Malaya: Trengganu + Malaysia: Trengganu (E)
1910-1963 ; 1965-1986
Asie
Yvert et Tellier, Tome 6, 2ᵉ partie
(à : *Malaysia*)
  l   MALAYA (*Sultan Ismaïl Nasiruddin*) (1950-1955)
      MALAYSIA TRENGGANU (1965-1985)
      TRENGGANU MALAYSIA (1986)
      TRENGGANU POSTAGE & REVENUE (1910-1941)
  m   cent, cents, dollar, dollars, c
  ⇨ Trengganu (occupation japonaise)

☐ **Trengganu (occupation japonaise)**
★ *Malaya Trengganu: Japanese occupation (E)*
1942
Asie
Yvert et Tellier, Tome 6, 2ᵉ partie
(à : *Malaysia*)
  s   DAI NIPPON 2602 MALAYA (Trengganu : 1942)
      EP *(au milieu de caractères asiatiques)*
      (Trengganu : 1942)
  m   cents

◆ TRENGGANU MALAYSIA ➔ Trengganu

🕮 *Trengganu: Japanese occupation (E)* ➔ Trengganu (occupation japonaise)

◆ TRENGGANU POSTAGE & REVENUE ➔ Trengganu

☐ **Trente et Trieste**
Austria: Italian Occupation – general issues (E)
1919
Europe
Yvert et Tellier, Tome 3, 2ᵉ partie
(à : *Italie*)
  s   CENTESIMI DI CORONA (Italie : 1919)
      CORONA (Italie : 1919)
      UNA CORONA (Italie : 1919)
  m   corona, centesimi di corona

☐ **Trentin**
1918-1919
Austria: Italian Occupation – issued in Trentino (E)
Europe
Yvert et Tellier, Tome 3, 2ᵉ partie
(à : *Italie*)
  s   REGNO D'ITALIA TRENTINO (Autriche : 1919)
      VENEZIA TRIDENTINA (Italie : 1919)
  m   heller, krone

❖ TRENTINO ➔ Trentin

◆ « triangles en rond » ➔ Ancachs

◆ TRICENTENARIO DA RESTAURAÇÀO DE ANGOLA ➔ Angola

◆ « trident » ➔ Ukraine

❖ TRIDENTINA ➔ Trentin

❖ TRIESTE ➔ Trieste (Zone A Anglo-Américaine)

☐ Trieste (Zone A Anglo-Américaine)
Italy: occupation stamps issued in Trieste under
Allied Military Government (E)
1947-1954
Europe
Yvert et Tellier, Tome 3, 2ᵉ partie
s AMG FTT (Italie : 1949-1954)
    A.M.G. F.T.T. (Italie : 1947-1949)
    AMG-FTT (Italie : 1949-1954)
    A.M.G.-F.T.T. (Italie : 1947-1949)
    AMG FTT FIERA DI TRIESTE (Italie : 1949-1954)
    A.M.G. F.T.T. TRIESTE (Italie : 1947-1949)
    FIERA DI TRIESTE (Italie : 1954)

☐ Trieste (Zone B Yougoslave)
Yugoslavia: occupation stamps issued in Trieste
Zone B by the Yugoslav Military Government (F)
1948-1954
Europe
Yvert et Tellier, Tome 3, 2ᵉ partie
l AMMINISTRAZIONE MILITARE A. J.
    TERRITORIO LIBERO DI TRIESTE (1948)
    S.O.TRSTA V.U.J.A. ZRACNA P (1949)
    S.T.TRSTA VUJA (1950-1951)
    S.T.T. V.U.J.A. (1950-1951)
    STT VUJA (1949-1954)
    STT-VUJA (1949-1954)
    STT VUJNA (1949-1954)
    T.L.TRIESTE V.U.J.A. P. AEREA (1949)
    VOJNA UPRAVA J. A. SLOBODNI TERITORIJ
    TRSTA (1948)
    VOJNA UPRAVA J. A. SVOBODNO TRZASKO
    OZEMIJE (1948)
    V.U.J.A.S.T.T. (1949)
    ZRACNA POSTA (1948)
s STT VUJA (Yougoslavie : 1949-1952)
    STT VUJNA (Yougoslavie : 1952-1954)
    VUJA-STT (Yougoslavie : 1949)
    VUJNA STT (Yougoslavie : 1952)
m l, din, para

◆ TRIESTE * TRST ➜ Italie (occupation yougoslave)

❖ TRIESTE V.U.J.A. P. AEREA ➜ Trieste (Zone B Yougoslave)

◆ TRINIDAD ➜ Trinité

🗢 *Trinidad (E)* ➜ Trinité

🗢 *Trinidad and Tobago (E)* ➜ Trinité

◆ TRINIDAD POSTAGE ➜ Trinité

◆ TRINIDAD & TOBAGO ➜ Trinité

■ Trinité
Trinidad (1847-1910) + Trinidad and Tobago
(1913-) (E)
1847-auj.
Amérique du Sud
Yvert et Tellier, Tome 7, 2ᵉ partie
l LMᶜL (1847)
    TRINIDAD & TOBAGO (1913-auj.)
    TRINIDAD (1851-1909)
    TRINIDAD POSTAGE (1851-1909)
m penny, pence, shilling, shillings, d, cent, cents, c, cts, $

◆ *Trinité* ➜ voir aussi : Tobago

◆ *Trinité et Tobago* ➜ Trinité

☐ Tripoli
Italian offices in Africa: Tripoli (E)
1909-1915
Afrique
Yvert et Tellier, Tome 7, 2ᵉ partie
s TRIPOLI DI BARBERIA (Italie : 1909-1915)

◆ TRIPOLI DI BARBERIA ➜ Tripoli

◆ TRIPOLI INTERNATIONAL FAIR LYBIA ➜ Libye

❖ TRIPOLI POSTE ITALIANE ➜ Tripolitaine

☐ Tripolitaine
Tripolitania (1923-1934) + Libya (1934-1938) (E)
1923-1938
Afrique
Yvert et Tellier, Tome 7, 2ᵉ partie
l 3 FIERA CAMPIONARIA TRIPOLI POSTE
    ITALIANE (1929)
    IV FIERA CAMPIONARIA I RASSEGNA
    INTERNAZIONALE TRIPOLI POSTE
    ITALIANE (1930)
    IX FIERA CAMPIONARIA TRIPOLI (1935)
    POSTE ITALIANE 3 FIERA CAMPIONARIA
    TRIPOLI (1929)
    POSTE ITALIANE IV FIERA CAMPIONARIA
    I RASSEGNA INTERNAZIONALE TRIPOLI
    (1930)
    POSTE ITALIANE SECUNDA FIERA
    CAMPIONARIA TRIPOLI (1928)
    POSTE ITALIANE V FIERA CAMPIONARIA
    II RASSEGNA INTERNAZIONALE TRIPOLI
    (1931)
    POSTE TRIPOLITANIA (1928-1930)
    PRIMA ESPOSIZIONE FIERA CAMPIONARIA
    DI TRIPOLI POSTE ITALIANE (1927)
    SECUNDA FIERA CAMPIONARIA TRIPOLI
    POSTE ITALIANE (1928)
    V FIERA CAMPIONARIA SECUNDA
    RASSEGNA INTERNAZIONALE TRIPOLI
    POSTE ITALIANE (1931)
    VI FIERA CAMPIONARIA TRIPOLI (1932)
    VII FIERA CAMPIONARIA TRIPOLI (1933)

VIII FIERA CAMPIONARIA TRIPOLI (1934)
XII FIERA CAMPIONARIA TRIPOLI (1938)
TRIPOLITANIA (1928-1934)
s TRIPOLITANIA (Italie : 1923-1930)
m cent, cents, lira, lire
⇨ Cyrénaïque (colonie italienne), Libye

□ **Tripolitaine (occupation britannique)**
British Offices in Africa: East Africa Forces for use in Tripolitania (E)
1948-1951
Afrique
Yvert et Tellier, Tome 7, 2ᵉ partie
s B. A. TRIPOLITANIA M.A.L. (Grande-Bretagne : 1950-1951)
B. M. A. TRIPOLITANIA M.A.L. (Grande-Bretagne : 1948)
m M.A.L.

◆ TRIPOLITANIA ➜ Tripolitaine
◆ *Tripolitania (E)* ➜ Tripolitaine
◆ TRISTAN DA CUNHA ➜ Tristan da Cunha

■ **Tristan da Cunha**
1952-auj.
Afrique
Yvert et Tellier, Tome 7, 2ᵉ partie
l **TRISTAN DA CUNHA** (1952-auj.)
s TRISTAN DA CUNHA (Sainte-Hélène : 1952)
TRISTAN DA CUNHA RESETTLEMENT (Sainte-Hélène : 1963)
m d, p, £

◆ TRISTAN DA CUNHA RESETTLEMENT ➜ Tristan da Cunha
◆ TRIUNFO DE ESPAÑA BADAJOZ 15-8-36 ➜ Espagne (émissions nationalistes : Badajoz)
◆ TRIUNFO DE ESPAÑA BILBAO 19-6-1937 ➜ Espagne (émissions nationalistes : Bilbao)
◆ TRIUNFO DE ESPAÑA MALAGA 8-2-1937 ➜ Espagne (émissions nationalistes : Malaga)
◆ TRIUNFO DE ESPAÑA SAN SEBASTIAN 13-IX-1936 ➜ Espagne (émissions nationalistes : Saint-Sébastien)
◆ TRIUNFO DE ESPAÑA SANTANDER 26-8-1937 ➜ Espagne (émissions nationalistes : Santander)
◆ TRIUNFO DE ESPAÑA TOLEDO 27-9-36 ➜ Espagne (émissions nationalistes : Toledo [Tolède])
❖ TRST ➜ Italie (occupation yougoslave)
❖ TRSTA V.U.J.A. ZRACNA P ➜ Trieste (Zone B Yougoslave)
◆ TRUCIAL STATES ➜ Arabie du Sud-Est
⌘ *Trucial States (E)* ➜ Abou Dhabi, Ajman, Arabie du Sud-Est, Manama, Dubai, Émirats arabes unis, Fujeira, Ras al Khaima, Sharjah, Khor Fakkan, Um al Qwain
❖ TRUST OFFICE BUSINESS FREE ➜ Nouvelle-Zélande
❖ TRZASKO OZEMIJE ➜ Trieste (Zone B Yougoslave)
❖ TSEU ➜ Mong-Tzeu
◆ TT *(suivi de caractères asiatiques)* ➜ Philippines (occupation japonaise)

◆ T. TA. C. ➜ Turquie
◆ TTT ➜ Grèce
❖ TUBERCULOSOS PORTE FRANCO ➜ Portugal
☉ tug ➜ Mongolie
☉ tuhrik ➜ Mongolie
◆ TULLAHOMA TEN. ➜ États Confédérés d'Amérique (émissions des Maîtres de postes : Tullahoma, Tennessee)

□ **Tumaco**
Colombia: Tumaco (E)
1901-1912
Amérique du Sud
Yvert et Tellier, Tome 5, 2ᵉ partie
(à : *Colombie*)
l NO HAY ESTAMPILLAS PAGO ... TUMACO (1912)
PAGO $ 0.05 AGENTE POSTAL MANUAL E. JIMENEZ (1901)
REPUBLICA DE COLOMBIA GOBIERNO PROVISIONAL (1903)
REPUBLICA DE COLOMBIA TUMACO (1912)
m $, centavos

❖ TUNIS ➜ Tunisie (protectorat français)
⌘ *Tunisia: Republic (E)* ➜ Tunisie
⌘ *Tunisia: French Protectorate (E)* ➜ Tunisie (protectorat français)
◆ TUNISIE ➜ Tunisie
◆ TUNISIE ➜ Tunisie (protectorat français)

■ **Tunisie**
Tunisia: Republic (E)
1956-auj.
Afrique
Yvert et Tellier, Tome 2, 2ᵉ partie
l **RÉPUBLIQUE TUNISIENNE** (1957-auj.)
TUNISIE (1956)
m c, f, m

□ **Tunisie (protectorat français)**
Tunisia: French Protectorate (E)
1888-1955
Afrique
Yvert et Tellier, Tome 2, 1ʳᵉ partie
l RÉGENCE DE TUNIS (1888-1908)
TUNISIE (1906-1955)
s TUNISIE (France : 1945-1954)
m c, f

❖ TUNISIENNE ➜ Tunisie
◆ TURIST PORTO ➜ Suède
❖ TÜRK CUMHURIYETI ➜ Chypre (administration turque)
◆ *Turkestan oriental* ➜ Singkiang
⌘ *Turkey (E)* ➜ Turquie
⌘ *Turkey in Asia (E)* ➜ Turquie (Anatolie)
⌘ *Turkey: Lianos Company (E)* ➜ Turquie (Entreprise Lianos et Cⁱᵉ)
⌘ *Turkey: Smyrne (E)* ➜ Turquie (Smyrne)

* ❖ TÜRK FEDERE DEVLETI POSTALARI ➔ Chypre
(administration turque)

* ℗ *Turkish Republic of Northern Cyprus (E)* ➔ Chypre
(administration turque)

* ◆ TÜRKIYE ➔ Turquie

* ◆ TURKIYE COCUK ESIRGEME KURUMU ➔
Turquie

* ◆ TÜRKIYE CÜMHURIYETI ➔ Turquie

* ◆ TÜRKIYE CÜMHURIYETI POSTA ➔ Turquie

* ◆ TÜRKIYE CÜMHURIYETI POSTALARI ➔ Turquie

* ◆ TURKIYE HIMAYEI ETFAL CEMIYETI ➔ Turquie

* ◆ TURKIYE KIZILAY DERNEGI ➔ Turquie

* ◆ TÜRKIYE POSTALARI ➔ Turquie

* ◆ TÜRKIYE UÇAK POSTALARI ➔ Turquie

* ◆ TÜRKMENISTAN ➔ Turkménistan

■ **Turkménistan**
Turkmenistan (E)
1992-auj.
Asie
Yvert et Tellier, Tome 4, 2ᵉ partie
l ТУРКМЕНИСТАН TÜRKMENISTAN (1992-1993)
 TÜRKMENISTAN (1993-auj.)
 TÜRKMENPOÇTA (2000-auj.)
m m

* ◆ TÜRKMENPOÇTA ➔ Turkménistan
* ◆ TURK POSTALARI ➔ Turquie
* ◆ TURKS & CAICOS ➔ Turks et Caïques
* ◆ TURKS & CAICOS IS. ➔ Turks et Caïques
* ◆ TURKS & CAICOS ISLANDS ➔ Turks et Caïques
* ◆ TURKS & CAICOS ISLANDS CAICOS ISLANDS ➔
Caïques
* ◆ TURKS AND CAICOS ISLANDS ➔ Turks et Caïques

■ **Turks et Caïques**
Turks Islands (1867-1894) + Turks and Caicos Islands (1900-) (E)
1867-auj.
Amérique Centrale
Yvert et Tellier, Tome 7, 2ᵉ partie
l **TURKS & CAICOS** (1984-auj.)
 TURKS & CAICOS IS. (1900-1984)
 TURKS & CAICOS ISLANDS (1900-1984)
 TURKS AND CAICOS ISLANDS (1900-1984)
 TURKS ISLANDS (1867-1895)
m penny, pence, shilling, shillings, d, c, cents, $
➪ Caïques

* ◆ *Turks et Caïques* ➔ voir aussi : Caïques
* ◆ TURKS ISLANDS ➔ Turks et Caïques

■ **Turquie**
★ *Turkey (E)*
1859-auj.
Europe, Asie
Yvert et Tellier, Tome 3, 2ᵉ partie
l « croissant et étoile » (1905-1929)
 ASIA MINOR S.S.Cᵒ. (1868)
 CHIFFRE TAXE (1914)
 CROISSANT ROUGE TURC (1928-1938)
 EMP. OTTOMAN (1876-1890)
 IZMIR HIMAYEI ETFAL CEMIYETI (1933)
 PARAS (1892-1910)
 PIASTRE (1892-1910)
 PIASTRES (1892-1910)
 POSTES OTTOMANES (1913-1916)
 T.C. POSTALARI (1931)
 T. TA. C. (1931-1933)
 TURK POSTALARI (1926-1929)
 TÜRKIYE (1955-1960)
 TURKIYE COCUK ESIRGEME KURUMU (1940-1947)
 TÜRKIYE CÜMHURIYETI (1966-auj.)
 TÜRKIYE CÜMHURIYETI POSTA (1929-1937, 1950-1966)
 TÜRKIYE CÜMHURIYETI POSTALARI (1929-1937, 1950-1966)
 TURKIYE HIMAYEI ETFAL CEMIYETI (1933)
 TURKIYE KIZILAY DERNEGI (1945-1958)
 TÜRKIYE POSTALARI (1937-1950)
 TÜRKIYE UÇAK POSTALARI (1950)
 UFFICIO POSTALE VAPORI AMMIR AGLIATO (1859)
s ΕΛΛΗΝΙΚΗ ΚΑΤΟΧΗ ΛΕΠΤΑ . 50 (1916-1921) : *poste privée*
m p.p., piastre, pre, pres, piastres, paras, kurus, krs, lira, grouch
➪ Albanie, Ain-Tab, Alexandrette (administration turque), Argyrocastro, Cilicie, Grand Liban, Irak, Mytilène, Roumélie Orientale, Syrie (administration française), Syrie (Royaume de), Thrace, Turquie (Anatolie)

* ◆ *Turquie* ➔ voir aussi : Chypre (administration turque)

□ **Turquie (Anatolie)**
★ *Turkey in Asia (E)*
1920-1921
Asie
Yvert et Tellier, Tome 3, 2ᵉ partie
l « croissant et étoile » (1922-1923)
s PARAS (Hedjaz : 1921)
 PIASTRE (Hedjaz : 1921)
 PIASTRES (Hedjaz : 1921)
 * (Turquie : 1920)
m paras, piastre, piastres

☐ **Turquie (Entreprise Lianos et Cie)**
Turkey: Lianos Company (E)
1865-1987
Europe, Asie
Yvert et Tellier, Tome 3, 2e partie
  l DBSR LOCAL POST KUSTENDJE &
      CZERNAWODA (1867)
      POSTE LOCALE PARAS (1865)
      POSTE LOCALE SERVICE MIXTE (1866)
  m paras

☐ **Turquie (Smyrne)**
Turkey: Smyrne (E)
1919
Asie
Yvert et Tellier, Tome 3, 2e partie
  s Ε.Τ ΣΜΥΡΝΗ (Grèce : 1919)

◆ *Tuscaloosa (Alabama)* ➜ États Confédérés d'Amérique (émissions des Maîtres de postes : Tuscaloosa, Alabama)

ꝑ *Tuscany (E)* ➜ Toscane

◆ TUSCUMBIA ALA ➜ États Confédérés d'Amérique (émissions des Maîtres de postes : Tuscumbia, Alabama)

◆ TUVA ➜ Touva

◆ TUVALU ➜ Tuvalu

■ **Tuvalu**
1976-auj.
Océanie
Yvert et Tellier, Tome 7, 2e partie
  l **TUVALU** (1976-auj.)
  s TUVALU (Gilbert & Ellice : 1976)
  m c, $, cent, cents

◆ *Tuvalu* ➜ voir aussi : Funafuti, Nanumaga, Nanuméa, Niutao, Nui, Nukufetau, Nukulaelae, Vaitupu

◆ *Tver* ➜ Zemstvos

❖ T.WELSH. ➜ États Confédérés d'Amérique (émissions des Maîtres de postes : Montgomery, Alabama)

◆ TWO ANNAS ➜ Travancore-Cochin

◆ TWO ANNAS SERVICE ➜ Travancore-Cochin

◆ TWO CENTS ➜ États Confédérés d'Amérique (émissions des Maîtres de postes : Macon, Georgie)

◆ TWO PIES ➜ Travancore-Cochin

ꝑ *Two Sicilies (E)* ➜ Royaume des deux Siciles

◆ TYPKMEHNCTAH (cyrillique) ➜ Turkménistan

◆ UAE ➜ Abou Dhabi, Émirats arabes unis

◆ U. A. E. ➜ Émirats arabes unis

◆ U. A. EMIRATES ➜ Émirats arabes unis

◆ UAR ➜ Égypte

◆ UAR ➜ Syrie (état indépendant)

◆ U. A. R. ➜ Syrie (état indépendant)

◆ UAR EGYPT ➜ Égypte

ꝑ *Ubangì-Shari (E)* ➜ Oubangui

❖ UBERSÖRGET AABNET AF POST-DEPARTMENTET ➜ Norvège

❖ UDINE ➜ Autriche-Hongrie (occupation en Italie)

☐ **Udine**
1918
Europe
Yvert et Tellier, Tome 3, 2e partie
(à : *Italie*)
  l MUNICIPIO DI UDINE (1918)
  m cent

◆ UDMURTIA ➜ Russie (postes locales de l'ex-U.R.S.S. : République d'Oudmourtie)

◆ *Ufa (Ville d')* ➜ Russie (postes locales de l'ex-U.R.S.S.)

◆ UFFICIO POSTALE VAPORI AMMIR AGLIATO ➜ Turquie

◆ U G ➜ Ouganda

◆ UGANDA ➜ Ouganda

ꝑ *Uganda (E)* ➜ Ouganda

◆ UGANDA KENYA TANGANYIKA ➜ Kenya et Ouganda

◆ UGANDA KENYA TANGANYIKA ZANZIBAR ➜ Est-Africain

◆ UGANDA KENYA TANZANIA ➜ Est-Africain

◆ UGANDA PROTECTORATE ➜ Ouganda

❖ UGANDA PROTECTORATES ➜ Afrique orientale britannique

◆ UGANDA RAILWAY TELEGRAPH ➜ Ouganda

◆ UGANDA TANGANYIKA KENYA ➜ Kenya et Ouganda

◆ UGANDA TANZANIA KENYA ➜ Est-Africain

❖ UHURU ➜ Kenya

❖ UINDLÖST AABNET AF POST-DEPARTMENTET ➜ Norvège

◆ UITGAVE PARTICULIERE STADSPOSTDIENSTEN ➜ Pays-Bas (postes locales : *Beverwijk*)

❖ UJONG ➜ Sungei Ujong

◆ UKMERGE ➜ Lituanie (occupation allemande)

◆ UKRAINA ➜ Ukraine

◆ UKRAINE ➜ Russie (occupation allemande)

■ **Ukraine**
✱ *Ukraine + Western Ukraine (E)*
1918-1923 ; 1991-auj.
Europe
Yvert et Tellier, Tome 4, 2^e partie
  l **ПОШТА УКРАЇНИ** (1992-auj.)
      ПОШТА УКРАЇНСЬКА НАРОДНЯ
      РЕСПУБЛІКА (1921)
      ПОШТА У. С. Р. Р. (1923)
      П Укр Н Р (1918-1919)
      Темяна Пама 1884-1976 (2000)
      УКРАЇНСЬКА НАРОДНЯ РЕСПУБЛІКА
      (1918-1919)
      УКРАЇНА UKRAINA (1998-auj.)
      УКРАЇНСЬКА ДЕРЖАВА (1921)
      У. С. Р. Р.ПОШТА (1923)

s КАРПАТСЬКА УКРАЇНА (Russie : 1991-1992)
КРИМ (Russie : 1991) : *République de Crimée*
КРЫМ (Russie : 1991) : *République de Crimée*
ЗАХІДНО УКР. НАРОДНА РЕПУБЛІКА
(Autriche : 1918)
З. У. Н. Р. (Autriche : 1919)
ПОШТА УКРАЇНИ (Russie : 1992)
ПОШТА Укр. Н. Реп. шагів(Autriche, Autriche-
Hongrie, Bosnie Herzégovine : 1919)
ПОШТА Укр. Н. Реп. гривні (Autriche,
Autriche-Hongrie, Bosnie Herzégovine : 1919)
« ours » (Russie : 1991-1992)
« trident » (Russie : 1919 ; 1992)
Укр Н Р (Autriche : 1919)
У С С Р 7.500, У С С Р 22.500 (Russie : 1922-
1923)

m сот, k, крб, шагів, гривні, ГРИВЕНБ,
ГРИВНІ, ГРИВНЯ, руб

↳ Levant (bureaux russes Armée Wrangel), Territoire
Antarctique Ukrainien

◆ *Ukraine* ➜ voir aussi : Ekaterinoslav, Kharkov,
Kherson, Kiev, Odessa (Ukraine), Podolie, Poltava,
Roumanie (occupation roumaine de la Galicie),
Tchernigov
℗ *Ukraine: issued in Odessa (E)* ➜ Odessa (Ukraine)
℗ *Ukraine: issued in Podolia (E)* ➜ Podolie
℗ *Ukraine: issued in Poltava (E)* ➜ Poltava
℗ *Ukraine: issued in Tchernigov (E)* ➜ Tchernigov
℗ *Ukraine: Romanian occupation of Pokutia (E)* ➜
Roumanie (occupation roumaine de la Galicie)

□ **Ukraine sub-carpathique**
Carpatho-Ukraine (E)
1919-1945
Europe
Yvert et Tellier, Tome 4, 2ᵉ partie
l ЗАКАРПАТСЬКА УКРАЇНА ПОШТА (1945)
УКРАЇНСЬКА НАРОДНЯ РЕСПУБЛІКА
(1919)
s КАРПАТСЬКА УКРАЇНА (Tchécoslovaquie :
1939)
ПОШТА Закарпатська Україна (Hongrie :
1939)
Ч. Р. СА. (Pologne : 1919)
C S P 1944 (Hongrie : 1943-1944)
CSP (Hongrie : 1945)
C.S.P. (Hongrie : 1945)
KASSA (Tchécoslovaquie : 1938)
m СОТИКІВ

◆ UKRAINIAN ANTARCTICA ➜ Territoire Antarctique
Ukrainien
❖ U.K.T.T. ➜ Cameroun britannique
◆ UKU LETA ELUA KENETA ➜ Hawaï
◆ *Uljanovsk (Région de)* ➜ Russie (postes locales de
l'ex-U.R.S.S.)
◆ ULTRAMAR 1868 ➜ Antilles espagnoles
◆ ULTRAMAR 1869 ➜ Antilles espagnoles
◆ ULTRAMAR 1871 ➜ Antilles espagnoles
◆ ULTRAMAR 1874 ➜ Cuba

◆ ULTRAMAR 1875 ➜ Cuba
◆ ULTRAMAR 1876 ➜ Cuba
◆ ULTRAMAR AND 1873 ➜ Antilles espagnoles
◆ ULTRAMAR AND 1873 ➜ Cuba
◆ ULTRAMAR PORTUGUES GUINÉ ➜ Guinée
portugaise
◆ ULTRAMAR PORTUGES S. TOMÉ E PRINCIPE ➜
Saint-Thomas et Prince
◆ ULTRAMAR REPUBLICA TAXA DE GUERRA ➜
Guinée portugaise
☉ um ➜ Mauritanie
◆ UMM AL QAIWAIN ➜ Um al Qiwain

□ **Um al Qiwain**
Umm Al Qiwain (E)
1964-1972
Asie
Yvert et Tellier, Tome 5, 1ʳᵉ partie
(à : *Arabie du Sud-Est*)
l UMM AL QIWAIN (1964-1972)
s UMM AL QAIWAIN (Grande-Bretagne : 1964)
m np, r

◆ UMM AL QIWAIN ➜ Um al Qiwain
◆ UN ➜ Nations Unies (New York)
◆ U.N. ➜ Nations Unies (New York)
◆ UN ➜ Nations Unies (Vienne)
◆ UNA CORONA ➜ Trente et Trieste
◆ UNA GRANDE LIBRE ➜ Espagne (émissions
nationalistes : Azuaga)
◆ UNA GRANDE LIBRE ➜ Espagne (émissions
nationalistes : Séville)
◆ UNEF ➜ Inde
◆ UNESCO ➜ France
◆ U. N. FORCE (INDIA) CONGO ➜ Inde
◆ UNIE VAN ZUID AFRIKA ➜ Afrique du Sud (Union
de l')
◆ UNION CITY TENNESSEE ➜ États Confédérés
d'Amérique (émissions des Maîtres de postes : Union
City, Tennessee)
◆ UNION FRANÇAISE ROYAUME DU LAOS ➜ Laos
❖ UNION IBEROAMERICANA ➜ Espagne
◆ UNION ISLAND ➜ Union Island

□ **Union Island**
St. Vincent Grenadines: Union Island (E)
1984-1985
Amérique Centrale
Yvert et Tellier, Tome 7, 1ʳᵉ partie
(à : *Saint-Vincent (Îles Grenadines)*)
l UNION ISLAND (1984-1985)
m c, $

◆ UNION OF BURMA ➜ Birmanie
◆ UNION OF MYANMAR ➜ Birmanie
◆ UNION OF SOUTH AFRICA ➜ Afrique du Sud
(Union de l')
◆ *Union of Soviet Socialist Republics (E)* ➜ Russie
◆ UNION POSTALE UNIVERSELLE EQUATEUR ➜
Équateur
◆ UNION POSTAL UNIVERSAL GUATEMALA ➜
Guatemala

- ◆ UNION POSTAL UNIVERSAL PERU ➔ Pérou, Pérou (occupation chilienne)
- ◆ UNION POSTAL UNIVERSAL REPUBLICA DE NICARAGUA ➔ Nicaragua
- ◆ UNION POST HRS ➔ États-Unis d'Amérique (postes locales et privées) : *New York*
- ◆ UNION SQUARE P.O. ➔ États-Unis d'Amérique (postes locales et privées) : *New York*
- ❖ UNION TELEGRAPH COMPANY ➔ États-Unis d'Amérique
- ◆ UNIONTOWN ➔ États Confédérés d'Amérique (émissions des Maîtres de postes : Uniontown, Alabama)
- ◆ *Unionville (Caroline du Sud)* ➔ États Confédérés d'Amérique (émissions des Maîtres de postes : Unionville, Caroline du Sud)
- ◆ UNITED ARAB EMIRATES ➔ Émirats arabes unis
- ⊠ *United Arab Emirates (E)* ➔ Émirats arabes unis
- ◆ UNITED ARAB REPUBLIC ➔ Égypte
- ❖ UNITED ARAB REPUBLIC SYRIA ➔ Syrie (état indépendant)
- ◆ UNITED KINGDOM OF LIBYA ➔ Libye
- ⊠ *United Nations (E)* ➔ Nations Unies (New York)
- ◆ UNITED NATIONS ➔ Nations Unies (Genève), Nations Unies (New York)
- ◆ UNITED NATIONS INTERIM ADMINISTRATION MISSION IN KOSOVO ➔ Kosovo
- ⊠ *United Nations: Offices in Geneva (E)* ➔ Nations Unies (Genève)
- ⊠ *United Nations: Offices in New York (E)* ➔ Nations Unies (New York)
- ⊠ *United Nations: Offices in Vienna (E)* ➔ Nations Unies (Vienne)
- ◆ UNITED NATIONS POSTAL ADMINISTRATION ➔ Nations Unies (New York)
- ◆ UNITED REPUBLIC OF CAMEROON ➔ Cameroun
- ◆ UNITED REPUBLIC OF TANGANYIKA & ZANZIBAR ➔ Tanganyika
- ⊠ *United States (E)* ➔ États-Unis d'Amérique
- ◆ UNITED STATES ➔ États-Unis d'Amérique
- ◆ UNITED STATES OF AMERICA ➔ États-Unis d'Amérique
- ◆ UNITED STATES OF AMERICA COMMONWEALTH OF THE PHILIPPINES ➔ Philippines
- ◆ UNITED STATES OF AMERICA PHILIPPINE ISLANDS ➔ Philippines
- ⊠ *United States of America: General Issues (E)* ➔ États-Unis d'Amérique
- ⊠ *United States of America: local issues (E)* ➔ États-Unis d'Amérique (postes locales et privées)
- ⊠ *United States of America: private telegraph companies (E)* ➔ États-Unis d'Amérique (compagnies privées de télégraphe)

- ⊠ *United States of America: provisional issues by Postmasters (E)* ➔ États-Unis d'Amérique (émissions des Maîtres de postes)
- ⊠ *United States Offices in China (E)* ➔ Chine (bureaux des États-Unis)
- ◆ UNITED STATES POSTAGE ➔ États-Unis d'Amérique
- ◆ UNIVERSAL POSTAL UNION 1874-1949 ➔ Grande-Bretagne
- ◆ UNPA 50 ➔ Nations Unies (Genève), Nations Unies (New York), Nations Unies (Vienne)
- ◆ UN REAL ➔ Dominicaine
- ◆ UNTEA ➔ Nouvelle Guinée Néerlandaise (administration des Nations Unies)
- ◆ UNZEN NATIONAL PARK ➔ Japon
- ⊠ *Upper Senegal and Niger (E)* ➔ Haut-Sénégal et Niger
- ⊠ *Upper Silesia (E)* ➔ Silésie (Haute)
- ⊠ *Upper Silesia: private issue (E)* ➔ Silésie Orientale (Haute)
- ⊠ *Upper Volta (E)* ➔ Haute-Volta (colonie française) et Haute-Volta

☐ **Upper Yafa**
1960-1967
Asie
Émission non admise par l'U.P.U.
  l STATE OF UPPER YAFA SOUTH ARABIA (1960-1967)
  m fils

- ❖ UPRAVA J. A. SLOBODNI TERITORIJ TRSTA ➔ Trieste (Zone B Yougoslave)
- ❖ U.P.U. ➔ Espagne
- ◆ U. P. U. ➔ Costa Rica
- ❖ URBANO DE BOGOTA ➔ Bogota
- ❖ URBANOS DE MEDELLIN ➔ Medellin
- ◆ URBANOS MANIZALES ➔ Manizales
- ◆ URCHINPOST ➔ Pays-Bas (postes locales : *Amsterdam*)
- ❖ URCHINPOST LONDON ➔ Pays-Bas (postes locales : *Amsterdam*)
- ◆ URGENTE ➔ Espagne (émissions nationalistes : Burgos), Espagne (émissions nationalistes : Saragosse)
- ❖ URGENTE ➔ Espagne
- ◆ URGENTE ➔ Espagne (émissions nationalistes : Malaga)
- ◆ U. R. I. ➔ Yougoslavie
- ◆ *U.R.S.S.* ➔ Russie
- ◆ URSS-POLE DU NORD 1931 ➔ Russie
- ◆ URUGUAY ➔ Uruguay

■ **Uruguay**
1856-auj.
Amérique du Sud
Yvert et Tellier, Tome 7, 2ᵉ partie
  I CORREO DEL URUGUAY (1920-1954)
    CORREOS DEL URUGUAY (1920-1954)
    CORREOS URUGUAY (1954-auj.)
    CORREOS Y TELEGRAFOS DEL URUGUAY
    (1902-1916)
    DILIGENCIA (1856-1931)
    FLORIDA R (1925)
    MONTEVIDEO CORREO (1859-1860)
    MONTEVIDEO R (1925)
    REP. O. DEL URUGUAY (1866-1954, 1984)
    REPUBLICA ORIENTAL (1864-1866)
    REPUBLICA ORIENTAL DEL URUGUAY
    (1866-1954, 1984)
    REPUBLICA ORIENTAL URUGUAY (1866-
    1954, 1984)
    REPUBLICA DEL URUGUAY (1866-1872)
    REPUBLICA DEL URUGUAY MONTEVIDEO
    (1866-1872)
    TELEGRAFOS NACIONAL RECARCO A LAS
    DIRECCIONES INCOMPLETAS (1927)
    URUGUAY (1959-1983)
    URUGUAY CORREOS (1935-auj.)
  m centavos, real, cent, cents, centesimo, centesimos,
    peso, pesos, $, n$

• URUGUAY CORREOS ➔ Uruguay
• URUNDI ➔ Ruanda-Urundi
◆ *Urundi* ➔ Ruanda-Urundi
• US ➔ États-Unis d'Amérique
• U. S. ➔ États-Unis d'Amérique
• USA ➔ États-Unis d'Amérique
• US BICENTENNIAL ➔ États-Unis d'Amérique
⊙ U.S. cy ➔ Vierges
⊙ usd ➔ Équateur
• U.S. PARCEL POST ➔ États-Unis d'Amérique
• U.S. PENNY POST ➔ États-Unis d'Amérique
• U.S.P.O. ➔ États-Unis d'Amérique
• U. S. P. O. DESPACTH ➔ États-Unis d'Amérique
• U. S. POSTAGE ➔ États-Unis d'Amérique
• U.S. POSTAL CARD (*carte postale*) ➔ États-Unis
  d'Amérique
• U. S. POSTAL SERVICE ➔ États-Unis d'Amérique
• U S POST OFFICE ➔ États-Unis d'Amérique
◆ *U. S. S. R. (E)* ➔ Russie
• U. S. T. C. ➔ Travancore-Cochin
◆ *Utrecht* ➔ Pays-Bas (postes locales)
❖ UU. DE C. E. S. DEL T. ➔ Tolima
❖ UU. DE COLOMBIA E. S. DEL TOLIMA ➔ Tolima
❖ UU. DE COLOMBIA ESTADO S. DEL TOLIMA ➔
  Tolima
❖ UZBEKISTAN ➔ Ouzbékistan
🄵 *Uzbekistan (E)* ➔ Ouzbékistan
⊙ v ➔ Thrace
⊙ v. ➔ Norvège (postes locales : *mission Norvégienne au*
  Madagascar)
❖ VABARIIK ➔ Estonie

❖ VAGLIA ➔ Italie

□ **Vaitupu**
Tuvalu: Vaitupu (E)
1984-1987
Océanie
Yvert et Tellier, Tome 7, 2ᵉ partie
(à : *Tuvalu*)
  I VAITUPU-TUVALU (1984-1987)
  m c, $

• VAITUPU-TUVALU ➔ Vaitupu
❖ VALAISIENNE D'AVIATION SION 18 MAI 1913 ➔
  Suisse
◆ *Valdai* ➔ Zemstvos
• VALDOSTA GA ➔ États Confédérés d'Amérique
  (émissions des Maîtres de postes : Valdosta, Georgie)
❖ VALE ➔ Bluefield
• VALE 05 CTS POSTAL B ➔ Bluefield
• VALE 10 CTS POSTAL B ➔ Bluefield
◆ *Valence (Valencia)* ➔ Espagne (émissions
  républicaines), Espagne (émissions nationalistes)
❖ VALENCIA ➔ Espagne, Espagne (émissions
  nationalistes), Espagne (insurrection Carliste)
❖ VALENCIENNES ➔ France
❖ VALÉRIEN ➔ Iran
❖ VALEUR DÉCLARÉE JUSQU'À 500 F ➔ France
◆ *Valkenswaard* ➔ Pays-Bas (postes locales)
◆ *Valki* ➔ Zemstvos
◆ *Valladolid* ➔ Espagne (émissions nationalistes)
• VALLADOLID 1936 HABILITADO PARA CORREOS
  ➔ Espagne (émissions nationalistes : Valladolid)
• VALLÉES D'ANDORRE ➔ Andorre (poste française)
◆ *Valona* ➔ Levant (bureaux italiens)
❖ VALPARAISO ➔ Chili
• VALPARAISO MULTADA ➔ Chili
• VALSTYBES RINKLIAVA ➔ Lituanie
• VANCOUVER ISLAND ➔ Colombie britannique
❖ VAN DIEMEN HAMBURG BRIEF PACKET &
  GÜTER EXPEDITION ➔ Allemagne (postes locales
  ou privées : Hambourg, service de messagerie)
• VAN DIEMENS LAND ➔ Tasmanie
• VANUATU ➔ Vanuatu

■ **Vanuatu**
1980-auj.
Océanie
Yvert et Tellier, Tome 2, 2ᵉ partie
  I VANUATU (1980-auj.)
  m fnh

◆ *Vanuatu* ➔ voir aussi :Nouvelles Hébrides
❖ VAPOR ➔ Piura
❖ VAPOR ➔ Yca
❖ VAPORI AMMIR AGLIATO ➔ Turquie
• VARIG ➔ Compagnie Varig
❖ VÄRLDPOST KONGRESS STOCKHOLM ➔ Suède
❖ VÄRLDPOST-KONGRESSEN STOCKHOLM 1924
  ➔ Suède
• VASE DE GORGAN ➔ Iran
◆ *Vasil* ➔ Zemstvos
• VATHY ➔ Vathy

□ **Vathy**
French Offices in Turkish Empire: Vathy (E)
1893-1900
Europe
Yvert et Tellier, Tome 2, 1re partie
s VATHY (France : 1893-1900)
m c, piastres

■ **Vatican (Cité du)**
Vatican City (E)
1929-auj.
Europe
Yvert et Tellier, Tome 3, 2e partie
l **CITTA DEL VATICANO** (1993-auj.)
POSTA AERA VATICANA (1938-auj.)
POSTE VATICANE (1929-1992)
m cent, c, €, l, lire

❖ VATICANA ➔ Vatican (Cité du)

⚐ *Vatican City (E)* ➔ Vatican (Cité du)

❖ VATICANE ➔ Vatican (Cité du)

❖ VATICANO ➔ Vatican (Cité du)

• V.C POSTES 1902 PERSANES ➔ Iran (poste locale de Meched)

• VDV GOOI-POST ➔ Pays-Bas (postes locales : *Bussum*)

• VEGLIA REGGENZA ITALIANA DEL CARNARO ➔ Arbe et Veglia

♦ *Veliki Oustioug* ➔ Zemstvos

♦ *Velsk* ➔ Zemstvos

• VENDA ➔ Venda

□ **Venda**
South Africa: Venda (E)
1979-1996
Afrique
Yvert et Tellier, Tome 5, 1re partie
(à : *Afrique du Sud*)
l VENDA (1979-1996)
m c

□ **Vénétie Julienne**
Austria: Italian Occupation – issued in Trieste (E)
1918-1919
Europe
Yvert et Tellier, Tome 3, 2e partie
(à : *Italie*)
s REGNO D'ITALIA VENEZIA GIULIA (Autriche : 1919)
VENEZIA GIULIA (Italie : 1919)
m heller

□ **Vénétie Julienne (occupation interalliée)**
Italy: occupation stamps issued in Venezia Giulia (E)
1945-1947
Europe
Yvert et Tellier, Tome 3, 2e partie
(à : *Italie*)
s A.M.G. VG (Italie : 1945-1947)
A.M.G. V.G. (Italie : 1945-1947)

• VENEZIA GIULIA ➔ Vénétie Julienne
❖ VENEZIA-GIULIA ➔ Italie (*poste privée S.A.B.E.*)
• VENEZIA TRIDENTINA ➔ Trentin
❖ VENEZOLANA ➔ Venezuela
⊙ venezolano, venezolanos ➔ Venezuela
• VENEZUELA ➔ Venezuela

■ **Venezuela**
1859-auj.
Amérique du Sud
Yvert et Tellier, Tome 7, 2e partie
l CORREO DE LOS E.E.U.U. DE VENEZA (1865-1953)
CORREO DE VENEZUELA (1859-1968)
CORREOS DE VENEZUELA CARUPANO 1902 (1902) : *poste locale du port de Carupano*
CORREOS DE VENEZUELA ESTADO GUAYANA (1903) : *poste locale de l'état de Guyane*
CORREOS BOLIVAR (1893)
CORREOS CENTIMOS (1893)
CORREOS DE VENEZUELA (1859-1968)
CORREOS E.E.U.U. DE VENEZUELA (1865-1953)
CORREOS VALE B. (1903) : *poste locale du port de Carupano*
EE. UU. DE VENEZUELA (1905-1953)
E. E. U. U. DE VENEZUELA (1905-1953)
ESCUELAS BOLIVARES (1880-1902)
ESCUELAS CENTAVOS FUERTES (1871-1893)
ESCUELAS CENTESIMOS (1871-1893)
ESCUELAS CENTIMO (1879)
ESCUELAS CENTIMOS (1871-1893)
ESCUELA VENEZOLANOS (1871-1893)
FEDERACION VENEZOLANA (1863-1864)
FISCALIA DE INSTRUCCION PUBLICA ESTADO GUAYANA (1903) : *poste locale de l'état de Guyane*
INSTRUCCION BOLIVARES (1893-1911)
INSTRUCCION CENTIMOS (1893-1911)
INSTRUCCION E.E.U.U. DE VENEZUELA (1914)
INSTRUCCION SELLO PROVISIONAL CARUPANO 1902 (1902) : *poste locale du port de Carupano*
INSTRUCCION VENEZUELA (1893-1911)
REPUBLICA DE VENEZUELA (1955-1966)
TELEGRAFOS DE VENEZUELA (1897)
VENEZUELA (1880-auj.)
VENEZUELA CORREOS (1963-1968)
VENEZUELA INSTRUCCION (1911)
m real, centavo, centavos, cents, bolivar, bolivares, bol, venezolano, venezolanos, centesimo, centesimos, centimo, centimos, cs, b, c, bs, cms

- VENEZUELA CORREOS ➔ Venezuela
- VENEZUELA INSTRUCCION ➔ Venezuela
- VERDE ➔ Cap-Vert
- VEREIN HAMBURGER BOTEN TH. LEFRENZ ➔ Allemagne (postes locales ou privées : Hambourg, service de messagerie)
- VEREINIGTE CORPORATIONEN INSTITUT HAMBURGER BOTEN H. SCHEERENBECK ➔ Allemagne (postes locales ou privées : Hambourg, service de messagerie)
- VEREINTE NATIONEN ➔ Nations Unies (Vienne)
- *Verkhnednieprovsk* ➔ Zemstvos
- *Verkhotourié* ➔ Zemstvos
- *Vernadskij (base académique de)* ➔ Territoire Antarctique Ukrainien
- VERSANDGEBÜHR BAR BEZAHLT ➔ Tchécoslovaquie
- VERSAND GEBÜHR BAR BEZAHLT ➔ Tchécoslovaquie
- VERWALTUNG MONTENEGRO ➔ Autriche-Hongrie (occupation à Monténégro)
- *Vessiegonsk* ➔ Zemstvos
- VESTINDIEN ➔ Antilles danoises
- VEST. INDIEN ➔ Antilles danoises
- VESTINDISKE OER ➔ Antilles danoises
- VETËKEVERRIA E MIRDITIËS ➔ Albanie
- *Vetlouga* ➔ Zemstvos
- VETQVERITARE ➔ Albanie
- V FIERA CAMPIONARIA SECUNDA RASSEGNA INTERNAZIONALE TRIPOLI POSTE ITALIANE ➔ Tripolitaine
- VIA AÉREA ➔ Canaries (Îles), Espagne (émissions nationalistes : Burgos)
- VIA AÉREA CANARIAS ➔ Canaries (Îles)
- VIA AÉREA TANGER ➔ Maroc (bureaux espagnols)
- VIA AÉREA VIVA FRANCO ➔ Ifni
- *Viatka* ➔ Zemstvos
- VICTORIA ➔ États Confédérés d'Amérique (émissions des Maîtres de postes : Victoria, Texas), Victoria

☐ **Victoria**
1850-1912
Océanie
Yvert et Tellier, Tome 7, 2e partie
- l VICTORIA (1850-1908)
VICTORIA POSTAGE (1854-1912)
VICTORIA REGISTERED (1854-1912)
VICTORIA STAMP DUTY (1854-1912)
VICTORIA TOO LATE (1854-1912)
- m penny, pence, shilling, shillings, pound, pounds, £, d

☐ **Victoria (terre de)**
Victoria Land (E)
1911-1912
Océanie
Yvert et Tellier, Tome 6, 2e partie
(à : *Nouvelle-Zélande*)
- s VICTORIA LAND. (Nouvelle-Zélande : 1911-1912)

- VICTORIA GEORGE 1840 – 1940 ➔ Grande-Bretagne
- VICTORIA LAND. ➔ Victoria (terre de)
- VICTORIA POSTAGE ➔ Victoria
- VICTORIA REGISTERED ➔ Victoria
- VICTORIA STAMP DUTY ➔ Victoria
- VICTORIA TOO LATE ➔ Victoria
- *Vienne* ➔ Autriche (postes locales ou privées)

■ **Vierges**
Virgin Islands (E)
1866-auj.
Amérique Centrale
Yvert et Tellier, Tome 7, 2e partie
- l BR. VIRGIN ISLANDS (1951-1986)
BRITISH VIRGIN ISLANDS (1951-1986)
BRITISH VIRGIN Iˢ (1951-1986)
BRITISH VIRGIN ISLANDS (1951-auj.)
VIRGIN ISLANDS (1866-1976)
- m penny, pence, shilling, shillings, d, cent, cents, c, $, U.S. cy

- *Vietnam* ➔ voir aussi : Sud-Vietnam (République du)

☐ **Vietnam (Empire)**
Viet Nam (E)
1951-1955
Asie
Yvert et Tellier, Tome 2, 2e partie
- l HANG-KHONG BUU-CHINH (1952-1955)
VIET-NAM (1951-1955)
VIET NAM (1951-1955)
VIET-NAM BUU-CHINH (1951-1955)
VIET NAM BUU-CHINH (1951-1955)
- m c, piastres, $

■ **Vietnam (République Socialiste)**
Socialist Republic of Viet Nam (E)
1976-auj.
Asie
Yvert et Tellier, Tome 2, 2e partie
- l BUU-CHINH VIÊT NAM (1976-auj.)
VIÊT-NAM (1976-auj.)
VIÊT NAM (1976-auj.)
VIÊT-NAM BUU-CHINH (1976-auj.)
VIÊT NAM BUU-CHINH (1976-auj.)
VIÊT NAM BUU CHINH (1976-auj.)
- m xu, d

- VIET NAM ➔ Vietnam (Empire)
- VIET-NAM ➔ Vietnam (Empire)
- VIÊT NAM ➔ Vietnam (République Socialiste)

- ◆ VIÊT-NAM ➔ Vietnam (République Socialiste)
- ◆ VIÊT NAM BUU CHINH ➔ Vietnam (République Socialiste)
- ◆ VIET NAM BUU-CHINH ➔ Vietnam (Empire)
- ◆ VIÊT NAM BUU-CHINH ➔ Vietnam (République Socialiste)
- ◆ VIET-NAM BUU-CHINH ➔ Vietnam (Empire)
- ◆ VIÊT-NAM BUU-CHINH ➔ Vietnam (République Socialiste)
- ◆ VIET-NAM BUU-CHINH ➔ Vietnam du Sud
- ◆ VIET-NAM CONG-HOA ➔ Vietnam du Sud
- ◆ VIET NAM DAN-CHU CONG-HOA ➔ Vietnam du Nord
- ◆ VIET-NAM DAN-CHU CONG-HOA ➔ Vietnam du Nord
- ◆ VIET-NAM DOC-LAP TU-DO HANH-PHUC ➔ Vietnam du Nord

☐ **Vietnam du Nord**
North Viet Nam (1945-1948) + Republic of North Viet Nam (1951-1976) (E)
1945-1976
Asie
Yvert et Tellier, Tome 2, 2ᵉ partie
l BUU CHINH VIET NAM DAN CHU CONG HOA (1959)
   BUU-BIEN (1951-1957)
   VIET-NAM DAN-CHU CONG-HOA (1945-1976)
   VIET NAM DAN-CHU CONG-HOA (1945-1976)
s VIET-NAM DAN-CHU CONG-HOA (Indochine : 1945-1946)
   VIET NAM DAN-CHU CONG-HOA (Indochine : 1945-1946)
   VIET-NAM DOC-LAP TU-DO HANH-PHUC (Indochine : 1945-1948)
m dông, böng, $, xu, d

☐ **Vietnam du Sud**
South Viet Nam (E)
1955-1975
Asie
Yvert et Tellier, Tome 2, 2ᵉ partie
l VIET-NAM BUU-CHINH (1955-1956)
   VIET-NAM CONG-HOA (1956-1975)
m d

- ◆ VI FIERA CAMPIONARIA TRIPOLI ➔ Tripolitaine
- ❖ VIGOROUS SINGAPORE ➔ Singapour
- ◆ VII CONGRESSO U.P.U. ➔ Espagne
- ◆ VII FIERA CAMPIONARIA TRIPOLI ➔ Tripolitaine
- ◆ VIII FIERA CAMPIONARIA TRIPOLI ➔ Tripolitaine
- ◆ VIII ICORL XI ICP ➔ Japon
- ◆ VII OLYMPIADE 1920 ANVERS-ANTWERPEN ➔ Belgique
- ◆ *Villach* ➔ Autriche (postes locales ou privées)
- ❖ VILLADA MUNICIPAL ➔ Espagne
- ❖ VILNIUS ➔ Lituanie (occupation allemande)
- ❖ VINCENT ➔ Saint-Vincent
- ❖ VIRGINIA ➔ États Confédérés d'Amérique (émissions des Maîtres de postes : Petersburg, Virginie)
- ◆ VIRGIN ISLANDS ➔ Vierges

- ◆ VIVA 19-VII-36 ESPAÑA! ➔ Espagne (émissions nationalistes : Vitoria)
- ◆ VIVA ESPAÑA ➔ Espagne (émissions nationalistes : Vitoria)
- ◆ VIVA ESPAÑA! ➔ Espagne (émissions nationalistes : Orense)
- ◆ VIVA ESPAÑA 18-7-36 CANARIAS ➔ Espagne (émissions nationalistes : Santa Cruz de Teneriffe)
- ◆ VIVA ESPAÑA 18-7-36 TENERIFE ➔ Espagne (émissions nationalistes : Santa Cruz de Teneriffe)
- ◆ VIVA ESPAÑA 18 JULIO 1936 ➔ Espagne (émissions nationalistes : Santa Cruz de Teneriffe)
- ◆ VIVA ESPAÑA 18 JULIO 1936 AVION CANARIAS ➔ Canaries (Îles)
- ◆ VIVA ESPAÑA 18 JULIO 1936 HABILITADO AVION ➔ Canaries (Îles)
- ◆ VIVA ESPAÑA 18 JULIO 1936 HABILITADO AVION CANARIAS ➔ Canaries (Îles)
- ◆ VIVA ESPAÑA 1936 37 ARRIBA ESPANA ➔ Espagne (émissions nationalistes : Saragosse)
- ◆ ¡VIVA ESPAÑA! AVILA 1936 ➔ Espagne (émissions nationalistes : Avila)
- ◆ ¡VIVA ESPAÑA! BILBAO 19 JUNIO 1937 ➔ Espagne (émissions nationalistes : Bilbao)
- ◆ ¡VIVA ESPAÑA! BURGOS JULIO-1936 ➔ Espagne (émissions nationalistes : Burgos)
- ◆ ¡VIVA ESPAÑA! CORREO AÉREO ➔ Espagne (émissions nationalistes : Burgos)
- ◆ ¡VIVA ESPAÑA! CORREO AÉREO ORDEN 9 NOVBRE 1936 ➔ Espagne (émissions nationalistes : Burgos)
- ◆ VIVA ESPANA CORREOS 1936-37 ARAGON ➔ Espagne (émissions nationalistes : Saragosse)
- ◆ ¡VIVA ESPAÑA! CORUNA 18 JULIO 1936 ➔ Espagne (émissions nationalistes : La Coruna)
- ◆ VIVA ESPANA IL AÑO TRIUNFAL ARAGON ➔ Espagne (émissions nationalistes : Saragosse)
- ◆ VIVA ESPAÑA FRANCO QUEIPO ➔ Espagne (émissions nationalistes : Séville)
- ◆ VIVA ESPAÑA JULIO, 1936 ZARAGOZA ➔ Espagne (émissions nationalistes : Saragosse)
- ◆ ¡VIVA ESPAÑA! MALLORCA 19 JULIO 1936 ➔ Espagne (émissions nationalistes : Palma de Mallorca [Palma de Majorque])
- ◆ ¡VIVA ESPAÑA! PALENCIA 1936 ➔ Espagne (émissions nationalistes : Palencia)
- ◆ ¡VIVA ESPAÑA! PONTEVEDRA 20 JULIO 1936 ➔ Espagne (émissions nationalistes : Pontevedra)
- ◆ ¡VIVA ESPAÑA! URGENTE ➔ Espagne (émissions nationalistes : Burgos)
- ❖ VIVA FRANCO ➔ Ifni
- ❖ VIVA FRANCO AÑO DE LA VICTORIA LA CAROLINA ➔ Espagne (émissions nationalistes : La Carolina)
- ◆ ¡VIVA FRANCO! CAUDILLO DE ESPAÑA 1492 1937 GLORIA A COLÓN 12 OCTOBRE CADIZ ➔ Espagne (émissions nationalistes : Cadix)
- ◆ VIVA FRANCO VIVA QUEIPO SEVILLA 18 JULIO 1936-1937 ➔ Espagne (émissions nationalistes : Séville)
- ◆ *Vlaardingen-Schiedam* ➔ Pays-Bas (postes locales)

❖ VLADA ➜ Tchécoslovaquie

☐ **Vladivostok**
* *Far Eastern Republic: Vladivostok Issue (E)*
1920-1923
Asie
Yvert et Tellier, Tome 4, 2ᵉ partie
(à : *Sibérie et Extrême-Orient*)
  l ПОЧТОВАЯ МАРКА ДАЛЬНЕ-ВОСТОЧНАЯ
РЕСПУБЛИКА (1921)
ВЛАДИВОСТОК (1923)
  s 1917 7-XI 1922 (1922)
DBP K.1 K., DBP K.2 K., DBP K.3 K., DBP K.7
K., DBP K.10 K., etc. (Russie, Omsk : 1920)
P. 1 P. (Russie, Omsk : 1920)
  m k, r, КОП
  ⇨ Nikolaievsk sur l'Amour

❖ VLADY ➜ Tchécoslovaquie
◆ VOJENSKA POSTA ➜ Tchécoslovaquie (Légion en
Sibérie)
◆ VOJNA UPRAVA J. A. SLOBODNI TERITORIJ
TRSTA ➜ Trieste (Zone B Yougoslave)
◆ VOJNA UPRAVA J. A. SVOBODNO TRZASKO
OZEMIJE ➜ Trieste (Zone B Yougoslave)
◆ VOJNA UPRAVA JUGOSLAVENSKE ARMIJE ➜
Istrie (administration militaire yougoslave)
❖ VOJSKO NA RUSI ➜ Tchécoslovaquie (Légion en
Sibérie)
❖ VOLKSSOLIDARITÄT DEUTSCHE POST ➜ Saxe
Occidentale
◆ VOLKSTAAT WÜRTTEMBERG ➜ Wurtemberg
◆ *Volsk* ➜ Zemstvos
◆ VOLKSABSTIMMUNG KÄRNTEN ➜ Autriche
(postes locales ou privées) : *Carinthie*
◆ *Voltchansk* ➜ Zemstvos
◆ VOM EMPFANGER EINZUZIEHEN ➜ Dantzig
❖ VUJ COMMERCIAL ➜ Compagnie Condor
◆ *Voorne* ➜ Pays-Bas (postes locales)
◆ VOORNE STADSPOST ➜ Pays-Bas (postes locales :
Voorne)
◆ VORPOMMERN ➜ Mecklembourg-Poméranie
◆ *Vostok (base de)* ➜ Territoire Antarctique Russe
◆ *Vrangel (Île)* ➜ Russie (postes locales de l'ex-U.R.S.S.)
◆ VREDESPALEIS STADSPOST ➜ Pays-Bas (postes
locales : *Gravenhage*)
◆ V.R.I. ➜ Orange
◆ V. R. I. ➜ Transvaal
❖ VRIJ STAAT ➜ Orange
◆ V. R. TRANSVAAL ➜ Transvaal
◆ V.U.J.A.S.T.T. ➜ Trieste (Zone B Yougoslave)
◆ VUJA-STT ➜ Trieste (Zone B Yougoslave)
❖ V.U.J.A. ZRACNA P ➜ Trieste (Zone B Yougoslave)
◆ VUJNA STT ➜ Trieste (Zone B Yougoslave)
◆ W A ➜ Australie occidentale
◆ WAALWIJK STADS BOXTEL ➜ Pays-Bas (postes
locales : *Boxtel*)
◆ WAALWIJK STADSPOST LANGSTRAAT ➜ Pays-
Bas (postes locales : *Langstraat*)
❖ WACE POSTAGE ➜ Nouvelle-Galles du Sud

☐ **Wadhwan**
Wadhwan: Native Feudatory State (E)
1888-1892
Asie
Yvert et Tellier, Tome 5, 3ᵉ partie
(à : *États princiers de l'Inde*)
  l WADHWAN STATE (1888-1892)
  m pice

◆ WADHWAN STATE ➜ Wadhwan
❖ WAEES POSTAGE ➜ Nouvelle-Galles du Sud
❖ WALE POSTAGE ➜ Nouvelle-Galles du Sud
❖ WALES ➜ Nouvelle-Galles du Sud
🕮 *Wales and Monmouthshire (E)* ➜ Grande-Bretagne
❖ WALES POSTAGE ➜ Nouvelle-Galles du Sud
🕮 *Wallis and Futuna Islands (E)* ➜ Wallis et Futuna
◆ WALLIS ET FUTUNA ➜ Wallis et Futuna

■ **Wallis et Futuna**
Wallis and Futuna Islands (E)
1920-auj.
Océanie
Yvert et Tellier, Tome 2, 1ʳᵉ partie
  l ÎLES WALLIS ET FUTUNA (1920-1952)
WALLIS ET FUTUNA (1931-auj.)
  s ÎLES WALLIS ET FUTUNA (Nouvelle-
Calédonie : 1920-1944)
WALLIS ET FUTUNA (Nouvelle-Calédonie :
1941-1944)
  m c, f, fr

❖ WALLONIE POSTE DE CAMPAGNE ➜ Belgique
❖ WALLS POSTAGE ➜ Nouvelle-Galles du Sud
◆ *Walterborough (Caroline du Sud)* ➜ États Confédérés
d'Amérique (émissions des Maîtres de postes :
Walterborough, Caroline du Sud)
◆ WALTON & CA'S CITY EXPRESS POST ➜ États-
Unis d'Amérique (postes locales et privées) : *Brooklyn*
◆ WANAJAVESI ANGBATSBOLAG ➜ Finlande
❖ WAR ➜ États-Unis d'Amérique
◆ WARRENTON GA. ➜ États Confédérés d'Amérique
(émissions des Maîtres de postes : Warrenton, Georgie)
❖ WARSCHAU ➜ Pologne (occupation allemande)
◆ WARTOSC ➜ Pologne (corps polonais)
❖ WARWISZKI ➜ Lituanie du Sud (occupation
polonaise)
◆ *Washington (Georgie)* ➜ États Confédérés d'Amérique
(émissions des Maîtres de postes : Washington,
Georgie)
❖ W AUST SICILLUM NOV CAMB ➜ Nouvelle-Galles
du Sud
❖ WAZAN ➜ Maroc (postes locales)
❖ W.B. PAYNE, P.M. ➜ États Confédérés d'Amérique
(émissions des Maîtres de postes : Danville, Virginie)
◆ WB. PR. TEL. GES. ➜ Autriche
◆ W.D COLEMAN P.M ➜ États Confédérés d'Amérique
(émissions des Maîtres de postes : Danville, Virginie)
◆ W. D. MCNISH P.M ➜ États Confédérés d'Amérique
(émissions des Maîtres de postes : Nashville, Tennessee)
◆ *Weatherford (Texas)* ➜ États Confédérés d'Amérique
(émissions des Maîtres de postes : Weatherford, Texas)

- ❖ WEDDING ➜ Grande-Bretagne
- ◆ WEIHNACHTEN 1944 ➜ Rhodes
- ◆ WELLS, FARGO & CO. ➜ États-Unis d'Amérique (postes locales et privées)

☐ **Wenden**
Russia: Wenden (Livonia) (E)
1862-1901
Europe
Yvert et Tellier, Tome 4, 2ᵉ partie
(à : *Russie*)
  l ВЕНДЕНСКАЯ УѢЗДНАЯ ПОЧТА (1901)
    BRIEFMARKE WENDEN (1863)
    PACKENMARKE WENDEN (1863)
    WENDENSCHEN KREIS (1862-1880)
    WENDENSCHEN KREISES (1862-1880)
  m kop

- ◆ WENDENSCHEN KREIS ➜ Wenden
- ◆ WENDENSCHEN KREISES ➜ Wenden
- ◆ WESTERN AUSTRALIA ➜ Australie occidentale
- ◆ WESTERN CANADA AIRWAYS LIMITED AIR MAIL SERVICE ➜ Canada
- ℗ *Western Hungary (E)* ➜ Hongrie occidentale
- ℗ *Western Sahara (E)* ➜ Sahara occidental
- ◆ WESTERN SAMOA ➜ Samoa
- ℗ *Western Ukraine (E)* ➜ Ukraine
- ◆ WESTERN UNION TELEGRAPH COMPANY ➜ États-Unis d'Amérique (compagnies privées de télégraphe) : *Western Union Telegraph Company*
- ◆ WESTERN UNION TELEGRAPH STAMP ➜ États-Unis d'Amérique (compagnies privées de télégraphe) : *Western Union Telegraph Company*
- ◆ WESTERVELT'S POST CHESTER, N. Y. ➜ États-Unis d'Amérique (postes locales et privées) : *Chester (New York)*
- ◆ *West-Friesland* ➜ Pays-Bas (postes locales)
- ❖ WEST INDIA LINE PRIVATE POSTAGE STAMP ➜ Saint-Thomas-La-Guaira
- ❖ WEST INDIES ➜ Saint-Vincent
- ℗ *West Irian (E)* ➜ Indonésie (territoire de l'ex-Nouvelle-Guinée néerlandaise)
- ℗ *West Irian: United Nations Temporary Executive Authority (E)* ➜ Nouvelle Guinée Néerlandaise (administration des Nations Unies)
- ℗ *West Saxony (E)* ➜ Saxe occidentale
- ◆ WEST-TOWN ➜ États-Unis d'Amérique (postes locales et privées) : *Westtown (Pennsylvania)*
- ◆ WEST-UNGARN ➜ Hongrie occidentale
- ❖ WESTUNGARN ORLAND ➜ Hongrie occidentale
- ❖ W. F. & CO. ➜ États-Unis d'Amérique
- ❖ WHARTONS U.S. P.O. DESPATCH ➜ États-Unis d'Amérique
- ❖ WHITEHORSE-MAYO-KENO-DAWSON ➜ Canada
- ◆ WHITTELSEY'S EXPRESS ➜ États-Unis d'Amérique (postes locales et privées) : *Chicago*
- ◆ *Widzeme* ➜ Wenden
- ◆ WIEDERAUFBAU MEISSEN DEUTSCHE POST ➜ Allemagne Orientale (zone soviétique d'occupation : postes locales)

- ❖ WIEDERAUFBAU STADT LÜBBENAU ➜ Allemagne Orientale (zone soviétique d'occupation : postes locales)
- ◆ WIELAND ➜ Thuringe
- ◆ WIENER PRIVAT-TELEGRAFEN-GESELLSCHAFT ➜ Autriche (postes locales ou privées) : *Compagnie privée de télégraphe (Vienne)*
- ◆ WIR SIND FREI! ➜ Tchécoslovaquie (occupation allemande des territoires des Sudètes)
- ◆ WILAYAH PERSEKUTUAN MALAYSIA ➜ Malaysia
- ◆ WILHELMINA SURINAME ➜ Surinam
- ❖ WILHELMSHAFEN ➜ Nouvelle Guinée (occupation britannique, administration australienne)
- ◆ WILLIAMS CITY POST ➜ États-Unis d'Amérique (postes locales et privées) : *Cincinnati*
- ◆ WINNSBOROUGH S.C. ➜ États Confédérés d'Amérique (émissions des Maîtres de postes : Winnsborough, Caroline du Sud)
- ◆ WK BANDSTOTEN ➜ Pays-Bas (postes locales : *Haarlem*)
- ⊙ Wᴺ ➜ Corée du Sud
- ⊙ won ➜ Corée du Sud
- ◆ WOOD & CO. CITY DESPATCH BALTIMORE ➜ États-Unis d'Amérique (postes locales et privées) : *Baltimore*
- ◆ WORLD REFUGEE YEAR 1959-1960 ➜ Formose
- ◆ WORLD TABLE TENNIS QUEEN ➜ Corée du Nord
- ❖ WORLD UNITED AGAINST MALARIA ➜ Formose
- ❖ W T A ➜ États Confédérés d'Amérique (émissions des Maîtres de postes : Jacksonville, Alabama)
- ◆ WUERTTEMBERG ➜ Wurtemberg

☐ **Wuhu (poste locale chinoise)**
China: local issue of Wuhu (E)
1894-
Asie
  l WUHU LOCAL POST (1894-)

- ◆ WUHU LOCAL POST ➜ Wuhu (poste locale chinoise)

☐ **Wurtemberg**
Wurttemberg (E)
1851-1924
Europe
Yvert et Tellier, Tome 3, 1ʳᵉ partie
(à : *Allemagne*)
  l FREIMARKE * .. KREUZER (1857-1866)
    K. WÜRTT. POST (1875-1900)
    K. WÜRTT. POST AMTLICHER VERKEHR (1875-1907)
    K. WURTTEMBERG (1875-1907)
    PORTO PFLICHTIGE (1875-1919)
    VOLKSTAAT WÜRTTEMBERG (1919-1920)
    WUERTTEMBERG (1920)
    WÜRTTEMBERG (1851-1924)
    WÜRTTEMBERG BEZIRKSMARKE (1916)
  s VOLKSTAAT WÜRTTEMBERG (1919-1920)
  m kreuzer, pf., pfennig, mark, tausend, million

□ **Wurtemberg (occupation française)**
Wurttemberg: French occupation (E)
1947-1949
Europe
Yvert et Tellier, Tome 2, 1ʳᵉ partie
(à : *Allemagne [occupation française]*)
  l WÜRTTEMBERG (1947-1949)
  m pf., d.pf., m.

◆ WÜRTTEMBERG ➜ Wurtemberg, Wurtemberg
  (occupation française)
◆ WÜRTTEMBERG BEZIRKSMARKE ➜ Wurtemberg
🔛 *Wurttemberg: French occupation (E)* ➜ Wurtemberg
  (occupation française)
❖ WÜRTT. POST ➜ Wurtemberg
❖ WURZBURG ➜ Bavière
◆ WWW. PITCAIRN-ISLANDS.PN ➜ Pitcairn
◆ W. WYMAN ➜ États-Unis d'Amérique (postes locales
  et privées) : Boston
◆ *Wytheville (Virginie)* ➜ États Confédérés d'Amérique
  (émissions des Maîtres de postes : Wytheville, Virginie)
⊙ x ➜ Yougoslavie
◆ XII FIERA CAMPIONARIA TRIPOLI ➜ Tripolitaine
Ⓤ xu ➜ Sud-Vietnam (République du), Vietnam
  (République Socialiste), Vietnam du Nord
◆ XVTH CONGRESS OF ICC. TOKYO ➜ Japon
◆ Y ¼ ➜ Antilles espagnoles
◆ *Yafa* ➜ Upper Yafa
❖ YAKUTIA ➜ Russie (postes locales de l'ex-U.R.S.S. :
  République de Saha [Iakoutie])
◆ YAMHURI YA TANGANYIKA ➜ Tanganyika
◆ *Yantai (Chefoo)* ➜ Chine (poste locale)
◆ Y. A. R. ➜ Yémen (république arabe)
◆ Y. A. R. 27. 9. 1962 ➜ Yémen (république arabe)
◆ *Yassy* ➜ Zemstvos
◆ YCA ➜ Yca

□ **Yca**
Peru: provisional issues of Yca (E)
1884
Amérique du Sud
Yvert et Tellier, Tome 7, 1ʳᵉ partie
(à : *Pérou*)
  s J *(carmin dans un rond)* (Pérou : 1884)
     YCA (Pérou : 1884)
     YCA VAPOR (Pérou : 1884)

◆ YCA VAPOR ➜ Yca
❖ Y. C. P. P. (cyrillique) ➜ Ukraine
◆ Y C C P 22.500 (cyrillique) ➜ Ukraine
◆ Y C C P 7.500 (cyrillique) ➜ Ukraine
❖ YCTAB ➜ Monténégro
❖ YEAR OF PEACE 1987 ➜ Syrie (état indépendant)
◆ YEMEN ➜ Yémen, Yémen du Sud
🔛 *Yemen (E)* ➜ Yémen, Yémen (République), Yémen
  (république arabe)

□ **Yémen**
✳ *Yemen (E)*
1929-1970
Asie
Yvert et Tellier, Tome 7, 2ᵉ partie
  l KINGDOM OF YEMEN (1952)
     MUTAWAKELITE KINGDOM OF YEMEN
     (1964-1965)
     POSTES DE YEMEN (1939-1945)
     POSTES DU ROYAUME DE YEMEN (1939-
     1945)
     THE MOUTAWAKILITE KINGDOM OF
     YEMEN (1952-1965)
     THE MUTAWAKELITE KINGDOM OF YEMEN
     (1952-1965)
     YEMEN (1930-1970)
  m bogchah, bogaches, bogshas, b
  ⇨ Yémen (république arabe)

■ **Yémen (République)**
Yemen (F)
1990-auj.
Asie
Yvert et Tellier, Tome 7, 2ᵉ partie
  l REPUBLIC OF YEMEN (1991-auj.)
     YEMEN REPUBLIC (1990-1991)
  m fils, f, rials

□ **Yémen (république arabe)**
Yemen (E)
1963-1991
Asie
Yvert et Tellier, Tome 7, 2ᵉ partie
  l YEMEN ARAB REPUBLIC (1963-1991)
     Y. A. R. (1963-1970)
     Y. A. R. 27. 9. 1962 (1963)
  s Y. A. R. (Yémen : 1963)
     Y. A. R. 27. 9. 1962 (Yémen : 1963)
  m b, bogshas, fils

◆ YEMEN ARAB REPUBLIC ➜ Yémen (république
  arabe)

□ **Yémen du Sud**
Yemen: People's Democratic Republic of (E)
1967-1990
Asie
Yvert et Tellier, Tome 7, 2ᵉ partie
  l PDR YEMEN (1983)
     PEOPLE'S DEMOCRATIC REPUBLIC OF
     YEMEN (1971-1989)
     PEOPLE'S REPUBLIC OF SOUTHERN YEMEN
     (1968-1970)
     YEMEN (1982)
     YEMEN P.D.R. (1977-1990)
     YEMEN PDR (1977-1990)
  s PEOPLE'S REPUBLIC OF SOUTHERN YEMEN
     (Arabie du Sud : 1967)
  m fils, f

⋈ *Yemen: People's Democratic Republic of (E)* ➜ Yémen du Sud

◆ YEMEN PDR ➜ Yémen du Sud

◆ YEMEN P.D.R. ➜ Yémen du Sud

◆ YEMEN REPUBLIC ➜ Yémen (République)

⊙ yen ➜ Japon, Ryu-Kyu

◆ YEN ➜ Japon, Ryu-Kyu

◆ УКРАЇНА UKRAINA (cyrillique) ➜ Ukraine

◆ УКРАІНСВКА (cyrillique) ➜ Ukraine

❖ УКРАІНN (cyrillique) ➜ Ukraine

❖ УКРАІНСВКА (cyrillique) ➜ Ukraine

◆ УКР Н Р (cyrillique) ➜ Ukraine

❖ Ykp. H. Pen. (cyrillique) ➜ Ukraine

❖ YKSI MARKKA ➜ Finlande

◆ Yᴺ ➜ Japon

❖ YNCBIH (cyrillique) ➜ Mongolie

◆ YOSHINO-KUMANO NATIONAL PARK ➜ Japon

■ **Yougoslavie**
Yugoslavia (E)
1918-auj.
Europe
Yvert et Tellier, Tome 3, 2ᵉ partie
  l КРАДЕ ВИНА СХС KRALIE VINA SHS (1919)
    КРАДЕ ВИНА СРБ ХРА СДОА KRALIE
    VINA SRB HRV SLOV (1919)
    ДРЖАВА С Х С. DRZAVA S H S (1919)
    Македонија Југославија (1990-1991)
    ЈУГОСЛАВИЈА (1931-1965, 1987-auj.)
    ф.Н. Р. ЈУГОСЛАВИЈА (1946-1955)
    КРАЉЕВСТВО С.Х.С. (1920-1929)
    КРАЉЕВСТВО СРба Хрвата и Словенаца
    (1920-1929)
    Демократска федеративна Југославија
    (1944-auj.)
    DEMOKRATSKA FEDERATIVNA
    JUGOSLAVIJA (1945)
    DRZ. POSTA HRVATSKA (1919)
    DRZAVNA POSTA HRVATSKA (1919)
    F.N.R. JUGOSLAVIJA (1946-1955)
    HRVATSKA (1918)
    JUGOSLAVIJA (1999-auj.)
    KRALJEVINA SRBA HRVATA I SLOVENACA
    (1921-1929)
    KRALJEVINA YUGOSLAVIA (1931)
    KRALJEVSTVO S.H.S. (1919-1924)
    KRALJEVSTVO SRBA HRVATA I
    SLOVENACA (1921-1924)
    YUGOSLAVIJA (1931-1994)
  s КРАЉЕВСТВО С.Х.С. (Bosnie Herzégovine :
    1919)
    КРАЉЕВСТВО СРба Хрвата и Словенаца
    (Bosnie Herzégovine : 1919)
    Демократска федеративна Југославија
    (Serbie [occupation allemande] : 1944)

    ДРЖАВА С. Х. С. Босна и Херцеговина
    (Bosnie Herzégovine : 1919)
    ПОРТО (Bosnie Herzégovine : 1919)
    DRZAVA S.H.S. BOSNA I HERCEGOVINA
    (Bosnie Herzégovine : 1919)
    HRVATSKA SHS (Hongrie : 1918-1919)
    KRALJEVSTVO SRBA HRVATA I
    SLOVENACA (Bosnie Herzégovine : 1919)
    PORTO (Bosnie Herzégovine : 1919)
    SHS HRVATSKA (Hongrie : 1918-1919)
    U. R. I. (1926)
  m din, dinar, dinara, h, helera, хелера, k, kron,
    kruna, круна, para, x, пара, ДНHAPA, d, ДНН
  ⇨ Carinthie, Croatie, Italie (occupation allemande),
    Istrie (administration militaire yougoslave),
    Lubiana-Slovénie (occupation italienne),
    Monténégro (occupation italienne), Serbie
    (occupation allemande), Serbie (République de),
    Serbie-Krajina (République de), Trieste (Zone B
    Yougoslave), Zone de Fiume et de la Kupa

◆ *Yougoslavie* ➜ voir aussi : Istrie, Istrie (administration militaire yougoslave), Lubiana-Slovénie (occupation allemande), Lubiana-Slovénie (occupation italienne)

◆ Y. P. CA ➜ Ukraine sub-carpathique

◆ *Yucatan* ➜ Mexique

⋈ *Yugoslavia (E)* ➜ Yougoslavie

⋈ *Yugoslavia: German occupation of Lubijana (E)* ➜ Lubiana-Slovénie (occupation allemande)

⋈ *Yugoslavia: issued for Carinthia Plebiscite (E)* ➜ Carinthie

⋈ *Yugoslavia: issues for Istria and the Slovene Coast (E)* ➜ Istrie, Istrie (administration militaire yougoslave)

⋈ *Yugoslavia: Italian occupation of Fiume-Kupa Zone (E)* ➜ Zone de Fiume et de la Kupa

⋈ *Yugoslavia: Italian occupation of Lubijana (E)* ➜ Lubiana-Slovénie (occupation italienne)

⋈ *Yugoslavia: occupation stamps issued in Trieste Zone B by the Yugoslav Military Government (E)* ➜ Trieste (Zone B Yougoslave)

◆ YUGOSLAVIJA ➜ Yougoslavie

◆ YUKON AIRWAYS & EXPLORATION CO LTD ➜ Canada

□ **Yunnan**
✱ *Republic of China: Yunnan Province (E)*
1927-1934
Asie
Yvert et Tellier, Tome 5, 2ᵉ partie
(à : *Chine*)
  s *caractères asiatiques* (Chine : 1927-1934)

◆ YUNNANFOU ➜ Yunnanfou

□ **Yunnanfou**
French Offices in China: Yunnan Fou (E)
1903-1919
Asie
Yvert et Tellier, Tome 2, 1ʳᵉ partie
 s YUNNAN-FOU (Indochine : 1906)
    YUNNANFOU (Indochine : 1908-1919)
    YUNNANSEN (Indochine : 1903-1904)
 m c, f, fr

◆ YUNNAN-FOU ➜ Yunnanfou
🄟 *Yunnan Province (E)* ➜ Yunnan
◆ YUNNANSEN ➜ Yunnanfou
⊙ z ➜ Congo (belge/état indépendant/république/
   république démocratique), Zaïre
◆ Z *(stylisé)* ➜ Caucase
❖ ZAANSTAD ➜ Pays Bas (postes locales : *Haarlem*)
♦ *Zadonsk* ➜ Zemstvos
◆ Z. AFR. REPUBLIEK ➜ Transvaal
◆ ZAIRE ➜ Zaïre
◆ ZAÏRE ➜ Zaïre

□ **Zaïre**
Zaire (E)
1971-1997
Afrique
Yvert et Tellier, Tome 7, 2ᵉ partie
 l RÉPUBLIQUE DÉMOCRATIQUE DU CONGO
    (PRÉSIDENT J.C. MOBUTU) (1979)
    ZAIRE (1978-1997)
    RÉPUBLIQUE DU ZAÏRE (1971-1997)
    ZAÏRE (1978-1997)
 s RÉPUBLIQUE DU ZAÏRE (Congo [république
    du] : 1971-1997)
 m k, nk, nz, s, z

♦ *Zaïre* ➜ voir aussi : Congo (république démocratique)
◆ ZA LOT KOP 10 ➜ Pologne
◆ ZAMBEZIA ➜ Zambézie
◆ ZAMBEZIA PORTUGAL ➜ Zambézie

□ **Zambézie**
Zambezia (E)
1894-1917
Afrique
Yvert et Tellier, Tome 7, 2ᵉ partie
 l PORTUGAL ZAMBEZIA (1894)
    ZAMBEZIA (1894-1917)
    ZAMBEZIA PORTUGAL (1894-1917)
 m reis

◆ ZAMBIA ➜ Zambie

■ **Zambie**
Zambia (E)
1964-auj.
Afrique
Yvert et Tellier, Tome 7, 2ᵉ partie
 l ZAMBIA (1964-auj.)
 m penny, pence, d, n, k

◆ ZA NEZAVISNU DRZAVU HRVATSKU ➜ Croatie
   (timbres d'exil)
❖ ZANZIBAR ➜ Tanganyika
◆ ZANZIBAR ➜ Zanzibar, Zanzibar (bureau français)

□ **Zanzibar**
1895-1967
Afrique
Yvert et Tellier, Tome 7, 2ᵉ partie
 l INSUFFICIENTLY PREPAID POSTAGE DUE
    (1931-1933)
    JAMHURI ZANZIBAR (1964-1967)
    JAMHURI ZANZIBAR TANZANIA (1964-1967)
    ZANZIBAR (1897-1965)
    ZANZIBAR TANZANIA (1967)
 s ZANZIBAR (Afrique orientale britannique : 1896)
    ZANZIBAR (Inde anglaise : 1895-1896)
 m anna, annas, rupee, rupees, cents, sh, c, cts
    ⇨ Afrique orientale britannique

□ **Zanzibar (bureau français)**
French Offices in Zanzibar (E)
1894-1904
Afrique
Yvert et Tellier, Tome 2, 1ᵐ partie
 l ZANZIBAR (1902-1904)
 s ANNA (France : 1894-1904)
    ANNAS (France : 1894-1904)
    ZANZIBAR (France : 1896-1900)
 m anna, annas, c, f, fr

♦ *Zanzibar* ➜ voir aussi : Tanganyika, Tanzanie
◆ ZANZIBAR TANZANIA ➜ Zanzibar
◆ Z.A.R. ➜ Cap de Bonne-Espérance (guerre anglo-boer)
◆ ZARA ➜ Italie (occupation allemande)
❖ ZARAGOZA ➜ Espagne (émissions nationalistes :
   Saragosse)
◆ ZARASAI ➜ Lituanie (occupation allemande)
❖ ZAWIERCIE ➜ Silésie (Haute : poste locale de
   Zawiercie)
❖ ZEGEL ➜ Pays-Bas
◆ ZEGELREGT ZUID AFRIKAANSCHE REPUBLIEK
   ➜ Transvaal
❖ ZEITUNGS ➜ Autriche
◆ ZEITUNGSGEBÜHR BAR BEZAHLT ➜
   Tchécoslovaquie
◆ ZEITUNGS-POST STAMPEL ➜ Autriche
◆ ZEITUNGS-POST STEMPEL ➜ Autriche
❖ ZEITUNGS STÄMPEL. ➜ Autriche, Lombardo-
   Vénétie
❖ ZEITUNGS-STEMPEL ➜ Autriche
♦ *Zelaya* ➜ Bluefield, Cabo
❖ ZELAYA ➜ Bluefield, Cabo
♦ *Zell Am See* ➜ Autriche (postes locales ou privées)
❖ ZEMAIL ➜ Lord Howe (Île)
♦ *Zemliansk* ➜ Zemstvos

☐ **Zemstvos**
* *Russia: local issues (E)*
  1864-1917
  Asie, Europe
  Yvert et Tellier, Tome 4, 2ᵉ partie
  (à : *Russie*)
  I *les légendes comportent habituellement l'une de*
  mentions suivantes :
  ЗЕМСКАЯ ПОЧТА
  ЗЕМСКАЯ ПОЧТОВАЯ МАРКА
  ЗЕМСКОИ ПОЧТЫ
  précédée ou suivie du nom du district émetteur.
  La liste ci-dessous donne les noms des districts
  en russe dont les premiers caractères sont
  généralement représentés sur les timbres
  concernés :
  Алатырь : *Alatyr*
  Александрия : *Alexandrie*
  Ананьевъ : *Ananiev*
  Ардатовъ : *Ardatov*
  Арзамасъ : *Arzamas*
  Аткарскъ : *Atkarsk*
  Ахтырка : *Akhtyrka*
  Балашовъ : *Balachov*
  Бахмутъ : *Bakhmout*
  Блъжецкъ : *Biejetzk*
  Белебей : *Belebej*
  Белозерскъ : *Belozersk*
  Бердянскъ : *Berdiansk*
  Бобровъ : *Bobrov*
  Богородскъ : *Bogodorosk*
  Богучары : *Bogoutchary*
  Борисоглебскъ : *Borisoglebsk*
  Боровичи : *Borovitchi*
  Бронницы : *Bronnitzy*
  Бугульма : *Bougoulma*
  Бугурусланъ : *Bougourouslan*
  Бузулукъ : *Bouzoulouk*
  Валдай : *Valdai*
  Валки : *Valki*
  Василь : *Vasil*
  Великий Устюгъ : *Veliki Oustioug*
  Вельскъ : *Velsk*
  Верхнеднълпровскъ : *Verkhnednieprovsk*
  Верхотурье : *Verkhotourié*
  Весьегонскъ : *Vessiegonsk*
  Ветлуга : *Vetlouga*
  Волчанскъ : *Voltchansk*
  Вольскъ : *Volsk*
  Вятка : *Viatka*
  Гадяч : *Gadiatch*
  Гдовъ : *Gdov*
  Глазовъ : *Glazov*
  Грязовецъ : *Griazovetz*
  Данковъ : *Dankov*
  Демянскъ : *Demiansk*
  Дмитриевъ : *Dmitriev*
  Дмитровъ : *Dmitrov*
  Днълпровскъ : *Dnieprovsk*
  Донецъ : *Donetz*

Духовина : *Doukhovchtchina*
Егорьевскъ : *Iegorievsk*
Екатеринбугъ : *Ekaterinbourg*
Екатеринославъ : *Ekaterinoslav*
Елецъ : *Ieletz*
Елизаветградъ : *Elisavetgrad*
Задонскъ : *Zadonsk*
Землянскъ : *Zemliansk*
Злъньковъ : *Zenkov*
Змеиногорскъ : *Zmeinogorsk*
Золотоноша : *Zolotonocha*
Ирбитъ : *Irbit*
Кадниковъ : *Kadnikov*
Казань : *Kazan*
Камышловъ : *Kamychlov*
Касимовъ : *Kassimov*
Кашира : *Kachira*
Кириловъ : *Kirillov*
Кобеляки : *Kobeliaki*
Козелецъ : *Kozeletz*
Кологривъ : *Kologriv*
Коломна : *Kolomna*
Константиноградъ : *Konstantinograd*
Корчева : *Kortcheva*
Котельничъ : *Kotelnitch*
Крапивна : *Krapivna*
Красный : *Krassny*
Красноуфимскъ : *Krasnooufimsk*
Кременчугъ : *Krementchoug*
Кузнецкъ : *Kouznetzk*
Кунгуръ : *Koungour*
Лаишевъ : *Laïchev*
Лебединъ : *Lebedin*
Лебедянъ : *Lebedian*
Ливны : *Livny*
Лохвица : *Lokhvitza*
Лубны : *Loubny*
Луга : *Louga*
Льговъ : *Lgov*
Малмыжъ : *Malmij*
Малоархангельскъ : *Maloarkhangelsk*
Мариуполь : *Marioupol*
Мелитополь : *Melitopol*
Моршанскъ : *Morchansk*
Никольскъ : *Nikolsk*
Новгородъ : *Novgorod*
Новая Ладога : *Novaia Ladoga*
Новомосковскъ : *Novomoskovsk*
Новоржевъ : *Novorjev*
Новоузенскъ : *Novoouzensk*
Нолинскъ : *Nolinsk*
Одесса : *Odessa*
Опочка : *Opotchka*
Оргљевъ : *Orgueiev*
Оса : *Osa*
Осташковъ : *Ostachkov*
Остеръ : *Oster*
Островъ : *Ostrov*
Острогожскъ : *Ostrogojsk*
Оханскъ : *Okhansk*

Павлоградъ : *Pavlograd*
Пенза : *Penza*
Переславъ : *Pereslav*
Переяславъ : *Pereiaslav*
Пермь : *Perm*
Петрозаводскъ : *Petrozavodsk*
Пирятин : *Piriatin*
Подольскъ : *Podolsk*
Полтава : *Poltava*
Порховъ : *Porkhov*
Прилуки : *Prilouki*
Псковъ : *Pskov*
Пудожъ : *Poudoj*
Ржевъ : *Rjev*
Ростовъ : *Rostov*
Ряжскъ : *Riajsk*
Рязань : *Riazan*
Самара : *Samara*
Сапожокъ : *Sapojok*
Саранскъ : *Saransk*
Сарапуль : *Sarapoul*
Саратовъ : *Saratov*
Симферополь : *Simferopol*
Скопинъ : *Skopin*
Смоленскъ : *Smolensk*
Соликамскъ : *Solikamsk*
Сороки : *Soroki*
Спасскъ : *Spassk*
Ставрополь : *Stavropol*
Старобльльскъ : *Starobielsk*
Старая Русса : *Staraïa Roussa*
Суджа : *Soudja*
Сумы : *Soumy*
Сызрань : *Syzran*
Тамбовъ : *Tambov*
Тверь : *Tver*
Тетюши : *Tetiouchi*
Тирасполь : *Tiraspol*
Тихвинъ : *Tikhvin*
Торопецъ : *Toropets*
Тотьма : *Totma*
Тула : *Toula*
Уржумъ : *Ourjoum*
Устюжна : *Oustioujna*
Устьсысольскъ : *Oustsyssolsk*
Фатежъ : *Fatezh*
Харьковъ : *Kharkov*
Хвалынскъ : *Khvalynsk*
Херсонъ : *Kherson*
Холмъ : *Kholm*
Чембаръ : *Tchembary*
Чердынь : *Tcherdyn*
Череповецъ : *Tcherepovetz*
Черкасскъ : *Tcherkassy*
Чернь : *Tchern*
Чистополь : *Tchistopol*
Шадринскъ : *Chadrinsk*
Шацкъ : *Chatzk*
Шлиссельбургъ : *Schlusselbourg*
Щигры : *Chtchigry*

Яренскъ : *Iarensk*
Яссы : *Yassy*
m k, коп

❖ ZENKLAS ➔ Lituanie
❖ ZENKLAS TARNYBINIS ➔ Memel (occupation lituanienne)
🔵 *Zenkov* ➔ Zemstvos
❖ ZEPPELIN ➔ Compagnie Condor
❖ ZEPPELIN CIRENAICA ➔ Cyrénaïque (colonie italienne)
◆ ZIEBER'S ONE CENT DISPATCH ➔ États-Unis d'Amérique (postes locales et privées) : *Pittsburgh (Pennsylvania)*

■ **Zil Eloigne Sesel**
Seychelles: Zil Elwannyen Sesel (E)
1980-auj.
Afrique
Yvert et Tellier, Tome 7, 2ᵉ partie
(à : **Seychelles**)
  I   ZIL ELOIGNE SESEL SEYCHELLES (1980-1982)
     ZIL ELWAGNE SESEL SEYCHELLES (1982-1984)
     ZIL ELWANNYEN SESEL SEYCHELLES (1985-auj.)
m r, c

◆ ZIL ELOIGNE SESEL SEYCHELLES ➔ Zil Eloigne Sesel
◆ ZIL ELWAGNE SESEL SEYCHELLES ➔ Zil Eloigne Sesel
◆ ZIL ELWANNYEN SESEL SEYCHELLES ➔ Zil Eloigne Sesel
◆ ZIMBABWE ➔ Zimbabwe

■ **Zimbabwe**
1980-auj.
Afrique
Yvert et Tellier, Tome 7, 2ᵉ partie
  I   ZIMBABWE (1980-auj.)
m c, $

⊙ zl ➔ Pologne, Pologne (occupation allemande)
⊙ zloty ➔ Pologne, Pologne (occupation allemande)
🔵 *Zmeinogorsk* ➔ Zemstvos
◆ ZOFK ZOFK ZOFK ➔ Zone de Fiume et de la Kupa
🔵 *Zolotonocha* ➔ Zemstvos
◆ ZONA DEL PROTECTORADO EN MARRUECOS ➔ Maroc (bureaux espagnols)
❖ ZONA DE OCUPATIE 1919 ➔ Debreczen
◆ ZONA DE OCUPATIE ROMANA 1919 ➔ Debreczen
◆ ZONA DE PROTECTORADO ESPAÑOL EN MARRUECOS ➔ Maroc (bureaux espagnols)
◆ ZONA OCCUPATA FIUMANO KUPA ➔ Zone de Fiume et de la Kupa
◆ ZONA PROTECTORADO ESPAÑOL ➔ Maroc (bureaux espagnols)
❖ ZONE ➔ Panama-Canal

☐ **Zone de Fiume et de la Kupa**
Yugoslavia: Italian occupation of Fiume-Kupa Zone (E)
1941-1942
Europe
Yvert et Tellier, Tome 3, 2ᵉ partie
(à : *Italie*)
  s MEMENTO AVDERE SEMPER (Yougoslavie : 1941)
     O.N.M.I. (Yougoslavie : 1942)
     PRO MATERNITA E INFANZIA (Yougoslavie : 1942)
     ZOFK ZOFK ZOFK (Yougoslavie : 1941)
     ZONA OCCUPATA FIUMANO KUPA (Yougoslavie : 1941)

  • ZONE FRANÇAISE BRIEFPOST ➔ Allemagne
     (occupation française)

☐ **Zoulouland**
Zululand (E)
1888-1896
Afrique
Yvert et Tellier, Tome 7, 2ᵉ partie
  l NATAL REVENUE ZULULAND (1888)
     ZULULAND (1894-1896)
  s ZULULAND (Grande-Bretagne : 1888)
     ZULULAND (Natal : 1888-1894)
  m penny, pence, shilling, shillings, d, pound, pounds, £

  ❖ ZRACNA P ➔ Trieste (Zone B Yougoslave)
  • ZRACNA POSTA ➔ Trieste (Zone B Yougoslave)
  ❖ Z.S.S.R. ➔ Pologne (armées polonaises en U.R.S.S.)
  ☉ zt ➔ Pologne, Pologne (corps polonais), Pologne (exil)
  ❖ ZUID AFRIKA ➔ Afrique du Sud (Union de l'),
    Nouvelle République d'Afrique du Sud
  • ZUIDAFRIKAANSCHE REPUBLIEK ➔ Transvaal
  ❖ ZUID AFRIKAANSCHE REPUBLIEK ➔ Transvaal
  • ZUIDWEST AFRIKA ➔ Sud-Ouest Africain
  • ZUID-WEST AFRIKA ➔ Sud-Ouest Africain
  • ZULULAND ➔ Zoulouland
  • ZURICH CANTONAL TAXE ➔ Suisse
  • ZURICH LOCAL TAXE ➔ Suisse

Liste alphabétique des émissions philatéliques
(alphabetical list of past and present postal authorities)

☐ Pays n'émettant plus de Timbre (*past*)
■ Pays émettant des Timbres (*present*)

☐ Abou Dhabi
■ Açores
☐ Aden
☐ Afars et Issas (Territoire des)
■ Afghanistan
☐ Afrique centrale britannique
☐ Afrique du Sud (compagnie britannique de l')
■ Afrique du Sud (Union de l')
☐ Afrique du Sud-Ouest (colonie allemande)
☐ Afrique Équatoriale
☐ Afrique Occidentale
☐ Afrique occidentale espagnole
☐ Afrique orientale allemande (colonie allemande)
☐ Afrique orientale allemande (occupation britannique)
☐ Afrique orientale britannique
☐ Afrique orientale italienne
☐ Afrique portugaise
☐ Ain-Tab
■ Aitutaki
☐ Ajman
■ Aland
☐ Alaouites
■ Albanie
☐ Albanie (occupation grecque)
☐ Alexandrette (administration française)
☐ Alexandrette (administration turque)
☐ Alexandrie
■ Algérie
☐ Algérie (département français)
☐ Allemagne
☐ Allemagne (Berlin)
☐ Allemagne (occupation belge)
☐ Allemagne (occupation française)
☐ Allemagne (postes locales ou privées)
☐ Allemagne (zones Américaine, Anglaise et
　Soviétiques d'occupation - zones A.A.S.)
☐ Allemagne bizone (zone anglo-américaine
　d'occupation)
☐ Allemagne du Nord (bureau)
☐ Allemagne du Nord (confédération)
■ Allemagne Fédérale
☐ Allemagne Orientale (République Démocratique)
☐ Allemagne Orientale (zone soviétique d'occupation :
　émissions générales)
☐ Allemagne Orientale (zone soviétique d'occupation :
　postes locales)
☐ Allenstein
☐ Alsace-Lorraine

☐ Alwar
☐ Ancachs
■ Andorre (bureaux espagnols)
■ Andorre (poste française)
■ Angola
☐ Angra
■ Anguilla
☐ Anjouan
■ Anjouan (État d')
☐ Annam et Tonkin
■ Antarctique britannique
■ Antigua
☐ Antilles danoises
☐ Antilles espagnoles
■ Antilles néerlandaises
☐ Antioquia
☐ Apurimac
☐ Arabie du Sud
■ Arabie du Sud-Est
■ Arabie Saoudite
☐ Arbe et Veglia
☐ Arequipa
■ Argentine
☐ Argentine (poste locale)
☐ Argyrocastro
■ Arménie
■ Aruba
■ Ascension
☐ Asturies et Léon
■ Aurigny
■ Australie
☐ Australie du Sud
☐ Australie occidentale
■ Autriche
☐ Autriche (postes locales ou privées)
☐ Autriche-Hongrie
☐ Autriche-Hongrie (occupation à Monténégro)
☐ Autriche-Hongrie (occupation en Italie)
☐ Autriche-Hongrie (occupation en Roumanie)
☐ Autriche-Hongrie (occupation en Serbie)
☐ Ayacucho
☐ Azad Hind
■ Azerbaïdjan
☐ Bade
☐ Bade (Grand Duché)
■ Bahamas
☐ Bahawalpur
■ Bahrain

- ☐ Bamra
- ☐ Banat-Bacska
- ☐ Bangkok
- ■ Bangladesh
- ☐ Baranya
- ■ Barbade
- ■ Barbuda
- ☐ Barcelone
- ☐ Bardsey
- ☐ Barwani
- ☐ Basoutoland
- ☐ Bavière
- ☐ Bechuanaland (colonie britannique)
- ☐ Bechuanaland (protectorat britannique)
- ■ Belgique
- ☐ Belgique (occupation allemande)
- ■ Belize
- ☐ Bengasi (Cyrénaïque)
- ■ Bénin
- ☐ Bénin (colonie française)
- ■ Béquia
- ☐ Bergedorf
- ☐ Berlin (secteur soviétique)
- ■ Bermudes
- ☐ Bhopal
- ☐ Bhore
- ■ Bhoutan
- ☐ Biafra
- ■ Biélorussie
- ☐ Bijawar
- ■ Birmanie
- ☐ Birmanie (administration militaire)
- ☐ Birmanie (armée de l'indépendance)
- ☐ Birmanie (Dominion britannique)
- ☐ Birmanie (occupation japonaise)
- ☐ Birnbeck
- ☐ Blagoviechtchensk
- ☐ Bluefield
- ☐ Bogota
- ☐ Bohème et Moravie
- ☐ Bolivar
- ■ Bolivie
- ☐ Bophuthatswana
- ☐ Bornéo du Nord
- ☐ Bornéo du Nord (administration militaire)
- ☐ Bornéo du Nord (occupation japonaise)
- ■ Bosnie Herzégovine
- ■ Botswana
- ☐ Bouchir
- ☐ Boyaca
- ■ Brechou
- ☐ Brême
- ■ Brésil
- ■ Brunei
- ☐ Brunei (occupation japonaise)
- ☐ Brunswick
- ☐ Buenos Aires
- ■ Bulgarie
- ☐ Bulgarie du Sud
- ☐ Bundi
- ■ Burkina
- ■ Burundi
- ☐ Bussahir
- ☐ Cabo
- ☐ Cachemire
- ■ Caïmanes (Îles)
- ☐ Caïques
- ☐ Caldey
- ☐ Calf of Man
- ☐ Calino
- ☐ Calve
- ■ Cambodge
- ■ Cameroun
- ☐ Cameroun (colonie française)
- ☐ Cameroun allemand
- ☐ Cameroun britannique
- ☐ Campeche
- ☐ Campione
- ■ Canada
- ☐ Canal de Suez
- ☐ Canaries (Îles)
- ☐ Canna
- ☐ Canton
- ☐ Cap de Bonne-Espérance (colonie britannique)
- ☐ Cap de Bonne-Espérance (guerre anglo-boer)
- ☐ Cap Juby
- ■ Cap-Vert
- ☐ Carchi
- ☐ Carélie
- ☐ Carélie orientale (occupation finlandaise)
- ☐ Carinthie
- ☐ Carn Iar
- ☐ Carolines
- ☐ Carthagène
- ☐ Caso
- ☐ Castellorizo (colonie française)
- ☐ Castellorizo (occupation et colonie italienne)
- ☐ Cauca
- ☐ Caucase
- ☐ Cavalle
- ☐ Cavalle (bureau français)
- ☐ Cayes
- ■ Centrafricaine
- ☐ Ceylan
- ☐ Chachapoyas
- ☐ Chala
- ☐ Chamba
- ☐ Charkhari
- ☐ Chemins de Fer de Bavière (Compagnie des)
- ☐ Chiapas
- ☐ Chiclayo
- ☐ Chihuahua
- ■ Chili
- ■ Chine

☐ Chine (bureaux allemands)
☐ Chine (bureaux anglais)
☐ Chine (bureaux des États-Unis)
☐ Chine (bureaux français)
☐ Chine (bureaux italiens)
☐ Chine (bureaux japonais)
☐ Chine (bureaux russes : émission de Kharbine)
☐ Chine (bureaux russes)
☐ Chine (poste locale)
☐ Chine centrale
☐ Chine du nord
☐ Chine du nord (occupation japonaise)
☐ Chine du nord-est
☐ Chine du sud
☐ Chine du sud-ouest
☐ Chine orientale
■ Christmas
■ Chypre
■ Chypre (administration turque)
☐ Cilicie
☐ Ciskei
☐ Coamo
☐ Cochin
☐ Cochinchine
■ Cocos
■ Colombie
☐ Colombie britannique
☐ Colonies françaises
☐ Colonies italiennes
☐ Colonies portugaises
■ Comores
☐ Comores (colonie française et TFO)
☐ Compagnie Condor
☐ Compagnie Danubienne de Navigation à Vapeur
☐ Compagnie E.T.A.
☐ Compagnie Varig
■ Congo
☐ Congo (belge, état indépendant, république, république démocratique)
☐ Congo (colonie française)
■ Congo (république démocratique)
☐ Congo portugais
☐ Coo
■ Cook
☐ Cordoba
☐ Corée (bureaux japonais)
☐ Corée (royaume, empire)
■ Corée du Nord
■ Corée du Sud
☐ Corée du Sud (occupation par les forces nord-coréennes)
☐ Corfou
☐ Corrientes
■ Costa Rica
■ Côte d'Ivoire
☐ Côte d'Ivoire (colonie française)
☐ Côte de l'Or

☐ Côte des Somalis
☐ Côte du Niger
☐ Counani (République du)
☐ Crète (administration crètoise)
☐ Crète (administration grecque)
☐ Crète (bureau anglais d'Héraklion)
☐ Crète (bureau italien de la Canée)
☐ Crète (bureau russe de Rethymno)
☐ Crète (bureaux autrichiens)
☐ Crète (bureaux français)
☐ Crète (poste des insurgés)
■ Croatie
☐ Croatie (timbres d'exil)
☐ Cuautla
■ Cuba
☐ Cucuta
☐ Cuernavaca
☐ Cundinamarca
☐ Curaçao
☐ Cuzco
☐ Cyrénaïque (colonie italienne)
☐ Cyrénaïque (occupation britannique)
☐ Dahomey
☐ Dahomey (colonie française)
☐ Dalmatie
■ Danemark
☐ Dantzig
☐ Dantzig (bureau polonais)
☐ Datia
☐ Davaar
☐ Debreczen
☐ Dédéagh
☐ Dédéagh (bureau français)
☐ Dhar
☐ Dhofar
☐ Diégo-Suarez
■ Djibouti
■ Dominicaine
■ Dominique
☐ Dubaï
☐ Easdale
☐ Édouard VII (terre d')
☐ Égée (îles de la mer)
☐ Égée (îles de la mer) (occupation grecque)
☐ Église (États Pontificaux)
■ Égypte
☐ Ekaterinoslav
☐ Elobey, Annobon & Corisco
■ Émirats arabes unis
☐ Entre-Rios
☐ Épire
■ Équateur
☐ Érythrée (colonie italienne)
☐ Érythrée (occupation britannique)
■ Érythrée (République)
■ Espagne
☐ Espagne (émissions nationalistes)

☐ Espagne (émissions républicaines)
☐ Espagne (insurrection Carliste)
☐ Est-Africain
■ Estonie
☐ Estonie (occupation allemande)
☐ Estonie (occupation allemande : poste locale d'Elwa)
☐ États Confédérés d'Amérique (émissions des Maîtres de postes)
☐ États Confédérés d'Amérique (émissions générales)
☐ États Princiers de l'Inde
■ États-Unis d'Amérique
☐ Etats-Unis d'Amérique (émissions des Maîtres de postes)
☐ Etats-Unis d'Amérique (postes locales et privées)
☐ États-Unis d'Amérique (compagnies privées de télégraphe)
☐ Été (Îles de l')
■ Éthiopie
☐ Éthiopie (occupation italienne)
☐ Eupen et Malmédy
☐ Eynhallow
■ Falkland
■ Falkland (dépendances)
☐ Faridkot
☐ Faridkot (protectorat britannique)
☐ Fatah
☐ Fernando Poo
■ Féroé
☐ Féroé (occupation anglaise)
☐ Fezzan
■ Fidji
■ Finlande
☐ Finlande (poste locale)
☐ Fiume
■ Formose
■ France
☐ Fujeira
☐ Funafuti
☐ Funchal
■ Gabon
☐ Gabon (colonie française)
☐ Gairsay
■ Gambie
☐ Garzon
■ Géorgie
☐ Ghadamès
■ Ghana
■ Gibraltar
☐ Gilbert
☐ Gilbert & Ellice
☐ Goat
☐ Grand Liban
☐ Grande Comore
■ Grande-Bretagne
■ Grande-Bretagne (compagnies privées de chemins de fer)
■ Grande-Bretagne (postes de Noël)

■ Grèce
■ Grenade
■ Grenadines
☐ Griqualand
■ Groenland
☐ Grunay
☐ Gruynard
☐ Guadalajara
☐ Guadeloupe
☐ Guam (occupation américaine)
☐ Guam (poste locale)
☐ Guanacaste
■ Guatemala
■ Guernesey
☐ Guernesey (occupation allemande)
☐ Gugh
■ Guinée
☐ Guinée (colonie française)
■ Guinée équatoriale
☐ Guinée espagnole
☐ Guinée portugaise
■ Guinée-Bissau
■ Guyane
☐ Guyane (colonie française)
☐ Gwalior
☐ Haiderabad
■ Haïti
☐ Hambourg
☐ Hanovre
☐ Haute-Volta
☐ Haute-Volta (colonie française)
☐ Haut-Karabakh (république)
☐ Haut-Sénégal et Niger
☐ Hawaï
☐ Hedjaz
☐ Héligoland
☐ Herceg Bosna
☐ Herm
☐ Hilibre
☐ Hios
☐ Hoï-Hao
☐ Holkar
☐ Honda
■ Honduras
☐ Honduras britannique
■ Hong Kong
☐ Hong Kong (occupation japonaise)
■ Hongrie
☐ Hongrie (émission locale de Sopron)
☐ Hongrie (occupation française)
☐ Hongrie occidentale
☐ Horta
☐ Huacho
☐ Icarie
☐ Idar
☐ Ifni
■ Inde

YVERT & TELLIER

- ☐ Inde (établissements français)
- ☐ Inde anglaise
- ☐ Inde anglaise (occupation japonaise des Îles Andaman)
- ☐ Inde néerlandaise
- ☐ Inde néerlandaise (occupation japonaise)
- ☐ Inde néerlandaise (république indonésienne)
- ☐ Inde portugaise
- ☐ Indochine
- ■ Indonésie
- ☐ Indonésie (territoire de l'ex-Nouvelle-Guinée néerlandaise)
- ☐ Ingrie
- ☐ Inhambane
- ☐ Inini
- ☐ Ioniennes (Îles) (occupation allemande)
- ☐ Ioniennes (Îles) (occupation italienne)
- ☐ Ioniennes (Îles) (possession britannique)
- ■ Irak
- ■ Iran
- ☐ Iran (poste locale)
- ■ Irlande
- ■ Islande
- ☐ Isö
- ■ Israël
- ☐ Istrie
- ☐ Istrie (administration militaire yougoslave)
- ■ Italie
- ☐ Italie (comité de libération nationale)
- ☐ Italie (état fédéral)
- ☐ Italie (occupation allemande)
- ☐ Italie (occupation croate)
- ☐ Italie (occupation interalliée)
- ☐ Italie (occupation yougoslave)
- ☐ Italie (postes locales)
- ☐ Italie (République Sociale)
- ☐ Jaipur
- ■ Jamaïque
- ■ Japon
- ☐ Japon (occupation australienne)
- ☐ Jasdan
- ■ Jersey
- ☐ Jersey (occupation allemande)
- ☐ Jérusalem (bureau consulaire français)
- ☐ Jethou
- ☐ Jhalawar
- ☐ Jhind
- ☐ Jhind (protectorat britannique)
- ☐ Johore
- ☐ Johore (occupation japonaise)
- ■ Jordanie
- ☐ Kampuchéa
- ☐ Katanga
- ☐ Kathiri (Seyun)
- ■ Kazakhstan
- ☐ Kedah
- ☐ Kedah (occupation japonaise)
- ☐ Kelantan
- ☐ Kelantan (occupation japonaise)
- ☐ Kelantan (occupation thaïlandaise)
- ■ Kenya
- ☐ Kenya et Ouganda
- ☐ Kharkov
- ☐ Kherson
- ☐ Khmère
- ☐ Khor Fakkan
- ☐ Kiao-Tchéou
- ☐ Kiev
- ☐ Kionga
- ■ Kirghiztan
- ■ Kiribati
- ☐ Kishengarh
- ■ Kosovo
- ☐ Kouang-Tchéou
- ■ Kurdistan Irakien
- ■ Kuwait
- ☐ La Agüera
- ☐ Labuan
- ☐ Lagos
- ■ Laos
- ☐ Las Bela
- ☐ Lattaquie
- ☐ Leeward
- ☐ Lemnos
- ☐ Lero
- ■ Lesotho
- ■ Lettonie
- ☐ Lettonie (occupation allemande)
- ☐ Levant (bureaux allemands)
- ☐ Levant (bureaux anglais)
- ☐ Levant (bureaux autrichiens)
- ☐ Levant (bureaux français)
- ☐ Levant (bureaux italiens)
- ☐ Levant (bureaux polonais)
- ☐ Levant (bureaux roumains)
- ☐ Levant (bureaux russes Armée Wrangel)
- ☐ Levant (bureaux russes)
- ■ Liban
- ■ Libéria
- ■ Libye
- ■ Liechtenstein
- ☐ Lipso
- ☐ Lithou
- ■ Lituanie
- ☐ Lituanie (occupation allemande)
- ☐ Lituanie (occupation russe)
- ☐ Lituanie centrale
- ☐ Lituanie du Sud
- ☐ Lituanie du Sud (occupation polonaise)
- ☐ Lombardo-Vénétie
- ☐ Long
- ■ Lord Howe (Île)
- ☐ Lorenzo-Marquès
- ☐ Lubeck

- ☐ Lubiana-Slovénie (occupation allemande)
- ☐ Lubiana-Slovénie (occupation italienne)
- ■ Lundy
- ■ Luxembourg
- ☐ Luxembourg (occupation allemande)
- ■ Macao
- ■ Macédoine
- ■ Madagascar
- ☐ Madagascar (colonie française)
- ☐ Madagascar (poste britannique)
- ■ Madère
- ☐ Mahra
- ☐ Majunga
- ☐ Malacca (administration militaire britannique)
- ☐ Malacca (établissements des détroits de Malacca et Singapour)
- ☐ Malacca (état fédéré de Malaysia)
- ☐ Malacca (occupation japonaise)
- ☐ Malaisie
- ☐ Malaisie (occupation japonaise)
- ☐ Malaisie (occupation thaïlandaise)
- ■ Malawi
- ■ Malaysia
- ■ Maldives
- ■ Mali
- ■ Malte
- ■ Malte (Ordre souverain de)
- ■ Man
- ☐ Manama
- ☐ Mandchourie
- ☐ Mandchourie (Chine)
- ☐ Manizales
- ☐ Mariannes
- ☐ Marienwerder
- ■ Maroc
- ☐ Maroc (bureaux allemands)
- ☐ Maroc (bureaux espagnols)
- ☐ Maroc (bureaux et protectorat français)
- ☐ Maroc (Postes Chérifiennes)
- ☐ Maroc (postes locales)
- ☐ Maroc (zone nord ex-espagnole)
- ☐ Maroc anglais (Tanger)
- ☐ Maroc anglais (tous les bureaux <1918, zone espagnole)
- ☐ Maroc anglais (tous les bureaux)
- ☐ Maroc anglais (zone française)
- ■ Marshall
- ☐ Martinique
- ☐ Mascate
- ☐ Mascate, Oman, Dubaï et Qatar
- ■ Maurice
- ■ Mauritanie
- ☐ Mauritanie (colonie française)
- ■ Mayotte
- ☐ Mecklembourg-Poméranie
- ☐ Mecklembourg-Schwerin
- ☐ Mecklembourg-Strelitz

- ☐ Medellin
- ☐ Melilla (expédition militaire)
- ☐ Memel (administration française)
- ☐ Memel (occupation lituanienne)
- ☐ Merida
- ■ Mexique
- ■ Micronésie
- ☐ Modène
- ☐ Mohéli
- ■ Moldavie
- ☐ Moluques du Sud
- ■ Monaco
- ☐ Mongolie
- ☐ Mong-Tzeu
- ☐ Monténégro
- ☐ Monténégro (occupation allemande)
- ☐ Monténégro (occupation italienne)
- ☐ Monténégro (timbres d'exil)
- ■ Montserrat
- ☐ Moquegua
- ☐ Morvi
- ☐ Moyen-Orient
- ■ Mozambique
- ☐ Mozambique (compagnie de)
- ☐ Mytilène
- ☐ Nabha
- ☐ Nagaland
- ■ Namibie
- ☐ Nandgame
- ☐ Nanumaga
- ☐ Nanuméa
- ☐ Natal
- ■ Nations Unies (Genève)
- ■ Nations Unies (New York)
- ■ Nations Unies (Vienne)
- ■ Nauru
- ☐ Nedjed
- ☐ Negri Sembilan
- ☐ Negri Sembilan (occupation japonaise)
- ■ Népal
- ☐ Népal (protectorat indien)
- ■ Nevis
- ■ Nicaragua
- ■ Niger
- ☐ Niger (colonie française)
- ■ Nigeria
- ☐ Nigeria du Nord
- ☐ Nigeria du Sud
- ☐ Nikolaievsk sur l'Amour
- ☐ Nisiro
- ■ Niuafo'ou
- ■ Niue
- ☐ Niutao
- ☐ Nord-Ouest Pacifique
- ■ Norfolk
- ■ Norvège
- ☐ Norvège (postes locales)

- ☐ Nossi-Bé
- ☐ Nouveau Brunswick
- ☐ Nouvelle Écosse
- ☐ Nouvelle Guinée (colonie allemande)
- ☐ Nouvelle Guinée (occupation britannique, administration australienne)
- ☐ Nouvelle Guinée Néerlandaise
- ☐ Nouvelle Guinée Néerlandaise (administration des Nations Unies)
- ☐ Nouvelle République d'Afrique du Sud
- ■ Nouvelle-Calédonie
- ☐ Nouvelle-Galles du Sud
- ☐ Nouvelles-Hébrides
- ☐ Nouvelles-Hébrides (postes locales)
- ■ Nouvelle-Zélande
- ☐ Nouvelle-Zélande (poste privée)
- ☐ Nowanuggur
- ☐ Nui
- ☐ Nukufetau
- ☐ Nukulaelae
- ■ Nunavut
- ☐ Nyassa
- ☐ Nyassaland
- ☐ Obock
- ■ Occussi-Ambeno (Sultanat d')
- ■ Océan Indien
- ☐ Océanie
- ☐ Odessa (Levant bureaux polonais)
- ☐ Odessa (Ukraine)
- ☐ Oldenbourg
- ■ Oman
- ☐ Omsk
- ☐ Orange
- ☐ Orcha
- ☐ Oubangui
- ■ Ouganda
- ☐ Outre-Djouba
- ■ Ouzbékistan
- ■ Pabay
- ☐ Pahang
- ☐ Pahang (occupation japonaise)
- ☐ Paita
- ☐ Pakhoi
- ■ Pakistan
- ■ Palau
- ☐ Palestine
- ■ Palestine (autorité palestinienne)
- ☐ Palestine (occupation égyptienne)
- ☐ Palestine (occupation transjordanienne)
- ☐ Panama-Canal
- ☐ Panama-Colombie
- ■ Panama-République
- ☐ Papouasie
- ■ Papouasie et Nouvelle-Guinée
- ■ Paraguay
- ☐ Parme
- ☐ Pasco

- ☐ Patiala
- ☐ Patmo
- ■ Pays-Bas
- ■ Pays-Bas (postes locales)
- ☐ Penang
- ☐ Penang (occupation japonaise)
- ■ Penrhyn
- ☐ Perak
- ☐ Perak (occupation japonaise)
- ☐ Perlis
- ■ Pérou
- ☐ Pérou (occupation chilienne)
- ■ Philippines
- ☐ Philippines (occupation japonaise)
- ☐ Pisco
- ☐ Piscopi
- ■ Pitcairn
- ☐ Piura
- ☐ Podolie
- ■ Pologne
- ☐ Pologne (armées polonaises en U.R.S.S.)
- ☐ Pologne (corps polonais)
- ☐ Pologne (exil)
- ☐ Pologne (occupation allemande)
- ☐ Pologne (postes locales)
- ☐ Poltava
- ■ Polynésie Française
- ☐ Ponta Delgada
- ☐ Port-Lagos
- ☐ Port-Saïd
- ■ Portugal
- ☐ Pountch
- ☐ Prince Édouard
- ☐ Prusse
- ☐ Puerto Rico
- ☐ Puno
- ■ Qatar
- ☐ Qu'Aiti (Hadramaout)
- ☐ Queensland
- ☐ Quelimane
- ☐ Rajasthan
- ☐ Rajpeepla
- ☐ Rarotonga
- ☐ Ras al Khaima
- ■ Redonda
- ■ Réunion
- ☐ Rhéno-Palatin (État)
- ☐ Rhodes
- ☐ Rhodésie
- ☐ Rhodésie du Nord
- ☐ Rhodésie du Sud
- ☐ Rhodésie-Nyassaland
- ☐ Rio de Oro
- ☐ Rio Muni
- ☐ Rio-Hacha
- ☐ Romagne
- ■ Ross (terre de)

□ Rouad
■ Roumanie
□ Roumanie (9e armée)
□ Roumanie (occupation allemande)
□ Roumanie (occupation bulgare)
□ Roumanie (occupation roumaine de la Galicie)
□ Roumélie Orientale
□ Royaume des deux Siciles
□ Ruanda-Urundi
■ Russie
□ Russie (Armée du Nord)
□ Russie (Armée du Nord-Ouest)
□ Russie (Armée Wrangel)
□ Russie (Armées de l'Ouest)
□ Russie (Armées du Sud)
□ Russie (occupation allemande)
□ Russie (occupation britannique)
□ Russie (occupation finlandaise)
□ Russie (postes locales de l'ex-U.R.S.S.)
□ Russie (république Montagnarde)
■ Rwanda
□ Ryu-Kyu
□ Sabah
□ Sahara espagnol
■ Sahara occidental
■ Saint-Christophe
■ Sainte-Hélène
■ Sainte-Lucie
□ Sainte-Marie de Madagascar
□ Saint-Kilda
■ Saint-Marin
■ Saint-Pierre et Miquelon
■ Saint-Thomas et Prince
□ Saint-Thomas-La-Guaira
■ Saint-Vincent
■ Saint-Vincent (Îles Grenadines)
■ Salomon
■ Salvador
■ Samoa
□ Samos
□ Sanda
□ Santander
□ Sarawak
□ Sarawak (administration britannique)
□ Sarawak (occupation japonaise)
□ Sardaigne
□ Sark
□ Sarre
□ Saseno
□ Saxe occidentale
□ Saxe Orientale
□ Saxe (province)
□ Saxe (royaume)
□ Scarpanto
□ Schleswig-Holstein
□ Sealand
■ Sedang (Royaume de, poste locale)

□ Selangor
□ Selangor (occupation japonaise)
■ Sénégal
□ Sénégal (colonie française)
□ Sénégambie et Niger
□ Serbie
□ Serbie (occupation allemande)
□ Serbie (République de)
□ Serbie-Krajina (République de)
□ Setchouen
■ Seychelles
□ Shanghai
□ Shanghai et Nankin (occupation japonaise)
□ Sharjah
□ Shuna
□ Siam
■ Sierra Leone
□ Silésie (Haute)
□ Silésie Orientale
■ Simi
■ Singapour
□ Singkiang
□ Sirmoor
■ Slovaquie
■ Slovénie
□ Soay
■ Somalie
□ Somalie italienne
□ Somalie italienne (occupation britannique)
□ Somaliland
□ Soruth
■ Soudan
□ Soudan (colonie française)
■ Sri Lanka
□ Staffa
□ Stampalia
□ Steep Holm
□ Stellaland
□ Stroma
□ Sud-Kasaï
□ Sud-Ouest Africain
□ Sud-Vietnam (Front de libération du)
□ Sud-Vietnam (République du)
■ Suède
■ Suisse
□ Sungei Ujong
■ Surinam
■ Swaziland
□ Syrie (administration française)
□ Syrie (état indépendant)
□ Syrie (Royaume de)
□ Szeged
■ Tadjikistan
□ Tahiti
□ Tanganyika
■ Tanzanie
□ Tasmanie

- ☐ Tch'ong-K'ing
- ■ Tchad
- ☐ Tchad (colonie française)
- ☐ Tchécoslovaquie
- ☐ Tchécoslovaquie (Légion en Sibérie)
- ☐ Tchécoslovaquie (occupation allemande des territoires des Sudètes)
- ☐ Tcheliabinsk
- ■ Tchèque (République)
- ☐ Tchernigov
- ■ Tchétchénie
- ☐ Tchita
- ☐ Temesvar (Timisiorra)
- ☐ Terre-Neuve
- ■ Terres Australes et Antarctiques françaises
- ■ Territoire Antarctique Australien
- ☐ Territoire Antarctique Néo-Zélandais
- ☐ Territoire Antarctique Russe
- ☐ Tété
- ■ Thaïlande
- ☐ Thessalie
- ☐ Thomond
- ☐ Thrace
- ☐ Thulé
- ☐ Thuringe
- ☐ Tibet
- ☐ Tiflis
- ☐ Timor
- ☐ Tlacotalpan
- ☐ Tobago
- ■ Togo
- ☐ Togo (colonie allemande)
- ☐ Togo (occupation militaire, mandat français)
- ■ Tokelau
- ☐ Tolima
- ■ Tonga
- ☐ Toscane
- ☐ Tour et Taxis
- ☐ Touva
- ☐ Transjordanie
- ☐ Transkei
- ☐ Transvaal
- ☐ Transylvanie
- ☐ Travancore
- ☐ Travancore-Cochin
- ☐ Trengganu
- ☐ Trengganu (occupation japonaise)
- ☐ Trente et Trieste
- ☐ Trentin
- ☐ Trieste (Zone A Anglo-Américaine)
- ☐ Trieste (Zone B Yougoslave)
- ■ Trinité
- ☐ Tripoli
- ☐ Tripolitaine
- ☐ Tripolitaine (occupation britannique)
- ■ Tristan da Cunha
- ☐ Tumaco
- ■ Tunisie
- ☐ Tunisie (protectorat français)
- ■ Turkménistan
- ■ Turks et Caïques
- ■ Turquie
- ☐ Turquie (Anatolie)
- ☐ Turquie (Entreprise Lianos et Cie)
- ☐ Turquie (Smyrne)
- ■ Tuvalu
- ☐ Udine
- ■ Ukraine
- ☐ Ukraine sub-carpathique
- ☐ Um al Qiwain
- ☐ Union Island
- ☐ Upper Yafa
- ■ Uruguay
- ☐ Vaitupu
- ■ Vanuatu
- ☐ Vathy
- ■ Vatican (Cité du)
- ☐ Venda
- ☐ Vénétie Julienne
- ☐ Vénétie Julienne (occupation interalliée)
- ■ Venezuela
- ☐ Victoria
- ☐ Victoria (terre de)
- ■ Vierges
- ☐ Vietnam (Empire)
- ■ Vietnam (République Socialiste)
- ☐ Vietnam du Nord
- ☐ Vietnam du Sud
- ☐ Vladivostok
- ☐ Wadhwan
- ■ Wallis et Futuna
- ☐ Wenden
- ☐ Wuhu (poste locale chinoise)
- ☐ Wurtemberg
- ☐ Wurtemberg (occupation française)
- ☐ Yca
- ☐ Yémen
- ☐ Yémen (république arabe)
- ■ Yémen (République)
- ☐ Yémen du Sud
- ■ Yougoslavie
- ☐ Yunnan
- ☐ Yunnanfou
- ☐ Zaïre
- ☐ Zambézie
- ■ Zambie
- ☐ Zanzibar
- ☐ Zanzibar (bureau français)
- ☐ Zemstvos
- ■ Zil Eloigne Sesel
- ■ Zimbabwe
- ☐ Zone de Fiume et de la Kupa
- ☐ Zoulouland

☐ Pays n'émettant plus de Timbre (*past*)
■ Pays émettant des Timbres (*present*)

■ Açores
■ Aland
■ Albanie
☐ Albanie (occupation grecque)
☐ Allemagne
☐ Allemagne (Berlin)
☐ Allemagne (occupation belge)
☐ Allemagne (occupation française)
☐ Allemagne (postes locales ou privées)
☐ Allemagne (zones Américaine, Anglaise et Soviétiques d'occupation - zones A.A.S.)
☐ Allemagne bizone (zone anglo-américaine d'occupation)
☐ Allemagne du Nord (bureau)
☐ Allemagne du Nord (confédération)
■ Allemagne Fédérale
☐ Allemagne Orientale (République Démocratique)
☐ Allemagne Orientale (zone soviétique d'occupation : émissions générales)
☐ Allemagne Orientale (zone soviétique d'occupation : postes locales)
☐ Allenstein
☐ Alsace-Lorraine
■ Andorre (bureaux espagnols)
■ Andorre (poste française)
☐ Angra
☐ Arbe et Veglia
☐ Argyrocastro
☐ Asturies et Léon
■ Aurigny
■ Autriche
☐ Autriche (postes locales ou privées)
☐ Autriche-Hongrie
☐ Autriche-Hongrie (occupation à Monténégro)
☐ Autriche-Hongrie (occupation en Italie)
☐ Autriche-Hongrie (occupation en Roumanie)
☐ Autriche-Hongrie (occupation en Serbie)
☐ Bade
☐ Bade (Grand Duché)
☐ Banat-Bacska
☐ Baranya
☐ Barcelone
☐ Bardsey
☐ Bavière
■ Belgique
☐ Belgique (occupation allemande)
☐ Bergedorf
☐ Berlin (secteur soviétique)
■ Biélorussie
☐ Birnbeck

☐ Bohème et Moravie
■ Bosnie Herzégovine
■ Brechou
☐ Brême
☐ Brunswick
■ Bulgarie
☐ Bulgarie du Sud
☐ Caldey
☐ Calf of Man
☐ Calino
☐ Calve
☐ Campione
☐ Canaries (Îles)
☐ Canna
☐ Carchi
☐ Carélie
☐ Carélie orientale (occupation finlandaise)
☐ Carinthie
☐ Carn Iar
☐ Caso
☐ Castellorizo (colonie française)
☐ Castellorizo (occupation et colonie italienne)
☐ Caucase
☐ Cavalle
☐ Cavalle (bureau français)
☐ Chemins de Fer de Bavière (Compagnie des)
■ Chypre
■ Chypre (administration turque)
☐ Compagnie Danubienne de Navigation à Vapeur
☐ Coo
☐ Corfou
☐ Crète (administration crètoise)
☐ Crète (administration grecque)
☐ Crète (bureau anglais d'Héraklion)
☐ Crète (bureau italien de la Canée)
☐ Crète (bureau russe de Rethymno)
☐ Crète (bureaux autrichiens)
☐ Crète (bureaux français)
☐ Crète (poste des insurgés)
■ Croatie
☐ Croatie (timbres d'exil)
☐ Dalmatie
■ Danemark
☐ Dantzig
☐ Dantzig (bureau polonais)
☐ Davaar
☐ Debreczen
☐ Dédéagh
☐ Dédéagh (bureau français)
☐ Easdale

☐ Égée (îles de la mer)
☐ Égée (îles de la mer) (occupation grecque)
☐ Église (États Pontificaux)
☐ Ekaterinoslav
☐ Épire
■ Espagne
☐ Espagne (émissions nationalistes)
☐ Espagne (émissions républicaines)
☐ Espagne (insurrection Carliste)
■ Estonie
☐ Estonie (occupation allemande)
☐ Estonie (occupation allemande : poste locale d'Elwa)
☐ Été (Îles de l')
☐ Eupen et Malmédy
☐ Eynhallow
■ Féroé
☐ Féroé (occupation anglaise)
■ Finlande
■ Finlande (poste locale)
☐ Fiume
■ France
☐ Funchal
☐ Gairsay
■ Géorgie
■ Gibraltar
☐ Goat
■ Grande-Bretagne
■ Grande-Bretagne (compagnies privées de chemins de fer)
■ Grande-Bretagne (postes de Noël)
■ Grèce
☐ Grunay
☐ Gruynard
■ Guernesey
☐ Guernesey (occupation allemande)
☐ Gugh
☐ Hambourg
☐ Hanovre
☐ Héligoland
☐ Herceg Bosna
☐ Herm
☐ Hilibre
☐ Hios
■ Hongrie
☐ Hongrie (émission locale de Sopron)
☐ Hongrie (occupation française)
☐ Hongrie occidentale
☐ Horta
☐ Icarie
☐ Ingrie
☐ Ioniennes (Îles) (occupation allemande)
☐ Ioniennes (Îles) (occupation italienne)
☐ Ioniennes (Îles) (possession britannique)
■ Irlande
■ Islande
☐ Isö
☐ Istrie
☐ Istrie (administration militaire yougoslave)

■ Italie
☐ Italie (comité de libération nationale)
☐ Italie (état fédéral)
☐ Italie (occupation allemande)
☐ Italie (occupation croate)
☐ Italie (occupation interalliée)
☐ Italie (occupation yougoslave)
☐ Italie (postes locales)
☐ Italie (République Sociale)
■ Jersey
☐ Jersey (occupation allemande)
☐ Jethou
☐ Kharkov
☐ Kherson
☐ Kiev
■ Kosovo
☐ Lemnos
☐ Lero
■ Lettonie
☐ Lettonie (occupation allemande)
☐ Levant (bureaux allemands)
☐ Levant (bureaux anglais)
☐ Levant (bureaux autrichiens)
☐ Levant (bureaux français)
☐ Levant (bureaux italiens)
☐ Levant (bureaux polonais)
☐ Levant (bureaux roumains)
☐ Levant (bureaux russes Armée Wrangel)
☐ Levant (bureaux russes)
■ Liechtenstein
☐ Lipso
☐ Lithou
■ Lituanie
☐ Lituanie (occupation allemande)
☐ Lituanie (occupation russe)
☐ Lituanie centrale
☐ Lituanie du Sud
☐ Lituanie du Sud (occupation polonaise)
☐ Lombardo-Vénétie
☐ Long
☐ Lubeck
☐ Lubiana-Slovénie (occupation allemande)
☐ Lubiana-Slovénie (occupation italienne)
■ Lundy
■ Luxembourg
■ Luxembourg (occupation allemande)
■ Macédoine
■ Madère
■ Malte
■ Malte (Ordre souverain de)
■ Man
☐ Marienwerder
☐ Mecklembourg-Poméranie
☐ Mecklembourg-Schwerin
☐ Mecklembourg-Strelitz
☐ Memel (administration française)
☐ Memel (occupation lituanienne)
☐ Modène

- ■ Moldavie
- ■ Monaco
- ☐ Monténégro
- ☐ Monténégro (occupation allemande)
- ☐ Monténégro (occupation italienne)
- ☐ Monténégro (timbres d'exil)
- ☐ Mytilène
- ■ Nations Unies (Genève)
- ■ Nations Unies (Vienne)
- ☐ Nisiro
- ■ Norvège
- ☐ Norvège (postes locales)
- ☐ Odessa (Levant bureaux polonais)
- ☐ Odessa (Ukraine)
- ☐ Oldenbourg
- ■ Pabay
- ☐ Parme
- ☐ Patmo
- ■ Pays-Bas
- ■ Pays-Bas (postes locales)
- ☐ Piscopi
- ☐ Podolie
- ■ Pologne
- ☐ Pologne (armées polonaises en U.R.S.S.)
- ☐ Pologne (corps polonais)
- ☐ Pologne (exil)
- ☐ Pologne (occupation allemande)
- ☐ Pologne (postes locales)
- ☐ Poltava
- ☐ Ponta Delgada
- ☐ Port-Lagos
- ■ Portugal
- ☐ Prusse
- ☐ Rhéno-Palatin (État)
- ☐ Rhodes
- ☐ Romagne
- ■ Roumanie
- ☐ Roumanie (9e armée)
- ☐ Roumanie (occupation allemande)
- ☐ Roumanie (occupation bulgare)
- ☐ Roumanie (occupation roumaine de la Galicie)
- ☐ Roumélie Orientale
- ☐ Royaume des deux Siciles
- ■ Russie
- ☐ Russie (Armée du Nord)
- ☐ Russie (Armée du Nord-Ouest)
- ☐ Russie (Armée Wrangel)
- ☐ Russie (Armées de l'Ouest)
- ☐ Russie (Armées du Sud)
- ☐ Russie (occupation allemande)
- ☐ Russie (occupation britannique)
- ☐ Russie (occupation finlandaise)
- ☐ Russie (postes locales de l'ex-U.R.S.S.)
- ☐ Russie (république Montagnarde)
- ☐ Saint-Kilda
- ■ Saint-Marin
- ☐ Samos
- ☐ Sanda

- ☐ Sardaigne
- ☐ Sark
- ☐ Sarre
- ☐ Saseno
- ☐ Saxe occidentale
- ☐ Saxe Orientale
- ☐ Saxe (province)
- ☐ Saxe (royaume)
- ☐ Scarpanto
- ☐ Schleswig-Holstein
- ☐ Sealand
- ☐ Serbie
- ☐ Serbie (occupation allemande)
- ☐ Serbie (République de)
- ☐ Serbie-Krajina (République de)
- ☐ Shuna
- ☐ Silésie (Haute)
- ☐ Silésie Orientale
- ☐ Simi
- ■ Slovaquie
- ■ Slovénie
- ☐ Soay
- ☐ Staffa
- ☐ Stampalia
- ☐ Steep Holm
- ☐ Stroma
- ■ Suède
- ■ Suisse
- ☐ Szeged
- ☐ Tchécoslovaquie
- ☐ Tchécoslovaquie (Légion en Sibérie)
- ☐ Tchécoslovaquie (occupation allemande des territoires des Sudètes)
- ■ Tchèque (République)
- ☐ Tchernigov
- ☐ Temesvar (Timisiorra)
- ☐ Thessalie
- ☐ Thomond
- ☐ Thrace
- ☐ Tiflis
- ☐ Toscane
- ☐ Tour et Taxis
- ☐ Transylvanie
- ☐ Trente et Trieste
- ☐ Trentin
- ☐ Trieste (Zone A Anglo-Américaine)
- ☐ Trieste (Zone B Yougoslave)
- ■ Turquie
- ☐ Turquie (Entreprise Lianos et Cie)
- ☐ Udine
- ■ Ukraine
- ☐ Ukraine sub-carpathique
- ☐ Vathy
- ■ Vatican (Cité du)
- ☐ Vénétie Julienne
- ☐ Vénétie Julienne (occupation interalliée)
- ☐ Wenden
- ☐ Wurtemberg

☐ Pays n'émettant plus de Timbre (*past*)
■ Pays émettant des Timbres (*present*)

☐ Afars et Issas (Territoire des)
☐ Afrique centrale britannique
☐ Afrique du Sud (compagnie britannique de l')
■ Afrique du Sud (Union de l')
☐ Afrique du Sud-Ouest (colonie allemande)
☐ Afrique Équatoriale
☐ Afrique Occidentale
☐ Afrique occidentale espagnole
☐ Afrique orientale allemande (colonie allemande)
☐ Afrique orientale allemande (occupation britannique)
☐ Afrique orientale britannique
☐ Afrique orientale italienne
☐ Afrique portugaise
☐ Alexandrie
■ Algérie
☐ Algérie (département français)
■ Angola
☐ Anjouan
■ Anjouan (État d')
■ Ascension
☐ Basoutoland
☐ Bechuanaland (colonie britannique)
☐ Bechuanaland (protectorat britannique)
☐ Bengasi (Cyrénaïque)
■ Bénin
☐ Bénin (colonie française)
☐ Biafra
☐ Bophuthatswana
■ Botswana
■ Burkina
■ Burundi
■ Cameroun
☐ Cameroun (colonie française)
☐ Cameroun allemand
☐ Cameroun britannique
☐ Canal de Suez
☐ Cap de Bonne-Espérance (colonie britannique)
☐ Cap de Bonne-Espérance (guerre anglo-boer)
☐ Cap Juby
■ Cap-Vert
■ Centrafricaine
☐ Ciskei
☐ Colonies françaises
☐ Colonies italiennes
☐ Colonies portugaises
■ Comores
☐ Comores (colonie française et TFO)
■ Congo

☐ Congo (belge, état indépendant, république, république démocratique)
☐ Congo (colonie française)
■ Congo (république démocratique)
☐ Congo portugais
■ Côte d'Ivoire
☐ Côte d'Ivoire (colonie française)
☐ Côte de l'Or
☐ Côte des Somalis
☐ Côte du Niger
☐ Cyrénaïque (colonie italienne)
☐ Cyrénaïque (occupation britannique)
☐ Dahomey
☐ Dahomey (colonie française)
☐ Diégo-Suarez
■ Djibouti
■ Égypte
☐ Elobey, Annobon & Corisco
☐ Érythrée (colonie italienne)
☐ Érythrée (occupation britannique)
■ Érythrée (République)
☐ Est-Africain
■ Éthiopie
☐ Éthiopie (occupation italienne)
☐ Fernando Poo
☐ Fezzan
■ Gabon
☐ Gabon (colonie française)
■ Gambie
☐ Ghadamès
■ Ghana
☐ Grande Comore
☐ Griqualand
■ Guinée
☐ Guinée (colonie française)
■ Guinée équatoriale
☐ Guinée espagnole
☐ Guinée portugaise
■ Guinée-Bissau
☐ Haute-Volta
☐ Haute-Volta (colonie française)
☐ Haut-Sénégal et Niger
☐ Ifni
☐ Inhambane
☐ Katanga
■ Kenya
☐ Kenya et Ouganda
☐ Kionga

□ La Agüera
□ Lagos
■ Lesotho
□ Levant (bureaux français)
■ Libéria
■ Libye
□ Lorenzo-Marquès
■ Madagascar
□ Madagascar (colonie française)
□ Madagascar (poste britannique)
□ Majunga
■ Malawi
■ Mali
■ Maroc
□ Maroc (bureaux allemands)
□ Maroc (bureaux espagnols)
□ Maroc (bureaux et protectorat français)
□ Maroc (Postes Chérifiennes)
□ Maroc (postes locales)
□ Maroc (zone nord ex-espagnole)
□ Maroc anglais (Tanger)
□ Maroc anglais (tous les bureaux <1918, zone
   espagnole)
□ Maroc anglais (tous les bureaux)
□ Maroc anglais (zone française)
■ Maurice
■ Mauritanie
□ Mauritanie (colonie française)
■ Mayotte
□ Melilla (expédition militaire)
□ Mohéli
□ Moyen-Orient
■ Mozambique
□ Mozambique (compagnie de)
■ Namibie
□ Natal
■ Niger
□ Niger (colonie française)
■ Nigeria
□ Nigeria du Nord
□ Nigeria du Sud
□ Nossi-Bé
□ Nouvelle République d'Afrique du Sud
□ Nyassa
□ Nyassaland
□ Obock
■ Océan Indien
□ Orange
□ Oubangui
■ Ouganda
□ Outre-Djouba
□ Port-Saïd
□ Quelimane
■ Réunion

□ Rhodésie
□ Rhodésie du Nord
□ Rhodésie du Sud
□ Rhodésie-Nyassaland
□ Rio de Oro
□ Rio Muni
□ Ruanda-Urundi
■ Rwanda
□ Sahara espagnol
■ Sahara occidental
■ Sainte-Hélène
□ Sainte-Marie de Madagascar
■ Saint-Thomas et Prince
■ Sénégal
□ Sénégal (colonie française)
□ Sénégambie et Niger
■ Seychelles
■ Sierra Leone
■ Somalie
□ Somalie italienne
□ Somalie italienne (occupation britannique)
□ Somaliland
■ Soudan
□ Soudan (colonie française)
□ Stellaland
□ Sud-Kasaï
□ Sud-Ouest Africain
■ Swaziland
□ Tanganyika
■ Tanzanie
■ Tchad
□ Tchad (colonie française)
□ Tété
■ Togo
□ Togo (colonie allemande)
□ Togo (occupation militaire, mandat français)
□ Transkei
□ Transvaal
□ Tripoli
□ Tripolitaine
□ Tripolitaine (occupation britannique)
■ Tristan da Cunha
■ Tunisie
□ Tunisie (protectorat français)
□ Venda
□ Zaïre
□ Zambézie
□ Zambie
□ Zanzibar
□ Zanzibar (bureau français)
■ Zil Eloigne Sesel
■ Zimbabwe
□ Zoulouland

YVERT & TELLIER

Liste alphabétique des émissions d'Amériques
(alphabetical list of past and present postal authorities in the Americas)

☐ Pays n'émettant plus de Timbre (*past*)
■ Pays émettant des Timbres (*present*)

☐ Ancachs
■ Anguilla
■ Antarctique britannique
■ Antigua
☐ Antilles danoises
☐ Antilles espagnoles
■ Antilles néerlandaises
☐ Antioquia
☐ Apurimac
☐ Arequipa
■ Argentine
☐ Argentine (poste locale)
■ Aruba
☐ Ayacucho
■ Bahamas
■ Barbade
■ Barbuda
■ Belize
■ Béquia
■ Bermudes
☐ Bluefield
☐ Bogota
☐ Bolivar
■ Bolivie
☐ Boyaca
■ Brésil
☐ Buenos Aires
☐ Cabo
■ Caïmanes (Îles)
☐ Caïques
☐ Campeche
■ Canada
☐ Carthagène
☐ Cauca
☐ Chachapoyas
☐ Cayes
☐ Chala
☐ Chiapas
☐ Chiclayo
☐ Chihuahua
■ Chili
☐ Coamo
■ Colombie
☐ Colombie britannique
☐ Colonies françaises
☐ Compagnie Condor
☐ Compagnie E.T.A.
☐ Compagnie Varig

☐ Cordoba
☐ Corrientes
■ Costa Rica
☐ Counani (République du)
☐ Cuautla
■ Cuba
☐ Cucuta
☐ Cuernavaca
☐ Cundinamarca
☐ Curaçao
☐ Cuzco
■ Dominicaine
■ Dominique
☐ Entre-Rios
■ Équateur
☐ États Confédérés d'Amérique (émissions des Maîtres de postes)
☐ États Confédérés d'Amérique (émissions générales)
■ États-Unis d'Amérique
☐ Etats-Unis d'Amérique (émissions des Maîtres de postes)
☐ États-Unis d'Amérique (postes locales et privées)
☐ États-Unis d'Amérique (compagnies privées de télégraphe)
■ Falkland
■ Falkland (dépendances)
☐ Garzon
■ Grenade
■ Grenadines
■ Groenland
☐ Guadalajara
☐ Guadeloupe
☐ Guanacaste
■ Guatemala
■ Guyane
☐ Guyane (colonie française)
■ Haïti
☐ Honda
■ Honduras
☐ Honduras britannique
☐ Huacho
☐ Inini
■ Jamaïque
☐ Leeward
☐ Manizales
☐ Martinique
☐ Medellin
☐ Merida

- Mexique
- Montserrat
- ☐ Moquegua
- Nations Unies (New York)
- Nevis
- Nicaragua
- ☐ Nouveau Brunswick
- ☐ Nouvelle Écosse
- Nunavut
- ☐ Paita
- ☐ Panama-Canal
- ☐ Panama-Colombie
- Panama-République
- Paraguay
- ☐ Pasco
- Pérou
- ☐ Pérou (occupation chilienne)
- ☐ Pisco
- ☐ Piura
- ☐ Prince Édouard
- ☐ Puerto Rico
- ☐ Puno
- Redonda
- ☐ Rio-Hacha

- Saint-Christophe
- Sainte-Lucie
- Saint-Pierre et Miquelon
- ☐ Saint-Thomas-La-Guaira
- Saint-Vincent
- Saint-Vincent (Îles Grenadines)
- Salvador
- ☐ Santander
- Surinam
- ☐ Terre-Neuve
- ☐ Thulé
- ☐ Thuringe
- ☐ Tlacotalpan
- ☐ Tobago
- ☐ Tolima
- Trinité
- ☐ Tumaco
- Turks et Caïques
- ☐ Union Island
- Uruguay
- Venezuela
- Vierges
- ☐ Yca

Liste alphabétique des émissions d'Asie
(alphabetical list of past and present postal authorities in Asia)

☐ Pays n'émettant plus de Timbre (*past*)
■ Pays émettant des Timbres (*present*)

☐ Abou Dhabi
☐ Aden
■ Afghanistan
☐ Ain-Tab
☐ Ajman
☐ Alaouites
☐ Alexandrette (administration française)
☐ Alexandrette (administration turque)
☐ Alwar
☐ Annam et Tonkin
☐ Arabie du Sud
■ Arabie du Sud Est
■ Arabie Saoudite
■ Arménie
☐ Azad Hind
■ Azerbaïdjan
☐ Bahawalpur
■ Bahrain
☐ Bamra
☐ Bangkok
■ Bangladesh
☐ Barwani
☐ Bhopal
☐ Bhore
■ Bhoutan
☐ Bijawar
■ Birmanie
☐ Birmanie (administration militaire)
☐ Birmanie (armée de l'indépendance)
☐ Birmanie (Dominion britannique)
☐ Birmanie (occupation japonaise)
☐ Blagoviechtchensk
☐ Bouchir
☐ Bundi
☐ Bussahir
☐ Cachemire
■ Cambodge
☐ Canton
☐ Ceylan
☐ Chamba
☐ Charkhari
■ Chine
☐ Chine (bureaux allemands)
☐ Chine (bureaux anglais)
☐ Chine (bureaux des États-Unis)
☐ Chine (bureaux français)
☐ Chine (bureaux italiens)
☐ Chine (bureaux japonais)

☐ Chine (bureaux russes : émission de Kharbine)
☐ Chine (bureaux russes)
☐ Chine (poste locale)
☐ Chine centrale
☐ Chine du nord
☐ Chine du nord (occupation japonaise)
☐ Chine du nord-est
☐ Chine du sud
☐ Chine du sud-ouest
☐ Chine orientale
☐ Cilicie
☐ Cochin
☐ Cochinchine
☐ Colonies françaises
☐ Colonies portugaises
☐ Corée (bureaux japonais)
☐ Corée (royaume, empire)
■ Corée du Nord
■ Corée du Sud
☐ Corée du Sud (occupation par les forces nord-coréennes)
☐ Datia
☐ Dhar
☐ Dhofar
☐ Dubaï
■ Émirats arabes unis
☐ États Princiers de l'Inde
☐ Faridkot
☐ Faridkot (protectorat britannique)
☐ Fatah
■ Formose
☐ Fujeira
☐ Grand Liban
☐ Gwalior
☐ Haiderabad
☐ Haut-Karabakh (république)
☐ Hedjaz
☐ Hoï-Hao
☐ Holkar
■ Hong Kong
☐ Hong Kong (occupation japonaise)
☐ Idar
■ Inde
☐ Inde (établissements français)
☐ Inde anglaise
☐ Inde anglaise (occupation japonaise des Îles Andaman)
☐ Inde néerlandaise

- ☐ Inde néerlandaise (occupation japonaise)
- ☐ Inde néerlandaise (république indonésienne)
- ☐ Inde portugaise
- ☐ Indochine
- ■ Indonésie
- ☐ Indonésie (territoire de l'ex-Nouvelle-Guinée néerlandaise)
- ■ Irak
- ■ Iran
- ☐ Iran (poste locale)
- ■ Israël
- ☐ Jaipur
- ■ Japon
- ☐ Japon (occupation australienne)
- ☐ Jasdan
- ☐ Jérusalem (bureau consulaire français)
- ☐ Jhalawar
- ☐ Jhind
- ☐ Jhind (protectorat britannique)
- ☐ Johore
- ☐ Johore (occupation japonaise)
- ■ Jordanie
- ☐ Kampuchéa
- ☐ Kathiri (Seyun)
- ■ Kazakhstan
- ☐ Kedah
- ☐ Kedah (occupation japonaise)
- ☐ Kelantan
- ☐ Kelantan (occupation japonaise)
- ☐ Kelantan (occupation thaïlandaise)
- ☐ Khmère
- ☐ Khor Fakkan
- ☐ Kiao-Tchéou
- ■ Kirghiztan
- ☐ Kishengarh
- ☐ Kouang-Tchéou
- ■ Kurdistan Irakien
- ■ Kuwait
- ■ Laos
- ☐ Las Bela
- ☐ Lattaquié
- ☐ Levant (bureaux allemands)
- ☐ Levant (bureaux anglais)
- ☐ Levant (bureaux autrichiens)
- ☐ Levant (bureaux français)
- ☐ Levant (bureaux italiens)
- ☐ Levant (bureaux russes Armée Wrangel)
- ☐ Levant (bureaux russes)
- ■ Liban
- ■ Macao
- ☐ Mahra
- ☐ Malacca (administration militaire britannique)
- ☐ Malacca (établissements des détroits de Malacca et Singapour)
- ☐ Malacca (état fédéré de Malaysia)
- ☐ Malacca (occupation japonaise)
- ☐ Malaisie
- ☐ Malaisie (occupation japonaise)
- ☐ Malaisie (occupation thaïlandaise)
- ■ Malaysia
- ■ Maldives
- ☐ Manama
- ☐ Mandchourie
- ☐ Mandchourie (Chine)
- ☐ Mascate
- ☐ Mascate, Oman, Dubaï et Qatar
- ☐ Moluques du Sud
- ■ Mongolie
- ☐ Mong-Tzeu
- ☐ Morvi
- ☐ Nabha
- ☐ Nagaland
- ☐ Nandgame
- ☐ Nedjed
- ☐ Negri Sembilan
- ☐ Negri Sembilan (occupation japonaise)
- ■ Népal
- ☐ Népal (protectorat indien)
- ☐ Nikolaievsk sur l'Amour
- ☐ Nowanuggur
- ■ Occussi-Ambeno (Sultanat d')
- ■ Oman
- ☐ Omsk
- ☐ Orcha
- ☐ Ouzbékistan
- ☐ Pahang
- ☐ Pahang (occupation japonaise)
- ☐ Pakhoi
- ■ Pakistan
- ☐ Palestine
- ■ Palestine (autorité palestinienne)
- ☐ Palestine (occupation égyptienne)
- ☐ Palestine (occupation transjordanienne)
- ☐ Patiala
- ☐ Penang
- ☐ Penang (occupation japonaise)
- ☐ Perak
- ☐ Perak (occupation japonaise)
- ☐ Perlis
- ☐ Pountch
- ■ Qatar
- ☐ Qu'Aiti (Hadramaout)
- ☐ Rajasthan
- ☐ Rajpeepla
- ☐ Ras al Khaima
- ☐ Rouad
- ■ Russie
- ☐ Russie (postes locales de l'ex-U.R.S.S.)
- ☐ Ryu-Kyu
- ☐ Sabah
- ☐ Sarawak
- ☐ Sarawak (administration britannique)
- ☐ Sarawak (occupation japonaise)
- ■ Sedang (Royaume de, poste locale)

- ☐ Selangor
- ☐ Selangor (occupation japonaise)
- ☐ Setchouen
- ☐ Shanghai
- ☐ Shanghai et Nankin (occupation japonaise)
- ☐ Sharjah
- ☐ Siam
- ■ Singapour
- ☐ Singkiang
- ☐ Sirmoor
- ☐ Soruth
- ■ Sri Lanka
- ☐ Sud-Vietnam (Front de libération du)
- ☐ Sud-Vietnam (République du)
- ☐ Sungei Ujong
- ☐ Syrie (administration française)
- ■ Syrie (état indépendant)
- ☐ Syrie (Royaume de)
- ■ Tadjikistan
- ☐ Tch'ong-K'ing
- ☐ Tcheliabinsk
- ■ Tchétchénie
- ☐ Tchita
- ■ Thaïlande
- ☐ Tibet
- ☐ Touva

- ☐ Transjordanie
- ☐ Travancore
- ☐ Travancore-Cochin
- ☐ Trengganu
- ☐ Trengganu (occupation japonaise)
- ■ Turkménistan
- ■ Turquie
- ☐ Turquie (Anatolie)
- ☐ Turquie (Entreprise Lianos et Cie)
- ☐ Turquie (Smyrne)
- ☐ Um al Qiwain
- ☐ Upper Yafa
- ☐ Vietnam (Empire)
- ■ Vietnam (République Socialiste)
- ☐ Vietnam du Nord
- ☐ Vietnam du Sud
- ☐ Vladivostok
- ☐ Wadhwan
- ☐ Wuhu (poste locale chinoise)
- ☐ Yémen
- ☐ Yémen (république arabe)
- ■ Yémen (République)
- ☐ Yémen du Sud
- ☐ Yunnan
- ☐ Yunnanfou
- ☐ Zemstvos

Liste alphabétique des émissions d'Océanie et Antarctique
(alphabetical list of past and present postal authorities in Australasia and Pacific Ocean)

□ Pays n'émettant plus de Timbre (*past*)
■ Pays émettant des Timbres (*present*)

■ Aitutaki
■ Australie
□ Australie du Sud
□ Australie occidentale
□ Bornéo du Nord
□ Bornéo du Nord (administration militaire)
□ Bornéo du Nord (occupation japonaise)
■ Brunei
□ Brunei (occupation japonaise)
□ Carolines
■ Christmas
■ Cocos
■ Cook
□ Édouard VII (terre d')
■ Fidji
□ Funafuti
□ Gilbert
□ Gilbert & Ellice
□ Guam (occupation américaine)
□ Guam (poste locale)
□ Hawaï
■ Kiribati
□ Labuan
■ Lord Howe (Île)
□ Mariannes
■ Marshall
■ Micronésie
□ Nanumaga
□ Nanuméa
■ Nauru
■ Niuafo'ou
■ Niue
□ Niutao
□ Nord-Ouest Pacifique
■ Norfolk
□ Nouvelle Guinée (colonie allemande)
□ Nouvelle Guinée (occupation britannique, administration australienne)
□ Nouvelle Guinée Néerlandaise

□ Nouvelle Guinée Néerlandaise (administration des Nations Unies)
■ Nouvelle-Calédonie
□ Nouvelle-Galles du Sud
□ Nouvelles-Hébrides
□ Nouvelles-Hébrides (postes locales)
■ Nouvelle-Zélande
□ Nouvelle-Zélande (poste privée)
□ Nui
□ Nukufetau
□ Nukulaelae
□ Océanie
■ Palau
□ Papouasie
■ Papouasie et Nouvelle-Guinée
■ Penrhyn
■ Philippines
□ Philippines (occupation japonaise)
■ Pitcairn
■ Polynésie Française
□ Queensland
□ Rarotonga
■ Ross (terre de)
■ Salomon
■ Samoa
□ Tahiti
□ Tasmanie
■ Terres Australes et Antarctiques françaises
■ Territoire Antarctique Australien
□ Territoire Antarctique Néo-Zélandais
□ Territoire Antarctique Russe
□ Timor
■ Tokelau
■ Tonga
■ Tuvalu
□ Vaitupu
■ Vanuatu
□ Victoria
□ Victoria (terre de)
■ Wallis et Futuna

Pré-presses : Editions YVERT et TELLIER – Amiens
Photocomposition et impression : JOUVE – Paris
Brochage : SIRC – Marigny-le-Chatel
Dépôt légal : Décembre 2002